Literatur über Literatur

Dieses Buch erscheint im Rahmen des
Österreich-Schwerpunkts zur Frankfurter Buchmesse 1995
im Auftrag des Bundesministeriums für Wissenschaft,
Forschung und Kunst und des Hauptverbandes des
österreichischen Buchhandels.

Literatur über Literatur

Eine österreichische Anthologie

Herausgegeben von
Petra Nachbaur und Sigurd Paul Scheichl

Mit einem Vorwort
von Wendelin Schmidt-Dengler

Die Deutsche Bibliothek – CIP-Einheitsaufnahme

Literatur über Literatur : eine österreichische Anthologie /
Petra Nachbaur ; Sigurd Paul Scheichl (Hg.).
– Graz : Verl. Styria, 1995
ISBN 3-222-12357-8
NE: Nachbaur, Petra [Hrsg.]

Lektorat, Gestaltung und Herstellung: Haymon-Verlag
Vertrieb: Styria
Umschlaggestaltung: Büro X, Wien

© der einzelnen Beiträge siehe Verzeichnis der Druckvorlagen im Anhang
© der Anthologie: Haymon-Verlag, Innsbruck 1995
Alle Rechte vorbehalten / Printed in Austria
Satz: Typomedia, Neunkirchen
Druck und Bindearbeit: Wiener Verlag, Himberg

Inhaltsverzeichnis

heine
rilke   rühm
rosegger   böll

gomringer
goethe   meyer

brecht
stifter

waldlandschaft

WENDELIN SCHMIDT-DENGLER
Vorwort

1. Vaterländische Listen

»In der Tat brauchen wir nur dort fortzusetzen, wo uns die Träume eines Irren unterbrochen haben, in der Tat brauchen wir nicht voraus-, sondern nur zurückblicken« – nicht ohne Grund hat diese Devise Alexander Lernet-Holenias, geschrieben am 17. Oktober 1945 in St. Wolfgang im Salzkammergut, Karriere gemacht (149).[1] Ein Alptraum, so scheint es, waren die Jahre von 1938 bis 1945 gewesen, ein Alptraum, der das Werk eines andern war, und die Erinnerung daran muß im Zeichen der Wiedergewinnung von Kontinuität und Tradition verscheucht werden, und dies gerade zu einem Zeitpunkt, da die Katastrophe ihren Höhepunkt erreicht hatte und das, woran man anknüpfen hätte können, völlig zerstört schien. Eine spezifisch österreichische Tradition wiederzugewinnen, ja überhaupt wieder zu entdecken, das konnte sich auch auf einen überparteilichen Konsens berufen, und dafür schien die Literatur aus Österreich die beste und verläßlichste Gewähr zu bieten. »Es lebe Karl Kraus! Es lebe die österreichische Solidarität!« rief Viktor Matejka, damals kommunistischer Stadtrat in Wien, im zweiten Heft des Plan[2], mit dem eine 1938 begonnene Zeitschrift fortgesetzt wurde. Mit Karl Kraus – für den Herausgeber des Plan Otto Basil war dieser das entscheidende Vorbild – wird eine Autorität namhaft gemacht, die für viele, wenngleich nicht für alle Schriftsteller der jüngeren Generation verbindlich werden konnte. Hans Weigel feierte in einem Sonett die Tatsache, daß Kraus in der Zeitung Die Presse am 26. Jänner 1946 im Feuilleton genannt worden war, als den Beginn einer neuen Ära.[3]

Diese emphatische Heimholung der Tradition darf freilich nicht mit einem billigen Hurrapatriotismus verwechselt werden; den jüngeren Autoren waren die verheerenden Kriegsfolgen nur allzu deutlich bewußt: An Restauration war für viele vorerst nicht zu denken, vor allem gab es damals in Österreich nur wenige Autoritäten, auf die man sich bedenkenlos berufen konnte. Über den Dichter Josef Weinheber und den Literaturhistoriker Josef Nadler fanden heftige Debatten gerade im Plan statt, der durch die Auswahl der Texte zu einer Weltliteratur hinzuführen versuchte, die den österreichischen Lesern bis dahin verschlossen war: Louis Aragon, Albert Camus, T. S. Eliot, Paul Eluard, Federico Garcia Lorca, Wladimir Majakowski, Jean-Paul Sartre, um nur einige zu nennen. Aber das neue Pantheon mußte auch durch zwei Namen aus der deutschsprachigen Literatur ergänzt werden:

11

Franz Kafka und Bertolt Brecht. Aus dem Gefühl des Mangels in ein Vakuum hinein zu schreiben: So ließe sich in etwa die Situation der jüngeren Autoren nach 1945 charakterisieren. Der Verlust an intellektuellem Potential, den Österreich bereits in der Ära des Ständestaates, vor allem aber während des Naziregimes erlitten hatte, erweist sich als nicht mehr behebbar.

Es war daher naheliegend, an das, was nahe lag, anzuschließen: Sich dadurch selbst zu bestimmen, daß eine österreichische Tradition neu konstruiert und etabliert wurde, mutete mitunter etwas naiv an, förderte aber zum anderen Qualitäten zutage, die in den Werken des überkommenen – und meist von der deutschen Literaturgeschichtsschreibung bestimmten – Kanons nicht vorhanden waren. Über eine *vaterländische liste* (42), wie Konrad Bayer sie sich zurechtlegte, mochten die meisten Autoren verfügen, wobei die darin Aufgenommenen freilich nicht als Monumente in der Säulenhalle einer neu zu schaffenden Nationalliteratur zu figurieren hatten; mit ihren Namen wird vielmehr auf einen höchst wirksamen Intertext verwiesen, und wenn Konrad Bayer Walter Serner, Albert Ehrenstein und Raoul Hausmann anführt, so wird damit der Zusammenhang auch zu einer verschütteten, und doch auch mit Österreich zusammenhängenden Tradition der Avantgarde hergestellt, in der sich die gleichfalls vertretenen Kollegen Oswald Wiener, Friedrich Achleitner, Gerhard Rühm und H. C. Artmann auch begreifen konnten. Zum anderen wird mit Oswald von Wolkenstein, Johann Beer, Johann Nestroy und Ferdinand Raimund eine vitale, gegenklassische Traditionslinie erkennbar. »die musterschüler von kalkvater grillparzer wohnen im gartenhäuschen«, meint Konrad Bayer recht despektierlich über diesen österreichischen Klassiker (162), der gerade in der Nachkriegszeit immer wieder dazu herhalten mußte, das Besondere des Österreichischen in der Literatur idealtypisch im Versagen und Sich-Versagen, in der »Flucht vor der Größe« (Hans Weigel) und in resignierender Weisheit zu erblicken. Das Werk Grillparzers, mit dessen Drama *König Ottokars Glück und Ende* das Burgtheater 1955 wieder eröffnet wurde, erhielt somit gleichsam eine staatstragende Funktion, und daß dies Abnützungserscheinungen zur Folge hatte, ist nur zu verständlich. Doch einen Ansatz, auch diesen Autor neu zu lesen, liefert Peter Handke in seiner Dankesrede anläßlich der Verleihung des Grillparzer-Preises im Jahre 1991, worin er die »schöne Zagheit, Zahmheit, Fasttonlosigkeit und Schwachheit« würdigt und dies in der »Gestalt eines von der Historie energisch losgesagten und so vielleicht umso tatkräftigeren Werks« vermutet (46). Ob es sich um Friederike Mayröckers kleine, nur sechs Namen umfassende Liste (45) oder Werner Koflers rabiates Bekenntnis in alphabetischer Folge unter dem Titel

Der wilde Jäger, prompt (43) oder um Ernst Jandls witzigen Aphorismus zur Sippe der neuen österreichischen Avantgarde unter dem Titel *verwandte* (149) handelt, allenthalben wird spürbar, daß der lokale Kontext keine bloße Fiktion ist und in den fünfzig Jahren der Zweiten Republik die personalen Verflechtungen auch zu einer – gerade in den letzten zehn Jahren – vitalen intertextuellen Dynamik geführt haben. »dunkle beherrscher meiner abwesenheiten« sind für Gerhard Kofler jene, an deren Texten sich offenkundig das eigene Schreiben abarbeitet (44); Handke erlebt die Epiphanie Grillparzers beim Anblick eines Pariser Clochards, in den sich offenkundig dessen »Armer Spielmann« verwandelt hat (48f).

Die Wirksamkeit keines österreichischen Autors des 19. Jahrhunderts für die Literatur nach 1945 läßt sich mit der Stifters vergleichen, der für Ilse Aichinger »seine Wörter aus dem Schweigen holt« (57) und dessen *Vorrede zu den Bunten Steinen* für Julian Schutting Anlaß zur produktiven Umgestaltung wurde.[4] Jean Améry spricht im Zusammenhang von Ingeborg Bachmanns Erzählungsband *Simultan* von einem »methodischen Zurückschreiten in eine ältere österreichische Sprachwelt« (215), und das führt zu Figuren aus Hofmannsthals *Der Schwierige* und Joseph Roths *Kapuzinergruft.* »Vom Zufall des Gelesenen hängt es ab, was man ist« – Josef Winkler zitiert diesen Satz Canettis im Bericht über seine Lektüre Thomas Bernhards, dessen Schriften »die Lawine der Bilder« für seinen dritten Roman (*Muttersprache*, 1982) losgetreten habe (217).

Zur Etablierung einer neuen Tradition gehört allerdings auch die Tilgung oder Überwindung dessen, was man für falsch oder unproduktiv hält: Gerhard Rühms *verbesserung eines sonetts von anton wildgans durch neumontage des wortmaterials* (94) kann als der beispielhafte Versuch einer solchen Umorientierung angesehen werden, durch die ein Text demontiert wird, der mit der Last semantischer und formaler Überschüsse imponieren will. *der gewöhnliche rilke* nannte Ernst Jandl einen im Jahr von Rilkes 100. Geburtstag verfaßten Gedichtzyklus, womit er dessen Namen freilich nicht von der »Vaterländischen Liste« streichen will, sondern den Anspruch des Werks und des Autors auf überzeitliche Gültigkeit reduziert, indem er das bewußt macht, was an einem Autor sterblich ist und wir alle daher mit ihm gemein haben. Auch *rilkes name* kann so dem Vergessen anheimfallen (80).

Wenn Gerhard Rühm Goethes berühmtes Gedicht *Ein Gleiches (Wanderers Nachtlied)* umdichtet (68) und aus den Schlußzeilen »pass auf, im nu / verstummst auch du« macht, wenn er den *Erlkönig* »einwienert« (148), so ist das nicht primär als Parodie zu verstehen, die sich von einer beklemmenden Traditionslast zu befreien sucht, sondern als der Versuch, im Zitatcharakter auch die eigene Leistung transparent zu machen, die nicht von ungefähr an die Praktiken des Wiener Volkstheaters im 18. und 19. Jahrhundert erinnert, das die Stoffe der hohen Literatur auf seiner Bühne in bizarrer und effektvoller Verfremdung präsentierte und sich nicht scheute, aus Werther einen Kupferschmied oder aus Fiesco einen Salamikrämer zu machen.

Ähnlich ist auch Jandls Absage an die Verbindlichkeit der Form und Thematik klassischer Gedichte für seine Generation, wenn auch er Goethes *Ein Gleiches* einfach abschreibt und mit dem Copyrightvermerk »ernst jandl, 1968« versieht (Literatur und Kritik 4, 1969, S. 81; vgl. hier S. 68). Unter dem Titel *Österreichische Beiträge zu einer modernen Weltdichtung* wollte Ernst Jandl 1966 unter Verweis auf die Wiener Gruppe, Friederike Mayröcker, Gunter Falk und auch auf die eigene Arbeit den Anteil der österreichischen Autoren an einer »konkreten« und »experimentellen« Literatur bewußt machen, deren Weltgeltung durch Namen wie Stramm, Arp, Schwitters, Gertrude Stein und Joyce verbürgt wird.[5]

Damit ist die Opposition zu der von Lernet-Holenia umrissenen Einstellung am deutlichsten markiert: Nicht auf eine Wiederbelebung austriazistischen Selbstverständnisses kommt es an, sondern darauf, daß die österreichische Literatur einen Beitrag zu einer »modernen Weltdichtung« leiste, deren Konturen eben nicht mehr durch dieses »alte Österreich« bestimmbar wären, eben durch das Land, welches nach der Auffassung Lernet-Holenias »das Prinzip enger Nationalität zugunsten seiner Kultur, seiner Lebensart und seiner politischen Tradition längst aufgehoben hatte« (149f.). Die österreichische Literatur vom übernationalen Charakter der untergegangenen Habsburgermonarchie her zu bestimmen und somit die Zweite Republik zum legitimen Verwalter der Konkursmasse des Vielvölkerstaates zu machen, ist dieser Haltung fremd, war aber im restaurativen Klima der fünfziger Jahre durchaus angesagt: Ihm verdankte man auch die von Friedrich Torberg in die Wege geleitete Entdeckung Fritz von Herzmanovsky-Orlandos, dessen Skurrilität zum gültigen Markenzeichen des Österreichischen und dessen Name zur kurrenten Münze für einen absurden und für Österreich kennzeichnenden Sachverhalt werden konnte. Mit ihm schien eine im Vergleich zu Kafka gefälligere, weil eher österreichische Variante des Absurden gefunden, die mit ironischer Gelassenheit und distanzierendem Humor dem Unfaßbaren des Alltags und der Geschichte zu begegnen wußte, so daß Torberg sogar den Untergang der Donaumonarchie »als die katastrophalste Humorlosigkeit der Weltgeschichte« bezeichnen zu können meinte (81). Joseph Roth ist für Torberg der zweite

Kronzeuge für dieses Fortleben der Monarchie in der Literatur, dessen österreichisches Schicksal Anlaß zur Verklärung gibt: »Er ging daran zugrunde, daß er ein Dichter und ein Österreicher war.« (106) Für die Generation Torbergs ist Joseph Roth das beste Beispiel der Wiedergewinnung einer österreichischen Tradition und Kontinuität, die sich fast bruchlos bis in die Zeit vor 1918 zurückführen ließ; ob man damit auch dem erzählerischen wie feuilletonistischen Werk Roths und seinem Zusammenhang mit der Weimarer Republik und den Facetten seiner politischen Biographie gerecht wird, stand noch nicht zur Diskussion.

Die meisten Versuche der Autoren über ihre Kollegen verdanken sich nicht einem analytischen Impuls, sondern reflektieren eher die Absicht, mit dem eigenen Schreiben in ein dialogisches Verhältnis zu anderen Autoren zu treten, wie dies die Texte zu Trakl von Ingram Hartinger (114) und Helmut Eisendle (115), jeder auf seine Weise, dartun, ob als ernsthaftes Bekenntnis oder als parodistische Anspielung auf ein Gedicht dieses Autors. Michael Scharang nennt mit Karl Kraus und Robert Musil zwei für ihn – und darüber hinaus für die meisten seiner Generation – bestimmende Instanzen, jenen als den Satiriker, für den eine »unauflösliche Beziehung zwischen den kleinen Gaunern und den großen Verbrechern« die Ursache des Übels war (78), diesen als den ersten Autor, der durch sein ehrgeiziges und universelles Romankonzept »nicht nur die Literatur und die Philosophie, sondern auch die Technik und die Naturwissenschaft neu zu bestimmen« suchte (91). Kraus, Kafka, Musil und Broch sind für Elias Canetti, jene, denen er am meisten zu danken habe (303f.); und wenn er an anderer Stelle Kafka als »die tiefste Verehrung seines Lebens« erfahren haben will (95f.), so hebt er ihn aus der Reihe der vorwiegend durch ihre literarische Leistung Ausgezeichneten heraus. Mit den von Canetti genannten Namen ist auch der Kanon der Moderne genannt, der für die meisten nach 1945 Schreibenden verbindlich wurde.

Doch ist damit die Auseinandersetzung mit der Tradition nicht zur Gänze in ihren Umrissen bestimmt; Autoren sind offenkundig stets darauf aus, die sich verfestigenden Formen des Lektürkanons aufzubrechen und ihre eigenen Erfahrungen beim Lesen einzubringen. So ist auch die dringende Empfehlung, die Peter Handke für Franz Michael Felder gibt (57f.) zu sehen, in dessen Lebensbeschreibung die Episoden allenthalben etwas Beispielhaftes zum Vorschein brächten; so zeichnet Elisabeth Reichart Leben und Werk der Helene von Druskowitz (69ff.) und stellt damit ein Skandalon vor das Auge, das schon mit der Behandlung dieser Autorin zu ihren Lebzeiten gegeben war und sich auch in der Nicht-Rezeption ihrer Schriften ausdrückte:

Es geht nun darum, daß die Literaturwissenschaftler in Hinkunft nicht so wie die Ärzte verfahren, die Helene von Druskowitz internierten, da sie nicht den Vorstellungen des Gesunden entsprach, und ihr Werk weiterhin als unerheblich, weil nicht normenkonform, abtun. Es geht nicht darum, alle, die dereinst als Außenseiter bezeichnet wurden, zu rehabilitieren oder ins Zentrum zu rücken, sondern vielmehr um die Frage, von welchem Punkt aus die Plätze in der Literaturgeschichte angewiesen werden – und diese Verschiebungen werden durch vorliegende Auswahl denn auch erkennbar: Otto Basil würdigt mit Albert Ehrenstein gerade einen Autor, dessen Werk als Opfer eines Eliminierungsprozesses gelten kann, da man dieses zwar als »melancholischen Bericht aus dem Tollhaus« wahrnehmen wollte, nicht aber bereit war, so wie es Otto Basil nahelegt, es »als das bedeutendste literarische Dokument des österreichischen Expressionismus zu rühmen« (113). Der Wandel im Verständnis solcher gern ausgegliederter, weil jegliche Anwartschaft auf interpretierbaren Sinn zerstörender Texte, wird vielleicht am schönsten in Gerhard Roths Bericht über Ernst Herbeck evident, der, bekannt unter dem Pseudonym Alexander, im Krankenhaus für Psychiatrie und Neurologie in Gugging durch lange Zeit hindurch interniert war und ab Ende der siebziger Jahre von der österreichischen Avantgarde intensiv rezipiert wurde (195ff.). Die Texte von Gerhard Jaschke über Josef Enengl (203), von Robert Schindel über Hermann Schürrer (206), von Wolfgang Bauer über Joe Berger (207) und von Michael Köhlmeier über Marianne Fritz (248ff.) sind nicht nur Ausdruck eines Willens zur Solidarität, sondern Bekenntnis zu einer Literatur, die sich mit anarchischem Gestus den Betriebsvereinbarungen demonstrativ verweigerte. Daß sich Peter Turrini auf Janko Messner beruft, ist nicht Demonstration der guten Absicht, einen slowenischen Autor philanthropisch zu fördern, sondern auch Teil politischen Programms, durch das sich nationalistische Engstirnigkeit provoziert fühlen muß (227ff). Erich Hackl bezeichnet Elisabeth Freundlich als die »größte politische Erzählerin Österreichs«, um so einer Rezeption zu steuern, die in dieser Autorin nur die Gefährtin von Günther Anders wahrnehmen will (181). Es scheint, als würde es eine der vornehmsten kritischen Aufgaben für Schreibende in Österreich sein, eben jene Zonen zu betreten und neu zu vermessen, wo die Sprachregelungen des offiziellen literarischen Diskurses außer Kraft gesetzt sind, um so auch jene weißen Flächen beschreibbar zu machen, in denen die unkontrollierbaren Kräfte des Unterbewußten ihre Wirksamkeit entfalten. Indes daraus eine Galerie der Sonderlinge zu eröffnen, würde auf euphemistische Weise nichts anderes bedeuten, als sie eben jenen Normen zu unterwerfen, die

vorher zu ihrer Ausgliederung führte. Hier ist noch viel an Rekonstruktions-
arbeit zu leisten, wie aus Elisabeth Reicharts Zeilen über Helene von Druskowitz (69ff.) oder O. P. Ziers Versuch über Ferdinand Sauter hervorgeht
(133ff.). Es gilt vor allem, jene Qualitäten freizulegen, die von den Konstruk-
teuren kultur- und literaturgeschichtlicher Zusammenhänge im Bemühen
um die Herstellung einer wie immer gearteten Kontinuität verdeckt werden.
In ihrer Laudatio auf Max Riccabona, der als eines der markantesten Exempel dieser Literatur angesehen werden kann, zitiert Ulrike Längle eine Formulierung von Reinhard Priessnitz, derzufolge die Satire heute nicht »der
detaillierten besessenheit zur pointe hin« bedürfe, sondern »einer übermächtigen anstrengung und potenz, eines unkontrollierten hehren haders
sozusagen« (193f.). Und eben dies bedingt auch die Schwierigkeit im Umgang
mit solchen Produkten, da sie sich nicht auf die gemeinverständliche Wendung des gelungenen und stets abrufbaren Witzes bringen lassen.
In den Anfängen nach 1945 – vor allem im *Plan* – wurde ein neuer Kanon
entwickelt, der neben einer neuen österreichischen Tradition mit Namen
wie Kafka, Kraus, Musil und Broch vor allem jene Literatur zu erfassen
suchte, zu der während der Nazizeit der Zugang so gut wie unmöglich war;
dieser Kanon wird durch die Expertisen, die von den Rändern her kommen, nun zwar keineswegs außer Kraft gesetzt, aber in seiner Allgemein-
gültigkeit doch entschieden modifiziert, und die Literaturproduktion wird
somit denn auch zur wichtigsten Instanz in der Prüfung des jeweiligen Litera-
turverständnisses. Es gilt auch, Autoren vor allzu schleuniger Rubrizierung
oder Abqualifikation zu schützen, wie dies Felix Mitterer in seiner Würdigung Peter Roseggers vornimmt. Während Handke an Franz Michael
Felder rühmt, daß dieser im Unterschied zum »Waldbauernbub Peter Rosegger« ohne »Schnurren, Anekdoten, Ausmalungen, Dramatisierungen«
auskomme (57), zeigt Mitterer behutsam, wie auch diese aus der Distanz
wie Kinkerlitzchen wirkenden Verfahren in Roseggers Kontext Funktion
haben und einem vitalen Bedürfnis nach dem Erzählen entsprechen, in
dessen Dienst »jede Dienstmagd, jeder Bauer, jeder Handwerker ein Fabulierer, ein Dichter, ohne sich dessen bewußt zu sein«, werden kann (59).
Mitterer beansprucht somit für Rosegger – gegen seine in obsoleter Volks-
tümlichkeit befangenen Verehrer – eine Form der Authentizität des Erzählens, so wie Franz Kain mit Blick auf Franz Stelzhamer die subversive
Authentizität des von »unten« kommenden Dialekts gegen jene aufruft, die
ihn als schmucke Tracht mißbrauchen, denn dessen »Ausdrücke und
Sprechweisen« seien »viel zu schön, um sie dem Zufall oder der Gschaftelhuberei zu überlassen« (142f.).

2. »verlegen vor verlangen nach exaktheit«

Die neue Dialektdichtung kann auch als die Stelle ausfindig gemacht werden, an der die österreichische Avantgarde einer größeren Öffentlichkeit überhaupt bewußt werden konnte, sie jedoch ohne Vorwarnung mit der Franz Stelzhamers oder gar der Josef Weinhebers zu nennen, wäre ein Verstoß gegen jene Spielregeln, nach denen diese antrat. H. C. Artmanns *med ana schwoazzn dintn* (1958) wurde – gemessen an anderen avantgardistischen Texten – ungewöhnlich populär, und dies nicht zuletzt deshalb, weil der Autor sich sehr wohl auf die Reize der lokalen Aura verstand. Heimito von Doderer hat dies in seinem Vorwort zu dem Band *hosn rosn baa* (1959) mit Gedichten von H. C. Artmann, Gerhard Rühm und Friedrich Achleitner erkannt, wenn er Artmann als »Sänger der Banlieue« bezeichnet und meint, daß Achleitner, mehr aber noch Rühm zum Unterschied davon »das Substrat und damit alles Begriffliche ganz fallen« ließen und »den Dialekt nur als Klang« behielten (146f.).

Indes ist die neue Dialektdichtung nur eine, wenngleich substantielle Erscheinungsform dieser Avantgarde, in deren Zentrum die Wiener Gruppe und Autoren wie Ernst Jandl und Friederike Mayröcker, aber u. a. auch Andreas Okopenko, Ernst Kein, Hannes Weissenborn und René Altmann stehen. Die Etappen auf dem Weg zur Anerkennung dieser Literatur sind in verschiedenen Zeitschriften zu lokalisieren; vor allem wäre hier die für Schulen bestimmte Zeitschrift des Theaters der Jugend, die *Neuen Wege*, zu nennen, die ihrem Namen – wenngleich nicht in allen Sparten – alle Ehre zu machen suchte. Hier fand eine Gruppe von Autoren, die sich als Surrealisten verstanden, 1950 auch eine Publikationsmöglichkeit, und Eisenreich, Okopenko und Artmann traten in dem folgenden »Surrealismusstreit« als die wichtigsten Protagonisten auf. Da vieles sich in Diskussionsrunden abgespielt haben dürfte, lassen sich die Umrisse dieser Auseinandersetzung nur schwer nachzeichnen; daß sich indes hier die fundamentalen Gegensätze herausbildeten, die etwas mehr als zwanzig Jahre später den theoretischen Hintergrund der Kontroverse um die Gründung der Grazer Autorenversammlung abgeben, wird in der Polemik von Herbert Eisenreich *Surrealismus und so* sichtbar; auch wenn dieser einige damals bereits verbrauchte Argumente wider die Surrealisten ins Treffen führt, so ist diese Haltung doch nicht mit der damals in der Presse vorherrschenden simplen Denunziation der Moderne gleichzusetzen (151ff.), sondern gründet in einem Kunstverständnis, das sich einerseits auf Karl Kraus' Sprachgläubigkeit berufen und andererseits an dem Prinzip einer streng mimetischen Kunst festhalten wollte, die – und da schlägt die Argumentation ins Moralische um – der konkreten Nachkriegssituation allein dienlich wäre.[6] Grundsätzlich ging es dabei weniger um den Surrealismus im engeren Sinne, sondern schlicht um die Moderne, kurzum um die Avantgarde, um die Erben des Dadaismus und Futurismus. Okopenko wies mit gutem Grund auf die terminologischen Unklarheiten hin und verteidigte die Gruppe der »Surrealisten«, der er sich selbst nicht zuzählte, mit dem Argument, daß sie sich den »in tieferen, minder bewußten Schichten vorliegenden und ablaufenden Erscheinungen« widmeten (155). Artmann antwortete mit lässiger Gebärde, indem er seinen Surrealismus mehr als eine »lebenshaltung und -anschauung« denn als literarisches Konzept verstand (156). Der »Surrealismus« wurde in den *Neuen Wegen* schließlich didaktisch liquidiert: Da diese Zeitschrift auch schulischen Interessen dienen mußte, war für literarische Fehden kein Platz – und für eine »unverständliche« Literatur erst recht nicht.

Allerdings konnten die jungen Autoren sieben Jahre später nochmals gerade in dieser Zeitschrift Fuß fassen, und abermals sorgten die in der legendären Mainummer 1957 der *Neuen Wege* veröffentlichten Gedichte von Ernst Jandl und Gerhard Rühm für Aufsehen. Die Lesung Konrad Bayers bei der Gruppe 47 im Jahre 1963 und die dazu überlieferte Kritik ist symptomatisch für den schwierigen und langwierigen Prozeß, in dem sich die Form einer antiillusionistischen Literatur durchzusetzen vermochte. Ernst Bloch erkannte in der darauffolgenden Debatte, im Unterschied zu den meisten anderen Kritikern, daß hier etwas Neues vorlag, »eine Form von Heimatlosigkeit auf der Welt und Sprengung des Verabredeten«.[7] »Der Leser wird auf sein geliebtes kontinuierliches Lesen weitgehend verzichten müssen, statt dessen sich festlesen, festsaugen, von Textstelle zu Textstelle«, merkt Ernst Jandl mit Blick auf Bodo Hell 1991 an (239), und auf das Bemühen um ein neues Leseverständnis sind auch die theoretischen Anstrengungen der Autoren gerichtet, die die radikale Avantgarde vertreten. »Nur in der totalen Künstlichkeit erkennt sich der Mensch wieder«, formuliert Günter Eichberger den antirealistischen Anspruch dieser Kunst und faßt damit in einer prägnanten, auf Werner Schwab bezüglichen Sentenz eine Haltung zusammen, die weit über den hier gemeinten Einzelfall hinausgeht (260). Elfriede Gerstl hat die Schwierigkeiten, die eine Literatur wie die Bayers begleiten, mit dem die »Interpretation und Diskussion abwehrenden und erschwerenden Nach-innen-Sprechen« begründet (168), zugleich aber auch das Verdienst Bayers, Rühms und Wieners darin geortet, daß diese »Probleme der Philosophie, vor allem der Erkenntnistheorie, exemplifiziert und poetisiert« haben (164), womit der Anspruch Musils an die Literatur wenngleich mit anderen literarischen Methoden und vor einem anderen Erkenntnishorizont wieder aufgenommen zu sein scheint. Reinhard Priessnitz als der wichtigste Theoretiker der Avantgarde nach der Wiener Gruppe hat auf die Schwierigkeit aufmerksam gemacht, die jeder »sekundären Rede« eignet[8], die sich auf Texte der Avantgarde einläßt und zugleich deren prekäre Situation im kulturpolitischen Diskurs erfaßt, wenn er einerseits feststellt, daß »jede betrachtung der literatur« einerseits »das offizielle usurpieren«, es anderseits aber auch bekämpfen und »gegen die meinung arbeiten« muß (41).

So wenig es statthaft ist, die Sprachbezogenheit dieser Literatur auf den Generalnenner Wittgenstein zu bringen, so wenig wäre es erlaubt, diesen für die Zeit 1945 für die österreichische Literatur wichtigsten Philosophen zu unterschlagen. Daß von ihm, oder genauer von einzelnen Formulierungen in seinen Schriften unzählige Impulse ausgingen, ist von der Sekundärliteratur bereits wenngleich nicht vollständig, so doch in weitem Umfange dokumentiert. Mehr oder weniger explizit haben sich viele für ihre Schreibarbeit auf ihn berufen: Ingeborg Bachmann hat als erste österreichische Dichterin bereits in ihrer Dissertation von 1949 auf sein Oeuvre im Gegensatz zu Martin Heidegger hingewiesen, sein Name figuriert in Konrad Bayers *vaterländischer liste;* Peter Handke und Thomas Bernhard, Julian Schutting und Oswald Wiener haben sich nachweislich mit ihm auseinandergesetzt. Daß dabei gerade die Form seiner Sätze, die epigrammatische Zuspitzung der Gedanken im *Tractatus logico-philosophicus* auf der einen, die aphoristisch-fragmentarischen Denk- und Sprachspiele aus den *Philosophischen Untersuchungen* für die Erprobung neuer literarischer Verfahren maßgeblich wurden und experimentellen Ansätzen entgegenkamen, steht außer Zweifel.[9]

Elfriede Gerstls Siebenzeiler *konkrete poeten und die es einmal waren* beleuchtet auf unvergleichliche Weise die Aporien einer Literatur, die es riskierte, sich konsequent an den Ansprüchen der Erkenntnistheorie, der exakten Wissenschaften und an deren Fortschritt zu messen: »verlegen vor verlangen nach exaktheit« wird der »nutzen der askese« offenbar fragwürdig (171), und doch wäre gerade durch den Verzicht auf diese Askese der entscheidende Fortschritt nicht möglich gewesen, und die Literatur aus Österreich würde etwas vermissen, das ihre Attraktivität jenseits aller Klischees, mit denen das Herkunftsland seine Selbstrepräsentation betreibt, ausmacht.

3. »Zwischen allen Stühlen«

Daß die Avantgarde ihrem gesellschaftlichen Umfeld und auch der ästhetischen akademischen Debatte in Österreich in bezug auf literaturtheoretische Bewußtseinsbildung weit voraus war und immer noch voraus ist, bedarf keiner weiteren Erörterung. Für Konrad Bayer herrschte seinerzeit das »erfrischende klima mangelnder interpretation« (162), und in der Tat scheinen die meisten Autoren – sehr zum Unterschied von ihren deutschen Kollegen – ihre Literatur ohne Aussicht auf Respons geschrieben zu haben. Und so ist es nicht ganz unangebracht, sieht man einmal von der Wiener Gruppe ab, von einer Unterernährung im Bereich des Theoretischen zugunsten einer nicht gerade seltenen Ostentation hemdsärmeliger Praxis zu sprechen. Es findet sich – sieht man von Heimito von Doderers Schrift über *Grundlagen und Funktion des Romans* (1958) und Ingeborg Bachmanns Frankfurter Poetik-Vorlesungen einmal ab – in den fünfziger Jahren kaum ein Text, der eine längere Auseinandersetzung mit gattungspoetischen Problemen enthielte, denn die Poetikvorlesungen von Julian Schutting, Klaus Hoffer, Andreas Okopenko, Ernst Jandl und anderen gehören in die siebziger und achtziger Jahre. Selten wird von den Autoren auch die Frage nach der Eigenständigkeit oder Besonderheit der österreichischen Literatur wahrgenommen. Zwar bedeute ihr »die österreichische Literatur (Kunst) naturgemäß viel«, bemerkt Liesl Ujvary, beeilt sich aber hinzuzufügen: »Aber ich liebe sie nicht. Es liegt in der Luft, man muß es einatmen, ob man will oder nicht.« (172) Julian Schutting weiß eine Reihe von Merkmalen aufzuzählen und liefert in einem Abriß der österreichischen Literaturgeschichte mit subtiler Knappheit jene Konstanten, deren Wirksamkeit allenthalben wahrgenommen wird, so eben auch »die Verinnerlichung von Autorität ins Ästhetische« (27). Wolfgang Bauer moquiert sich nicht ohne Grund über die selbstgefällige und auch tautologische Art, mit der das Österreichische sich selbst beweist, daß es österreichisch ist: »Der Österreicher schmeckt sich selber am besten.« (177) In jüngster Zeit hat Robert Menasse, Essayist und Romancier, in seinen Schriften über die *Sozialpartnerschaftliche Ästhetik* (1990) und *Das Land ohne Eigenschaften* (1992) die Spezifika der österreichischen Literatur aus der Homologie von gesellschaftlichen Voraussetzungen und literarischen Gestaltungsformen entwickelt, was nicht nur Material für eine anregende Diskussion liefern sollte, sondern auch deren Niveau entschieden anheben könnte.

Daß das kleine Österreich sich als der Erbe der großen Monarchie fühlt und somit auf ästhetischem Gebiet den Machtverlust zu kompensieren sucht, zeigt sich an der Praxis der derzeitigen österreichischen Kulturpolitik, alles, was mit dem Territorium des Habsburgerreiches in Verbindung zu bringen ist, für sich zu beanspruchen. Die Zweite Republik verhält sich so, als ob sie eine Art Schutzmacht für jene wäre, die anderswo, vor allem aber in der Bundesrepublik, nicht so recht Unterkunft finden können, und so erhalten Franz Werfel, Joseph Roth, Franz Kafka, Ödön von Horváth und Elias Canetti ihren Stammplatz in der österreichischen Literaturgeschichte, aber auch Johannes Urzidil, Manès Sperber, Erich Fried und Paul Celan wird da ungefragt das Heimatrecht zugesprochen – eine »überrumpelung des staates durch namen«, wie es Reinhard Priessnitz nennt (41). Helmut Eisendle: »Das gegenwärtige Österreich benimmt sich so, als gehöre alles zu ihm dazu.« (285)

Die »Ungleichzeitigkeit« zwischen österreichischer und deutscher Dichtung registriert Erich Fried und gibt dafür auch den Grund an, der sehr wohl auf dem Terrain der Literaturgeschichte die differenzierte Betrachtung beider Länder nicht nur plausibel, sondern sogar dringlich erscheinen läßt: »Die Dichtung hat in beiden Ländern [...] auf andere Wirklichkeiten zu reagieren.« (174) Doch die Art, auf diese Wirklichkeit zu reagieren, hat bei den Kritikern und Literaturwissenschaftlern immer wieder Anlaß zum Befremden geliefert. Das Verdikt, das Ulrich Greiner 1979 in seinem Essay *Der Tod des Nachsommers* aussprach, forderte zum Widerspruch heraus, der nicht selten gerade dessen Auffassungen wiederum zu bestätigen schien. Greiner bezeichnete »Wirklichkeitsverweigerung und Handlungsverzicht« als Charakteristika der österreichischen Literatur und vermißte die »republikanisch-aufsässige Tradition der deutschen Literatur, von Schiller, Büchner und Heine bis hin zu Heinrich Mann, Brecht und Tucholsky«.[10] Und ähnlich lautet der Befund, den österreichische Autoren über ihre Kollegen oder über ihr eigenes schriftstellerisches Selbstverständnis vorlegen: Für Heidi Pataki etwa ist es 1971 schwer, die »politische Position Okopenkos wie die der gesamten Kahlschlag-Generation wegen ihrer Quallikeit [...] zu qualifizieren« (159); die Metaphorik, die Elfriede Jelinek für die Widerspenstigen und Unzähmbaren findet und im besondren auf Peter Turrini anwendet, suggeriert weniger planvolles und analytisches Vorgehen, sondern animalische Empörung: »In diesem Land wackelt manchmal der Fußboden von den Tritten seltsamer Untiere, die aus der Erde kriechen, sich langsam an Land ziehen und dort erst einmal einen ordentlichen Feuerstoß aus ihren Nüstern loslassen.« (241) Und mit ironischer Doppeldeutigkeit konterkariert Alois Brandstetter den Vorwurf, daß es sich bei der österreichischen Literatur um eine Dichtung handle, die sich bloß im Kopfe abspiele und den Konflikt zwischen den Menschen nicht aufkommen lasse:

22

»Die Kopfdichtung ist die undichtetste und desolateste schlechthin« (226).
»Wir sind nichts, wir sind nur, was wir scheinen: Land der Musik und der
weißen Pferde« – so Elfriede Jelinek nach der Wahl Waldheims zum Bundespräsidenten, in der sich der Sieg des Klischees über die Realität manife-
stierte (301).

Die Waldheim-Affäre hatte ihr Gutes darin, daß österreichische Autoren
sich im besten Sinne als Rhetoren versuchten, die auch außerhalb der fik-
tionalen Literatur ihre schriftstellerische Kompetenz einzusetzen vermoch-
ten; das zeigt sich an den essayistischen Standards, wie sie etwa von Josef
Haslinger mit *Politik der Gefühle* (1987) und Karl-Markus Gauß mit *Ritter,
Tod und Teufel* (1994) vorgegeben werden. Wenn sich aber einer anschickt,
unvermittelt die politische Situation in Form einer negativen Utopie zu
apostrophieren, wie dies Josef Haslinger mit seinem erfolgreichen, über
Nacht zum Bestseller avancierten *Opernball* (1995) tat, so meldet sich
gleich mit Antonio Fian der Parodist zu Wort, um die überraschenden Parallelen zwischen Fiktion und einer sich erst nachher einstellenden Wirklichkeit zu ironisieren und die plakative Form der Präsentation zum Objekt
der Satire zu machen (247).

Es scheint, als kämen die österreichischen Autoren so »zwischen allen
Stühlen« zu sitzen – ein Bild, das Felix Mitterer für Peter Roseggers Stand
zwischen den sozialen Schichten anwendet (62), und das doch auch sehr
gut für alle Schreibenden paßt: Das Engagement wird, so es fehlt, eingeklagt
und die formverliebte Literatur angeklagt, soll es hingegen zur Evidenz
kommen, so werden die ästhetischen Defizite peinlich genau herausgestellt.
Vielleicht ist es gerade diese stete Ambivalenz, mit der Autoren einander
und sich selbst und ihren Produkten begegnen. Daß die Qualität der Literatur aus Österreich mit der Reflexion auf die Sprache und ihre Funktion zu
tun hat, ist keine allzu gewagte Behauptung. Ihr sei, wie Gerhard Fritsch an-
merkt, »eine Leistung jenseits der Phrase« abgefordert worden (279), und
parallel dazu wäre Ingeborg Bachmanns Postulat aus der Wildgans-Preis-
Rede anzuführen: »Ein Schriftsteller hat die Phrasen zu vernichten, und
wenn es Werke auch aus unserer Zeit geben sollte, die standhalten, dann
werden es einige ohne Phrasen sein.«[11]

Anmerkungen
1 Die Ziffern in Klammer beziehen sich auf die Seiten des vorliegenden Bandes.
2 Viktor Matejka: Gedenkrede auf Karl Kraus. In: Plan 1 (1945/46), S. 90. In der Vorlage
kursiv.

3 Hans Weigel: An Karl Kraus, als er in der Nummer 1 der Presse vom 26. Jänner im Feuilleton genannt wurde. In: Plan 1(1945/46), S. 338.

4 Vgl. Karlheinz Rossbacher: Die Tradition und ihre kritische Erinnerung. Zur Rezeption Adalbert Stifters bei Jutta Schutting. In: Traditionen in der neueren österreichischen Literatur. Zehn Vorträge. Hrsg. von Friedbert Aspetsberger. Wien 1980, S. 31–48.

5 Ernst Jandl: Österreichische Beiträge zu einer modernen Weltdichtung. In: E.J.: Gesammelte Werke, 3. Bd.: Stücke und Prosa. Darmstadt 1985, S. 447–449.

6 Vgl. dazu Andreas Okopenko: Der Fall Neue Wege. In: Aufforderung zum Mißtrauen. Literatur, Bildende Kunst und Musik in Österreich seit 1945. Hrsg. von Otto Breicha und Gerhard Fritsch. Salzburg 1967, S. 279–304.

7 Zitiert nach: Gruppe 47: Kritik nach einer Lesung Konrad Bayers (1963). In: Konrad Bayer. Symposion Wien 1979. Hrsg. von Gerhard Rühm. Linz 1981, S. 87.

8 Vgl. dazu Franz Schuh: Protest ohne protestieren. Zur Widersetzlichkeit von Konrad Bayers Literatur. In: Konrad Bayer (Anm. 7), S. 82. »Das Begriffsklima absorbiert das Widersetzliche der Originalität. Die rebellische Verweigerung, am allgemeinen Sinn teilzuhaben, bleibt jeder sekundären Rede verschlossen. [...] Das mit der utopischen Voraussetzung schon akzeptierte Scheitern dramatisiert das Reden und versieht die Verständigung mit den melancholischen Reizen des Versagens.«

9 Vgl. dazu: Wittgenstein und –. Hrsg. von Martin Huber, Michael Huter und Wendelin Schmidt-Dengler. Wien 1990.

10 Ulrich Greiner: Der Tod des Nachsommers. Aufsätze, Porträts, Kritiken zur österreichischen Gegenwartsliteratur. München 1979, S. 15.

11 Ingeborg Bachmann: [Rede zur Verleihung des Anton-Wildgans-Preises]. In: I.B.: Werke. Hrsg. von Christine Koschel, Inge von Weidenbaum, Clemens Münster. 4. Band: Essays. Reden. Vermischte Schriften. München, Zürich 1978, S. 297.

Julian Schutting

Gibt es eine österreichische Literatur?

kurz berühren wollte ich in den Vorlesungen, es ist dann nur nicht dazu gekommen, die Frage: *Gibt es eine österreichische Literatur?*
»Die Bejahung dieser Frage ist mir selbstverständlich. Die spezifische Besonderheit der österreichischen Literatur ist zwar nicht leicht zu bestimmen, aber jeder empfindet sie. Kulturmilde, geistige Anmut … Rundheraus gesagt, halte ich die österreichische Literatur in allen Dingen des artistischen Schliffes, des Geschmackes, der Form … der eigentlich deutschen für überlegen. Das hängt mit einer Rassen- und Kulturmischung zusammen, deren östliche, westliche, südliche Einschläge … das Österreichertum überhaupt und nach seinem ganzen Wesen von dem Deutschtum … national abheben und ein deutschsprachiges Europäertum von süddeutscher Volkhaftigkeit und mondän gefärbter Bildung zeitigen …«,
so freundlich und wohlmeinend (und auch ein wenig verlegen) Thomas Mann 1936, wo von »mondän gefärbter Bildung« in kleinem Prozentsatz gerade noch die Rede sein konnte, bald wird sie vertrieben; wo die Geistigkeit noch vom Vielvölkerstaat geprägt war, erst langsam wird der homo alpinus austriacus, Thomas Manns Kompliment »geistige A͟nmut« liest sich längst wie ein Druckfehler.
1927 aber hatte sich Hofmannsthal, der jüdische und lombardische Ahnen hatte, nicht entblödet, eine Rede zu halten mit dem deutschtümelnden Titel »Das Schrifttum als geistiger Raum der Nation«, als die »eigene Nation« meinte er die deutsche und wünschte herbei eine »neue deutsche Wirklichkeit«, während sich Grillparzer als deutschen Dichter und österreichischen Menschen gesehen hatte, Unterscheidung, die »deutsch« als »deutschsprachig« deuten läßt.
wer österreichischer Nation sei, könnte man es sich leicht machen, schreibe österreichische Literatur, zum Beispiel oder wahrscheinlich deutscher Sprache, schreibe deutschsprachige Literatur wie die meisten Schriftsteller der deutschsprachigen Schweiz – Patriotismus, den es ärgert, wenn etwa in einer mehrbändigen Ausgabe zeitgenössischer Erzähler die Schweiz und die hingegangene DDR einen eigenen Band haben, »wir« aber unter die BRD-Autoren hineingemixt werden; wenn etwa eine renommierte deutsche Zeitung unter dem Titel »Aus deutschen Literaturzeitschriften« unser *Literatur und Kritik* anführt; daß die Deutschen österreichische Autoren oft so selbstverständlich den ihren zuzählen, sofern nicht etwa Wiener Dialekt oder ein

spezifisch österreichisch-politisches Thema das Zweierlei sichtbar macht, das kommt auch daher, daß unsere Großen der Zwischenkriegszeit in deutschen Verlagen publiziert haben, bei S. Fischer, Rowohlt, Kurt Wolff, mangels eines tauglichen österreichischen Verlages und wegen des deutschen Marktes.

was nun die da und dort heutzutage wieder gerühmte Kulturgemeinschaft mit den Deutschen anlangt – die endet meines Wissens 1806, als unser Habsburger Franz II (bzw. I) die römisch-deutsche Kaiserkrone niederlegt, 1804 hatte er sich zum ersten Kaiser von Österreich gemacht – es kann nicht ein Zufall sein, daß es so lange so gut wie keine österreichische Literatur gibt, als wir dem Hl. röm. Reich deutscher Nation zugehören; wenn wir zu etwas begabt sind, dann gewiß zur Lyrik, aber wir haben keine Barocklyrik, wie sehr die in Deutschland auch blüht; von der Renaissance-Literatur gar nicht zu reden, langweilig-akademisch bei uns.

die österreichische Literatur beginnt erst um die Zeit des Wiener Kongresses, zehn Jahre nach der Entstehung des österreichischen Kaisertums (ähnlich verhält es sich dann wieder nach der Befreiung Österreichs 1945: zehn Jahre danach beginnt eine neue österreichische Literatur, mit Bachmann und Celan): mit Grillparzer, was wäre schon zwischen Walther von der Vogelweide, sofern der überhaupt ein Unsriger war, und Grillparzer Belangvolles geschrieben worden!

und ich riskiere auch die Behauptung, daß wir daher auch keine oder so gut wie keine Romantik haben – Eichendorff, in Heidelberg mit Brentano und Arnim befreundet, kämpft in den Freiheitskriegen als Lützower Jäger, lebt dann in Danzig, Königsberg und Berlin, war, in Oberschlesien geboren, mehr ein Deutscher, trotz unserem Anspruch auf ihn. Nikolaus Lenau, alles in allem ein Ungar, Niembsch von Strehlenau.

schon bei Grillparzer ist ein österreichisches Nationalgefühl nachzuweisen, so wenn sein Ottokar von Horneck sagt: »zwischen dem Manne Deutschland und dem Kinde Italien liegst du, der wangenrote Jüngling da … da tritt der Österreicher hin vor jeden …«; und bei Grillparzer ist auch schon das »österreichische Lebensgefühl« zu entdecken, Skepsis, Schwermut, Müdigkeit, verwandter ist er Hofmannsthal als den deutschen Klassikern. lang vor Nietzsche sieht er im Nationalismus etwas Zerstörendes, nichts Aufbauendes, und er drückt es weniger aufdringlich aus, sieht die Bestialität heraufkommen und das Ende, in die nicht-österreichische Geschichte weicht er in seinen Dramen aus, selbst *Ein treuer Diener seines Herrn* spielt in Ungarn. verbohrt und selbstquälerisch ist er weit vom deutschen Idealismus entfernt, seine Frauengestalten sind mit Einfühlsamkeit weiblich gemacht. in ihm zeigt sich, wozu wir außer zur Lyrik noch begabt sind: zur psychologischen Erzählung, das Lob der Bescheidenheit, das er weltschmerzlich singt und die anderen wie Raimund:

Was ist der Erde Glück? – Ein Schatten!
Was ist der Erde Ruhm? – Ein Traum!

oder:

Eines nur ist Glück hienieden,
Eins: des Innern stiller Frieden …
Und die Größe ist gefährlich
Und der Ruhm ein leeres Spiel;
Was er gibt, sind nicht'ge Schatten,
Was er nimmt, es ist so viel …

dies barocke Lebensgefühl der österreichischen Nationalliteratur kommt nicht von ungefähr: nur bei den Protestanten liegt Segen auf der Tüchtigkeit und Gnade auf dem Erfolg.

Raimund, Nestroy, das einzig populäre literarische Theater im deutschen Sprachraum – wir haben uns die volkstümliche Tradition, die Barocktheatermaschinerien, den Kasperl nicht hinwegreinigen, nicht wegrationalisieren lassen, Komisches und Tragisches, Lächerliches und Erhabenes darf beisammenbleiben wie in der Schikanederschen Zauberflöte, weil es bei uns mangels des Protestantismus und dank wenig Aufklärung (immerhin diesen Vorzug hat ihr Ausbleiben) noch lange kein Bildungsbürgertum gibt, während die deutsche Geistigkeit, siehe Gottfried Benns diesbezügliche Ausführungen, ihren Boden im Pastorenhaus hat.

Stegreiftheater bleibt, Improvisation, einen Jux macht sich noch Thomas Bernhard.

oder Stifter, der bis Handke nachwirkt und über Handke hinaus – in der deutschen Literatur hat es dergleichen nicht gegeben, nämlich die Verinnerlichung von Autorität ins Ästhetische, bis hin zum Humanistischen: das kommt wohl daher, daß in der Zeit nach dem Wiener Kongreß, im Biedermeier, der Despotismus bei uns viel größer war – in Preußen sollte man tüchtig sein und kuschen, bei uns konnte man nur trotz allem tüchtig sein: der Staat war gegen alle Neuerungen, von Mißtrauen erfüllt gegenüber Neuem, ganz zögernd findet eine Industrialisierung statt, und so gibt es Großstadtliteratur erst sehr spät bei uns, im Unterschied zu Berlin, siehe Fontane (eine Parallele wäre zu ziehen zu dem restaurativen Klima unserer fünfziger Jahre – unverbindlich Herzinniges wird geschätzt und bepreist, Waggerl und Konsorten, lieb-ländlich, regional gefärbt, also falsche, aber

anheimelnde Idyllen, die niemandem weh tun und auf österreichisch beruhigen; das alles ist mausetot, aber die Künstler wären in diesem postaustrofaschistischen und reaktionär-katholischen Mief erstickt, Aichinger, Bachmann, dann auch Handke gehen nach Deutschland)
Stifter und Handke – bei uns sind die Milden die von Natur aus Wilden, und wie ruhig sich Handke auch heute geben mag: spürbar bleibt, wie eruptiv er ist, wie am Morden; ein schönes Insekt, dessen Flügel vor angespannter Beherrschung beben
wie gesagt, neben der Lyrik ist die psychologische Erzählung eine unserer Stärken – Marie von Ebner-Eschenbach behandelt die tschechische Thematik mit Respekt und Ehrfucht; ich wüßte aber nicht, bei welchem deutschen Zeitgenossen Polen oder Polnisches was Nobles gewesen wäre (siehe auch Nikolaus Lenau, der, wie die Ebner-Eschenbach die Zigeuner in Schutz nimmt vor dem, was ihnen so angedichtet wird *(Die Spitzin)*, in dem Gedicht von den *Drei Zigeunern*, von diesen drei romantisch verklärten Burschen Trübseligkeit zu überwinden lernt)

weniger gut ist es um unsere Begabung zum Roman bestellt – Grillparzer hat erst gar nicht einen zu schreiben probiert. Franz Werfel, Joseph Roth sind Ausnahmen, und ich denke, daß ihre epische Begabung aus ihrem Judentum sich herleitet. was später nachkommt, wie Doderer, wie Lernet-Holenia, möchte ich als spätbürgerlich-epigonal, als monarchistisch-epigonal abtun, als verkrampftes Nicht-wahr-haben-wollen des Endes, aber auch Werfel, Roth und Stefan Zweig sind sprachlich hinter der Zeit zurückgeblieben, bei ihnen geht ein Sinn für Aktualität mit beruhigend epigonalem Stil zusammen; Roths *Hiob* biblisch-antiquiert.
die Müdigkeit der Jahrhundertwende, das Gefühl, es gehe dem Ende zu, das ist Wien, jede Zeile Schnitzlers von dieser Schwermut durchtränkt – und in Deutschland nichts Analoges: das Deutsche Reich ist jung, unsere Monarchie alt und prekär konstituiert; die Deutschen haben ihre Kriege gewonnen, wir die unseren verloren.
Naturalismus gibts übrigens keinen bei uns – ich weiß nicht, ob aufgrund unserer Begabung zur Beschönigung oder ob wegen vergleichsweise anachronistischer Gesellschaftsstrukturen (ähnliche Gründe dürfte auch die Wertschätzung heutiger österreichischer Literatur durch die Deutschen haben)
nach einem überhitzten expressionistischen Zwischenspiel eine neue Epoche der Literatur, in der Sprache dreier Österreicher ist sie da, bei keinem von ihnen findet sich eine Zeile, die noch neunzehntes Jahrhundert sein könnte: die neue Zeit sind, das ist klar, Kafka, Karl Kraus und Musil

Kafka hat den Schlüsselroman des Jahrhunderts geschrieben, ein ausgedehntes Gleichnis; mit dem ist der Roman zu Ende; Musil hat sich ins Essayistische und Fragmentarische gerettet.

Karl Kraus, die Gesamtheit der Problematik des Staates hat er im Kopf, vom Kleinsten bis zum Herrscherhaus, und dieses große Thema hat er reflektiert – Apokalyptisches wie bei Grillparzer ins Entsetzliche, dergleichen hat Deutschland nicht gehabt; und auch wenn dies nichts geholfen hätte, wäre es trotzdem gut gewesen, zwei Generationen hat er hier sprachlich und moralisch beeinflußt.

oder Musil. Thomas Mann hat zwar auch Ironie, aber ironisch ist er auf sich selbst, auf sein Künstlertum; Musil jedoch war viel radikaler, alles war ihm fragwürdig geworden, jede Entwicklung der Menschheit.

Musils Törleß – von welch einzigartiger psychologischer Unerschrockenheit! nie zuvor und nie wieder hat ein Dichter so radikal vor Augen geführt, was Faszination von Gruppen ist, was Mitläufertum, was Sadomasochismus; vergleichsweise ist das, was Frank Wedekind für kühn hält, ein altmodisches Getu.

nach diesem Lobgesang auf das Österreichische in der österreichischen Nationalliteratur möcht ich aber noch sagen, was einem daran unsympathisch sein kann:

zum Unterschied von der ernsthaften deutschen Literatur zeichnet uns eine große Selbstverliebtheit aus; das gibt es zwar in der ganzen Welt, aber anderswo doch eher auf die Werbung beschränkt – als Beispiel nenne ich Herzmanovsky-Orlando, und der blüht auf seinem eigenen Mist (bei Karl Kraus taucht er mir auf, in dem Personenregister von *Literatur*, wenn es da, das könnte von ihm sein, heißt: Bacchanten, Mänaden, Schachspieler, Tarockspieler, Faune, Schmöcke)

das Selbstverliebte also, die Verspieltheit, manch ästhetisch fauler Zauber, etwa pseudopoetische Arrangements aus heruntergekommenem Surrealismus; die Frivolität, mit der man mit Todernstem Scherz treibt, ich nehme mich nicht aus; die oft angemaßte Ironie; der Zug ins Feuilletonistische, die vor Selbstkoketterie penetrante Verwendung von Austriazismen, auch die Virtuosität mit wenig Substanz, ja und die Wichtigmacherei mit Wittgenstein, den dort, wo es ernst wird, kaum einer von uns lesen kann

(es ginge wohl nicht an, noch eines als österreichisch zu bezeichnen, wenn auch nicht als österreichisch-unsympathisch: daß die um gehobene Umgangssprache bemühte Bühnensprache und »Leichthingesagtes« gern an das Lächerliche gerät, nicht nur beim Philosophieren über Moral, nicht nur bei Einsichten wie etwa der, daß die Seele ein weites Land sei)

REINHARD PRIESSNITZ

Ins leere gebaut
zum begriff der literarischen moderne als augenscheinliches prunkgebäude österreichischer rezeptions-architektur

seit einiger zeit läuft eine mythenbildende selbstverständnisindustrie auf hoch-
touren und präsentiert ihre produkte in aufwendigen verpackungen als aus-
stellungen oder publikationen. als gelte es der bedeutung jener strophe der
bundeshymne, dass die heimat grosser söhne gewesen sei, mit sinn vollzupfrop-
fen.
solche retrospektiven sind durchaus ehrbar, wenngleich die unproblematische
präsentation einigen anlass zu kritik und zweifel geben mag; aber insbesondere
bedenken werden wiederum als typisch reklamiert und zugleich als bestandteil
des dargestellten mythos aus- und somit zurückgewiesen. man ist bemüht,
klimazonen nachzubilden, in denen die ären prächtig rauschen und das selbst-
verständnis mit dem selbstverständlichen gleichgesetzt wird. gegensätze und
widersprüche scheinen durch den glanz der vorgeblichen besonderheit aufge-
hoben, und das gegenwärtige aufs vergangene reduziert; kunst und wissen-
schaft jener zeit erfahren eine erstaunliche homogenität, und es wird abgerun-
det, wo immer es nur möglich ist und die alten meldezettel mit den wiener
adressen sich als korrekt erweisen.
musik, architektur, malerei, literatur, wissenschaft, politik: es muss ein grosser,
wunderbarer und wundersamer stammtisch gewesen sein, dessen kaffeehäuser
in einer art sanierungswahn wiederhergestellt werden müssen. die politik der
so emsig betriebenen rückwärtsgewandtheit ist in vieler hinsicht verdächtig
und hat in ihren dimensionen und in ihren bezügen zum gegenwärtigen fast
schon einen charakterzug des lächerlichen; man darf auf gustav-klimt-schnit-
ten und sigmund-freud-betten gespannt sein, und es bleibt nur abzuwarten,
dass etwa ludwig wittgensteins untersuchungen *unter nationalen denkmal-*
schutz gestellt werden. die rezeptionsfreudigkeit der alten sachen *ist augen-*
blicklich merkwürdig gross; nicht etwa, dass ideen kursierten oder für die
psychoanalyse bereits ein lehrstuhl geschaffen worden wäre, es gibt eher mar-
terln, gedenktafeln und vermehrte und verbesserte anekdotensammlungen aus
jenen tagen; fernsehserien sind sicherlich auch schon in arbeit. die seltsamen
blüten dieser verklärungseuphorie sind schwierig zu bestimmen, die treibhaus-
atmosphäre indes, mit der man sie augenblicklich anheizt, erscheint unerträg-
lich, die neue nationalcharakterkunde, mit der vergangenheitsbewältigung
betrieben wird, verlogen wie eh und je, und die subventionierte Mythologie re-

visionsbedürftig. denn nicht die vermeintliche eintracht kennzeichnet das, was sich als wesen des österreichischen missversteht, sondern die ausformungen der niederträchtigkeit, heterogenität und aufklärungsfeindlichkeit sind die sicherlich untersuchenswerten züge. ein bescheidener versuch, dieser problematik beizukommen, soll am beispiel der u. a. als renommierstück häufig so gerne vorgezeigten österreichischen literatur der jahrhundertwende unternommen werden, deren prunkfassaden beständig ihren frischen mythenverputz erhalten.

keine betrachtung verschiedener in österreich geborener autoren der vergangenheit und gegenwart kommt an der ihnen von kritik und kulturverwaltung verbliebenen bezeichnung *österreichisch* vorbei, und noch weniger an der politik, die mit dem ausdruck betrieben wurde und betrieben wird.

aus hauptsächlich zwei gründen: einmal, weil die zusammenfassung literarischer arbeiten stets unter etwas verklärenden auspizien der geschichtlich-geographischen besonderheit erfolgt ist (das weist auf die problematik der literaturgeschichtsschreibung hin), und zum anderen, weil sich bis heute jeder seiner herkunft nach österreichische autor mit dieser bezeichnung konfrontiert sieht (das führt zu fragen nach einer etwaigen tradition). beiden aspekten wird sich dieser kleine aufsatz widmen müssen, zumal wenn man bedenkt, dass gerade dieses signum zu einer reihe von missverständnissen und vorurteilen in der einschätzung von schriftstellern und deren arbeiten beigetragen hat.

es fällt schwer, zu beurteilen, ob man die suche nach dem österreichischen (als einem spezifikum) noch zu den fruchtbaren irrtümern rechnen darf; jedenfalls mutet sie in ihrem duktus wie eine grosse elegie an, und ehe noch etwas gefunden war, wurde bereits apologetisch das verlorene postuliert. in zahlreichen zitaten sowie in der interpretativen auslotung bestimmter perspektiven der schreibweisen (und bei gleichzeitiger vernachlässigung anderer) wähnte man das österreichische erfasst und definiert zu haben und so, in einklang mit einer immer etwas wehmütigen, eklektizistischen geschichtsphilosophie, entstand jenes vermeintlich ganze, das mehr als die summe seiner (häufig aus blosser spekulation herausgegriffenen) teile zu sein vorgab. dieses destillat, das man als den weg des österreichischen aus bestimmten elementen in den werken einzelner autoren herauszufiltern bemüht war, diente fortan als schwabbeliger rahmen, dem dann alles rigoros eingepasst wurde.

der preis solcher, oft ebenso scharf- wie schwachsinniger untersuchungen war eine vernachlässigung von zügen und tendenzen der literarischen moderne oder auch die erstickung von kunstrichtungen in lokalem patriotismus, der sämtliche, über alle nationalitäten hinweg erarbeiteten begriffe durch die hanebüchene unbeholfenheit ihrer anwendung entwertete. (so etwa wird zum beispiel die erörterung der bezeichnung *expressionistisch* dermassen vage und undifferenziert gebraucht, dass sie auf fast alle, zu einem bestimmten zeitpunkt in österreich verfassten werke zutrifft.) es war vermutlich die enge dieser sicht (zugunsten jener ihrer vorgeblichen tiefe), welche die häufigen bekenntnisse österreichischer schriftsteller, der deutschen literatur anzugehören, erklärt, wie es zum anderen deutlich machen könnte, weshalb sich da in österreich bis heute eine art von literarischer separatmoderne so viel auf ihre fragwürdigen errungenschaften zugute hält.

ob nun eine geschichte der österreichischen literatur, die das *österreichische* fokal zu fassen sucht, ihren ansprüchen gerecht wird, mag wie jede hergestellte verbindung zwischen der geschichte und der literatur dahingestellt bleiben. dass sie nichtsdestoweniger in ihrer ganzen unbestimmtheit mythenträchtig auftritt, bleibt ein leider nicht zu übersehendes faktum. jedenfalls fällt es jedem, der sich einmal mit diesem thema befasst hat, schwer, das in so vielen aufsätzen und studien beschworene loszuwerden oder der bis in die klischees der fremdenverkehrswerbung reichenden politik der besonderheit zu entsagen. im gegenteil: eine ganze reihe von historikern bemüht sich bis dato in erster linie darum, brauchbare analogien zwischen literatur und geschichte in formeln zu bringen oder metaphorisch dem sonderfall unter den sonderfällen des sprachgebrauches beizukommen, und stets werden nuancierte und facettenreiche konventionen des vergänglichen geschaffen und von den institutionen der ideologie weiterverarbeitet. die spielpläne der theater, die lesebücher in den schulen, das, was sich da und dort als festwoche ausgibt, die literarischen programme des rundfunks, die jährlichen reden zum selbstverständnis des staates, das ganze register der nationalen darstellungskunst etc. werden von solchen, der kunstbetrachtung entnommenen ideologismen gespeist, durch ihre emanationen beseelt. es ist klar, dass so schon die mitvergangenheit eine trennwand bedeutet und erhellt, weshalb die gegenwart in beständiges dunkel gehüllt ist.

das ist (hier) nicht polemisch gemeint; es entspricht lediglich den tatsachen und ist bis zu einem gewissen grad sehr wichtig, festgehalten zu werden. die spezifische betrachtungsweise, respektive betrachtungspolitik, literatur unter geschichte zu subsumieren und vice versa, ist in österreich vehementer, aber auch merkwürdiger als anderswo erfolgt; sie ist vielleicht selbst überhaupt die zutreffende definition der bezeichnung *österreichisch*, und man kann auch die daraus erwachsende ambivalenz, sich mit diesem blickwinkel abfinden zu müssen (oder mit diesem identisch zu sein), für ein kennzeichen der literatur halten, das so manche der erstaunlichkeiten ihrer produkte dartut.

die politische struktur des habsburgerreiches, der ersten republik, der annektion an deutschland und schliesslich die permanente schrumpfung eines vielstaatigen gefüges zu einem staatsgebilde, die beiden kriege und die ständige veränderung der identitätsideologie haben das ihre zu dieser verwirrung beigetragen, und darüber hinaus wurde während aller epochen die kritische intelligenz, wo nicht ausgerottet, so doch vertrieben oder auf das ärgste bekämpft.

die jeweils unbewältigte gegenwart führte zu einer glorifizierung des nicht-mehr-vorhandenen; der eskapismus aus der zeit mündete in repräsentationsproblemen, hohlem pathos und in jedem falle in informationsbeschränkung über alles als subversiv verdächtigte, vor allem in der kunst. die briefe der künstler jener zeit sind klagelieder über diese umstände, die weit über das obligate unverstandenbleiben reichen. (das gilt bis heute. beispielsweise war in österreich nach dem zweiten weltkrieg – und nicht einzig und allein als folge der nationalsozialistischen herrschaft – über die literarische moderne so wenig information vorhanden, dass jeder, der sein zeitgefühl seinem schreiben angleichen wollte, gezwungen war, sich aus eigenem heraus zu radikalisieren. und wo hierzu nicht kraft war, kam es, wie etwa in der lyrik, zu jenem sich insbesondere an *rilke* emporrankenden epigonentum, in dem sich die informationsmängel über die tatsächlichen innovationen so glänzend äussern.)

überdies war alles heterogene, anderswo als eigenständige qualität von literatur anerkannt – merkwürdig genug in einem vielvölkerstaat –, der sucht nach homogenisierung zum opfer gefallen. auch diese tendenz trägt, in verbindung mit *österreichisch*, seltsame früchte: ein grossteil aller anstrengungen in der auseinandersetzung mit der literatur war den problemen der einordnung der verschiedenen schriftsteller gewidmet; etwa ob *kafka* oder die schriftsteller des *prager kreises* fürs österreichische reklamierbar wären und was deren arbeiten mit den ausserordentlichen werken von *grillparzer, stifter, lenau, raimund* und *nestroy* – die man schon auf das kleinste gemeinsame österreichische vielfache gebracht hatte – gemein haben könnten. (natürlich wuchs die anstrengung mit der anerkennung von autoren wie *kafka*. an *walter serner* oder *raoul hausmann* zum beispiel, zwei in österreich geborenen dadaisten, schien die mühe weniger lohnend, einfach weil dadaismus in österreich nicht rezipiert worden ist.) auf die idee, autoren wie *kafka* einer *littérature mineure* beizuordnen und auf die deterritoriale tendenz der schreibweise aufmerksam zu machen – eine sehr interessante arbeitshypothese von *deleuze* und *guattari,* deren anwendbarkeit auf verschiedene bereiche der literatur noch erprobt werden müsste –, auf eine solche idee wäre in österreich wohl niemand gekommen.

in deutschland wiederum hat man für die klassifikation einen pragmatischeren weg gewählt: wenn es dem ansehen deutschlands nützt, nimmt man die schriftsteller gerne in den kreis der erwählten auf; liegen sie indes quer, so bleiben zwei möglichkeiten offen: sie entweder an die problematiken des österreichischen zurückzudelegieren oder, wenn's geht, als exotismus zu vermarkten. die rezeption österreichischer autoren in deutschland und ihre – über den literaturbetrieb verlaufende – einwirkung und korrektur des *österreichbildes* ergäbe übrigens eine eigene, interessante untersuchung.

paradoxerweise ist also eine geschichte des österreichischen in der literatur, nicht aber eine der literatur aus österreich geschrieben worden. über die sich daraus für erziehungs- und bildungsprogramme ergebenden konsequenzen muss man sich im klaren sein, ebenso all jener verhängnisvollen irrtümer der einschätzung, die zeitweilig ihre berechtigte korrektur erfahren und dann stets die kleinen weltbilder ins wanken bringen.

es ist eine weitere folge dieser politik, die autoren explizit zu ihren repräsentanten macht, dass die der anschauung unbequemen kapitel in ihren schaffensperioden eliminiert werden müssen (oder wenigstens vergessen), um die botschaft zu erhalten; dass aber eben diese, sich so schwer einer einordnung fügenden aspekte der werke ein gänzlich anderes bild als das vorhandene zum vorschein brächten, dass hier interessante und aufschlussreiche ansätze einer konkreten auseinandersetzung mit der moderne sichtbar werden könnten, ist vermutlich das am meisten gravierende an den versäumnissen dieser betrachtung. aber aus offizieller sicht gibt es keine andere. es wäre also nötig, nicht nur eine andere literaturgeschichte zu schreiben (darauf wird im zusammenhang mit der tradition nochmals zurückzukommen sein), sondern auch die wurzeln der vorhandenen einschätzung samt jenen kernen, denen sie entsprossen sind, freizulegen, das heisst, sich von der geschichtlichen basis (die ihrerseits schon ein wunschbild ist) loszusagen und mit ihr die ganze ideologie zu entlarven; freilich wäre dies eine unternehmung, von der sich nicht sagen liesse, ob sie sich, schon aus dem sukzessiven desinteresse, das der literatur entgegengebracht wird, lohnte. ein bestimmter blickwinkel der einmal eingeschlagenen perspektive lässt sich schwerlich aussparen. anders vielleicht: es bedürfte bei der beschäftigung mit literatur bestimmter taktiken des zurückweisens des überkommenen.

das ist projektiv gedacht. um aber konkret zu bleiben, sollte zunächst repliziert werden, was dieses überkommene österreichischer literarischer provenienz denn sei und wie seine entwicklung im allgemeinen dargestellt wird.

der literatur im ersten viertel des jahrhunderts kommt heute besondere aufmerksamkeit zu, weil hier werke geschaffen wurden, die für die moderne als exemplarisch angesehen werden dürfen und im sprach- und reflexionsprozess eine wende gegenüber den früheren formen eingeleitet haben; und weil man eben ungefähr diese jahrhundertwende zum datum bestimmter mutationen der denkweisen nehmen darf, die für den weiteren verlauf der künstlerischen produktion nach und nach bestimmend geworden sind. selbstverständlich ist die einbeziehung nicht überkommener denkformen in der literatur ein komplizierter, schwer rekonstruierbarer vorgang, der sich mitunter darauf beschränkt, das blosse gefühl der veränderung andeutend auszudrücken und häufig nur segmente derselben intuitiv erfasst, aber als vorgang ist er für die spätere populäre (wie auch wiederum differenziertere) durchsetzung von postulaten und hypothesen bedeutsam. nicht selten kommt es auch zu überschneidungen bestimmter elemente eines ideenmodells, um dann umso mehr in verschiedene kanäle abzugleiten – die schreib- und die denkweisen sind niemals synchron, sie durchlaufen nur zeitweilig ähnliche institutionen (jugendbewegungen, zeitschriften etc.) –, und ebenso selbstverständlich passieren auch die obligatorischen missverständnisse, abgesehen von solchen phänomenen wie der überschätzung gewisser vorstellungen (als unsicherheiten der rezeption).

das wien der jahrhundertwende war, bedingt durch die struktur der monarchie, durch die ökonomischen verhältnisse (die der bürgerlichen schicht ein ihren passionen zugewandtes leben zu führen gestatteten) und durch so manche andere konstellation ein territorium, in dem sich die intelligenz zwar nicht immer unbedingt gleich verwirklichen und artikulieren durfte, aber doch einige hoffnung machen konnte, gehört zu werden. es war ein bis zur doppelbödigkeit *ehrbarer* ort; ein ort zur unterhaltung und anregung auf vielerlei stufen von niveaus, eine stätte der bildung und des pathos, der lust und des leids, in der selbstgefälligkeit auf sich beschränkt, und allen genussverfeinerungen offen.

es verfügte über mehrere kulturelle institutionen, die auf die generation der in die fröhliche ausbeutung hineingewachsenen söhne ihrer häufig saturierten väter einen starken und prägsamen einfluss ausübten: das burgtheater, die presse, das gymnasium, die universität, die kaffeehausrunde u. a., und es waren vor allem diese inseln, auf denen sich abseits der karrieren der kommerz- und beamtenwelt das geistige leben regte, ähnlich wie dies in vielen hauptstädten des 19. jahrhunderts der fall war und vielleicht mit der einzigen ausnahme gewisser missstimmungen in der selbstzufriedenen kultiviertheit zwischen den generationen.

über die hier nicht weiter beschriebene sphäre, in die österreichs moderne literaten hineinwuchsen, gibt es jede menge stimmungsliteratur und die reminiszenzen und autobiographien der schriftsteller und journalisten sind prallvoll davon. die funktion des schreibens der gymnasiasten war, ausser der blossen geselligkeit und der seit altersher gepflogenen konvention (tagebücher, verse, kleine skizzen), autotherapie, aber der säkularisierungsprozess der literatur hatte zwei einander scheinbar widersprechende systeme hervorgebracht, an denen sich die jugend der damaligen zeit orientierte: den feuilletonismus und das artifizielle, artistische sprachgebilde, und für die im kleineren kreis zur schau gestellte privatheit (die mehr verdeckte, als sie offenlegte) wählte man wechselweise das eine oder andere.

dieser eklektizismus formte seltsame schreibweisen aus, die immer wie abbreviaturen eines neuen kunstbewusstseins anmuten, wenn sie auch, bei heutiger lektüre, eines mitreissenden schwunges entbehren, der für die meisterwerke der damaligen zeit etwa *rimbauds* oder auch *prousts* kennzeichnend ist. es war sozusagen nur der angedeutete hauch des radikaleren, aber er genügte offenbar, um die väter zu erregen und die verständnisvolleren gemüter zu erschüttern. die abgeklärtheit etwa vieler verse *hugo von hofmannsthals* war irgendwo immer rückwärtsgewandt, sie plätscherten fein, aber letztlich gleichgültig wie fontänen.

dennoch witterte man hier eine staatserhaltende, zwar nicht eben verständliche form von literatur, und man missdeutete oberflächlich die versuche *mallarmés*, wenn man den jungen *hofmannsthal* zu einem herold der moderne postulierte.

das säkularisierte kunstbewusstsein des vergangenen jahrhunderts machte sich in den aufgeblähten, letztlich leeren postulaten breit, einer art *letteratura casalinga*, in der die gerichte der décadence, des symbolismus, der neuromantik oder des naturalismus hausbacken zubereitet wurden. für die abwechslung in dieser küche sorgte *hermann bahr*, schriftsteller und kulturkritiker, der in alle töpfe europas geschaut hatte und, stets enthusiasmiert, rezepte notierte und verwarf (»... man muß sein ich wechseln, wie eine neue cravatte«); ein chamäleon in bekenntnisfragen, dem das österreichische so manche schlagworte verdankt. tatsächlich registrierte und rezipierte er vieles der damaligen moderne und setzte sie seiner zuhörerschaft, zu der die meisten dichter des jung-wien zählten, auseinander, aber sein offenbar nicht zu hemmender innerer feuilletonismus lenkte auch den modus seines erfassens; es mag gestattet sein, zu fragen, welchen verlauf die literarischen anfänge der neuen wiener dichtung gezeitigt hätten, hätte ein anderer als *hermann bahr* die rolle des vermittlers übernommen, der überdies noch seine schützlinge für surrogate der weimarer klassik ausgab oder sie in ihren goethebildern bestärkte.

um in einem beispiel anzudeuten, welch merkwürdigen verlauf die rezeption der modernen nahm: *ernst mach* lehrte 1895 bis 1901 philosophie an der wiener universität. unter seinen hörern war auch *hugo von hofmannsthal.* 1900 war die zweite, stärker beachtete auflage der »analyse der empfindungen« erschienen. *bahr* hatte darüber unter dem titel »das unrettbare ich« 1904 einen aufsatz veröffentlicht, in welchem er über *machs* theorie, derzufolge das ich nur so etwas wie eine zentralkoordinate der empfindungen sei, referiert und damit indirekt auch den literarischen impressionismus propagiert. sehr tief dürfte aber die propagierung nicht gereicht haben, denn keiner der wiener literaten hat sich ernsthaft mit den interessanten ideen *machs* beschäftigt oder ist durch sie zu einem literarischen kalkül angeregt worden; jedenfalls kaum konsequent *(schnitzlers* »fräulein else« gilt allgemein als ein impressionistisches werk, aber von einer konsequenten anregung kann hier wohl nicht die rede sein; erst viele jahre später hat *robert musil machs* einfluss auf seine ideen bekannt).

mit anderen neuen denkweisen geschah ähnliches: auch hier geht die einsicht, von einigen oberflächlichen übereinstimmungen abgesehen, nicht sonderlich tief; erst die surrealisten haben jahrzehnte später gezeigt, wie sich bestimmte aspekte der psychoanalytischen methode für die literarische arbeit verwenden lassen. es ist geradezu ein charakteristikum für *hofmannsthal* und seinen kreis, dass die auseinandersetzung mit den denkformen ihrer zeit für ihre arbeit so seltsam folgenlos geblieben ist; auch *hermann broch* hat sich in seinem essay über *hofmannsthal* mit dieser frage beschäftigt und sich gefragt, warum er, trotz kenntnis, phänomenen wie dem kubismus gegenüber gleichgültig geblieben sei. welche art kunstauffassung *hofmannsthal* vertrat, welches bewusstsein ihm zu erneuern *würdig* schien (um einen seiner häufig gebrauchten ausdrücke zu verwenden), hat er in der sammlung eigener und seinem denken verwandter reflexionen und maximen »buch der freunde« (erschienen 1920) vorgebracht; der bedenkliche massstab, die nachfolge *goethes* angetreten zu haben, liess sein bildungs- und informationsprogramm in kollision geraten, und paradoxerweise (in einer zeit, in der immerhin *fritz mauthner* seine »beiträge zur kritik der sprache« herausbrachte) erkannte er die grammatizität nicht als einen jener faktoren, in der die dichtung seiner generation bis zur hohlheit festgefahren war.

in dieser, nicht dialektisch verarbeiteten kollision zwischen der bildung und der information, liegt der antagonismus der moderne und des jung-wien.

der kreis dieser teilweise recht interessanten autoren *(schnitzler, altenberg, beer-hofmann, salten,* dem die autorenschaft der »josefine mutzenbacher«, einem singulären produkt der deutschsprachigen pornographie, zugeschrieben wird, und andere) schuf mitunter glänzende sittenbilder, skizzierungen, dialoge, ist aber, trotz vieler wiederbelebungsversuche, nur als eine gehobene (vielleicht heute bereits verloren gegangene) form der unterhaltung von interesse; für die moderne sind die werke – nicht die problemstellungen – ohne jeden belang.

ganz anders verhält es sich da mit *serner* oder *hausmann* oder mit *melchior vischer,* einem schriftsteller, der erst seit etwa zwei jahren mit seiner arbeit der öffentlichkeit zugänglich ist und für dessen prosaarbeiten (die durchwegs in den zwanziger jahren entstanden) ganz andere formale überlegungen massgebend waren (die titel seiner prosa sind: »sekunde durch hirn«, »der teemeister«, »der hase«) als in den scheinschwangeren produkten seiner zeitgenossen. allerdings passen solche dichter, ebenso wie *albert ehrenstein* oder *georg kulka,* nicht in das einer *austrovision* genehme moderne.

zwei autoren, die zu rezipieren man angesichts ihrer einflussnahme oder besser ihrer bedeutung nicht umhin konnte, sind noch zu nennen: *karl kraus* und *georg trakl.* es war besonders *karl kraus,* dessen werk und person, der den damals als künstlerische aussenseiter angefeindeten protagonisten neuer kunstauffassungen wie *adolf loos* und *arnold schönberg* moralische stütze war. über *karl kraus'* satirische meisterschaft, über die furiose dialektik seines sprachgebrauches und sein bewunderungswürdiges auftreten gegen die dummheit und die missstände seiner zeit, ist sehr viel geschrieben worden; aber alle apologien sind seiner arbeit gegenüber schwächlichere umschreibungen, welche die leidenschaft nicht auszudrücken vermögen, mit der er über seine zeit zu gericht sass und mit welcher er sich der sprache hingab. diese leidenschaftlichkeit allein räumt ihm innerhalb der deutschen literatur eine sonderstellung ein, und ein werk wie seine pandämonische collage »die letzten tage der menschheit« ist den grossen literarischen leistungen dieses jahrhunderts ebenbürtig und hat, anders als es ihm vielleicht genehm war, massstäbe für die moderne dichtung gesetzt. selbst wenn seine bemühungen, auch lyrisch das sprachliche kunstbewusstsein zu erneuern, als gescheitert betrachtet werden dürfen, ist die konsequenz seines polemischen und kritischen wirkens evident.

trakls beitrag zur moderne findet in einer einförmigkeit der lyrischen sprache ihren ausdruck, in der der wandel der dichtung deutlich und exemplarisch markiert ist. allein in dem prinzip der aussparung und der kargheit seiner wortwahl zugunsten dessen, was dadurch ausgedrückt wird, hat er der lyrik einen wohl kaum mehr rückführbaren weg gewiesen, und in der tat hat er, wie der kritische apparat zu seinen dichtungen gezeigt hat, beim verfassen seiner verse methoden vorweggenommen, die etwa in den 50er jahren durch die *konkrete poesie* aktuell geworden sind.

das ist ein kleiner querschnitt durch (eigentlich mehr eine andeutung über) die dichtung, die in österreich geschrieben wurde und die, zu recht oder zu unrecht, die bezeichnung des modernen für sich in anspruch nehmen darf. es ist jene literatur, mit deren renommee sich das heutige österreich gerne umgibt (die ausnahmen sind schon genannt worden), für die aber das gestrige österreich nicht allzuviel – es sei spott und hohn – übrig gehabt hatte. es wurde anfänglich gesagt, dass die sicherlich etwas (oder zumindest unter einem aspekt etwas) problematische bezeichnung *österreichisch* auch auf fragen nach der tradition hinweise, und dieser punkt soll hier noch behandelt werden. mit der frage nach der tradition ist gemeint, welchen einflüssen sich die in österreich geborenen und hier schreibenden autoren ausgesetzt sahen und welchen einflüssen sie sich jetzt, nach der etwas fragwürdigen subsumption von literatur und geschichte, ausgesetzt sehen.

der erste aspekt scheint mit dem hinweis auf das bildungsprogramm des bürgerlichen wien jener jahre aufgeklärt; die versiertheit in der klassik und antike, für die sich in den dichterischen arbeiten häufig belege finden lassen, spricht eine deutliche sprache. es besteht kein zweifel, dass die meisten der wiener dichter sich in der deutschen literatur behaupten wollten, die ihrerseits um internationales ansehen bemüht war. eine »weltdichtung« im sinne der *konkreten poesie* scheint bereits in den bestrebungen *georges* vorweggenommen, der das sprachliche kunstbewusstsein den tendenzen des artifiziellen in den verschiedenen hauptstädten europas angleichen wollte (und dies unter anderem durch seine vorbildlichen übersetzungen tat), wenn er auch das nationale – freilich nicht ohne ambivalenz – zu resäkularisieren trachtete; es kam z. b. zu neubewertungen von *jean paul* und *hölderlin. hofmannsthal* tat ihm darin gleich, verschieden nur in der pose und konservativen haltung. auch *karl kraus* bekannte, *nur einer von den epigonen, die in dem alten haus der sprache wohnen,* zu sein. divergierend wurden die auffassungen dort, wo geschichts- und literaturbewusstsein aufeinandertrafen, wo aus den verschiedensten motiven eine separierung stattfand, wo das nationale empfinden sich über die kanäle der presse anschickte, ideologie zu werden.

hier war plötzlich in der sonstigen einhelligkeit der anschauungen ein bruch vorhanden; man verfiel auf komplizierte herleitungen der *eigenart* und rekurrierte auf vage muster des selbstverständnisses. *bahr* prägte für das österreichische das schlagwort *barock,* und mit einem mal schien es mit der moderne in österreich vorbei zu sein. eben jenes barocke, das noch heute durch die interpretationen der literatur geistert, erstickte den ersten ansatz zur entfaltung im keime; immer auf der suche nach weiteren, diesem wortfeld zugehörenden beifügungen, geriet alles in ein staatserhaltendes, erzkatholisches *besinnen,* verebbte das moderne in kirchengesang und frömmelei, zerstoben die -ismen der jahrhundertwende in bekennertum. erst in der phase des expressionismus und durch den zeitweiligen aufenthalt vieler schriftsteller in deutschland (wo auch ihre bücher verlegt wurden) wurde diesem spuk einhalt geboten. lediglich autoren wie *karl kraus* oder künstler wie *adolf loos* hatten den ornamentenschwindel von der arabeske zum barocken durchschaut und angeprangert. *hofmannsthal* und sein die dichtung der zeit viele jahre bestimmender kreis liessen sich zu keinem umschwung mehr überzeugen; man konnte sagen, dass die frühe kehrtwendung ihres modernismus letztlich auf einem sprachaberglauben basierte.

es ist wohl wahr, dass insbesondere in den schulen das österreichische an der literatur in der weiter oben beschriebenen provenienz gelehrt wird, aber ebenso trifft zu, dass die orientierungsmöglichkeiten damit nicht erschöpft sind, sondern, im gegenteil, geradezu zu widersprüchen herausfordern. natürlich gibt es mitunter jene favorisierung einzelner, aus österreich kommender autoren, aber das ist mehr ein spiel als irgendeine ideologie. *konrad bayer,* mitglied der in den 50er jahren entstandenen *wiener gruppe* (der wohl einzig wirklich interessanten literatur, die nach dem krieg und im sinne der weiterentwicklung der moderne in österreich geschrieben worden ist), hat eine *vaterländische liste* der von ihm bevorzugten österreichischen autoren zusammengestellt. sie enthält namen wie *freud, wittgenstein, paracelsus, trakl, kraus, nestroy, kafka, walter von der vogelweide, oswald von wolkenstein, gütersloh, hausmann* und *serner, buber, ehrenstein, herzmanovskyorlando* u. a. (die liste ist hier weder in ihrer reihenfolge richtig, noch vollständig wiedergegeben; es soll bloss angedeutet werden, in welcher weise man von der politik gebrauch machen, d. h., wie man sie selbst für irgendwelche zwecke verwenden konnte). es wäre (und ist es mitunter auch) das spiel eines jeden in österreich geborenen autors, die liste zu erweitern oder zu verändern. und das ist wohl das sinnvollste, was man mit solchen überrumpelungen des staates durch namen tun kann.

ein letztes noch: wie bereits erwähnt, ist die geschichte der literatur aus österreich bislang nicht geschrieben worden. es wurde auch bezweifelt, ob dies, angesichts des vorherrschenden images, noch je geschehen könne. aber es erschiene immerhin möglich, bestimmte schnittpunkte in linien aufzulösen und diese linien aufzuzeigen, aus welchen bereichen der kunst oder wissenschaft sie nun immer herkommen mögen. es gibt, und das sogar ziemlich häufig, eine beträchtliche anzahl von schriften, die sich weder unter wissenschaft noch unter literatur einordnen lassen, die aber nichtsdestotrotz sehr originell sind, und die, weil es ohne schubladen offenbar nicht geht, unter kuriosa rangieren. aus dieser art von schrifttum wäre viel über den zeitgeist zu erfahren, und ihnen könnte so manche studie dazu verhelfen, den mit denkmodellen befassten autoren als anregung zu dienen. die geschichte der moderne ist überdies auch noch nicht so abgeschlossen dokumentiert, als dass nicht die eine oder andere schreibweise in ihrer chronik noch ihren verdienten platz fände. jede betrachtung der literatur muss das offizielle usurpieren, bekämpfen, gegen die meinung arbeiten. wenn die heroischen kapitel moderner dichtung in österreich durch kniefälle abgeschlossen scheinen, muss eine andere betrachtungsweise die gläubigen fordern, sich wieder zu erheben; und schadet es dem österreichischen, so wird es doch der literatur um so mehr nützen.

KONRAD BAYER

bayers vaterländische liste

paracelsus
wittgenstein
sigmund freud
kafka
nestroy
stifter
karl kraus
walter von der vogelweide
oswald von wolkenstein
dr. serner
raimund
trakl
ehrenstein
musil
martin buber
h. c. artmann
oswald wiener
gerhard rühm
gütersloh
herzmanofsky
raoul hausmann
ulrich von lichtenstein
johann beer
dietmar v. aist
der kürenberger

schönberg
webern
hauer
mozart
schubert
joseph haydn

schiele
klimt
hundertwasser
hausner
rueland frueauf

josef hoffmann
otto wagner
lukas hildebrandt
prandtauer
fischer v. erlach

WERNER KOFLER
Der wilde Jäger, prompt

Ich erledigte Artmann.
Ich erledigte Bauer.
Ich erledigte Bayer.
Ich erledigte Bradatsch.
Ich erledigte Cami, Dürrenmatt, Galczinkski.
Ich erledigte Grillparzer.
Ich erledigte Harig.
Ich erledigte Hussel und Ineichen.
Ich erledigte Jandl.
Ich erledigte Jarry.
Ich erledigte Jonas.
Ich erledigte von Kieseritzky.
Ich erledigte Kofler, selbst ihn.
Ich erledigte Kusz.
Ich erledigte Mayröcker.
Ich erledigte Pastior.
Ich erledigte Roth, ich weiß nicht mehr, welchen.
Ich erledigte Rühm.
Ich erledigte Sagerer, Scheerbart, Widmer.
Ich erledigte Wühr.

Ah, ich erledigte sie alle!

GERHARD KOFLER

Die Besucher

ich begann mit den ersten gedichten
gegen mein blasses gesicht.
da kamen die deutschlehrer
mit einem herrn Rilke in mein zimmer.
und während ich herumging,
um traurig zu sein und fußball zu spielen,
schrieb Rilke halbherzig ein paar verse
auf die leergelassenen blätter,
immer unter den augen der deutschlehrer,
die auch noch das halbe herz entfernten
mit einem gottesbeweis oder
einer eintragung ins klassenbuch.
so trug ich mein blasses gesicht.
so starben meine ersten gedichte.

diese frühen besucher waren
dunkle beherrscher meiner abwesenheiten,
die, ehe sie darin eintraten,
höflich ans hirn klopften
bis sie endlich zu tintenklecksen wurden,
als Majakowski hemdsärmelig im winter
beim fenster hereinstieg
und Brecht mit dem Rilke redete,
der es einsah und vorläufig zurückging
den weg der schullesebücher.
als ich Neruda mehrmals traf
in wirtshäusern und in cafés
und ihn dann einlud, frauen liebte
und geschmackssinn eroberte
und meinen körper spürte beim schreiben,
da war ich schon mitten drin
in dem gedicht,
das ich immer noch schreibe.

FRIEDERIKE MAYRÖCKER
Zur österreichischen Literatur

Österreich:
Freud, Trakl, Rilke, Kafka, Celan / etwas Mahler

auszerhalb Österreichs:
Benn, Brecht, Leiris, Beckett, Arno Schmidt, Claude Simon, Duras

Satie, Debussy

Giacometti, Chagall, Magritte, Max Ernst, S. Dali, Topor, Delvaux

Peter Handke

»Ich liebe ihn«
Dankrede bei der Verleihung des Grillparzer-Preises 1991

12. 1. 91. Um Franz Grillparzers willen bin ich hier; und möchte zugleich um seinetwillen schweigen. Er erscheint mir als einer der problematischsten unter den nicht gar vielen aufs Ganze gehenden großen Abenteurern des Schreibens – jedes seiner Abenteuer damit, ob bestanden oder nicht, öffnet den Sinn für ein Problem – und so als einer der interessantesten oder »nächsten«. Wie kaum welche sonst lassen sich seine Sachen studieren, und nicht nur von einem Berufs-Nachfahren wie mir jetzt (wozu ich stehe, zwischen Stolz, Galgenhumor und Verlegenheit): Grillparzers Formprobleme zeigen Lebensprobleme, die wohl jeder von seiner Sache Begeisterte und dabei Gewissenhafte zu bestehen hat, in gleich welchem Beruf, Politik, Handwerk, Handel. Sein Leben, so sehr es vor allen Handlungen, bis auf das Schreiben, zurückscheute, wirkt, auf eine geradezu beispielhafte Weise, dramatisch: Denn es stellt, wie eben vielleicht nur das der ganz unbedingten Schreiber, in all seinen Phasen exemplarisch Vergleichsformen für die Stationen, Situationen und Wendepunkte auch unseres, des Lehrers, des Arztes, des Forschers, Lebens dar, die Augen öffnend und Erkenntnis stiftend sowohl für die Übereinstimmungen als auch die Gegensätze.
Allein bleiben mit dem, was man tut oder dazu sich ein Volk suchen? Es erfinden? Welches Volk? Auf eigene Faust wirken oder im Zusammenhang? Und in welchem? Einem tatsächlichen, wie dem eines Staats oder gar eines Reichs, oder einem eingebildeten – einer erträumten Einheit, eben kraft Abseitsbleibens und Alleinschaffens, als dem Abglanz des ursprünglichen Einheitstraums in Gestalt eines von der Historie energisch losgesagten und so vielleicht umso tatkräftigeren Werks?
Die Dringlichkeit, geradezu Wildheit, mit der Grillparzer in seinem Lebenswerk diese Fragen sozusagen auf die Jagd schickt, und zugleich die so anders schöne Zagheit, Zahmheit, Fasttonlosigkeit und Schwachheit, in der er dann diese und jene eher kümmerliche Antwort heimbringt, das macht diesen Schaffer zu einem großen, herzlieben, verbiesterten – beispielhaften und auch immer wieder naturgemäß abschreckenden – Ahnherrn, sicher nicht allein für mich.

*

13. 1. 91. Viele nach ihm haben ihn so beansprucht, eine Reihe als Bild, eine andre eher als Gegenbild. Zur ersten gehört Hugo von Hofmannsthal, der als

46

Dreißigjähriger von dem Vorgänger die eigene Zerrissenheit – als akuteste Einsamkeit – bestätigt fand und später wohl auch die Trauer über den Zerfall des Habsburgischen Reichs; gehört, freilich eher, wie es manchmal seine Art war, im Vorbeigehen, auf der Durchreise, Thomas Mann, für den Franz Grillparzer, in den zwanziger Jahren noch kein Waffenwort, ein »großdeutscher« Dichter war (»auf dessen deutschem Werk der Schmelz des Österreichertums schimmert«); gehört Joseph Roth, der wiederum seinen Helden als den Herold der spanisch-katholisch-österreichischen Monarchie brauchte, »spanisch ... wie die Habsburger, römisch wie der Papst: der einzige konservative Revolutionär, den die Geschichte Österreichs kennt«, zum Einsatz gegen das Preußische, Protestantische, die Parvenüs mit der »falschen Krone« und den »Hinterladern«; und aus der Reihe, denen »der Taferl-Klassiker Grillparzer« zum Gegenbild dient, als einer für alle Karl Kraus, der da wieder einmal aus Scharfsinn kleinlich wird, oder aus Kleinlichkeit scharfsinnig?, und so, wie es eben Scharfsinn und Kleinsinn im Verein anzurichten pflegen, sein Gegenbild – sein Recht – zum Zerrbild, zum Unrecht, zum Verrat seiner Sache an bewährte Wortspielerei mißbraucht: »papierne Ebenheit der Welt Grillparzers«, »Halm, dem Verwandten seiner Blutleere« ... – zu welcher Verzerrung auch gehört, es dem Dichter anzurechnen, was seine Ideologen (nicht seine Leser – Leser können nie und nimmer Ideologen sein) mit ihm anrichten: durch Grillparzer der »Anschluß« ...; und auch gehört, blindlings, reflexhaft, im voraus das Abwerten im Sinn, zu vergleichen: »... Raimund, der der echtere Dichter war«, »... Nestroy, an dessen Gebiet außen weder des Meeres noch der Liebe Wellen anschlagen, in jeder Zeile mehr Lyriker, Dramatiker und Epigrammatiker ... als der ganze Grillparzer«.
Nein, Karl Kraus, so nicht, nicht dieses sinnlose Entzweien des Zusammengehörenden, nie mehr: Franz Grillparzer und Ferdinand Raimund und Johann Nestroy und, und ..., und, auf deine Weise, auch du, K. K.; denn anders als deine Nachäffer warst du ein Kämpfer, kein Schieler, warst ein Empörter, kein Aufgeblasener, kämpftest deinen im großen und ganzen gerechten, wenn auch oft kurzsichtigen Kampf allein, auf deinen eigenen Füßen, und nicht als epigonales Scheingefecht für Sold, in einem nichtsriskierenden Schwatzklüngel.
Doch außerhalb der beiden Reihen – wie sehe ich jetzt, wie sieht ein Dritter, ein Leser aktuell (vor allem der Selbstbiographie und der Tagebücher) den Franz Grillparzer?

*

14. 1. 91 (Flugzeug nach Wien). Folgendermaßen sehe ich ihn, im gehörigen Widerspruch und Durcheinander, gemäß meinen wahrscheinlich auch un-

genauen Gedächtnisfragmenten: Auf seinen, für einen damaligen Österreicher gar nicht so wenigen Reisen die Wege eher mißachtend, auf Kosten des jeweiligen Ziels (wo er dann seine Tage, so oder so, im großen und ganzen in Quarantäne verbrachte). Der angeblich mit seinem Los stets unzufriedene, grämliche Beamte, und der doch zwischen den Akten, auf und unter der Leiter, stolze Stunden der düsteren Abgeschiedenheit in Wonne erlebte. Dem der Himmel aufging angesichts der Schönheit einer Jüdin im Prager Ghetto und der sich auf einer nächsten Reise seines großmäuligen jungen Begleiters und Mündels sinnenschwaches antisemitisches Zungenrollen mit Genuß zu Gemüt führte, siehe das Tagebuch. Der unter seinem Ruhm, dessen österreichischer Abart zumindest, litt und, auf wieder einer Reise, in Boulogne-sur-Mer auf das Schiff nach England wartend, allein, abseits, gleichzeitig litt unter der Namenlosigkeit, Heimatlosigkeit, Verlorenheit (im Bild sehe ich ihn dort nach hundertfünfzig Jahren noch neben dem Hafen auf einer Düne stehen, im Wind, ein anderer Januskopf – gesichtslos nach vorn zum Wasser ebenso wie zurückgewendet zu seinem Kontinent). Nie war er in Spanien, der Heimat seiner Formen, seiner Formheimat, eben deshalb? »Von der Humanität durch Nationalität zur Bestialität«: Hat er diesen so beliebt gewordenen Spruch nicht gegen den Nationtraum der Tschechen gemünzt, deren Sprache für ihn bloße Mundart, nichts als Dialekt war? Bewegungsbehindert in seinen letzten Jahren durch einen Treppensturz, viel schweigend: Ich stelle mir die Reglosigkeit und das Schweigen meines Österreichers Grillparzer an seinem Schreibtisch in der Spiegelgasse als ein Werk vor, ausgeführt etwa von Alberto Giacometti oder Walter Pichler, und wiederhole mir dazu jene einmalige Anrede des alten Menschen in seiner Antwort auf einen Geburtstagswunsch Adalbert Stifters – nie hat Franz Grillparzer wohl sonst jemanden so tituliert: »Edler Freund!« Und: zwischen ihm, dem begeistert-beharrlichen Schreiber, und seinem Land schien es seinerzeit noch um etwas zu gehen – vielleicht aber auch nicht.

Vor drei Tagen habe ich Franz Grillparzer tatsächlich gesehen, spät am Abend, unten in der Métrostation Javel am Pont Mirabeau in Paris. Er saß, allein, auf der hintersten Bank des Quais, im langen, zugeknöpften Mantel, inmitten von mehreren prallen Plastiksäcken. Aus diesen zog er, nach jeweils langem Hineinlugen, in einem fort andere Plastiksäcke, gefaltete, schlug sie auf wie Landkarten, studierte sie, erst starr, dann kopfschüttelnd, faltete sie mit Sorgfalt wieder zusammen, schichtete sie um und um und so fort. Diese Sachen, groß und klein, turmartig, gebaucht, in schönen Abständen, links und rechts von ihm auf der Bank gereiht, erinnerten mich, unwillkürlich, an die Vasen, Kelche, Krüge und Schüsseln der Stilleben des spanischen Malers Francisco Zurbarán, so streng standen sie im Glied, wohlgeformt, ein Maß, ein Rhythmus, und der Mann in der Mitte, wie er mit ihnen hantierte, gehörte, samt seiner Gemessenheit und eigensinnigen Treue, seinem Schüttelkopf und seinem vollkommenen Auf-sich-allein-ge-stellt-Sein, dazu als eine von Zurbaráns entrückten, stark-schwachen Heiligen-figuren. Entrückt? Der Mann jenseits der Gleise – er wartete auf keinen Zug – hob in seinem ruhigen Rumoren zwischendurch immer wieder den Kopf und äugte herüber zu mir; er brauchte für das, was er tat, mich, den Zu-schauer; halb versteckt in den lichtschwächsten Winkel, suchte er mich. Vom Toten – zumal mit einem lebendigen, seltsam brachliegenden Werk, läßt es sich leichter sagen: »Ich liebe ihn.« Ich liebe Franz Grillparzer, durch das, was ich von ihm erfahre an der Hand seines Werks, sehr.

HANS LEBERT

Schützt Euer Land selbst!
Dankesrede zur Verleihung des Grillparzer-Preises 1992

Dem Gebot der Höflichkeit gehorchend, danke ich für die Zuerkennung des Grillparzer-Preises der Stiftung F.V.S. zu Hamburg.
Jedoch habe ich Auskunft darüber zu geben, warum ich diesen Preis über-haupt angenommen habe, denn wie wir wissen, handelt es sich hier nicht um eine österreichische, sondern um eine deutsche Auszeichnung, die ich, wenngleich ich in deutscher Sprache schreibe, eigentlich nicht verdient habe.
Hier über Franz Grillparzer zu sprechen, halte ich für abgeschmackt, denn über ihn haben bereits klügere Leute als ich genügend geschrieben oder ge-redet (Gutes und Schlechtes). Für mich ist Franz Grillparzer nach Marie v. Ebner-Eschenbach der größte österreichische Dichter seiner Zeit und ich bezeuge seinem Werk meinen vollsten Respekt.
Die Pikanterie, daß ein deutscher Preis just den Namen eines österreichi-schen Klassikers trägt, zwingt mich aber, darüber nachzudenken, was hier-mit bezweckt wird, ebenso die Absurdität, daß eine Stiftung, die sich schon seit ihrer Gründung im Jahre 1931 für die Verbreitung großdeutschen Ge-

dankengutes stark gemacht hat, ausgerechnet mich, einen österreichischen Patrioten und Antifaschisten, mit besagtem Preis ehrt.

Der unvergessene zweite Bundeskanzler unserer Zweiten Republik, Ing. Julius Raab, brachte einmal mit folgenden gewichtigen Worten die Sache auf den Punkt: »Deutsch ist unsere Muttersprache – Österreich ist unser Vaterland.« Wenn sich jedoch das von Raab angesprochene Vaterland innerhalb immer noch völkerrechtskräftiger Grenzen befindet und sich dessen Bewohner in ihrer Mehrheit schon längst als selbständige Nation verstehen, so ist seine die Grenzen überschreitende Hochsprache auch dann noch seine eigene, wenn in einem benachbarten Staat dieselbe Hochsprache gesprochen wird.

Man sagt, wenn A gleich B ist, so ist logischerweise B gleich A. Wenn aber zwei souveräne Staaten nebeneinander ihr Eigenleben führen, so verliert besagte Formel ihre Gültigkeit. Sie können gute Nachbarn sein, sie können miteinander Handel treiben, auch kulturellen Austausch pflegen, ja sie können sogar Sympathie füreinander empfinden, doch wehe, wenn gewisse Kreise (z. B. im Bildungs- und Unterrichtswesen) in diesen Nationen vergessen, daß sie *zwei* sind und *nicht* ein- und dasselbe.

Die Amerikaner beispielsweise sprechen Englisch, doch keinem würde es einfallen, sich für einen Engländer zu halten, die deutschsprachigen Schweizer sprechen Deutsch, aber keinem von ihnen käme es in den Sinn, sich als Deutsche zu bezeichnen. Und kein Deutscher würde es sich gefallen lassen, als Österreicher apostrophiert zu werden, und ließe es sich schon gar nicht gefallen, wenn sein Staat plötzlich Österreich genannt würde.

Wie schon gesagt, ich bin Patriot, ein sehr kritischer Patriot, und gerade als solcher kehre ich zunächst vor der eigenen Tür. Jedoch ich distanziere mich auf das allerschärfste von jenen österreichischen Autoren, die ihr Vaterland beschimpfen und lächerlich machen, um im Ausland dafür Applaus zu ernten.

Solche Autoren bereiten eine Kolonisation vor. Wie das vor sich geht, ist bekannt: Zuerst kommen die Missionare und verändern das Weltbild, dann kommen die Kaufleute und korrumpieren die Stammeshäuptlinge durch mehr oder weniger kostbare Geschenke, und schließlich kommen die Annexionstruppen und hissen die fremde Fahne.

Ich habe viele bittere Tage erlebt, jedoch der bitterste war derjenige im März 1938, als es hieß, Österreich habe aufgehört zu existieren. Und damals habe ich mir versprochen, nichts – auch nicht das Geringste für das sogenannte Dritte Reich und dessen gewalttätiges Regime zu tun.

Andere österreichische Autoren (und ich zitiere jetzt nur solche, die von der Stiftung ebenfalls ausgezeichnet wurden) haben dieses haarsträubende Ereignis völlig anders empfunden, zum Beispiel so:

	Gewaltiger Mann,
	wie können wir Dir danken!
	Wenn wir von nun an eins sind,
	ohne Wanken
Oder so:	*Betend wallt' ihm entgegen*
	freudeweinendes Volk,
	sich selbst als Gabe zu bringen,
	gewillt zu größtem Bekenntnis.

Sollte der Preis unter Respektierung der Grenze, die zwischen zwei autonomen Staaten und zwei ähnlichen und doch verschiedenen Nationen verläuft, lediglich der Sprachkunst dienen, um welche ich immer bemüht war, dann habe ich die großzügige Ehrung vom Ausland als anderer Ausländer, als der ich mich verstanden wissen möchte, empfangen.

Sollten Sie jedoch meine Person, mein Leben, meine Gesinnung ausgezeichnet haben, so ist Ihnen leider das Mißgeschick widerfahren, auf das falsche Pferd gesetzt zu haben, und das investierte Geld ist dahin. Denn ich war von jeher ein Feind des sogenannten Dritten Reiches und bin noch heute der Feind derjenigen, die diesem Reich wie einem goldenen Zeitalter nachträumen oder gar nachtrauern.

»Österreich hat aufgehört zu existieren.« Diese Worte haben sich mir für alle Zeit als Brandmal eingeprägt. Ebenso der Schluß jener kurzen Rede, mit der sich der letzte Bundeskanzler der Ersten Republik, der glücklose Dr. Kurt Schuschnigg, offenbar bereits in Todesangst*, von seinem Volk verabschiedete: »Und so schließe ich mit einem deutschen Wort und einem Herzenswunsch: Gott schütze Österreich.«

Gott hat Österreich nicht geschützt, das *deutsche* Wort blieb ungehört oder wurde mißverstanden.

Ich beschwöre Euch daher, habt Selbstvertrauen!

Schützt Euer Land selbst!

---

* Anmerkung:

Dr. Kurt Schuschnigg sagte am Anfang seiner kurzen Abschiedsrede, die Regierung habe der Wehrmacht befohlen, möglichst geringen (da unterbrach er sich, offenbar von hinten gestoßen) – keinen Widerstand zu leisten, um kein deutsches Blut zu vergießen. Wieso eigentlich ausgerechnet besonders kein deutsches Blut? Bismarck war 1866 nicht so zimperlich, offenbar betrachtete er Blut ganz einfach als Blut, und Blut ist ja in der Tat etwas, das keine Nationalität hat.

FRITZ HOCHWÄLDER

Die Stunde Nestroys

Gewisse Konstellationen in der Weltgeschichte sollen sich, einem bekannten Satz zufolge, zweimal ergeben – zuerst als Tragödie, dann als Possenspiel.

Bei der Betrachtung von Nestroys Werken verspürt man Lust, den erwähnten Satz zur Abwechslung auf die Theatergeschichte anzuwenden. Die Konstellation wäre so zu umreißen: Eine glanzvolle Hauptstadt – ein theaternärrisches Publikum, dessen Anspruch und Verständnis die Spieler zu immer feinerer Leistung anspornt. »Das Publikum überhörte oder übersah weder einen Vorzug im Bau des Stückes noch eine Verzierung im Dialoge.« Was schreibende Szenenschneider den Komödianten liefern, genügt längst nicht; eines Tages greift der Protagonist selbst zur Feder und versucht sich als Dramatiker. Siehe da – es geht glänzend –, denn die Zeit kommt dem Theater mächtig entgegen. Keine Rede noch von Urheberrecht, man nimmt die Stoffe, wo sie zu finden sind, bei den Zunftgenossen, aus fremden Romanen und Erfolgsstücken. Charaktere und Begebenheiten werden umgemodelt, Vorbilder erhalten ein einheimisches Gesicht, das Wichtigste sind gute Rollen, vielfach diktiert die Aktualität das Thema, dem rasch ein fremder Stoff gesucht werden muß …

Das so entstandene Stück wird, schäbig genug honoriert, ein paar dutzendmal gegeben, dann verwandelt es sich in ein zerlesenes Rollenbuch, an dessen Drucklegung niemand denkt, am allerwenigsten der Schauspieler-Autor selbst. Der bleibt Meisterhandwerker unter einer Schar für die Bühne Schreibender, er verkehrt weder in den Kreisen der von der Zeit gefeierten Poeten noch in der großen Gesellschaft, die sein Talent zwar schätzt, aber geneigt ist, es eher der Zirkussphäre beizuordnen.

Da alles Wasser auf seine Mühle läuft, da bei noch so hoher Verfeinerung des Geschmacks das Theater noch immer in gesunder Primitivität wurzelt – sehr weit noch vom Universitätsseminar, sehr nah noch dem Jahrmarkt! –, da er sich nicht ein einziges Mal um Erfindung einer Handlung bemühen muß, wird ihm, dem von Natur alles Szene ist, ohne schweißtriefende Bemühung alle Szene zu Geist …

So entstehen Bühnenwerke, die den Schauspieler, der sie gelegenheitshalber für sich und seine Mitspielenden verfaßte, überdauern und unsterblich machen. Er selbst, wohl um seinen Wert wissend, bleibt äußerlich bescheiden – nach einigen mit Arbeit ausgefüllten Jahrzehnten zieht er sich wohlhabend in die Provinz zurück, um das Ersparte als braver Bürger zu verzehren.

Von wem ist da die Rede? Von Shakespeare? Gewiß, das wäre, um beim Gleichnis zu bleiben, die Konstellation des Ernstfalls … Aber die gleiche Konstellation gebiert, sonderbar genug, im Wiener Biedermeier die Erscheinung Johann Nestroys, des Possenfürsten. Wie im elisabethanischen England ist das Theater im Wiener Vormärz dem ganzen Volk leidenschaftliches Bedürfnis. In der Leopoldstadt und an der Wien drängen sich allabendlich Adelige und Bürger. Große Spaßmacher hatten jahrzehntelang das Volk unterhalten, und nach den Stranitzky, Bernardon, Prehauser bereitet eine Schar mittelmäßiger Stückeschreiber – die Meisl, Gleich, Bäuerle und Konsorten, den Elisabethanern Peele, Ford, Chapman usw. in ihrer Funktion durchaus vergleichbar – die Stunde des überragenden Schauspieler-Dichters vor, der nicht erfindet, sondern Vorgefundenes vollendet; Genialität also nicht als einsame Erscheinung, vielmehr Spitze einer Pyramide, einer ganzen Epoche.

Die Kluft, die Shakespeare von Nestroy trennt, muß nicht aufgezeigt werden. Aber wenn wir beim bekannten Nestroy-Forscher Otto Rommel einen Absatz über die Arbeitsweise Nestroys lesen, in dem es heißt: »… Die eigentlich schöpferische Arbeit begann für ihn erst mit der Dialogisierung, Dialog und Charakteristik sind immer sein geistiges Eigentum, selbst wenn er, wie häufig in den vierziger Jahren, die Handlung brauchbarer Vorlagen fast unverändert übernahm …«, dann gilt das ebenso wie eine andere Stelle: »… dieser vollkommene Meister der dramatischen Technik, der das theatralische Zusammensetzspiel mit höchster Virtuosität beherrschte, war von Haus aus nicht am Erfinden, sondern am Durchleuchten von ›Handlungen‹, d. h. menschlich-psychologischen Tatbeständen, interessiert …« haargenau für den großen Engländer.

Freilich, die Welt Nestroys ist nicht die der Könige und großen Schurken, ihm ist alles Höhere fremd, seine Domäne bleibt immer, wie es der niedern Komödie zukommt, die der Gewürzkrämer, Hausherren, Hausmeister, Handwerker, Ladenmädchen, Kellner, Kammerdiener, Lakaien … Aber wieviel Weisheit, wieviel Menschenkenntnis in dieser Welt, die klein, aber rund und ganz und ungeheuer lebendig ist wie der Makrokosmos des andern, der aus gleicher Konstellation geboren wurde. Einzig im Geistgefunkel mancher seiner Aphorismen kommt der große Possenmeister einem vorvergangenen doppelten Berufskollegen in wörtliche Nähe, etwa in folgendem, den auch Shakespeare einer lustigen Person in den Mund gelegt haben könnte:

Was kann der Mensch, dessen Leben nix anders als ein an seinem Geburtstag gefälltes, auf unbestimmte Zeit sistiertes Todesurteil is, G'scheiteres tun, als er laßt sich in resignierter Delinquentenmanier noch nach Möglichkeit gut g'schehn mit einer Gustospeis? Der allgemeine gute Bissen aber für die Menschheit ist die Liebe.

ILSE AICHINGER

Weiterlesen
Zu Adalbert Stifter

»Was für ein aufregender, außerordentlicher, alle Augenblicke ins Extreme, man kann schon sagen: ins Pathologische vorstoßender Erzähler«, so zitiert der Stifter-Biograph und Herausgeber Urban Roedl Thomas Mann. Und Grillparzer schreibt in einem Brief an Stifter: »Da kann denn doch nur ein Narr seiner so sicher sein, daß ihn der gemeinsame Lärm seiner Zeit nicht ins innere Wanken brächte.« Wir sind vorgewarnt.

Wer es nicht ist, auf die eine oder die andere Weise, wer mit den Erzählungen Stifters zu früh oder zu spät umzugehen beginnt, den könnte leicht schon bei den ersten Absätzen der Zorn schütteln, die Worte der Genesis: »Und Gott sah, daß es gut war«, könnten ihm wieder einmal als Verzweiflung in den Sinn kommen. Denn wenn Stifter die Frage nach dem Verständnis des Schicksals auch in äußersten Fällen stellt, die Frage nach dem Einverständnis mit den höchst verschiedenartigen Existenzformen von Geröll, Flachs, Wüste, Mensch oder Tier wird nicht einmal vorausgesetzt.

Ob von der »festen Rose der Heiterkeit und Gesundheit«, vor dem »heiteren Abgrund, in dem Gott und die Geister wandeln« (beides *Brigitta*) die Rede ist oder von dem Titel *Zuversicht* über der zum Teil als zentral und gesellschaftskritisch gewerteten Erzählung, derjenigen mit dem katastrophalsten Ausgang: Die Ergebenheit in alles von der Natur Vorgegebene beginnt selbst den geneigten Leser zu martern. Er überblättert verzweifelt Schilderungen von Hoch- und Mittelgebirge, von Tiefebene und Steinkar und schleudert sie vermutlich beim ersten Auftauchen der jungen, frischen und freudigen Leute, der königsgleichen älteren oder der kleinen unschuldigen Kinder von sich.

»Wir werden da jetzt gleich rechts hinabgehen!« »Ja, Konrad.« »Der Tag ist kurz, wie die Großmutter gesagt hat und wie du auch wissen wirst, wir müssen uns daher sputen.«

»Ja, Konrad«, sagte das Mädchen.

Es sagt immer ja, und meistens sagt es: »Ja, Konrad.« Stifter nennt die Erzählung *Bergkristall*, alles ordnet sich in ihr, scheint zu kristallisieren, und die in Schnee und Fels geratenen Kinder werden noch in derselben Nacht gerettet und durch diese Rettung erst heimisch in ihrem Dorf. Aber auch, wo die Natur weniger oder nichts herausgibt, bleibt die offene und erbitternde Ergebenheit des Autors und seiner Gestalten erhalten und wird dem, der sie nicht teilt, als Schuld zugezählt.

Weshalb lesen wir weiter?

Ist es, wie Stifter selber meinte, »daß die tiefe sittliche schöne Absicht der Bücher die erfreuliche Wirkung tut?« Ist es Herders Philosophie, die seine eigene Ansicht der Natur vertiefte und die er seinen Erzählungen zugrunde legte? »Die Regel, die Weltsysteme erhält und jeden Kristall, jedes Würmchen, jede Schneeflocke bildet, bildete und erhält auch mein Geschlecht … Alle Werke Gottes haben dies eigen … In jedem seiner Kinder liebt und fühlt der Allweise sich mit dem Vatergefühle, als ob dies Geschöpf das einzige seiner Gattung wäre …« (Herder). Lesen wir also deshalb weiter, weil Stifters Erzählungen ein Bilderbogen der Herderschen Philosophie wären? Oder weil wir zu den »Männern mit abgeschlossenem Geiste« gehören, für die Stifter schreiben wollte, zu den Starken, die sich ergeben unterwerfen, wie es zu Beginn von *Abdias* heißt? Oder weil, wie der Dichter einmal verteidigend zur *Mappe meines Urgroßvaters* sagt, »doch einiges Liebe und Freundliche darinnen wäre«? Um dieser letzten Bemerkung willen möchte man ihn in die Arme schließen, aber deshalb liest man nicht weiter.

Es gibt eine Zeichnung von Kubin, darauf erscheint Stifter einer Frau und einem Kind, vielleicht Beerensammlern, im Wald: dick und ernst, mit einem hohen Schädel steht er am Weg, eine Gestalt des Waldes und die Quintessenz alles Beerensuchens. Wer dieses Bild ansieht, sieht auch, wie die Leute nach Hause laufen und in der Dämmerung bei der Abendsuppe von dem erzählen, der ihnen erschienen ist, selbst Gestalt seiner Gestalten, von ihnen gesichtet und wiedererkannt. Spiegel ihrer Trauer und ihrer Freuden. Aber wie begegnet man Stifter heute? Sicher nicht im Wald. Wie begegnet man seinem unbedingten Einverständnis mit der Natur, die wir im Stich gelassen haben und die uns im Stich gelassen hat? Wir können uns kaum mehr als Beerensucher verkleiden. Und sicherlich kann uns keiner mehr in die Stifterschen Gestalten einreihen.

An einem Julitag vor zwölf oder vierzehn Jahren mähte ein Bauer nicht weit von uns im Salzburgischen ein abschüssiges Stück Wiese. Als ich an ihm vorbeikam, wir uns gegrüßt hatten und ich mit der Bemerkung, daß es heiß sei, an ihm vorbeiwollte, erwiderte er, ja und heute sei eine Hitze, wie sie der Adalbert Stifter hätte herbringen können. »Der?« sagte ich. »Ja, der«, sagte der Bauer und das sei gar nicht so oft.

Gab es das, eine stifterische Hitze? Die Frage tauchte auf und tauchte wieder unter, der Bauer starb dazwischen, und ich wäre auch nicht zu ihm gegangen, wenn er nicht gestorben wäre. Aber leid tat es mir doch um ihn, denn das wußte ich: So viele waren es nicht, die eine stifterische Hitze von einer anderen unterscheiden konnten. Die heißen Tage wurden seltener, oder doch die mit einer annähernd stifterischen Hitze, übrig blieben die Werke Stifters, die es sich zu befragen lohnte. Die Suche nach der Hitze, nach der Hitze eines Tages, brachte mich dabei auf eine Entdeckung: der das schrieb, von der Hitze, von der Vergessenheit, vom Kalkstein, der das schrieb, hatte Angst, mehr Angst als die meisten anderen, genug Angst. Genug Angst haben, daran erinnerte ich mich. Das war eine frühe Forderung. Und da war er, da war er endlich wieder, einer, der Angst genug hatte.

Stifter betrachtet seine Landschaft gehörig, wie er selbst es nennt, und das sieht ihm ähnlich. Getreulich, könnte man also sagen, genau, ohne etwas auszulassen oder hinzuzusetzen. Ich möchte aber diese Gehörigkeit noch weiter übersetzen. In: »Bis zum Grund« (Grundschuhhiasl nannte man ihn schon als Kleinen), wo die Gründlichkeit sich selbst überspringt, auch in »Bis zu Grund«, in diesen Bereich jedenfalls, wo die stifterische Hitze auftaucht.

Ich begegnete Stifter noch einmal an einem nebligen Spätherbstnachmittag in einem englischen Antiquariat. Unter einem Stapel französisch-hebräischer Wörterbücher zog ich einen kleinen Band der Erzählungen Stifters in deutscher Sprache hervor. An eine Papprolle gelehnt, begann ich zu lesen, ich las langsam und gespannt, ich nahm den Band mit und las ihn auf den schaukelnden Omnibussen, angesichts der Baumkronen von Hydepark und Kensington, die sich aus dem Dunst hoben, und der aufblitzenden Kinoreklamen. Noch einmal war ich geneigt, angesichts der ungeheuerlichen Sanftmut des Autors und seiner selbst im Zorn ergebenen Gestalten den Band wegzuschleudern oder liegen zu lassen, aber noch einmal, vielleicht angesichts der Gegensätzlichkeit der Umgebung oder weil ich an einer Wendung meines Sprachverständnisses angekommen war, entdeckte ich die Sätze Stifters. Mit diesen Sätzen hat zu kämpfen, wer sich mit ihnen einläßt, mit ihrer Geduld, ihrer unnachgiebigen Freundlichkeit, bis er die Spannung des »So und nicht anders«, die Linie des Blitzes in ihnen begreift.

»Ja, Konrad, sagte das Mädchen« las ich wieder und jetzt entließ mich der Zorn. Ich entdeckte das Gesetz in dem Satz wie in den vorhergehenden, die Unausweichlichkeit der sprachlichen Erscheinung, ich las weiter und entdeckte in der Schilderung die Definition der Räume und Landschaften, in der Gelassenheit und Ergebenheit den reißenden, fast verzweifelten Strom der Sprache, ihre Hochkarätigkeit, den Tod zu ihren Seiten. Ich begegnete ihm, nicht dem behäbigen Schulinspektor, dem Schreiber fast devoter Briefe an seine Ehefrau oder seinen Verleger, dem Beipflichter des Wohlverhaltens, sondern einem, der unter das Gesetz geraten ist, der seine Wörter aus dem Schweigen holt, dem einzigen Ort, aus dem sie zu holen sind, ob von Joyce, Conrad oder dem Hofrat Stifter.

PETER HANDKE

Zu Franz Michael Felder

Was kann einem Leser des ausgehenden 20. Jahrhunderts die vor zwei Menschenaltern verfaßte Autobiographie eines Bauern aus einem entlegenen Bregenzerwald-Winkel in Vorarlberg bedeuten? Für mich war sie mehr als nur eine »interessante Lektüre«: Sie hat mir die eigene Kindheit gedeutet. Und mit »gedeutet« will ich sagen: Sie hat mich die Struktur einer Kindheit auf dem Lande erkennen lassen, wie sie nicht bloß vor hundertdreißig Jahren bestimmend war, sondern – man prüfe nach – auch heute gilt. Vielleicht ist schon der Ausdruck »Autobiographie eines Bauern« irreführend; Franz Michael Felder hat sein Leben nicht als Bauer, vielmehr als Schriftsteller beschrieben. Das heißt keineswegs, daß er sich wie einer vom Metier gibt, trickreich arrangierend, Knoten schürzend, Spannung suggerierend; im Unterschied etwa zu dem Waldbauernbub Peter Rosegger kommt er ganz ohne Schnurren, Anekdoten, Ausmalungen, Dramatisierungen aus. Andererseits erzählt er sein Leben nicht nur nach, wie es ihm in den Sinn kommt: Sein Erzählen, und das ist der schriftstellerische Instinkt Felders, drängt in jeder Episode zum Beispielhaften und bleibt doch – weiteres Merkmal seines Schriftstellerinstinkts – ganz bei der Sache. Aus der Episode wird so eine Phase, und die Gesamtheit der Phasen ergibt – nicht die Entwicklung (Felders Autobiographie ist kein Entwicklungsroman; dazu ist der Verfasser zu redlich, und deswegen ist sein Buch so unerhört), sondern eben die Struktur. Der Unterschied zwischen dem Arrangieren des Romanciers und dem Strukturieren des Erzählers: Das Arrangement ist vorausgewußt, die Struktur (die Beispielkraft) wird dagegen erst erforscht, mit Hilfe des Erzählprozesses, in welchem das Beispiel nie im vorhinein feststand – es gab nur jenes Drängen hin zu ihm. Und dieses Drängen ist bei Felder, ein weiteres Merkmal seines Künstlertums, erotisch. Er erzählt werbend, wirbt um einen Gegenstand (eine Landschaft), ein Gegenüber (einen Menschen), ja auch um sich selber. Und er ist mit seinem Werben – sonst wäre er kein Künstler – nicht auf Eroberung aus, sondern auf Gerechtigkeit. Das offene Auge für die Gegenstände; der Erkenntnis-Abstand (das »o Mensch« wie auch die gleich blinde Menschenverachtung so meidend) zum Gegenüber; die fruchtbare, das heißt strukturierende Selbstkritik, und schließlich die dem allen sanft entsprechende, das alles erst setzende, verbindende Sprache: das zusammen ergibt die gerechte Form. Solche gerechte Form wäre freilich noch nicht ganz das mich nicht bloß ertappende, durchschauende, sondern mich zuletzt auch *erkennende* Kunstwerk »Aus meinem Leben«, als das ich Felders Autobiographie empfunden habe. Zu diesem wird es erst – letztes Merkmal des Künstlers Felder – durch das in jedem Satz wirkende Ideal, welches niemals definiert wird, vielmehr wiederum rein instinktiv bleibt. Der Erzähler dekretiert es an keiner Stelle; aber wohl umschreibt er es; umreißt es; läßt es kräftig ahnen. Ja, ich habe Franz Michael Felders Lebenserzählung gleichsam in Paragraphen lesen können, als ein Gesetzeswerk, so umsichtig und weitgespannt, daß es keine Novelle braucht.

Felix Mitterer

Geburtstagsrede für Peter Rosegger

Wir stehen vor dem Geburtshaus des Dichters und Volksbildners Peter Rosegger und feiern seinen 150. Geburtstag. Wir stehen vor einem Museum. In diesem jetzt wieder so schönen und stattlichen Hof lebt keine Bauernfamilie mehr, die Ställe sind ohne Vieh, die ehemaligen Weideflächen wurden aufgeforstet.

Jedes Heimatmuseum macht mich traurig, weil es Zeugnis ablegt von verlorengegangener Heimat.

In einem der Ställe hängt eine Schautafel: 82 % der Fläche von Alpl gehören nun den Großgrundbesitzern, den Bauern nur 16 %, das Land Steiermark besitzt den Kluppeneggerhof und hatte es offenbar gar nicht so leicht, ihn zu erwerben und zu bewahren.

26 Vollerwerbsbauern gab es früher, heute nur mehr einen einzigen; vier sind Nebenerwerbsbauern. Das Bauernsterben hält immer noch an: in der Steiermark, in Österreich, in ganz Europa. Die Landflucht geschieht immer noch und immer mehr; auf der ganzen Welt. Die Menschen strömen in die Städte; in Asien, in Nord- und Südamerika; überall.

Mehr denn je bedrohen auch die Auswüchse unserer Zivilisation die Natur – Luft, Wasser und Erde. Je mehr Zeit verstrich, umso aktueller wurde also Peter Rosegger, umso global gültiger seine Aussagen.

Schauen wir uns seine Lebensgeschichte kurz an. Sie ist zwar allgemein bekannt, aber ich schaue auf Rosegger als Schriftstellerkollege, der aus demselben Milieu kommt, als einer, der auch vom Land in die Stadt ging und dann über das Land schrieb. Das geschah zwar 100 Jahre später, trotzdem gibt es viele Parallelen; die Menschheit und der Mensch als solcher verändern sich wenig in 100 Jahren.

Es beginnt damit, daß ein Bauernbub ausbrechen will aus der Bauernwelt. Sie genügt ihm nicht mehr, er hat Fluchtgedanken. Er hat zuerst Tagträume – wie alle –, dann beginnt er zu lesen, dann beginnt er zu schreiben. Schon aus seinen Tagträumen wird das Kind gerissen von unduldsamen Erwachsenen; das Lesen und Schreiben gilt als etwas ganz und gar Überflüssiges, Unnötiges, ja sogar Gefährliches.

Der Bauer der Naturalwirtschaft, der autark lebte, mußte nicht lesen und schreiben können, um zu überleben. Und Bücher zur Unterhaltung brauchte man keine; die Geschichten erzählte man sich einfach gegenseitig, und man erzählte sie im Dialekt. Geschichten von den Vorfahren, von Katastrophen, Unfällen und Krankheiten, von lustigen Ereignissen, von Sonderlingen und Originalen, Geschichten aus dem Dorf, aus der Region.

Und bei diesen Erzählungen war jede Dienstmagd, jeder Bauer, jeder Handwerker ein Fabulierer, ein Dichter, ohne sich dessen bewußt zu sein. Ganz selten, so kommt es mir vor, kann geschriebene Dichtung die Qualität, die Lebendigkeit der authentischen mündlichen Erzählung erreichen. Es gibt

Dichter, die viel besser erzählen als sie schreiben, denn das Schreiben erfordert Kraftanstrengung, Kunstanstrengung, unterliegt einem Anspruch, was alles oft zur Künstlichkeit führt. Hinzu kommt, daß jeder Dialekt der Welt jede Schriftsprache in der Ausdruckskraft weit übertrifft.

Der kleine Lenzen-Peterl fiel also unangenehm auf, weil er sich nicht begnügen wollte, weil er lernen und alles über die Welt hier und über die Welt draußen erfahren wollte.

Ab nun unterscheidet sich seine von meiner Biographie.

Ich kam wie üblich zur rechten Zeit in die Volksschule und lernte, was zu lernen war. Natürlich, manchmal hieß es zu Hause bleiben, wenn man auf dem Feld gebraucht wurde, und manchmal täuschte ich auch vor, gebraucht zu werden, verkroch mich auf dem Schulweg in einen Heustadel, las meine Schundheftln und ging nach dem Unterrichtsende wieder heim. Aber es waren acht Jahre guter Ausbildung.

Peter Rosegger fand nur einen verkrachten Wanderlehrer, von dem er insgesamt wohl nicht mehr als zwei Jahre Unterricht erhielt. Er blieb lange Zeit fast ein Analphabet, und zeitlebens sollte er sich schwertun mit der Orthographie. Der Vater sah schließlich ein, daß sein Ältester für den Bauernberuf vollkommen ungeeignet war, und so wollte man ihn Geistlicher werden lassen. Aber Geld war keines da, und der Dechant von Birkfeld, um Protektion gebeten, meinte: »Wenn der Bub sonst keine Anzeichen für den Priesterberuf hat, als daß er schwach ist, soll er etwas anderes werden.«

Bei mir, 100 Jahre später, war die Auswahl schon größer, da gab es schon zwei Vorschläge für den auch schwächlichen Buben: Pfarrer oder Lehrer. Bei Rosegger kam der Lehrer offenbar noch nicht in Frage, denn das war bei den Bauern kein angesehener Beruf. So ging's schließlich in eine Schneiderlehre, auf die Stör. Von diesen Wanderjahren von Hof zu Hof, wo er so vieles erlauschte und mitbekam vom Leben der Bauern, sollte Peter dann sein Leben lang zehren.

Er schrieb und schrieb, eigene Volkskalender stellte er her und las sie der Umgebung vor.

Schundheftlartiges schrieb er, genau wie ich als Vierzehnjähriger, Greuelgeschichten aus alter Zeit bei ihm, Krimis, die in Chicago und Soho spielten, bei mir.

Auch hochdeutsche Gedichte verfaßte er, meistens emphatischer überspannter Schmarrn, das sagte er später selber.

Aber schon ganz wunderbare Dialektgedichte schrieb er; das konnte ich nicht, weil ich mich in Sprache und Inhalt ganz wegschreiben wollte aus meiner Welt, die mir so eng und unverständig erschien.

Dann plötzlich und ganz schnell widerfuhr dem Peter großes Glück: die Förderer in Graz traten in sein Leben. Dr. Swoboda von der »Tagespost« verfaßte einen Spendenaufruf, der Industrielle Reininghaus zahlte die Miete für ein Zimmer.

In reiche, bürgerliche Häuser kam er, die ihn wie Paläste dünkten, und nie hatte der arme Waldbauernbub so etwas gesehen. In die Handelsakademie kam er, tat sich blutig schwer. Seine verständnisvollen Lehrer, die den begabten Buben schätzten, verzichteten sogar darauf, ihm eine Note in Mathematik zu geben, weil er so unfähig war, obwohl er sich bemühte. Und doch zog es ihn aus den Palästen immer wieder nach Hause, zurück in die Armut, zurück in die Waldheimat.

Mich nicht. Ich kam zwar nicht in Paläste, aber in die Lehrerbildungsanstalt nach Innsbruck, in ein katholisches Internat. Ich fuhr nach Hause, wenn es unbedingt sein mußte, denn ich haßte das Land und liebte die Stadt. Rosegger ging häufig ins Theater, ich ins Kino.

Er bekam von seinen Gönnern Freikarten, ich erschlich mir unter einem schulischen Vorwand das Geld von meinen armen Eltern.

Die Folge war ein ständiges schlechtes Gewissen; wegen der unnötigen Geldausgaben für Kino und Coca Cola, und auch wegen der schlechten Noten in Latein und Mathematik.

Das schlechte Gewissen sollte auch Peter Rosegger sein Leben lang begleiten.

Der elterliche Hof wurde versteigert, während Peter in Graz sich bildete und das Leben genoß. Obwohl er selbst noch abhängig war von seinen Gönnern und von Stipendien, wird er sich wohl sein Leben lang nicht verziehen haben, daß er den Verlust des Hofes nicht verhinderte.

Überhaupt ist das so eine Sache mit den Gönnern. Sie erwarten Dankbarkeit, sie erwarten, nicht auf das falsche Pferd gesetzt zu haben. Das belastet den Waldbauernbuben sehr. Aber er hat wieder Glück. Sein erstes Buch wird bereits ein Erfolg, schlagartig wird er weitum bekannt und kann so schlecht und recht vom Schreiben leben.

Mit 22 Jahren haben wir beide übrigens zum ersten Mal veröffentlicht, er Mundartgedichte in der »Tagespost«, ich Mundarttexte in der Ö3-Musicbox. Vom Schreiben konnte ich aber im Gegensatz zu ihm noch lange nicht leben. In der Schule war ich durchgefallen, konnte nichts, hatte nichts, fand schließlich einen Posten beim Zoll.

Wie Rosegger der Schneider später manchmal peinlich war, so mir der Zollbeamte.

Meine ersten Veröffentlichungen bedeuteten in meiner Heimatgemeinde übrigens genau so wenig wie die von Rosegger in Alpl. Aber immerhin, mein Firmpate, der Bergbauer, sagte: »Also, Büacheln schreiben tuast; naja, is ja nix Schlechtes.«

Heute ist das natürlich anders. Beim Peter Rosegger dauerte es allerdings etliche Jahrzehnte mehr, bis die Bewohner seiner Heimatgemeinde wahrnahmen, was er tat und wer er mittlerweile geworden war. Die Mutter Peters, die ihn immer gefördert hatte, erfüllte aber Stolz über den Erfolg ihres liebsten Sohnes. Leider verstarb sie bald, und der Vater hat wohl nie geschätzt, was der Sohn tat, hat sich auch schwer gekränkt, als es zu Differenzen zwischen der katholischen Kirche und Peter kam. Die Anerkennung des strenggläubigen Vaters, die dem Peter so am Herzen lag, hat er wohl nie errungen. Dann das Haus in Krieglach, endlich ein eigenes, bürgerliches Heim. Peter verlebt den Winter in Graz, den Sommer in der Villa am Lande. Nicht weit davon entfernt der heimatliche Kluppeneggerhof, mehrmals weiterverkauft, verfallend.

Peter heiratet eine glühende Verehrerin, die Hutmacherstochter Anna Pichler, die nach der Geburt des zweiten Kindes stirbt, was Peter in tiefe Verzweiflung stürzt.

Der Kluppeneggerhof wird gekauft vom zukünftigen zweiten Schwiegervater, dem Architekten und reichen Grundherrn, der die Weideflächen aufforsten läßt. Ein weiteres Dilemma. Der Waldbauernbub heiratet die Tochter des Mannes, der den Heimathof verfallen läßt und nur an Wald und Jagd interessiert ist.

Bittet ihn Rosegger, ihm den Hof zu überlassen? Anscheinend nein. Das wird dem Peter dann oft vorgeworfen werden.

Da schreibt einer übers Bauernleben in den höchsten Tönen und versucht dann nicht, den Heimathof zurückzuerwerben. Aber es gibt eben keinen Weg zurück. Rosegger war kein Bauer, er war Schriftsteller, Intellektueller. Er war in ein anderes Milieu gewechselt, ebenso natürlich seine Kinder. Nur Bruder Jakob, der in die Fabrik ging, wurde später wieder Bauer, sehr zur Freude und mit Unterstützung seines Bruders.

Das ist eben das Dilemma des Schriftstellers: Er gehört im Grunde nirgends dazu, sitzt immer zwischen allen Stühlen. Er ist kein Bauer, kein Arbeiter, kein Handwerker; wenn er Erfolg hat, kann er ein bürgerliches Leben führen, aber trotzdem gehört er auch nie zu den Bürgern. Er ist letztlich heimatlos. Und mehr als jeder andere Mensch hat er oft Sehnsucht nach Heimat und sucht sich die Heimat schreibend zurückzugewinnen.

Peter Turrini sagt ganz richtig über Peter Rosegger: »Es ist die Geschichte des hochtalentierten, in Wahrheit von seiner Umgebung mißachteten

Landkindes, das in die Stadt geht und dort versucht, sich durch das Verfassen von Literatur dem Ort der Kindheit wieder zu nähern.«

Das betrifft nicht nur Rosegger, sondern auch Turrini und mich selber und alle Schriftsteller, die vom Land kommen und darüber schreiben.

Peter Rosegger wurde nun bald einer der berühmtesten Autoren, gefeiert zu Lebzeiten wie kaum ein Autor vor ihm. Dies hat auch damit zu tun, daß parallel zur Landflucht auf der anderen Seite auch eine Stadtflucht einsetzte. Die Menschen in den Städten empfanden Sehnsucht nach einer heilen Welt, einer heilen Natur, nach Ruhe und Erholung, weg von der Hektik der Stadt. Das Land wurde wiederentdeckt, als Ort der Folklore, der Beschaulichkeit – der Tourismus setzte ein, die Sommerfrische.

Der unglaubliche Erfolg hat dem Peter nicht gut getan, und das in mehrerer Hinsicht. Er, der immer den Lehrer in sich verspürte, fühlte sich nun zum Lehrer der ganzen Menschheit berufen.

Die Zeitläufte brachten es mit sich, daß seine Förderer und späteren Freunde sogenannte Liberale waren, was damals meistens gleichbedeutend war mit deutschnational. So trat etwas ein, was dazu führte, daß z. B. vor 50 Jahren an dieser Stelle Männer in Nazi-Uniformen Roseggers 100. Geburtstag feierten. Das ist ein dunkler Punkt, der mir weh tut, weil der Waldbauernbub das eigentlich nicht verdient hat.

Aber bestätigt durch den Erfolg, bestätigt durch seine nationalen Freunde, fühlte er sich berufen – vor allem in seiner Zeitschrift »Heimgarten« –, sich zu allem und jedem zu äußern, auch dann, wenn er lieber schweigen hätte sollen. Historisch ungebildet, wie er war, betete er die Vorurteile der Antisemiten nach, behauptete zwar, er vertrete – wenn überhaupt – nur einen wirtschaftlichen, antikapitalistischen Antisemitismus, aber natürlich war es auch ein religiöser und rassischer Antisemitismus, dem er das Wort redete. Nur seine Menschenfreundlichkeit und Toleranz bewahrte ihn davor, den Unmenschen blind nachzufolgen, was ihm dann auch erbitterte Gegnerschaft der Antisemiten eintrug.

Zu seiner Entschuldigung kann nur angeführt werden, daß damals offenbar der Antisemitismus derart verbreitet war, daß sogar assimilierte Juden gegen das Judentum schimpften, daß man offenbar als Nicht-Antisemit eine seltene Ausnahme darstellte.

Was Rosegger zur modernen bildenden Kunst zu sagen hatte, war großteils von Unverständnis und Konservativismus geprägt; in einem allerdings sahen seine wachen Augen mehr, als die meisten fortschrittlichen Kunstkritiker sehen konnten. Er gestand den Bauern nämlich ein vollkommenes ästhetisches Empfinden zu, welche Aussage von vielen belächelt wurde.

Aber schauen Sie sich diesen Hof an, er ist vollkommen. Vollkommenheit ist – wie auch Adolf Loos meinte –, wenn eine Architektur oder ein Gegenstand schön und funktionell zugleich ist. Mit dem fortschreitenden Untergang des Bauerntums ist aber leider auch das ästhetische Empfinden vieler Bauern verlorengegangen.

Wer erinnert sich nicht an die sechziger Jahre, als die alten Vertäfelungen, die Kachelöfen, die Möbel als alter wertloser Plunder verscherbelt wurden, um Platz zu machen für Plastik, für Resopal, als die riesigen Alu-Kippfenster kamen, ohne Sprossen, wie leere Augenhöhlen. Erst in den letzten Jahren erinnert man sich wieder der Schönheit der alten Dinge.

Zur Frauenfrage hat sich Rosegger natürlich auch geäußert und sich dabei nicht ausgezeichnet, aber seine forschen Sprüche können nicht darüber hinwegtäuschen, daß er die Frauen verehrte und schätzte – auch als gleichberechtigte Partnerinnen –, nicht zuletzt eingedenk seiner Mutter, die die wahrhaft Starke in der Familie gewesen war und ohne die Peter zugrunde gegangen wäre.

Trotz des großen Erfolges, trotz seiner Berühmtheit erging es Rosegger natürlich nicht anders als jedem anderen Schriftsteller heute auch. Er wurde nie reich, seine Existenz, die Existenz seiner Familie war nie wirklich abgesichert, was ihn immer wieder sehr belastete und zu ständiger Produktion zwang, worunter natürlich manchmal die Qualität seiner Arbeit litt.

Auch empfand er hin und wieder seinen Heimatdichterstatus als einengend, geradezu als Gefängnis, weil er lieber – wie jeder Autor – weitergegangen wäre, etwas anderes geschrieben hätte, was er ein paarmal unter einem Pseudonym auch tat, aber es half nichts, der Konsument erwartete weitere Heimatdichtungen, möglichst beschauliche, idyllische.

Auf die Idylle festlegen kann man aber Rosegger ganz bestimmt nicht. Sicher hat sich ihm – wie bei jedem von uns – die Erinnerung an die Welt seiner Kindheit im Laufe der Jahre immer mehr verklärt – und es liegt Geborgenheit im Bauernleben, daran läßt sich bei allen negativen Seiten nicht rütteln –, trotzdem aber blieb und bleibt er ein sozialkritischer Schriftsteller, trotzdem schrieb er immer wieder qualitätvolle Texte.

Nicht ohne Grund wäre ihm 1914 beinahe der Nobelpreis für Literatur zuerkannt worden, hätte seine deutschnational ausgelegte Spendenaktion für die Grenzlandschulen das nicht verhindert. Die Feuilletonisten in den Großstädten erkannten seine literarische Qualität allerdings oft nicht, nahmen ihn nicht ernst, meinten in ihrer Überheblichkeit: »Der Ziegenbock des Schneiders ist ihm kein guter Pegasus.« *Ich* glaube, daß der Ziegenbock der beste Pegasus war, den Rosegger finden konnte. Und bei allem, was Rosegger, der erst spät sich Bildung aneignen konnte und vor lauter Schreiben kaum zum Lesen kam, an Verquerem und Borniertem über Gott und die Welt von sich gab, so hat er doch Aussagen gemacht, und das in der Hauptsache, die modern und fortschrittlich sind, die auch höchst aktuell sind und manchmal so klug und prophetisch, daß wir auch heute und in Zukunft noch daraus lernen können.

Sein Glaube war z. B. ein Glaube der Liebe, ein ökumenischer Glaube – nicht umsonst hat er den Bau einer evangelischen Kirche in Mürzzuschlag initiiert. Er wollte eine Religion der Gottesliebe und nicht der Gottesfurcht, er hielt das Zölibat für unnötig, die Ehescheidung für einen letzten Ausweg, den man nicht verbieten sollte, er wandte sich gegen das Dogma der Unfehlbarkeit des Papstes, war auch der Meinung, daß nichts gotteslästerlicher sei als ein Gesetzesparagraph gegen Gotteslästerung, und er war natürlich für die Trennung von Kirche und Staat und der Meinung, daß Religion Privatsache sei.

Blinden Fortschrittsglauben lehnte er ab und sah die Gefahren der Industrialisierung.

Zitat: »Ursache an so vielem Elend ist auch hier die Industrie. Die übergroße, gefräßige Industrie. Sie frißt nicht nur die Bauersleute auf, sondern auch ihre Wälder und säuft ihre Wasser aus. Was sie übrig läßt, das verdirbt sie, daß sogar des Wassers urangestammter Bewohner, der Fisch, darin verenden muß.

Die Industrie verbraucht Bauholz, Kohlenholz, Papierholz in Unmengen, und was unfern der Essen und Schlote an Wald noch stehen bleibt, das verdirbt, erlischt unter Kohlenrauch. Die Industrie, die unsere politischen und sozialen Verhältnisse von Grund auf verändert, wird auch unser grünes Heimatland verändern, wird eine Mondlandschaft aus ihm machen.«

Rosegger war auch, um den bedrohten Bauern zu helfen, der Meinung, sie sollten sich zu einer eigenen Organisation zusammentun, welche die Produkte vom Erzeuger direkt an den Verbraucher liefert, sei es in Form mobiler Bauernmärkte oder zentral gelegener Absatzstellen. Damit würde der Bauer mehr Einnahmen haben und der Konsument bessere, unverfälschte Produkte. Denn sonst, sagt er, »bleibt es die alte Geschichte: der Konsument muß die Sachen um sündteures Geld kaufen, und der Produzent hat nichts davon.«

Auch was die Kindererziehung anbetraf, hatte Rosegger liberale, menschenfreundliche Ansichten. »Wer die Liebe seiner Kinder hat, der hat, wenn er will, auch ihren Gehorsam«, meinte er. Und: »Für Mißhandlung unschuldiger Kinder haben wir noch kein Gesetz, das streng genug wäre. Am empörendsten ist dieses Verbrechen, wenn es unter dem Deckmantel pädagogischer Strenge auftritt, wo es doch nur wüste Brutalität ist, die tiefer steht als alle Rohheit der Tiere. Eltern, die ihr Kind roh mißhandeln, sollten für alle Zeit der Rechte an dem Kind verlustig sein. Tierschutzvereine – bravo! Kinderschutzvereine – dreimal bravo!«

Aus eigener, leidvoller Erfahrung hielt Rosegger eine gute Schulausbildung für etwas ganz Wesentliches, Existentielles, um in unserer Welt zurechtzukommen. Aber dreißig Jahre brauchte er, um die Alpler von der Notwendigkeit einer Schule zu überzeugen, die dann durch einen Spendenaufruf Roseggers im »Heimgarten« 1902 endlich gebaut werden konnte. Eine beispielhafte Schule, in der man wirklich für das Leben lernte, wo es einen Kräutergarten gab, wo man turnte und auch mit Handwerkzeugen umzugehen lernte.

Das materielle Wohl der unterbezahlten und gesellschaftlich wenig geachteten Lehrer lag Rosegger ebenso am Herzen. Der Bauer und der Lehrer schienen ihm die wichtigsten Berufe, und ich bin da ganz seiner Meinung. Was die Waldschule anbetrifft, so hätte Peter Rosegger sicher große Freude, wenn dort wieder Kinder unterrichtet würden, aus Achtung vor ihm und seinem Auftrag und zum Wohle der Alpler.

Obwohl auch Rosegger sich 1914 vorerst in den Kriegstaumel hineinreißen läßt, so wie viele andere große Geister, war er doch im Grunde seines Herzens ein Pazifist und meinte: »Wenn man mehr für das Vaterland leben würde, wäre es vielleicht viel seltener notwendig, für das Vaterland zu sterben.« Und weiter: »Es ist Pflicht, den Frieden zu wollen, zu suchen, zu hoffen. Unsere Generationen können, was wir wollen, nimmer erleben. Die Menschheit muß für diese Idee allmählich präpariert werden, so daß die Nachkommen den Gedanken, die Kriege müssen aufhören, schon mit der Muttermilch trinken.«

Auch schlägt er dann eine Art von Völkerbund vor, der die Streitigkeiten der Welt schlichten soll.

Und obwohl Rosegger so oft nationalistische Töne von sich gab, so sagte er doch auch: »Man meint, ein Kulturstaat müßte es doch zuwege bringen, daß jeder seiner Muttersprache gesichert bleibt. Und man meint, die Leute müßten doch so vernünftig sein, die Sprache der Nachbarn zu lernen, ohne zu befürchten, daß dadurch ihr angestammtes Blut zugrunde geht. Was ist das für ein Nationalismus, der immer darauf aus ist, dem eigenen Volk unter anderen Völkern Feinde zu machen?«

Zu den Sozialdemokraten hatte Rosegger immer ein etwas angespanntes

Verhältnis, weil er sie bezichtigte, den Bauernstand zu entwurzeln, was natürlich ein Vorurteil war, denn die Verhältnisse zwangen die Bauern und Landarbeiter, in die Fabriken zu gehen, nicht die Sozialdemokraten, und diese waren es schließlich, die sich für die Rechte der Arbeiter einsetzten.

Trotzdem meinte Rosegger: »Die Arbeiter sind die Unseren«, und ging beim 1. Mai-Aufmarsch in Graz mit.

Und ein letztes Zitat, weil es programmatisch ist für Peter Rosegger: »Wenn eine Gasse wäre, rechts stünden die Herrenleute und links das dienende Volk, und ich hätte mich für einen Teil zu entscheiden, ich müßte mich auf die linke Seite stellen. Aber darf denn ein Volksdichter mitten in seinem Volke stehen bleiben?

Sollte er nicht gegenüberstehen wie ein Sänger, ein Erzähler, wenn ich nicht gar sagen darf ein Lehrer? Er darf nicht im Volke aufgehen, aber er darf es auch nicht aus den Augen verlieren.«

Nun, was würde Peter Rosegger zur heutigen Zeit sagen? Er würde wohl glauben, die Zeit sei stehengeblieben seit seinem Ableben. Die Bauern sterben immer noch, die Natur wird immer noch zerstört. Auf Alpl, glaube ich, wäre Peter Rosegger stolz. Alpl hat ihn nicht vergessen, Alpl nützt ihn aber auch nicht nur touristisch. Alpl – und mit ihm ein großer Teil der Steiermark – hat gelernt von Rosegger und will in seinem Geiste weiterlernen. Die Bauern helfen sich selber, nehmen die Idee von der Direktvermarktung auf, was ihnen in zukünftigen Zeiten, die noch härter werden mit der EG, sehr helfen wird.

Ich höre sagen, daß Waldflächen gerodet werden sollen, mit Einverständnis der Großgrundbesitzer, um wieder mehr Weideflächen zu erhalten.

Ich höre auch, daß die Bauern einige Flächen ganz bewußt unbestellt und verwildern lassen wollen, um den oft achtlosen Mitmenschen zu zeigen, wie eine Landschaft aussieht, die nicht von den Bauern kultiviert, bearbeitet, gepflegt wird.

Auch im Fremdenverkehr geht man hier einen anderen Weg, nämlich den von Rosegger, der damals schon gegen den Ausverkauf und für einen sanften Tourismus war.

So hat sich seit seinem Tode leider vieles nicht zum Besseren gewendet, aber es gibt Menschen, die bereit sind zu lernen, sich zu besinnen, mit gutem Beispiel voranzugehen, und mehr wollte und konnte ein Schriftsteller – auch so ein besonderer wie Rosegger – nicht erreichen.

ERNST JANDL

ernst jandls nachtlied

über allen gipfeln ist ruh
in allen wipfeln spürest du
kaum einen hauch
die vöglein schweigen im walde
warte nur, balde
ruhest auch du

GERHARD RÜHM

ein gleiches nach goethe
eine umdichtung

über sämtlichen höhn
herrscht stille,
in sämtlichen kronen
fühlst du
fast keinen föhn
                    wohnen,
auf der wiese verstummt jede grille.
pass auf, im nu
verstummst auch du.

ELISABETH REICHART

Frauentafel

Ich teile Ihre Verwerfung des fraglichen Schriftstückes ganz und gar; ich finde darin sogar noch weniger als Sie; vermisse den »klugen, logisch geschulten Verstand«, – in der Geschmacklosigkeit des Problems der Leidenschaft eines Eidams für seine alte Schwiegermutter, das doch das treibende Agens der Handlung ist. Auch ich habe aus diesem Erstling die in diesem besonderen Falle betrübende Consequenz gezogen, daß der Autorin nicht nur die äußerliche Gestaltungskraft gebricht, sondern vielmehr noch der innerlich gestaltende Sinn, – Phantasie, Intuition ... Bis auf diese Consequenz habe ich meine ... Auffassung ... ungeschminkt ausgesprochen, ... (sie) ohne Zweifel tief gegen mich verstimmt, von ihren ihr näher als ich stehenden Wiener Freundinnen und Gönnerinnen aber ob meiner Ehrlichkeit lauten Beifall geerntet, da keine von ihnen den Muth hatte, ihr den mit dem meinen übereinstimmenden Eindruck einzugestehen ... Aber Sie thun ein gutes Werk mit dem Fingerzeig auf den rechten Weg, der Bescheidung heißt, wenn nicht »radical« Entsagung ...
Louise von François an Conrad Ferdinand Meyer
11. 12. 1881

Ihr erstes Theaterstück, *Sultanin und Prinz*, veröffentlichte Helene von Druskowitz 1882 unter dem Pseudonym: E. V. René.
Adalbert Brunn, H. Foreign, H. Sakkorausch, H. Sakrosankt, Erna und von Calagis waren weitere Pseudonyme. – Ein Spiel mit Namen?
In ihrem Brief vom 7. 2. 1882 an die *Liebe Frau Baronin* (Marie von Ebner-Eschenbach) schreibt sie: *ich bin noch immer der ›Herr D.‹, was mir natürlich einen Mordsspaß machte.* – Ein Spiel mit dem Geschlechtertausch? Würde dem »Spaß« nicht der »Mord« voranstehen, ich würde ihr glauben.
Sie wechselt nicht nur die Schreibweise von Druskowitz, sondern auch die Namen ihrer Eltern, erfindet sich in späteren Jahren einen bulgarischen Fürsten zum Vater, bis sie auch ihn verschwinden läßt und erklärt, sie sei auf übernatürliche Weise gezeugt worden.
In ihrem kurzen Zweipersonenstück mit autobiographischen Anklängen: *Unerwartet*, ein »dramatischer Scherz«, geht es unter anderem um die Frage der Pseudonyme.
Amalie versteht nicht, warum ihre Nichte Sidonie, die erfolgreiche Romanschriftstellerin, unter dem Pseudonym Heinrich Solden ihr erstes Lustspiel an die Theater verschickte. Sie antwortet ihr: *... Denkst Du, man hält es für erlaubt, daß Jemand plötzlich von einer Seite sich zeige, von der man ihn bis jetzt noch nicht gekannt? Denkst Du, man hält es auch nur für möglich, daß Jemand, der sich bis dann als Romancier bethätigt hat, plötzlich eine dramati-*

sche Ader zeige? Ist ein Autor erst in einem litterarischen Schubfach unter-
gebracht, so bleibt er für alle Zeiten in demselben gefangen gehalten.

Sie spricht aus Erfahrung. *Unerwartet* wurde 1889 publiziert. Da ist sie wieder zum Schreiben von Stücken zurückgekehrt, allerdings zu Lustspielen,
nachdem ihr Trauerspiel: *Sultanin und Prinz* von allen »FreundInnen«
mehr oder weniger offen mißbilligt worden war. Zwei Jahre später geht es
nicht mehr darum, in ein literarisches Schubfach eingesperrt zu werden.
Zwei Jahre später ist sie wirklich eine Gefangene.

Dabei könnte es, denke ich an den selbstsicheren Ton ihrer Sprache und die
zugänglichen Bruchstücke ihrer Biographie in jungen Jahren, wie in einem
nicht geschriebenen Märchen: »Helene von Druskowitz« begonnen haben.
Geboren am 2. Mai 1856 in Hietzing bei Wien, erweist sie sich bald als
überaus intelligentes Kind.

*Amalie: Sei doch nicht so aufgebracht. Es wird sich auch diesmal Alles nach
Deinen Wünschen gestalten. Warte nur noch ein Weilchen. Du zählst nun einmal zu den Auserwählten und Alles ist Dir bisher wohl gelungen.*
Sidonie: Darüber läßt sich streiten.
*Amalie: Deine alte Tante muß es doch wissen. Seit Deiner Kindheit warst Du
ein Gegenstand der Auszeichnung und Bewunderung und der Stolz Deiner seligen Eltern. Du warst noch ein ganz kleines Püppchen als es keinen Berg und
Fluß mehr gab, der nicht zugleich in Deinem schwarzgelockten Haupte existirt
hätte. Sämmtliche Helden und Heldinnen der Geschichten lebten in demselben fort, Schlachten tobten weiter und zugleich warst Du souveräne Kennerin
des Thier-, Pflanzen- und Mineralreiches. Alle nannten Dich Wunderkind.*

Wirklich gelingt Helene von Druskowitz vorerst beruflich alles: Sechzehn-
jährig maturierte sie als erste Frau extern am Wiener Piaristengymnasium,
nachdem sie das Konservatorium für Musik mit der Reifeprüfung für
Klavier abgeschlossen hatte. 1872 war Wiens Universität den Frauen noch
versperrt. Ihre Mutter übersiedelte mit ihr nach Zürich, wo sie mit zwei-
undzwanzig Jahren als erste Österreicherin zum Doktor der Philosopie
promovierte.

Helene von Druskowitz bezeichnete sich in Freiheit selbst als abnorm, wissend, daß sie anders war als fast alle Zeitgenossinnen, nicht bedenkend, wie
schnell ein Wort sich gegen einen richten kann.

Sie war Atheistin, lehnte die Ehe kategorisch ab, trotzdem versuchten ihre
»FreundInnen« immer wieder, einen Mann für sie zu finden. Sie weigerte
sich, in eines der für gebildete Frauen vorgesehenen Arbeitskorsetts zu
schlüpfen, und widmete sich statt dessen konsequent ihrer Laufbahn als

Philosophin, Literaturwissenschaftlerin und Schriftstellerin, um zu erfahren, daß es zwar erlaubt war, sich mit lebenden männlichen Kollegen wohlwollend auseinanderzusetzen, sie zu kritisieren jedoch bedeutete, zur »Literaturgans« degradiert zu werden, und das nicht nur von Nietzsche, als sie seinen vierten Teil des Zarathustra, den er nur an wenige Auserwählte verschickte, ablehnte und zurückgab – bis heute wird dieses Bild von ihr in den Nietzsche-Biographien aufrecht erhalten. Selbst die Anerkennung ihres dramatischen Könnens durch Conrad Ferdinand Meyer beinhaltete den Zweifel, ob denn eine Frau alle literarischen Mittel verwenden dürfe.

Vielleicht war der Beginn ihres Lebens so einfach, wie es die Daten suggerierten. Aber da war der große Nachteil, ein weibliches »Wunderkind« zu sein.

Ihre Stücke wurden zwar gedruckt, aber nie gespielt. In einer Zeit, in der den Frauen das Studium noch fast überall verwehrt war, beschäftigte sich Helene von Druskowitz in ihren Lustspielen bereits mit studierenden Frauen, die nur von Emanzipation reden, anstatt durch ein erfolgreiches Studium zu beweisen, wozu Frauen fähig sind, und mit eitlen Professoren, deren Geistlosigkeit nur noch von Faulheit überboten wird.

Obwohl sie beachtenswerte Arbeiten über Byrons *Don Juan,* das Lebenswerk von *Percy Bysshe Shelley* und *Drei englische Dichterinnen* (Joanna Baillie, Elizabeth Barrett-Browning, George Eliot) schrieb, konnte sie sich als Literaturwissenschaftlerin nicht etablieren.

Die überzeugte Atheistin war sich als Philosophin der Leerstelle bewußt, die durch den Glaubensverlust im Menschen entstand. Seit 1886, dem Erscheinungsjahr ihres Buches *Moderne Versuche eines Religionsersatzes,* beschäftigte sich »Herr D.« vor allem mit dieser Frage, bedauernd, daß sie nur wenige interessiert, hoffend, daß ihre Bedeutung rechtzeitig erkannt werde.

Mit fünfunddreißig Jahren hatte Helene von Druskowitz mindestens elf Bücher veröffentlicht und erfuhr den entscheidendsten Einschnitt ihres Lebens. Sie wurde in die Irrenanstalt eingeliefert, die sie, obwohl die Orte wechselten, bis zu ihrem Tod am 31. Mai 1918 in Mauer-Oehling nicht mehr verlassen sollte.

Aus dem Versuch eines selbstbestimmten Lebens wurde ein siebenundzwanzig Jahre dauernder Alptraum. Doch das Opfer verweigerte den Opferstatus:

Helene von Druskowitz erkämpfte sich in Mauer-Oehling ein Einzelzimmer. Sie erkämpfte sich das Recht, zumindest oberflächlich geachtet zu werden, indem die Ärzte sie mit »Hoheit« oder »Fürstin« anzureden hatten. – Welch eine Karikatur ihrer Situation in Freiheit: Dort hatten ihre »FreundInnen« sie hinter ihrem Rücken längst für verrückt erklärt.

Sie erkämpfte sich das Recht, mit Verlagen in Kontakt zu bleiben, zumindest bis 1905.

Sie kämpfte, ohne jede Unterstützung ihrer »FreundInnen«, bis zuletzt um ihre Entlassung – vergeblich.

Bis heute ist die Definition von Wahnsinn von den subjektiven Vorstellungen, was das Normverhalten zu sein hat, abhängig und somit je nach Gesellschaft und Geschlechtszugehörigkeit verschieden bis willkürlich. »Normal, c'est norme mal/mâle« (frei nach Jacques Lacan). Als Helene von Druskowitz in die Irrenanstalt eingeliefert wurde, litt sie unter Halluzinationen, was ausreichte, um sie zu entmündigen. Behandlung gab es keine, außer man bezeichnet die Vergabe von Beruhigungs- und Schlafmitteln als solche. Die Ärzte, die sie auf Grund ihrer Halluzinationen für wahnsinnig erklärt hatten, revidierten dieses Urteil nicht, nachdem es Helene von Druskowitz gelungen war, sich selbst von den sie bedrängenden Gestalten zu befreien. Vielleicht im Bewußtsein der eigenen Unfähigkeit, vielleicht, weil Helene von Druskowitz weiterhin nicht ihrer Vorstellung der genormten Frau entsprach.

Denn das Bemerkenswerteste ist, Helene von Druskowitz ist in Mauer-Oehling nicht verstummt. Sie hat – anfangs unter den widrigsten Umständen: So wurde sie jahrelang zwischen Ybbs und Mauer-Oehling hin- und hergeschoben – weitergearbeitet. Doch von der Frau, die interessant, kritisch und liebevoll sowohl über die Arbeiten von Frauen als auch Männern (z. B. den Philosophen Eugen Dühring) schrieb, die an eine positive Entwicklung der Menschheit glaubte, sogar die Möglichkeit sah, daß sie einmal Vollkommenheit und Seligkeit erlange, ist in ihrem bisher einzigen zugänglichen Werk aus der Zeit in Mauer-Oehling: *Der Mann als logische und sittliche Unmoeglichkeit und als Fluch der Welt. Pessimistische Kardinalsätze.* nichts mehr zu finden.

Geblieben sind hingegen ihr Selbstbewußtsein und ihre Achtung der Frauen.

Dieses Werk ist nicht zuletzt ein Beweis für kaum noch nachvollziehbaren Widerstand. 1905, als es gedruckt wurde, war Helene von Druskowitz bereits vierzehn Jahre in der Irrenanstalt. Vierzehn mal dreihundertfünfundsechzig Tage hatte sie zu hören und zu verstehen bekommen, daß sie wahnsinnig sei.

Und es ist ein Werk, das ihren ungebrochenen Mut bezeugt. Trotz aller bedrohlichen Erfahrungen verweigerte sie sich dem herrschenden Denken.

Im Gegenteil: Ihr philosophisches Manifest, diese ironische und polemische Auseinandersetzung mit der Materie, der Übersphäre und vor allem den Geschlechtern, hätte sie, wäre sie nicht bereits in der Anstalt gewesen, sicher dorthin gebracht. Ein weibliches Schicksal, zu dem Helene von Druskowitz mit den *Pessimistischen Kardinalsätzen* ihren konsequenten Gegenentwurf schrieb.

Beide Geschlechter sind sich später begegnet, d. h. die Männer haben die Frauen mit Vorliebe geraubt, Mißbrauch mit ihnen getrieben und ihre Instinkte in grauenvollster Weise verdorben. Wie groß ursprünglich der Unterschied zwischen beiden Teilen war, läßt sich gar nicht feststellen. Die Frauen sind *würdigere und holdere Wesen* als die Männer. Sie müssen sich nur ihres Wertes besinnen und sich wieder von den Männern trennen.

Neben dem Unvertrauten inzwischen vertraute Vorschläge: *Es darf fürs erste kein Komitee sich bilden, ohne daß Frauen zugezogen werden oder ihrerseits ihren Beitritt verkünden. Alle Versammlungen und Repräsentationen von Stadt und Land haben ein entsprechendes Quantum von Frauen aufzuweisen ... Wisset, daß, wo weibliche Angelegenheiten oder Fälle zur Erörterung kommen, Frauen nicht nur mitberaten sollen, sondern die erste Stimme, das Primat bzw. die Entscheidung, besitzen.* Sie schränkt jedoch ein, daß an Orten, wo Mann und Frau zusammenleben, die Frauen nie alle Rechte besitzen werden, weil der Mann auf seine Machtpositionen nicht verzichten wird. Deshalb fordert sie die Frauen auf, eigene Stadthälften zu gründen, um zu erleben, wie gut sie für sich selbst sorgen können. Doch Helene von Druskowitz war keine Politikerin, sondern Philosophin. Ihre Überlegungen gehen weiter:

Sie stellt der Materie den reinen Geist gegenüber. Diese Übersphäre ist nur spekulativ zu erfassen. Die einzige Verbindung zwischen Materie und Übersphäre ist die Kategorie des Seins. Ansonsten sind sie philosophisch betrachtet der höchste Gegensatz. So wie die Übersphäre der Materie als Vollkommenes anspruchs- und teilnahmslos gegenübersteht und sich für die logische und die poetische Anschauung als weiblich darstellt und deshalb von der *Frauenwelt immer wieder zur lebendigen Vorstellung gebracht zu werden (verdient),* genauso sollten Frauen dem Leben, der Materie, dem Mann gegenüberstehen, während sie die Sympathie zum eigenen Geschlecht vertiefen sollen. Obwohl die Frauen höhere Naturwesen sind als die Männer, so sind sie auf Erden doch Teil der Materie, ihres Fortschritts und Rückfalls, an deren Ende das Bewußtsein und die Selbsterkenntnis stehen, *diese schwerste aller Geistesproben, die zugleich die Suspendierung des Wertes des Daseins in sich schließt.*

Die neue Lehre involviert nur das Priestertum der Frau, sie beweist die Wahrheit des Pessimismus und die Notwendigkeit des Weltelends bei der vorhandenen Konstellation, nicht aber die einer endlosen Fortsetzung des Daseins. Dann werden die Frauen ihrer höheren Mission gemäß als höhere Wesen, als Priesterinnen ihres Geschlechtes, als Naturadelige sich erkennen. Bei Wahrnehmung des höheren Lebensgesetzes wird ihnen zugleich auch ihre philosophische Bestimmung vollkommen klar werden, die darin besteht, daß sie als Führerinnen in den Tod erscheinen, indem sie das Endesende vorbereiten. Dieses wird sodann das Ideal werden und an Stelle eines Ideals ohne Ziel und Ende treten!

Keine sexuelle Verweigerung zur Erreichung eines (guten) Zieles. Kein Zusammenleben ohne Sexualität im Namen des wahren Glaubens. In diesem Werk werden frühere Ideen zuende gedacht, wird die Zerstörung, die eigene und die der Welt, todernst genommen.

MICHAEL SCHARANG

Zur Dritten Walpurgisnacht

Die Dritte Walpurgisnacht entstand 1933. Der Autor wollte nicht, daß dieses Buch erscheint. Drei Jahre später starb er. Das Buch ist zu seinen Lebzeiten nicht erschienen; und später – in den fünfziger Jahren – nur zum Schein; wirkliche Verbreitung hat es bis heute nicht gefunden. Und es wird noch lang dauern, bis es ins Bewußtsein der Öffentlichkeit dringt, bis ein öffentliches Bewußtsein existiert, das dieses Buch ertragen kann. Bis dahin wird *Die Dritte Walpurgisnacht* wie bisher entweder totgeschwiegen, oder es werden über sie weiterhin die alten Lügen verbreitet. Und beides zu Recht. Denn mit diesem Buch hat Karl Kraus, der mit Schlägen so wenig geizte, daß das Publikum sich daran zu gewöhnen schien, den Österreichern und Deutschen einen Schlag versetzt, so fürchterlich, daß sie sich nicht davon erholt haben.

Das Entsetzliche, das Karl Kraus insbesondere seinen Landsleuten antat: Er beschrieb das Naziregime als jene Schreckensherrschaft, die es tatsächlich war. Das Unverzeihliche: Er schrieb darüber bereits 1933. Das Unfaßbare: Dem, was er damals schrieb, ist nichts hinzuzufügen; er hatte den verbrecherischen Charakter des Hitler-Faschismus von Anfang an durchschaut.

Die Dritte Walpurgisnacht ist ein literarisches Meisterwerk und zugleich beste politische Aufklärung. Eine Gesellschaft, vorausgesetzt, ihr wäre nach solcher Aufklärung zumute, würde nicht nur Einsicht in ihre verbrecherische Vergangenheit, sondern auch in ihre kriminelle Gegenwart erhalten.

1933, die Nazis ergreifen die Macht. Und Kraus greift zur Feder, aber nicht in gewohnter Weise. Die Situation ist absolut neu, alles hat sich zum schlimmsten verändert. »Daß der Tod«, schreibt Kraus, »dem Schlagwort entbunden, die erste und letzte Wirklichkeit ist, die das politische Leben gewährt – wie würde dies Erlebnis schöpferisch?« Auch spricht er, selbstkritisch, »über das persönliche Erschlaffen bei Erweckung einer Nation und Aufrichtung einer Diktatur«. Und er fragt sich: »... könnte es den Sprachlosen ermuntern, der da gewahrt, wie die Welt aussieht, die sich beim Wort genommen hat?«

Faschismus ist die Welt, die sich beim Wort nimmt. Vor der wirklichen Machtergreifung hat die Machtergreifung sprachlich bereits stattgefunden, es ging nur mehr um die Umsetzung in die Praxis. Nur mehr? Immerhin war diese praktische Umsetzung auf Vernichtung aus.

Vorher konnte der Satiriker Kraus den gefährlichen Schwachsinn, der geschrieben und geredet wurde, anprangern, in der Hoffnung, seine Worte würden eine Barrikade bilden auf dem Wegstück zwischen schändlicher Absicht und Schandtat.

Kraus hat einbekannt, von der Machtergreifung der Nazis überrascht worden zu sein. »Ich fühle mich wie vor den Kopf geschlagen«, so beschreibt er den Schock. Doch als er sich die Katastrophe näher ansieht, löst sich die Schreckensstarre, und er merkt, daß er, wiewohl überrascht worden, keinen Grund hat, überrascht zu sein. Als die Nazis die Presse zensurieren, notiert Kraus: »Der Journalismus wäre, selbst wenn ihm eine kühne Entschlußkraft nicht die Titelwirkung geraubt, sondern in zehnfacher Größe erlaubt hätte, keiner Katastrophe gewachsen, denn er ist jeder verwandt.«

Bislang hatte der Satiriker die Welt beim Wort genommen, nun, im Faschismus, besorgte sie das selbst. Der Bourgeoisie riß die Geduld, sie wollte nicht länger ihr Kapital unter Hohn und Spott mehren, sondern mit Würde und Anstand – *ihrer* Form von Würde und Anstand.

Seit dem Entsetzen darüber, daß die Welt nicht mehr satirisch beim Wort genommen werden kann, weil sie sich selbst beim Wort nimmt, ist der Satire das Lachen gefroren. Seit Hitler ist die unsägliche Lächerlichkeit der

Machthaber gekoppelt mit tödlichem Ernst. Wer diese bedrohliche Mischung bagatellisiert, verniedlicht den Faschismus.

Damit man der Falotten, die das tun, gleich habhaft wird, hat Karl Kraus eine Falle in sein Buch eingebaut: »Mir fällt zu Hitler nichts ein.« Dieser Satz steht am Anfang eines dreihundert Seiten starken Buches über das Naziregime, er gehört zu den berühmtesten und am meisten zitierten Kraus-Sätzen. Es wird wenige Sätze geben, die so böswillig ihres Zusammenhangs beraubt und gegen ihren Autor verwendet wurden wie dieser. Dabei sind jene, die den Zusammenhang kennen und ihn bewußt unterschlagen, in der Minderzahl. Die meisten kennen den Zusammenhang gar nicht.

Für sie ist der Satz ein Denkmal, das Kraus nicht sich, sondern ihnen gesetzt hat. Unendlich dankbar stehen sie davor: Sie brauchen Kraus gar nicht zu entlarven, er hat es selbst getan; er ist gar nicht der große Meister, der präpotente Besserwisser, der gnadenlose Rechthaber, er ist ein erbärmlicher Versager. Er mag sich in der Sprache besser ausgekannt haben als ein Analphabet, das bestreitet niemand, doch als es einmal wirklich drauf ankam, blieb ihm die Sprache weg. Als die gesamte demokratische Welt aufheulte, blieb er stumm. Und das Todesurteil über Kraus lautete: Wer zu Hitler nichts zu sagen hat, hat im Grunde gar nichts zu sagen.

Wut macht blind. Kraus muß geahnt haben, wieviel aufgestaute Wut nach seinem Tod über ihn hereinbrechen wird. Deshalb hat er ihr einen Köder gelegt in Form jenes Satzes. Und in der Tat, die Nachwelt hat sich blindlings und besinnungslos auf diesen Köder gestürzt. Nun liegt er ihr im Magen.

Kraus hat *Die Dritte Walpurgisnacht* durchaus nicht in der Absicht geschrieben, sie nicht zu veröffentlichen. Erst nach Fertigstellung des Werks traf er diesen Entschluß, der ihm keineswegs leichtfiel – wie Freunde berichten, mit denen er ihn diskutierte. Heinrich Fischer erinnert sich an das folgende Argument: »Das Buch enthält unter anderem eine Darstellung der ›Mentalität‹ des Progapandaministers. Es kann geschehen, daß dieser, wenn er meine Sätze vor Augen bekommt, aus Wut fünfzig Juden von Königsberg in die Stehsärge eines Konzentrationslagers bringen läßt. Wie könnte ich das verantworten?«

Im Juli 1934 gibt Kraus ein Heft der »Fackel« heraus mit dem Titel »Warum die Fackel nicht erscheint«, in dem er darauf eingeht, warum er *Die Dritte Walpurgisnacht* zurückhält. Er habe sich in einer »Lage« befunden, »worin Verantwortung den schmerzlichen Verzicht auf den literarischen Effekt geringer achtet als das tragische Opfer des ärmsten, anonym verschollenen Menschenlebens. Weder durch die Enttäuschung einer törichten Anhängerschaft noch durch die Schadenfreude der Lumperei« könne diese Lage »alteriert werden«.

Wirkung der Literatur auf faschistisch: Der Autor muß auf mögliche Wirkung verzichten, um nicht Menschenleben zu gefährden. Wirkung von Literatur auf demokratisch: Der Autor, dessen Buch, wegen jenes Verzichts, in den ersten Nachkriegsjahren nicht existiert, wird bezichtigt, er habe zum Faschismus nichts zu sagen gehabt.

Diese Meinung hat sich bis heute nicht geändert; sie durfte sich nicht ändern. Denn der österreichischen Nachkriegsgesellschaft, die zu einem guten Teil aus alten Nazis und Ständestaat-Faschisten bestand und besteht, konnte nichts lieber sein als ein Karl Kraus, dem zu Hitler angeblich nichts einfiel. Das war der erste Versuch, Kraus einzugemeinden. Den zweiten, der auf dieser Linie lag, starteten ein paar sogenannte Kraus-Anhänger, die sich in der Zeit des Kalten Krieges in Österreich als die kältesten Kulturkrieger hervortaten. Wer sich damals als junger Mensch an den Augenschein hielt und nicht ans Werk (das nur in einer teuren Ausgabe vorlag), dem konnte Kraus gestohlen bleiben.

Die Dritte Walpurgisnacht ist ein Buch, das zu verdrängen heute noch vordringlich scheint. Es ist sein unbekanntestes; und sein aktuellstes. Noch einmal: Kraus verfaßte es 1933 in Wien. Es kann die späteren Ereignisse nicht enthalten, und denoch liest es sich, als hätte der Autor von allem gewußt. Und das in einer Gesellschaft, die von nichts gewußt haben will. In der es ein beliebter Volkssport ist, sich an die Nazizeit nicht erinnern zu können, daher die große Beliebtheit unseres inzwischen weltbekannt gewordenen Präsidenten. Anderswo würde so einer wegen Gedächtnisschwunds entmündigt, hier ist er Staatsoberhaupt.

Karl Kraus und die Mehrheit seiner Landsleute – man hat den Eindruck, sie können nicht im selben Land gelebt haben. Kraus dürfte auf dem Mond gesessen sein und von dort auf das Dritte Reich hinuntergeschaut haben. Von Österreich aus kann er doch nichts von Konzentrationslagern erfahren haben, 1933! Damals muß doch alles noch harmlos gewesen sein in Hitlers Land, überlegten doch etliche Geistesgrößen, im Land zu bleiben und abzuwarten; die neuen Machthaber würden sich ein wenig austoben, dann aber zur Sittsamkeit zurückkehren.

»Kulturfaktoren« nennt Kraus diese Größen. »Kulturfaktoren, die alles das, was sie nicht selbst betrifft, nicht zu ihrer Sache machen, um diese nicht zu gefährden; und die sich gegen das, was sie schon betroffen hat, in der Erwartung wehrlos halten, es werde doch wieder gut ausgehen.« Kraus deckt die Wurzeln solcher Fehleinschätzung auf: »... die Literatenforderung, daß die Vertreter des geistigen Deutschland gegen die Behandlung der Berufsgenossen protestieren, entstammt einer Überschätzung der Literatur in deren ethischen Belangen und der Unterschätzung eines Unheils, dessen Eingriff in den Büchermarkt doch den geringsten seiner Effekte bedeutet.«

Wer, wie die »Kulturfaktoren«, nur auf die eigene Sache bedacht ist, kämpft ums angestammte Privileg auch dann noch, wenn es längst nicht mehr um den Vorteil, sondern ums Leben geht. Kraus war der »bürgerliche Geistbetrieb« immer zuwider, in dem Kultur sich parasitär von Kultur nährt und die Beziehung zur Wirklichkeit verloren hat. Als diese Kultur unter die Räder des Faschismus geriet, konnte Kraus sie nicht nur bedauern. Er rückt die Dimensionen zurecht, wenn er sagt, »daß die letzte Privatexistenz als Gewaltopfer dem Geist näher steht als alles ruinierte Geistgeschäft«.

Zu Recht beharrt er darauf, daß die kleinen Kultur-Ganoven und Journalisten-Gauner dadurch nicht besser sind, daß sie von den großen Nazi-Verbrechern überragt werden. So schreibt er über die Bücherverbrennung: »Die Art jedoch, wie die gerettete Literatur von der Panik profitierte; wie sie durch den Schaden der anderen klug ward; wie sie alles daransetzte, um in Unehren zu bestehen – das könnte den Instinkt der Vandalen, wäre er nicht so gottverlassen wie naturnah, auf den Verdacht bringen, daß er die falschen erwischt hat.«

Unerträglich für die Nachwelt ist auch die Unbarmherzigkeit, mit der er die manchmal komplizierte, womöglich getarnte, immer aber unauflösliche Beziehung zwischen den kleinen Gaunern und den großen Verbrechern herausarbeitet. Da nach 1945 alle bestenfalls Mitläufer gewesen sein wollten, ist es wichtig, immer wieder bei Kraus nachzulesen, daß politisches Verbrechertum ohne Mitläufer nicht denkbar ist, daß die Mitläufer die Basis des großen Verbrechens bilden.

Im Faschismus nimmt sich die Welt beim Wort. Wer aber lieferte es ihr? Und wer ergötzte sich am schändlichen Wort so lange, bis der Faschist es in die Schandtat umsetzte? Die Naziherrschaft, zeigt Kraus, fiel nicht vom Himmel.

Im übrigen meldete sie früh ihre Ansprüche an Österreich an. Die Ereignisse jenseits der Grenze beobachten und einschätzen und sich im Land selbst umschauen, wer sich den Anschlußgelüsten der deutschen und heimischen Nazis entgegenstellen würde, gehörte für Kraus zusammen. Potentiell war die Sozialdemokratie in Österreich die größte antifaschistische Kraft. Sein Verhältnis zu ihr beschrieb er so: »Ihre Sprache entlarvt sie und bekehrt den Freund ihres Wollens zum Feind ihres Seins.« 1933 wurde das österreichische Parlament von den Konservativen aufgelöst, die Sozialdemokratie dadurch teilweise lahmgelegt. Verboten wurde die Partei ein Jahr später, als nach der Niedermetzelung des Arbeiteraufstands im Februar 34 die Diktatur ausgerufen wurde. Verloren jedoch hat die Sozialdemokratie schon Jahre zuvor, indem sie durch Tatenlosigkeit ihre Parolen zu Phrasen degradierte und dann keinen Glauben mehr fand.

Karl Kraus nannte die Sozialdemokratie eine »staatlich konzessionierte Anstalt für Verbrauch revolutionärer Energien.« Er hatte kein Zutrauen mehr zu ihr. Vor dem Gerede der Parteiführer vom Kampf graute ihm. Es war für Kraus schmerzlich zu beobachten, wie die österreichische Sozialdemokratie in der Ersten Republik einer schwachen Bourgeoisie sich so lange anbiederte, bis sie von ihr abserviert wurde. Von dieser Sozialdemokratie wollte er einen entschiedenen Kampf gegen die Nazis nicht erhoffen. Deshalb setzte er auf die Konservativen, selbst dann noch, als sie die Verfassung brachen, die kämpfenden Arbeiter, von ihrer Führung im Stich gelassen, über den Haufen schossen und ihrerseits in Österreich eine faschistische Diktatur errichteten.

Da ich mich für Biographien nicht interessiere, weiß ich nicht, woran Karl Kraus gestorben ist. Das hat den Vorteil, daß ich mir einbilden kann, er sei rechtzeitig gestorben, zwei Jahre vor dem »Anschluß«, um nicht erleben zu müssen, wie sehr er sich in den österreichischen Faschisten getäuscht hatte. Er hielt sie für eigennützige Patrioten, die das Land nicht an die blutrünstige deutsche Konkurrenz ausliefern würden. Einiges sprach für die Richtigkeit dieser Einschätzung. Die Nazipartei wurde in Österreich verboten, nach der Ermordung des Kanzlers Dollfuß durch die Nazis wurden die Illegalen sogar eine Zeitlang ernsthaft verfolgt, so daß Kraus der Meinung war, die Regierung soll nicht durch Aktionen der verbotenen Linken gestört werden, die Polizei soll sich auf die Verfolgung der Nazis konzentrieren können.

Diese Hoffnung auf eine Rettung Österreichs, der Kraus alle anderen politischen Überlegungen unterordnete, war leider eine Illusion. Die österreichischen Faschisten waren bis in die Regierung von Nazis durchsetzt. Doch abgesehen davon waren sie, auf sich allein gestellt, zu schwach für die Verteidigung des Landes. Als Hitler ein Ultimatum stellte, gab es nur zwei Möglichkeiten: die Kapitulation oder ein breites demokratisches Bündnis. Ein solches Bündnis wurde der Regierung angetragen, sie hätte nicht darum betteln müssen. Doch es war auch den Austrofaschisten alles, was mit Demokratie zu tun hatte, immer schon ein Greuel. Zwar führten sie nichts lieber im Mund als das Wort Vaterland. Noch lieber aber lieferten sie das Vaterland aus.

Den darauf folgenden österreichischen Originalbeitrag zur *Dritten Walpurgisnacht* hat Karl Kraus nicht mehr erleben müssen.

ERNST JANDL

rilkes name

rilke
sagte er
nach seinem namen gefragt

rilke
sagte man
nach seinem namen gefragt
oder
kenn ich nicht

FRIEDRICH TORBERG

Die Österreichische Spirale
Am 27. Mai vor zehn Jahren starb Fritz von Herzmanovksy-Orlando

Das Geniale, und vollends das genial Abseitige, paßt niemals in seine Zeit.
Entweder eilt es ihr voraus, oder es stellt sich neben sie. Entweder werden
seine Schöpfungen, nachdem sie »bahnbrechend« gewirkt haben, eines Tages als selbstverständlich akzeptiert und ihr Schöpfer wird als einer der Ersten gelten, die am Beginn der betreffenden Entwicklung standen. Oder sie
werden eine zeitlose Wertbeständigkeit erweisen und ihr Schöpfer wird am
Ende einer bestimmten historischen Entwicklungsphase gestanden sein, die
in ihm eine letzte, unwiederbringlich originäre Ausprägung gefunden hat.
In Zeiten wie den unseren, da in jeweils zwanzigjährigen Intervallen die
Welt aus den Fugen gerät, merkt man es besonders deutlich, wenn solch ein
»Letzter« uns verläßt, einer, der dies und jenes noch erlebt und überlebt
hat, ein Zeitgenosse vergangener Abläufe und unterbrochener Kontinuitä-
ten, ein Wanderer auf lang verwehten Spuren, ein lebender Anachronismus.
Der 1954 verstorbene Fritz von Herzmanovsky-Orlando war alles das und

war um vieles mehr und war's – dies hat sogar etwas Tröstliches an sich – von allem Anfang an. Es gab keine Zeit seines nahezu 80jährigen Lebens, in die er »gepaßt« hätte. Es gab keinen Weg seines vielfältigen künstlerischen Schaffens, auf dem er nicht »abseits« geraten wäre. Nur um ihn für die Uneingeweihten irgendwo zu fixieren, verglichen die Eingeweihten den schnurrigen, schwatzhaft obstinaten Humor seiner Erzählungen mit Jaroslav Hašek, die Situationskomik seiner Theaterstücke und den Witz seiner Dialoge mit Nestroy, das hintergründig Österreichische all seiner Themen und Anlässe mit Musil, ja mit Kafka, und das graziös Unheimliche seiner verschrobenen Graphiken mit Kubin oder Ensor. Aber das waren nur Notbehelfe, die gleicherweise ihm wie den zum Vergleich Herangezogenen Unrecht taten. Dieser wahrscheinlich genialste Amateur, der jemals den professionellen Kunstgesetzen widerstrebte, läßt sich eben darum weder einordnen noch vergleichen.

Es ist kein Zufall, daß Fritz von Herzmanovsky-Orlando in Meran gelebt hat, in jener verträumten, fast schon verwunschenen Gegend, die vielleicht am besten damit zu charakterisieren wäre, daß sie nicht mehr zu Österreich gehört, wohl aber Österreich zu ihr. Wie es ja auch kein Zufall ist, daß schon in seinem Namen drei Elemente der einstigen Monarchie sich mischen, das deutsche, das slawische, das italienische – sozusagen eine schwarzgelbe Mustermischung. Und die geistige Landschaft des ehemals schwarzgelben Kulturbereichs ist es auch, in der Herzmanovsky tief und unlöslich wurzelt, die er in seinen barocken Geschichten, in seinen locker verspielten Bühnenstücken immer wieder erstehen läßt, mit liebevoll-wehmütiger Ironie und unter merkwürdig schrägem Blickwinkel, aus dem sich bisweilen so kauzige Verzerrungen ergeben, daß die Spiegelbilder eines Lachkabinetts vergleichsweise wie Paßphotographien wirken würden. Dahinter aber, in ungewissem »déjà vu«, bleibt eine Wirklichkeit spürbar, die schon von sich aus verkauzt genug war: eben jenes Österreich, dessen jahrhundertelange Existenz sich künftigen und hoffentlich sorgenfreieren Geschichtsforschern als Beweis für die Möglichkeit des Unmöglichen darstellen wird, und dessen Untergang sogar uns Heutigen schon, sogar uns Betroffenen, als die katastrophalste Humorlosigkeit der Weltgeschichte erscheinen will.
Herzmanovsky ist in den Zellkern dieses unwahrscheinlichen Gebildes tiefer eingedrungen als irgendein anderer, beinahe frevelhaft tief und auf nie zuvor begangenen Wegen, die sich in seinen Romanen nicht minder skurril verschlingen als in seinen Theaterstücken. Hier wie dort blitzt es von Einfällen und Pointen, deren abwegige Folgerichtigkeit etwas entwaffnend

Selbstherrliches an sich hat, so daß die Frage nach ihrem Wachstum aus dem jeweiligen Zusammenhang sich gar nicht erst stellt. Sie »passen« fast überall hinein. Die präzise Zuordnung bestimmter Äußerungen zu bestimmten Charakteren oder Situationen ist ebensowenig Herzmanovskys Sache und Ehrgeiz wie die psychologische Gestaltung der Charaktere selbst, die eindeutige Struktur ihrer Konflikte, und, kurzum, die Beobachtung der handwerklichen Disziplinarvorschriften für den Aufbau epischer und dramatischer Werke. Sehr vieles von dem, was Herzmanovskys Figuren an bestimmten Stellen sagen, könnte er auch von anderen Figuren an anderen Stellen sagen lassen, sehr vieles von dem, was in bestimmten Augenblicken des Ablaufs geschieht, könnte auch früher oder später geschehen, oder gar nicht. Für die »Handlung«, soweit sie vorliegt, wäre das kein Verlust. Es wäre nur ein Verlust für die Literatur. Denn noch in Herzmanovskys überflüssigsten und anorganischsten Szenen und Figuren steckt mehr Einfall und Eigenwuchs und Originalität, als im Gesamtwerk manch eines seiner routinierten Zunftgenossen. Das weithin Verwirrende ist, daß man sich nicht einmal auf Herzmanovskys Amateurismus verlassen kann; daß ihm – keineswegs dank einem spezifischen Talent, sondern aus einem umfassend künstlerischen Instinkt – plötzlich ein Wurf von beneidenswerter Zielsicherheit gelingt; daß er in seiner erzählenden Prosa mit ein paar Sätzen eine Gestalt von unglaublicher Plastik zu schaffen vermag, eine Atmosphäre von beklemmender Überzeugungskraft, eine Situation von unheimlich ausgeleuchteter Abgründigkeit. Auch auf der Bühne glückt ihm dergleichen oft genug. Nur eines glückt ihm nie: eine noch so leise Andeutung dessen, was man landläufig unter »Spannung« versteht. Mit keinem kleinsten Handlungsbrocken versucht er »Neugier« zu erregen oder gar zu stillen. Denn seine eigene Neugier, anders geartet und anderswohin gerichtet, wird auf Schritt und Tritt von einer nimmersatten Entdeckerfreude abgelenkt und weggelockt – in Gegenden, die sonst ganz gewiß unentdeckt blieben, und mit einer Konsequenz, wie sie sonst höchstens bei den großen Clowns zu finden ist, bei Grock etwa oder bei den Rivels. Vielleicht erinnert man sich: die drei Rivels bauten einmal aus ihren Körpern »eine Brücke, eine Brücke, eine Brücke«, und es fügte sich unvermeidlich so, daß der Kopf des einen dicht an das Gesäß des anderen geriet. Sofort war's mit dem Brückenbau vorbei. Der Benachteiligte hielt sich in jähem Auftaumeln die Nase zu, stürzte davon und kam mit einer vorgebundenen Gasmaske zurück. Der andere, angesichts solch kriegerischen Instruments zu entsprechender Gegenwehr gestachelt, verschwand gleichfalls, und als er wiederkam, hatte er einen Stahlhelm auf dem Kopf und ein Maschinengewehr in der Hand.

Selbstverständlich ging sein Partner, nicht ohne sich raschest mit den nötigen Schußwaffen versehen zu haben, unverzüglich in Deckung, und wenige Minuten später lagen sämtliche Rivels hinter improvisierten Barrikaden, umgeben von Sandsäcken, Handgranaten und leichter Feldartillerie, und weit jenseits jeglicher Erinnerung, daß sie doch eigentlich »eine Brücke, eine Brücke, eine Brücke« hatten bauen wollen. Auch die Zuschauer dachten längst nicht mehr daran, sondern krümmten sich und wimmerten vor Lachen ... Wer »Zirkus« für eine abschätzige Bezeichnung hält, mag einwenden, daß dies eben Zirkus gewesen sei. Nun: dann hätte also Herzmanovsky – und das bezöge sich nur auf seine Technik, keineswegs auf seine Aussage – die unauslotbaren Hintergründe der Zirkusclownerie in die Literatur auf das Theater transponiert und ließe aus ihnen mit der ganzen Selbstverständlichkeit clownischer Logik die bizarren Blüten seiner Phantasie emporwuchern, unbekümmert um Planung und Konzeption, gelangweilt schon vom bloßen Gedanken an die Nötigung, sie etwa ausführen zu müssen, und hingerissen von jeder neuen Entwicklung, die sich beim nächsten Quersprung um die nächste Ecke anbietet. Akrobat – schöön!

Man lasse sich indessen von Herzmanovskys munter klingender Narrenkappe und von seinen grotesken Sprüngen und Verrenkungen nicht täuschen. Er kamoufliert damit einen keineswegs harmlosen satirischen Zugriff, der mit dem gängigen Altgraf-Bobby-Humor ungefähr soviel zu tun hat wie die Musik Jacques Offenbachs mit einer Pariserwurst. Und wenn er zugreift, bekommt er nicht nur die auf der Hand liegenden Lächerlichkeiten und Schwächen seiner österreichischen Materie zu packen, sondern gleich auch jene lächerlich schwachen Schablonen, deren sentimentale Effekte ebenso billig sind wie ihre vorgeblich ironischen. An Österreich ironisch zu werden, ist nämlich keine Kunst. Das kann jeder zweite. Und aus heimlicher Wehmut Kapital schlagen, kann jede Schnulze. Bei Herzmanovsky ist es so, daß zugleich mit dem Anlaß auch dessen Ausnützer ausgenützt werden. Er überdreht das Volksstück und sein heutiges Exkrement, den Heimatfilm, genau um die eine Spirale, die das Original vom Klischee unterscheidet.

Herzmanovskys unbekümmerte, manchmal bis hart an die Herausforderung grenzende Eigenwilligkeit bekundet sich schon in den Titeln seiner Werke und war möglicherweise mitschuldig daran, daß der einzige noch zu seinen Lebzeiten erschienene Roman damals zu keinem breiteren Lesepublikum durchdrang. Offenbar vermochte sich der Normalleser unter einem »Gaulschreck im Rosennetz« nichts vorzustellen. Und diese verzweifelt komische Geschichte eines Hofbeamten aus dem vormärzlichen Wien ist ja auch wirklich voll von unvorstellbaren Gestalten und Geschehnissen. Da gibt es zum Beispiel – wir befinden uns in der Regierungszeit des guten Kaisers Franz – noch ein paar Hofzwerge im Ruhestand, und sogar einen pensionierten Hoffriesen. Da gibt es die würdige Witwe Schosulan, eine frühere Kammerfrau Maria Theresias, die von der verewigten Monarchin einen kostbaren Leibstuhl geerbt hat: wenn man sich auf ihn niederläßt, beginnt er, dank einem sinnreich eingebauten Mechanismus, verliebte Schäferweisen zu spielen. Da gibt es einen Komponisten namens Frannçis Poprdač, Verfasser einer »Jubelhymne anläßlich der geglückten 18. Entbindung Ihrer Hoheit der Durchl. Fürstin Clementine Aurora zu Luhatschowitz, gesetzt für zwei Clavecins«. Da gibt es einen Ahnenproben-Examinator des k. Gestüts zu Lipizza, der während eines Nachmittagsschläfchens im Sorgenstuhl seines Amtszimmers von einem Hufschlag hinweggerafft wird. Da gibt es den Reiseschriftsteller Peregrinus Klebel von Pratzentanz, der die Strecke Wien–Passau auf den Händen zurückgelegt hat und sich dadurch den Titel eines »Landesfürstlich befugten und beeideten bürgerlichen Handgängers« erwarb. Da gibt es eine »Kaiserlich privilegierte Ohrlöffelschmiede«, eine »Brüderschaft zur fortdauernden Beweinung der Greuel Sodoms«, und da gibt es, vor allem, den Sekretär des kaiserlichen Hoftrommeldepots Eynhuf, mit vollem Namen Jaromir Zdenko Maria Alois Johann von Nepomuk Franz von Assisi Edler von Eynhuf, dessen patriotisches Lebensvorhaben darin besteht, dem Kaiser Franz zum 25jährigen Regierungsjubiläum ein Sammet-Tableau zu überreichen, auf dem ein aus 25 Milchzähnen gebildeter Fünfundzwanziger prangen soll. 24 Milchzähne hat Eynhuf schon beisammen; die Jagd nach dem 25. ist sozusagen die Fabel des Buchs, und weil es natürlich nicht irgendein gewöhnlicher Milchzahn sein darf, hat Jaromir sich's in den Kopf gesetzt, ihn von der berühmten Sängerin Höllteufel zu bekommen. Die Szene, in der sich ihm die ersehnte Gelegenheit zur Annäherung an die berückende Diva bietet, schildert, wie aus dem glühenden Patrioten und würdigen Hofbeamten ein Gaulschreck im Rosennetz wurde. Ebenso komplizierte Bewandtnisse hat es mit dem Titel eines Theaterstücks, das Herzmanovsky als »Gangster-Komödie aus dem Biedermeier« bezeichnet. Der Titel lautet: »Apoll von Nichts, oder: Exzellenzen ausstopfen – ein Unfug«. Und er beruht, wie so vieles bei Herzmanovsky (und manchmal gerade das Unglaubhafteste), auf einem historischen Begebnis aus Österreichs bunt bewegter Vergangenheit, in deren Dokumenten Herzmanovsky nimmermüd nach Inspirationen gestöbert hat. Tatsächlich wurde im 18. Jahrhundert vom Fürsten Georg Lobkowitz ein junger Mohrenprinz namens Soliman aus Sizilien nach Wien mitgebracht, wo ihn Maria Theresia späterhin zur Würde eines österreichischen Kammerherrn und damit in den Adelsstand erhob. Und tatsächlich wurde dieser geadelte Mohr, auf Grund einer irrtümlich stehengebliebenen testamentarischen Verfügung der Monarchin, nach seinem Tode ausgestopft und dem kaiserlichen Naturalienkabinett einverleibt. Eine Tochter der ausgestopften Exzellenz – die Kaiserin hatte Soliman mit einer ihrer Hofdamen verheiratet – führte einen jahrelangen Kampf gegen das unwürdige Schicksal, das man ihrem Vater bereiten wollte, scheiterte jedoch an der starren Buchstaben-Gläubigkeit der österreichischen Behörden und verfiel schließlich dem Trübsinn. Ein Sohn, der ihrer Ehe mit einem österreichischen Beamten entsprossen war, beging im Alter von 42 Jahren Selbstmord. Es war der Dichter Ernst von Feuchtersleben.

Als Herzmanovskys eigentliches Hauptwerk darf das »Maskenspiel der Genien« gelten, ein groß und mystisch angelegter Roman über Österreichs europäische Sendung, wie Herzmanovsky sie verstand. Ort der Handlung ist ein irgendwo zwischen Venedig, Krain und Kroatien gelegenes, von vier Königen regiertes Traumreich, das nach dem klassischen Kartenspiel der einstigen Monarchie »Tarockanien« heißt (und, nebenbei, beträchtlich vor Robert Musils »Kakanien« konzipiert wurde). In diesem »Pufferstaat« – in dem sich die Horchposten des österreichischen Außenamts installiert haben, um die historische Affinität zwischen Österreich und Byzanz zu wahren – feiern Polizei, Behörden, Ärar, kurzum die gesamte Bürokratie, wahre Orgien an Selbstbestätigung und Selbstentlarvung. Aber auch hier macht es sich Herzmanovsky nicht so einfach wie die dürftigen Oberflächen-Satiriker des Amtsschimmels. Für ihn, den gelernten Altösterreicher, ist das Amtswesen wirklich ein Wesen, eine geheimnisträchtige, nahezu okkulte Erscheinung innerhalb der Welt des Scheins, und er wird nicht müde, den unendlichen Abstufungen und Verästelungen dieses Wesens nachzuspüren: bis sie unter seiner Hand ein groteskes Eigenleben gewinnen und bis der Widersinn, ja der Unsinn einer allzu vordergründig eingerichteten Welt sich plötzlich im ernstgenommenen Nebensatz irgendeiner bürokratischen Verordnung spiegelt, bricht und zersetzt.
Die wirklich erfolgte Zersetzung Altösterreichs, jener »kleinen Welt, in der die große ihre Probe hält«, spiegelt sich symbolisch in einem Fragment gebliebenen Roman, welcher auf »Scoglio Pomo« spielt, einer legendären, als letzte österreichische Sommerfrische auftauchenden und wieder versinkenden Adria-Insel, in deren marmornem Hafen eines Nachts der Fliegende

Holländer vor Anker geht und die daraufhin von einer Kanonade schwerer Schiffsgeschütze vernichtet wird, wobei es durchaus unklar bleibt, ob die k. u. k. Kriegsmarine damit dem Eingreifen der englischen Flotte zuvorkommen wollte oder ob sie die Insel irrtümlich für eine Manöverscheibe gehalten hat. Vor der Salzquelle, die aus dem verwüsteten Inselgestein entspringt, fassen aber jedenfalls zwei österreichische Zollwächter Posten, um allfälligen Übertretungen des Salzgefälles vorzubeugen ...

Dieser gewissermaßen amtlichen Fabulierfreude, dieser im Reich der Phantasie eingerichteten Kanzlei entstammt auch das parodistische Singspiel »Kaiser Joseph und die Bahnwärterstochter«. Die Eisenbahn zieht sich durch Herzmanovksys Werk ja überhaupt wie ein roter Faden, oder besser wie ein rotes Tuch: er ist ihr, gelinde gesagt, abgeneigt, und macht daraus so wenig ein Hehl wie aus seinen sonstigen Abneigungen. Auch im Lande Tarockanien muß ja die Eisenbahn unter der Erde verkehren, damit bestimmt kein Fremdenverkehr entstehen kann, und was ihr vollends in Österreich zustößt, besonders in der Gegend von Leoben, das ist nicht zu schildern – oder nur von Herzmanovksy.

Er hat mit seinem Pfund wahrhaftig nicht gewuchert. Er hat es unbekümmert um den offiziell notierten Kurs in die großen und kleinen Goldmünzen seiner Einfälle umgewechselt, und hat sie aus der Kalesche, in der er sein phantastisches Reich durchfuhr, mit vollen Händen ausgestreut, sich und uns zur Freude, wo immer sie hinfallen mochten, blinkend und glitzernd. Lang genug hat's gedauert, ehe sie aufgelesen und nach Gebühr gewürdigt wurden. Aber jetzt ist es soweit. Jenes österreichische Schicksal, das von irgendeinem wohlmeinenden Hof- oder Sektionsrat ohneweiters auf die Formel gebracht werden könnte: »Wann S' berühmt werden wollen, dann sterben S' gefälligst!« hat sich an Fritz von Herzmanovsky-Orlando exemplarisch bestätigt. Heute, zehn Jahre nach seinem Hinscheiden, zählt er zu den Großen unter Österreichs Schriftstellern, und es gibt keine neuere Literaturgeschichte, die nicht Notiz von ihm nähme, ausführliche und bewundernde Notiz. Die vierbändige Ausgabe seines Gesamtwerks wurde im Vorjahr vom Verlag Langen-Müller abgeschlossen, seine beiden großen Romane – »Der Gaulschreck im Rosennetz« und »Maskenspiel der Genien« – liegen in italienischer und französischer Übersetzung vor, der »Gaulschreck« überdies als dtv-Taschenbuch. Von seinen Theaterstücken haben die Münchner Kammerspiele 1957 »Kaiser Joseph und die Bahnwärterstochter« uraufgeführt (und damit den eigentlichen Durchbruch Herzmanovskys eingeleitet). Der österreichischen Erstaufführung nahm sich bald darauf das Burgtheater an, ebenso der Uraufführung seiner venezianischen

Maskenkomödie »Zerbinettas Befreiung«, von der inzwischen in Hannover eine Musical-Fassung zur Aufführung kam. Und mit der zweimaligen Ausstrahlung des »Kaiser Joseph« durch das deutsche Fernsehen eröffnete sich ihm der Bezirk einer populären Wirkung, von der weder er selbst noch seine kühnsten Anhänger zu träumen gewagt hätten.

Fritz von Herzmanovsky-Orlando – der »legitime Erbe Nestroys«, das »letzte Genie barocken altösterreichischen Humors«, der »ins Groteske umgekippte Kafka« (um nur einige der glanzvollsten Epitheta zu zitieren, die ihm von seiten der Kritik zuteil wurden) – hat endlich den Platz gefunden, der ihm innerhalb der deutschsprachigen Literatur gebührt, einen ganz besonderen und völlig unverwechselbaren Platz.

MICHAEL SCHARANG

Das Prinzip der prinzipienlosen Ironie
Über Robert Musil

Wie Robert Musil starb, ist nicht verbürgt. Dennoch erzähle ich immer, wenn darauf die Rede kommt, es habe ihn, Mitte April 1942, im Genfer Exil, bei der Gymnastik der Gehirnschlag getroffen. Ausgerechnet bei der Gymnastik, beim Sport sei er gestorben, er, der zeitlebens darauf hielt, sportlich zu sein und als durchtrainiert zu gelten. Typisch für diesen Schriftsteller, vergesse ich nicht hinzuzufügen, sogar der eigene Tod voll Ironie.

Ganz aus den Fingern gesogen habe ich mir diese Version nicht. Sie scheint auch auf unter den Möglichkeiten, welche Martha Musil, die Frau des Schriftstellers, in Erwägung zieht. »Und beim Auskleiden«, schreibt sie in einem Brief, »vielleicht bei einer gymnastischen Übung, vielleicht auch nur bei einer heftigen Bewegung, traf ihn der Gehirnschlag«. Daß man sich für eine dieser Möglichkeiten, nämlich für die Gymnastik, entscheiden kann, wenn nicht entscheiden muß, und zwar keineswegs eigenmächtig, sondern ganz im Sinn von Musils Wirklichkeitsauffassung, entnehme ich Martha Musils folgender Schilderung: »Wenige Minuten, nachdem er hinaufgegangen war, öffnete ich die Tür des Badezimmers, um ihn zu rufen – und fand ihn leblos. Es war unmöglich zu fassen, daß er tot sei, so lebendig und etwas spöttisch-erstaunt sah er aus.«

Kein Zweifel: Musil reagiert spöttisch-erstaunt auf den eigenen Tod. Ein Meister der Ironie, welcher der Macht des Faktischen zeitlebens deren Beschränktheit nachzuweisen versucht hat, kann nicht zulassen, daß der Meister des Faktischen, der Tod, ihn, den Schriftsteller, ironisch übertrumpft, indem er ihm das Leben abschneidet, und das ausgerechnet während der Gymnastik. Gewiß, der Meister der Ironie ist im Augenblick des Hinscheidens selbst Objekt der Ironie, womit er nicht gerechnet hat und was ihn erstaunt; er faßt sich aber schnell, sieht sterbend den zu Recht spöttischen Tod, überwindet den Todesschreck und wirft in einer letzten Anstrengung selbst einen spöttischen Blick auf das eigene tragikomische Ende. Ein Autor, gewohnt, die Welt aus der Sprache erstehen zu lassen, hat immer das letzte Wort. Musil hat es sozusagen noch im Tod.

Meine erste Begegnung mit dem Werk Musils fällt in das Jahr 1960, in eine Zeit, in der es immer noch zu den großen geistigen Abenteuern zählte, Bücher zu entdecken, die infolge der Ermordung und Vertreibung vieler Autoren durch die Nazis in Vergessenheit geraten waren. Eine Entdeckung war Musil damals freilich nicht mehr – außer für mich; außer man lebte in Wien. Ich war zwanzig, kam eben erst aus der Provinz zum Studium nach Wien, und Wien war und ist, wie das niemand genauer erkannt und beschrieben hatte als Musil, eine der Literatur im allgemeinen und der aktuellen Kunst im besonderen feindliche Stadt. Musil wußte Bescheid, er lebte hier immerhin länger als die Hälfte seines Lebens.

In London war der jahrelang vergessene Dichter schon Anfang der fünfziger Jahre wieder Gesprächsthema, in Hamburg erschien bereits in den Jahren 1952 bis 1957 die erste dreibändige Gesamtausgabe bei Rowohlt (wo jetzt auch Karl Corinos große Musil-Bildbiographie verlegt wird). In Wien aber existierte Musil – zu Lebzeiten weitgehend unbekannt – auch noch Anfang der sechziger Jahre weniger in Gestalt seines Werks denn als Gerücht.

Ich setzte mich damals gern zu einer Kaffeehausrunde, in der Studenten und junge Autoren über Literatur stritten. Mit größter Beharrlichkeit schaltete sich immer wieder ein sonst schweigsamer älterer Mann vom Nebentisch mit der Bemerkung ein, alles, worüber wir debattierten, sei gegenstandslos angesichts des Romans von Musil. Musil, wer ist das? Na, der, welcher *den* Roman geschrieben hat. Welchen Roman? Na, den Roman aller Romane.

Der Alte ging mir schließlich so auf die Nerven, daß ich in einer Buchhandlung nach dem Wunderwerk fragte. Mindestens in fünf Innenstadtläden wußte man weder etwas von Musil noch von dessen Roman. Anderen Buchhändlern kam der Name Musil zwar bekannt vor, aber ein Buch dieses Autors führten sie nicht. Am Ring dann ein Buchhändler, der ein Exemplar hatte. Titel: Der Mann ohne Eigenschaften. Umfang: gigantisch. Preis: unerschwinglich. Der Buchhändler nahm eine Anzahlung, reservierte das Buch, und im nächsten Monat hatte ich es endlich in Händen.

Schon nach wenigen Seiten stand fest: Das ist Liebe auf den ersten Blick. Eine solche Literatur war mir noch nie untergekommen. Hier war einem Autor nichts heilig, er nahm Bestehendes nicht ernst, nicht allzu ernst jedenfalls, diese Haltung aber verfocht er sprachlich und gedanklich aufs ernsthafteste. Außerdem kümmerten ihn weder die herkömmlichen Regeln des Erzählens noch die des Philosophierens. An Probleme, die bislang der Theorie vorbehalten schienen, machte er sich fabulierend heran. Die klassischen Romansujets, die großen Gefühle, bohrte er unverfroren mit dem Instrumentarium der Theorie an, wußte über erkenntnistheoretische Fragestellungen eine Geschichte zu erzählen und landete am Ende einer Liebesgeschichte bei lebensphilosophischen Thesen. All das trug er mit einer ebenso lässigen wie präzisen Selbstverständlichkeit vor, unprätentiös, aber pointiert, selbstbewußt, aber uneitel, ohne ästhetisches Getue und deshalb literarisch überzeugend.

Ich verschlang damals in wenigen Wochen den unterhaltsamsten, witzigsten, verständlichsten und lehrreichsten Roman, der mir je untergekommen war. Aus der Liebe auf den ersten Blick wurde im Lauf der Jahre eine zwar dauerhafte, aber doch auch abgekühlte Beziehung, in der es lange Zeiten ohne Musil-Lektüre gab, und ich bin mir nicht sicher, ob meine Liebe zu Musil tief hineinwirkte in die eigene schriftstellerische Arbeit und ins eigene Leben, doch ich weiß mittlerweile, warum der Geist- und Literaturbetrieb, insbesondere der deutschsprachige, diesen Roman als unendlich schwierig dämonisiert, das heißt in diesem Fall verteufelt: So rächt sich der Betrieb an einem Autor, der wie kaum ein anderer diesen Betrieb durchschaute und lächerlich machte, und das nicht als einer, der höhnisch darüberstand, sondern als Opfer. Nicht nur Musils Kunst wurde ignoriert, er ging auch finanziell vor die Hunde. Und merkte an: Davon, daß einer nicht leben könne, würden neunundneunzig andere ausgezeichnet leben.

Was sich anhört wie ein witziger Aphorismus, ist eine tiefe Einsicht in die industrialisierte Kultur dieses Jahrhunderts, die den Künstler, diesen Ein-Mann-Betrieb, als unabhängig, folglich als unberechenbar und unzuverlässig und deshalb als Sand im Getriebe empfindet. Es ist, als wollte Musil die Probe aufs Exempel machen, als er, bereits 50, Anfang der dreißiger Jahre nach Berlin ging, wo er auf mehr Interesse zu stoßen hoffte als in Wien. Zwei Jahre später, 1933, nach der Machtergreifung Hitlers, kehrte er zurück, nach wie vor mittellos.

Falsch wäre indes, das schlechte Verhältnis zwischen Kulturbetrieb und Schriftsteller einseitig, ausschließlich gegen letzteren gerichtet, zu sehen. Musil jedenfalls war gegen den Betrieb äußerst allergisch. Einer der privaten Mäzene, welche eine Hilfsaktion für den heimgekehrten Schriftsteller organisierten, berichtet: »Es ehrt Musil nur, wenn ich nicht verschweige, daß er selbst sehr wenig tat, um unsere Aktion zu unterstützen. Eher im Gegenteil: sein Tun und Lassen, sein Sagen und Schweigen lief im Effekt darauf hinaus, unbekannt und in jedem Sinne unzugänglich zu bleiben. Obwohl er sehr unter seinem Ausgeschlossensein litt, konnte er nicht anders, als sich ausschließen.«

Musils Isolation ging weniger auf einen Spleen zurück als auf sein künstlerisches Vorhaben. Das war derart universell und ehrgeizig, daß es schulterklopfende literarische Weggefährten ausschloß und unverbindliche künstlerische Freundschaften nicht duldete. Außerdem kam Musil nicht über die Kunst zur Kunst: der vorhandenen Literatur noch ein paar Werke hinzuzufügen, bloß weil er Begabung fürs Schreiben hatte, reizte ihn nicht im mindesten. Er kam zur Literatur über die Naturwissenschaft, über die Technik. »Wir plärren«, schrieb er, »für das Gefühl und gegen den Intellekt und vergessen, daß Gefühl ohne diesen – abgesehen von Ausnahmefällen – eine Sache so dick wie ein Mops ist. Wir haben damit unsere Dichtkunst schon so weit ruiniert, daß man nach zwei hintereinander gelesenen deutschen Romanen ein Integral auflösen muß, um abzumagern.«

Robert Musil war Ingenieur – und der Sohn eines Ingenieurs. Er kam 1880 in Klagenfurt zur Welt, ein Jahr später übersiedelte die Familie mit dem einzigen Kind nach Böhmen, bald darauf ins oberösterreichische Steyr, schließlich 1891 nach Brünn, wo der Vater eine Professur erhielt. Die Eltern wurden seßhaft, das Kind aber steckten sie in diverse militärisch geführte Internate, zuerst nach Eisenstadt, dann nach Mährisch-Weißkirchen, wo Musil beim Studium des Artilleriewesens seine technische Begabung entdeckte. Nach der Ingenieurs-Staatsprüfung – 21 Jahre war er alt – ging er als Volontärassistent an die Technische Hochschule Stuttgart. Diese Tätigkeit befriedigte ihn aber so wenig, daß er – aus Langeweile, wie er behauptete – seinen ersten Roman, »Die Verwirrungen des Zöglings Törless«, schrieb, dessen Handlung er in jener Kadettenanstalt ansiedelte, deren Zucht er vor kurzem erst entronnen war.

Der Autor zeigt, daß sich hinter der Fassade bürgerlicher Ordnung ein

Zwangssystem verbirgt, das bereits bei Jugendlichen monströse Formen der Gewalt hervorbringt. Ein weitsichtiges Buch, das dem Autor zu seiner Überraschung beim Erscheinen 1906 nicht nur Erfolg einträgt, sondern auch das Lob einiger bekannter Kritiker wie Alfred Kerr, Franz Blei, Wilhelm Herzog.

Musil ist sich seiner Sache noch keineswegs sicher: »Ich selbst war damals ganz unbestimmt, ich wußte nicht, was ich wollte, ich wußte bloß, was ich nicht wollte, und das war ungefähr alles, was zu jener Zeit für das galt, was man als Schriftsteller tun sollte.«

Um einen Schritt weiterzukommen, setzt er zunächst einmal der gefühlsseligen Literatur die exakte Technik entgegen: »Wenn man einen Rechenschieber besitzt, und jemand kommt mit großen Behauptungen und großen Gefühlen, so sagt man: Bitte einen Augenblick. Wir wollen vorerst die Fehlergrenzen und den wahrscheinlichen Wert von alldem berechnen!«

Die Technik ist zwar nicht so ungenau wie die Literatur, aber in ihrer Handhabung durch die Techniker bleibt sie beschränkt und bieder. Musils Unmut richtet sich darum nicht nur gegen die Literaten, sondern auch gegen die Techniker: »Die Kühnheit ihrer Gedanken statt auf ihre Maschinen auf sich selbst anzuwenden, würden sie ähnlich empfunden haben wie die Zumutung, von einem Hammer den widernatürlichen Gebrauch eines Mörders zu machen.«

Daraus leitet sich für Musil die epochale Aufgabe ab, nicht nur die Literatur und die Philosophie, sondern auch die Technik und die Naturwissenschaft neu zu bestimmen. Eine erste Formel, die er dafür findet, lautet: »Wir haben nicht zuwenig Verstand und zuwenig Seele, sondern wir haben zuwenig Verstand in Fragen der Seele.«

Um in Gefühlen nicht bloß poetisch zu schwelgen, sondern exakter mit ihnen umgehen zu können, um andererseits dem Verstand statt der sprichwörtlichen Nüchternheit Leidenschaft zu verleihen, bricht Musil seine Arbeit als Techniker ab und geht 1903 nach Berlin, um dort Philosophie, insbesondere Erkenntnistheorie und Logik zu studieren. Das Ergebnis von sieben Jahren Studium ist zwar eine Dissertation, aber auch die desillusionierende Einsicht, daß sich die Anzahl der offenen Fragen nicht verringert, sondern ins Unermeßliche gesteigert hat.

Über eines ist Musil sich allerdings endgültig klargeworden: An die Beantwortung jener Fragen kann er sich nicht im Rahmen der etablierten Wissenschaften machen, sondern nur literarisch beziehungsweise literarisch-essayistisch. Damit steht der Plan für sein Lebenswerk fest. Was noch vor oder neben dem großen Roman, dem späteren »Mann ohne Eigenschaften«, an Werken entsteht, kreist, bei aller Eigenständigkeit, doch immer auch um eines der Themen des Romans, seien es die Erzählungen »Vereinigungen« oder »Drei Frauen«, das Schauspiel »Die Schwärmer« oder die Posse »Vinzenz und die Freundin bedeutender Männer«.

Der Künstler spiegelt sich im Werk, doch auch das Werk spiegelt auf den Künstler zurück, verändert ihn und seinen Lebensweg. Musil schreibt: »Wenn es aber Wirklichkeitssinn gibt, und niemand wird bezweifeln, daß er seine Daseinsberechtigung hat, dann muß es auch etwas geben, das man Möglichkeitssinn nennen kann. Wer ihn besitzt, sagt beispielsweise nicht: Hier ist dies oder das geschehen, wird geschehen: sondern er erfindet: Hier könnte, sollte oder müßte geschehn; und wenn man ihm von irgend etwas erklärt, daß es so sei, wie es sei, dann denkt er: Nun, es könnte wahrscheinlich auch anders sein. So ließe sich der Möglichkeitssinn geradezu als die Fähigkeit definieren, alles, was ebensogut sein könnte, zu denken, und das, was ist, nicht wichtiger zu nehmen als das, was nicht ist.« Ein Künstler, der das schreibt, muß auch die sogenannten Eigenschaften der Menschen als eine Wirklichkeit betrachten, die genausogut anders sein kann. Was dabei herauskommt, ist zunächst der berühmte Romantitel: »Und da der Besitz von Eigenschaften eine gewisse Freude an ihrer Wirklichkeit voraussetzt, erlaubt das den Ausblick darauf, wie es jemand, der auch sich selbst gegenüber keinen Wirklichkeitssinn aufbringt, unversehens widerfahren kann, daß er sich als ein Mann ohne Eigenschaften vorkommt.«

Das Romanthema war immer auch Lebensthema. Musils Aversion gegen das Definitive, Absolute ging, wie wir wissen, so weit, daß er sogar sterbend den eigenen Tod ironisierte. Ihm war keine richtige Kindheit und Jugend beschieden, keine, die ihm erlaubt hätte, Wurzeln zu schlagen, oder, wie Musil wohl gesagt hätte, Wurzeln schlagen zu müssen. Als man ihm in Berlin eine akademische Laufbahn in Aussicht stellte, entschied er sich für den Schriftstellerberuf.

Und als ihn nach dem Ersten Weltkrieg in Wien nur mehr eine Stellung im Staatsamt für Heerwesen über Wasser hielt, nahm man sie ihm.

Das war 1922. Von da an bis zu seinem Tod wurde er die materiellen Probleme nicht mehr los, auch nicht, als 1931 der erste Band des Romans und 1933 der erste Teil des zweiten Bandes erschien. Diese Probleme kulminierten im Exil derart, daß er an manchen Tagen nicht wußte, wie er die Kosten für den nächsten Tag bestreiten könnte. Die letzten Lebensmonate brachte er hauptsächlich damit zu, um Geld zu betteln.

Man darf sich die Not der Musils allerdings nicht so vorstellen, als hätten sie unter Brücken gelebt. Wenngleich großbürgerlicher Herkunft, führten sie ihren Mitteln entsprechend ein bescheidenes Dasein, waren aber immer bemüht, einen Rest des großbürgerlichen Rahmens aufrechtzuerhalten. Musil wäre nicht ein Meister der Moderne geworden, hätte er nicht auch ein typisch modernes Leben geführt: deklassiert, nicht mehr jenen zugehörig, die, wie noch der Vater, sich im Besitz der Welt wähnten oder sie tatsächlich besaßen.

Musil wollte das nicht wahrhaben, meinte, die Zeiten würden sich bessern, doch sie verschlimmerten sich nur. Die Auseinandersetzung des bürgerlichen Schriftstellers mit der bürgerlichen Gesellschaft war schon vor dem Faschismus, der die Autoren einfach ausrottete oder vertrieb, ein Kampf – geführt aber noch als Geistes- und Kulturkampf. Daß diese Auseinandersetzung auch ein Lebenskampf war, wußte niemand besser als Musil.

Anfang der dreißiger Jahre hielten ihn in Berlin und nach 1933 in Wien nur mehr private Spenden über Wasser. Als er 1936 den Prosaband »Nachlaß zu Lebzeiten« herausgab, erlitt er einen, man möchte sagen: zum Titel passenden, Schlaganfall. In der Emigration schließlich war er auch menschlich so vereinsamt, daß er sich nur selbstironisch seiner Existenz versichern konnte: »… erst auf seinen Tod warten zu müssen, um leben zu dürfen, ist doch ein rechtes ontologisches Kunststück.«

Musils politische Indifferenz hat vielen seiner Freunde und Bewunderer Unbehagen bereitet. Ich vermute, daß ihm die Ironie zum Schicksal wird. Sie bedeutet für ihn zwar vorerst den Motor, der die Dinge in Bewegung bringt, damit ihre ganze Dimension sichtbar wird, ihre Wirklichkeit und Möglichkeit; letztlich hebt sie sich aber als bewegende Kraft auf, weil sie zum Prinzip wird, zur Skepsis um der Skepsis willen, die sich an nichts Konkretem, an nichts Gesellschaftlichem mehr reibt.

Musil, vermute ich, schützt politisches Desinteresse vor, um seinen Hang zu einer möglichst stabilen und straffen politischen Ordnung nicht an die große Glocke hängen zu müssen. Vielleicht sucht er in seinen dubiosen politischen Neigungen jenen Halt, den seine Ironie, sobald sie sich absolut setzt, verliert. Sie macht sich vor, keinen Boden mehr unter den Füßen zu brauchen, weil sie einen hat, dessen sie sich im Grunde schämt: eine autoritäre Vorstellung von der Gesellschaft.

Mit demokratischen Konzeptionen kann Musil nicht viel anfangen. Das ist der Preis dafür, daß er zwar alle Prinzipien ironisiert, die Ironie selbst aber zum Prinzip, zum Dogma erhebt. Wie jeder Ausstieg aus der Dialektik ist auch dieser zum Stolpern verurteilt. Die absolute Ironie, das kann man an Musil heute ablesen, ist keine Ironie mehr, sie wird zu einem Ernst, der nicht mehr mit sich spaßen läßt.

GERHARD RÜHM

verbesserung eines sonetts von anton wildgans durch neumontage des wortmaterials

Weil ich mein Wesen so mit Härte gürte,
Glaub' nicht darum, daß ich aus Härte bin!
Tief ruht in mir ein mildgewollter Sinn,
Den nur der rechte Zauber nie berührte.

Wirf einem, der die Hand nach heiliger Myrte
Sich auftun hieß, Unkraut und Dornen hin
Und reich' dem Durste Wein, wo Galle drin –
Dies ist das Leben, das ich immer führte.

Von Angefaultem ward mir Übermaß,
All meine Zeit. Was immer mir verfiel,
War nicht mehr rein und trug in sich den Fraß,

Kaum gut genug für ein betäubtes Spiel.
Doch bloße Lust ward immer noch zu Haß,
Und ich will Freude! – Gib, Du hast so viel.

ich will freude

reich dem durste von angefaultem
weil ich den frass mit heiliger myrte gürte
meine blosse zeit

härte

tief ruht nur der
der die hand in unkraut führte

berührte härte
betäubtes

mildgewillter wein aus hass
ich bin mein wesen
rein

gib dornen hin
wirf galle noch
so viel lust
doch kaum genug
ein spiel

was mir verfiel ward mir übermass
dies ist das leben das ich sich auftun hiess
(glaub nicht darum
dass du hast)

In einem rechte ward zu trug
den mir ein sinn war
all nicht mehr wo nie
so nach
für sich
gut drin

zauber

und immer
und immer
und immer
und

Elias Canetti

»Die tiefste Verehrung meines Lebens«

Für einen Kafka-Preis zu danken, sogar aus der Ferne, fällt nicht leicht, denn so gehoben man sich über eine solche Anerkennung fühlen möchte – man ist sich sehr wohl dessen bewußt, daß es niemanden gibt, auf der ganzen Erde nicht und in keiner Sprache, der es wirklich verdienen würde, im Namen Kafkas ausgezeichnet zu werden.

Im Herbst 1930, vor mehr als 50 Jahren, geriet ich an das erste Stück Prosa, das ich von ihm las, es war »Die Verwandlung«. Sie traf mich, wie keine moderne Prosa mich je getroffen hat. Das Wort »Vollkommenheit«, von dessen Anwendung eher abzuraten ist, denn es hat etwas Lähmendes - hier ist es richtig, hier soll man es gebrauchen. Die deutsche Sprache, deren Reichtum und Überschwang man immer gekannt hat, ist hier von einer Enthaltsamkeit und Strenge, die man ihr kaum zugetraut hätte.

Zu jener Zeit schrieb ich an dem Roman, der später »Die Blendung« hieß und hatte eben das achte Kapitel: »Der Tod« abgeschlossen. Mehr als der Leser heute hatte ich unter der Härte dieses Buches zu leiden, das ja erst im Entstehen war. Ich fand die Arbeit daran beinahe unerträglich und begann mich vor der täglichen Fortsetzung zu fürchten. Etwas Besseres als die Lektüre der »Verwandlung« hätte mir zu diesem Zeitpunkt nicht geschehen können. »Da fand ich die Strenge, nach der ich mich sehnte. Da war etwas schon erreicht, das ich für mich allein finden wollte. Ich beugte mich vor diesem reinsten aller Vorbilder, wohl wissend, daß es unerreichbar war, aber es gab mir die Kraft«, ohne diese Kraft hätte ich das drückendste Jahr, eben das der »Blendung« nicht bestehen können.

Ich hütete mich aber wohl davor, zuviel Kafka zu lesen. In jenem Jahr kamen zwei schmale Bände mit Erzählungen dazu: »Ein Landarzt« und »Ein Hungerkünstler«. Alles zusammen mögen es nicht mehr als 130 Seiten von ihm gewesen sein, mit denen ich mich vertraut machte. Viel später wagte ich mich an anderes, an manches erst in England. Ich nahm ihn auf, wie man sein eigenes Leben aufnimmt, das aus seinen einzelnen, disparaten Gelegenheiten besteht. Erst 1968, als ich mich mit den Briefen an Felice befaßte, las ich jedes Wort, das es von Kafka gab, in einem Zug wieder und schrieb ein knappes Buch über ihn, »Der andere Prozeß«. – Meine Erfahrungen mit Kafka dauern aber noch immer an. Seit 51 Jahren lebe ich mit ihm, länger als er selbst gelebt hat.

Das ist das einzige Recht, das ich auf ihn habe: es gelingt ihm nicht, in mir zu sterben. Wenn es so wäre, daß ich ihm noch begegnen könnte, würde ich ihn nichts fragen. Ich würde ihm mit der Scheu und der Ehrfurcht für alles Leben begegnen, die ich von ihm gelernt habe. In seiner Gegenwart würde es mir gelingen, zu verstummen und zu schweigen.

Ich danke Ihnen für diese Auszeichnung, die seinen Namen trägt, und möchte sie als Anerkennung für die tiefste Verehrung meines Lebens betrachten.

Robert Neumann

Vom Textil zu Vergil

Als ich ihn kennenlernte, war ich etwa dreißig Jahre alt, er war dreiundvierzig und in finanzieller Bedrängnis. Seine kapitalistische Zeit lag hinter ihm, er hatte die väterlichen Textilfabriken geleitet und verkauft und persönlich nichts vom Erlös bekommen.

Hier liegt, nebenbei, eine Möglichkeit für die österreichischen Germanisten, sich doch einmal mit den Emigranten zu befassen, vielleicht ein Habilitationsthema: Die Textil-Bedingtheit der österreichischen Literatur unter besonderer Berücksichtigung der Unterschiede zwischen Franz Werfel, Stefan Zweig und Hermann Broch – der von den dreien der österreichischste war: Er hatte überhaupt nie Geld, von dem Tag, als ich ihn traf, bis zum Tag seines Todes.

Ein Schriftsteller war er damals noch nicht, wenigstens nicht einer von besonderer Distinktion – der einzige Text, den ich Ihnen aus der Zeit knapp vorher mitteilen kann, lautet: »Die deutschen Spinnereien verkaufen 5 bis 8 Cents unter unseren Preisen, merkwürdigerweise aber auch Mahler in Prag, von dem ich mit eigenen Augen einen Kontrakt gesehen habe – er verkauft 5000 Kilo 12/2 Granho unverzollt Elberfeld mit 79 1/2! Für prompte Ware kann man etwas besser abschließen, aber nur wenn man Dreimonatsakzepte nimmt mit nicht über zehn Prozent Diskont!«

Ich zitiere das, weil es tröstlich ist für die Verfasser ähnlicher Texte: Wer weiß, vielleicht schreibt auch noch ein anderer Herr aus der Branche nächstens so etwas wie »Vergil«.

Der Weg von dem Textilbrief zu diesem großartigen Vergil war für Broch lang und schwer – wie denn auch nicht. Er wollte nie Schriftsteller werden. Das versicherte er mir bei jedem Zusammentreffen. Logiker, Mathematiker, Philosoph, das ja, aber G'schichterln erzählen – G'schichtelach erzählen, nannte er es jiddisch – er war damals, glaube ich, Katholik – Geschichten erzählen, sagte er mir und schrieb er mir, Neumann, lieber Freund, das kann ich nicht, das kann überhaupt niemand so wie Sie.

Die Feinschmecker unter Ihnen sehen hier die österreichische Nuance, nicht wahr, ich sah sie nicht, vertrottelterweise, ich war geblendet durch erste Erfolgchen, die ich ungemein überschätzte. Lieber Freund, sagte ich ihm – alle Österreicher nannten einander damals noch lieber Freund, sowie sie einander nicht mehr Herr Doktor nannten – lieber Freund, sagte ich, machen Sie sich nichts daraus, da bleiben Sie eben bei der Mathematik.

Nun, während er sich von mir so auf die Schulter klopfen ließ, schrieb er die »Schlafwandler«. Da hab ich jetzt tatsächlich etwas geschrieben, sagte er bescheiden und gab mir das Manuskript. Hübsch, sagte ich, viel zu lang, wird leider ein Mißerfolg, aber nur so weiter, hübsch. Und erst, als nach Brochs Tod seine Briefe ans Licht kamen, entdeckte ich zu meiner peinlichen Überraschung, daß er gleichzeitig mit seinen Manifestationen nahezu krankhafter Bescheidenheit mir gegenüber – er war immer ein reizender Mensch, die Herzen flogen ihm zu –, daß er also gleichzeitig an seinen Verleger geschrieben hatte:

»Herzlichen Dank für Ihre Bemühungen im Interesse der ›Schlafwandler‹. Es wird schon alles gut gehen. Seien Sie nicht böse, wenn ich Ihnen bei der Inseratenformulierung dreinrede. *Alle* Namen anzuführen, Joyce, Gide, Proust, Huxley, Lawrence, Powys, scheint mir etwas zu viel. Ich habe die Namen bloß zur Auswahl geliefert – eine wirkliche Verwandtschaft fühle ich bloß zu Joyce und Gide.«

Sie sehen – ein Österreicher. Und dazu für wirkliche Fachleute der österreichischen Seele: In Brochs Bewunderung teilte ich mich damals mit Robert Musil. Erst jetzt, in der Broch-Biographie von Durzak, stoße ich darauf, daß Broch am 18. Februar 1933 an der Volkshochschule in Wien einen Vortrag hielt, »Weltbild des Romans« – Zitat: »Broch setzt sich darin mit den verschiedenen Formen des Romanschaffens auseinander und entdeckt die Tendenz zum Kitsch nicht nur bei der Courths-Mahler und Karl May, sondern auch bei Hemingway, Choderlos de Laclos, Zola, Robert Musil und Robert Neumann.«

Natürlich verstand Broch, wie alle wienerischen Autoren, unter Kunst das, was man selber schreibt, und unter Kitsch das, was der andere schreibt. Aber Musil war kein Wiener – bloß ein Kärntner. Er bewies das, indem er Brochs Aufsatz tatsächlich las – schon das gehört sich nicht, unter Kollegen – und zweitens, nein, erstens: daß er ihn übelnahm.

Er beschwerte sich brieflich: Die wichtigsten Gedanken Brochs seien von ihm – das gehört sich wieder so, das ist unter Kollegen traditionell. In Brochs Antwort heißt es: »Es fehlt nur noch der Verdacht des Plagiats, aber ich habe die Ehre, Ihre militante Art seit Jahren zu kennen, und meine verehrungsvollen und freundschaftlichen Gefühle werden sich nicht ändern.« Diese verehrungsvollen Gefühle haben sich tatsächlich nicht geändert, schon damals sprach Broch ... – in der Biographie steht das so: »Musil war in den dreißiger Jahren für Broch das Schreckensbild des erfolglosen, materiell völlig ungesicherten Schriftstellers, immer wieder erwähnte er das ›schreckliche Beispiel Musils‹ und sprach vom ›Musilesken Abstieg‹.«

Ich selbst, kein Kärntner, las Brochs Aufsatz selbstverständlich nicht, und hätte ich ihn gelesen, so hätte das unserer Freundschaft nicht einen Augenblick lang Abbruch getan. Es war ganz ohne Zusammenhang, daß ich zufällig eben damals eine Parodie auf Broch schrieb, eine nicht sehr freundschaftliche Parodie – er war über sie begeistert.

Damit sind wir auch schon bei der Verwandlung Österreichs in einen blühenden Garten durch den Herrn aus Braunau. Broch war törichterweise zu lange geblieben und wurde in Aussee eingesperrt.

Ich war schon seit 1934 in England. Franz Werfel und ich hatten in London den PEN-Club neu aufgemacht; er verwandelte sich im März 1938 in eine Auffangstelle für österreichflüchtige Schriftsteller. Ich mußte mich dem britischen *Home Office* gegenüber in jedem Fall verbürgen, daß der um das Einreisevisum Bittende mir persönlich bekannt, politisch unbedingt zuverlässig und ein prominenter österreichischer Dichter sei. Einige waren es wirklich, einige waren nicht ganz so prominent, viele waren Journalisten, allzu viele unter ihnen auch nur von der Spielart derer, die gelegentlich über ein Fußballmatch im Scheibbser Landesboten berichtet hatten – aber sollte man sagen: Nein, der nicht?

»Ich habe gar nicht gewußt, daß es so viele prominente österreichische Dichter gibt«, sagte mir der Referent im *Home Office* mißtrauisch.

Ich sagte: »Wir sind eben ein begabtes Volk.«

Unter den Antragstellern war eines Tages der aus Ausseer Haft entlassene Hermann Broch. Daß James Joyce ihm zur Flucht nach England half, wie das in Aufsätzen steht – das stimmt nicht. Joyce hat Broch nie zur Kenntnis genommen. Ich erinnere mich noch an das Gespräch mit jenem Referenten.

Er begrüßte mich: »Wieder ein paar bedeutende österreichische Dichter?«

Ich sagte: »Diesmal der bedeutendste.«

Er gab das Visum trotzdem, aber er glaubte mir nicht ein Wort – wie das ja immer ist, wenn man ausnahmsweise die Wahrheit spricht.

Unser Hauptproblem war, daß die von uns nach England Gebrachten auch essen wollten. Unsere englischen Freunde bettelten für uns jeden an, der sich anbetteln ließ. Aber wenn es in Brochs Biographien heißt, daß wir ihm wie den anderen sieben Pfund gaben, also ungefähr fünfhundert österreichische Schillinge oder achtzig Deutsche Mark monatlich – das stimmt schon wieder nicht, so viel hatten wir längst nicht, jeder bekam nur 250 Schillinge, also 40 Mark. Doch wir erfanden aus purer Korruptheit in der Liste eine mit ihm reisende Frau Broch dazu, so kriegte er doppelt, mehr als ihm gebührte – eine sehr kleine österreichische Kompensation dafür (die einzige!), daß er sonst im Leben immer weniger als ihm gebührte gekriegt hat.

Das gilt vor allem für seine Existenz in den Vereinigten Staaten. Dorthin ging er von England, dort blieb er bis zu seinem Tod. Das bedeutendste Werk, das er dort schrieb, das überhaupt bedeutendste seiner Werke, der »Tod des Vergil«, brachte ihm tatsächlich einen großen Prestigeerfolg – aber kein Geld.

Sogar dieses Werk hat eine unbekannte österreichische Wurzel. In den Biographien steht, Brochs Haft in Aussee habe ihm einen tiefen Schock und nie mehr zu bannende Todesgedanken vermittelt – daher der »Vergil«.

Diese Version war offenbar später auch seine eigene. Als er recht direkt aus der Haft – drei Wochen nicht ganz – nach England kam, sah er's noch anders. Da erzählte er mir, seine Ausseer Kerkermeister seien alte Bekannte gewesen, wir hatten ja damals jeden Sommer in der Gegend verbracht, und die seien höchst verlegen gewesen über seine Inhaftierung, aber – so sagten sie – gegen diese Saunazis waren sie ja machtlos.

Es war dementsprechend für Broch eine komfortable Dreiwochenhaft, in der ihm tatsächlich auch eine damals schon bestehende Kurzgeschichte unter die Finger kam, zwanzig Schreibmaschinenseiten; Thema: Tod des Vergil.

Die literarische Abteilung des österreichischen Rundfunks hatte für Weihnachten 1937 eine »G'schicht« bei ihm bestellt, der Leiter war Dr. Nüchtern, und Broch hielt es für typisch österreichisch, daß die für die Dichter bestimmte Abteilung von einem Mann namens Nüchtern betreut wurde. Er wußte nicht, wie ich, daß Nüchtern zur Zeit unserer gemeinsamen literarischen Anfänge einen Lyrikband mit dem Titel »Wie mir's tönt von ungefähr« geschrieben hatte; von diesem Titel zum österreichischen Rundfunk ist es ja doch nur ein österreichischer Schritt.

Jedenfalls, Nüchtern wollte eine G'schicht. Broch, der ja G'schichtelach haßte, sagte zu Nüchtern: »Wollen Sie nicht lieber was Philosophisches?« Darauf Nüchtern: »Nein, das geht nicht wegen der Buchhaltung.« – offenbar gehörte Philosophie auf ein anderes Konto, mit Rabatt. Und so schrieb Broch, statt was Philosophischem, für Nüchtern die G'schicht »Vergil«.

Ich traf Broch nach seiner Abreise von London nicht wieder, aber wir wechselten viele Briefe, die noch nicht publiziert sind, weil ich es – österreichisch – verschlampte, sie für den Briefband zur Verfügung zu stellen. Ich habe mir jetzt Brochs Briefe noch einmal angesehen. Alle sind sie Beinahe-Briefe: Er kriegt »beinahe« ein Stipendium, »beinahe« eine Professur; immer war er »beinahe« mittellos, und mindestens zweimal wäre er beinahe gestorben.

Soweit wäre das ein Schicksal, wie es typisch ist nicht nur für sein Exil – ein Schicksal der hundert »Beinahe«. Für keinen von uns war es ein Honiglecken; nur wenige, trotzdem noch immer Lebendige, legen heute noch davon Zeugnis ab.

Aber es wäre nicht österreichisch, würden wir hier zu ernst. Wie sagt Heine? Nur wem es just passieret, dem bricht das Herz entzwei!

Na. Er wäre so gern Professor geworden. Einmal schrieb er sogar den Freunden, es sei erreicht, man habe ihn zum »*Resident Professor*« einer amerikanischen Universität ernannt. Es war aufgeschnitten. Man hatte es ihm gerichtet, dort während der Universitätsferien gratis leben zu dürfen. So jemandem gibt man dort den nichts kostenden Titel »*Resident Poet*« – Hausdichter. Und so war es doch wieder nicht aufgeschnitten, sondern nur seherisch von ihm vorausgedacht, daß man bald auch in seiner österreichischen Heimat viele Dichter – statt jeder materiellen Leistung – Herr Professor nennen wird.

Wie ja überhaupt Brochs Leben folgerichtig unter österreichischen Aspekten zu Ende ging. Es gelang uns – uns im Ausland natürlich, nicht uns in Wien – Broch beinahe den Nobelpreis zu verschaffen. Den für Literatur. Der ihn (den für Literatur!) statt seiner wirklich bekam, war Churchill.

Dann bekam er doch noch Professuren angeboten. Natürlich nicht in Wien, sondern eine in der DDR und eine in Colombo. Aus Wien hat er nicht nur keine Professur bekommen, weder echt noch falsch, noch sonst was. Zitat: »Ein Ehrendoktorat der Wiener Universität und ebenso der Wiener Literaturpreis standen in Erwägung für ihn, wurden ihm aber letztlich vorenthalten, weil er ›zu wenig österreich-verbunden‹ war.«

Das waren natürlich ganz andere Behörden damals. Die jetzigen sind wohl sehr viel weltaufgeschlossener. Zwar bekam ich erst unlängst, als ich sagte, ich wollte gern wieder Österreicher werden, eine amtliche Zuschrift mit der Frage nach den finsteren Hintergründen dieses unbegreiflichen Wunsches. Wolle ich vielleicht dem Staate finanziell zur Last fallen, und wie stehe es überhaupt mit meinen Vorstrafen …?

Aber bei Broch liegt das ja anders, man kann da recht sicher sein. Wie wäre es also, nach Erschöpfung der Namensliste der verdienten Gemeindepolitiker, mit einer Broch-Gasse irgendwo in der Vorstadt von Wien? Ein kleiner, taktvoller Wink.

Übrigens: »zu wenig österreich-verbunden«. Ich denke da an ein Gedicht von Broch:

IM FLUGZEUG VON ÖSTERREICH NACH ENGLAND

Nun da ich schweb im Ätherboot
und ich aufatmen kann,
da packt sie mich
da packt sie mich
da packt sie mich noch einmal an,
die rohe Flüchtlingsnot.

...

Da drunten ist nun nichts mehr groß
die Straße ist ein Strich –
doch plötzlich weiß ich von dem Moos
und weiß den Wald, des Wurz ich riech,
und weiß, da drunten lag einst ich
und lag in meiner Heimat Schoß.
Die Straße ist ein Strich.

Wie pfeilgrad endlos ist der Strich –
hier ist nur stählernes Gebraus
pfeilgrade geht der Flug.
Dort drunten steht ein Bauernhaus
ich weiß, dort drunten geht ein Pflug
ganz still und langsam, schnell genug
fürs stille Brot, jahrein, jahraus.
Pfeilgrad und stählern geht der Flug –

Pfeilgrad und stählern. Bis zu dem Augenblick, da der Milchmann ihn tot auf dem Boden liegend fand, vor fünfzehn Jahren. Trotz der dargestellten Ermutigungen wäre er beinahe nach Hause gefahren. Er lag zwischen beinahe fertiggepackten Koffern.

Mit einem der letzten Briefe, die er mir schrieb, schickte er mir ein gedrucktes Blatt – offenbar aus einer Werbeschrift gerissen – über Aussee. Da steht von den Leuten, die dort gelebt haben – Wassermann, Hofmannsthal, Schnitzler – auch ich – Musiker, Maler – dann: »... der badensische Romanschriftsteller Otto Flagge (Flake, meinen sie), der bedeutende Psychoanalytiker Sigmund Freud«. Danach wieder viele Namen, die ich nicht kenne – schließlich: »Auch der im Ausland lebende Hermann Broch. Und auch Ludwig Ganghofer kam hierher als Jagdgast.«

Auf dem Blatt steht, in Brochs Handschrift: »Immerhin, *vor* Ganghofer!«

Immerhin, so weit hat er's gebracht, bis heute, in Österreich.

»Ein Österreicher hat nix, aber ein österreichisches Schicksal, das hat er sicher«, hätte man damals noch gesagt. Daß es heute in diesem schönen und reichen Land, Brochs Heimat und meiner eigenen, so ganz anders geworden ist, dessen wollen wir uns freuen!

FRIEDRICH TORBERG
Kleines Requiem für Joseph Roth
(geboren 1894, gestorben 1939)

In diesen Tagen hätte der österreichische Dichter Joseph Roth seinen 60. Geburtstag begangen, wenn er nicht schon vor 15 Jahren gestorben wäre, im Pariser Exil, 45jährig, einer der jüngsten unter den großen österreichischen Dichtern, die ins Exil gegangen sind und denen es vom Schicksal bestimmt war, die Heimat nicht mehr wiederzusehen. Anders aber als die meisten seiner Schicksalsgefährten, anders als Broch und Musil und Werfel hat Joseph Roth sich dieses Schicksal selbst bestimmt; nicht das Schicksal der Emigration – das mußte er als Jude auf sich nehmen –, sondern das Schicksal des frühen Sterbens in der Fremde. Denn Joseph Roth hat sich wissentlich und willentlich zu Tode getrunken, aus Hoffnungslosigkeit und Heimweh, und beides war zugleich auf Österreich bezogen und auf eine Welt, der er mit allen Fasern verbunden war, deren Dahinschwinden er in allen Fasern spürte, und von der er Zeit seines kurzen Lebens ohnehin schon viel zu viel hatte dahinschwinden sehen.

Joseph Roth entstammte dem östlichen Teil der Monarchie, der Galizien hieß. Als er 1918 aus dem Krieg zurückkam, lag Galizien in Polen und die Monarchie gab es nicht mehr. Roth ging nach Wien und begann zu schreiben. Dann – wie so viele, die damals in Wien zu schreiben begonnen hatten – ging er nach Berlin und wurde berühmt: durch seine delikaten Feuilletons in der »Frankfurter Zeitung«, durch kleine, zarte Geschichten, und durch Romane wie »Hotel Savoy«, »Die Flucht ohne Ende«, »Zipper und sein Vater«. Mit 35 Jahren schrieb er seinen schönsten und frömmsten Roman, der wahrscheinlich zu den schönsten und frömmsten Romanen der deutschen

Gegenwartsliteratur gehört: »Hiob«, die Geschichte eines armen Mannes, die Geschichte von menschlicher Heimsuchung und menschlicher Zuversicht, geschrieben aus tiefer Gläubigkeit (die alles eher als fatalistisch oder wirklichkeitsflüchtig war) und geschrieben in einem Stil von biblischer Einfachheit und Wucht, ein Block jeder Satz, ein Block, den ein Dichter sich von der Brust gewälzt hatte. Zwei Jahre später folgte der »Radetzkymarsch«, handelnd von drei Generationen einer altösterreichischen Familie, und vielleicht das einzige Epos vom alten Österreich, dessen Wehmut niemals in Sentimentalität umkippte. Ein weiteres Jahr später folgte Hitler, und Joseph Roth, scheinbar endgültig etabliert als einer der Repräsentanten deutscher Prosa (einer Prosa von freilich unverkennbar österreichischer Prägung), mußte emigrieren. Er ging nach Paris und schrieb Buch um Buch, insgesamt zehn in den insgesamt sechs Jahren, die ihm noch zu leben vergönnt waren. Der »Tarabas« war darunter, der »Antichrist«, der »Leviathan«, die »Beichte eines Mörders«, der (sogar von den Franzosen akzeptierte) Napoleon-Roman »Die hundert Tage« und »Das falsche Gewicht«. Als 1938 der Rest jenes Österreichs, das er im »Radetzkymarsch« besungen hatte, plötzlich nicht mehr Österreich hieß sondern Ostmark, fügte er dem *chanson macabre* unter dem Titel »Die Kapuzinergruft« noch eine Toten-Coda an. Und das nächste war dann schon sein eigener Tod, dem nur noch »Die Legende vom heiligen Trinker« voranging.

In diesen letzten Jahren rührte sich Joseph Roth kaum noch weg aus seinem kleinen Hotel in der Rue Tournon, nahe beim Luxembourg, und kaum noch weg aus dem kleinen »Café de la Poste«, in dem er saß und schrieb und trank. Höher als die von seiner winzigen Schrift bedeckten Blätter häuften sich auf seinem Tisch die weißen Porzellanuntertassen, die in Paris die Anzahl der konsumierten Getränke anzeigen. »Ich brauche nirgends hinzugehen«, sagte er in seiner ein wenig gepreßten, schnarrigen Stimme, die zur Sanftmut seiner blauen Augen in sonderbarem Widerspruch stand (in einem der vielen Widersprüche, die für ihn so charakteristisch waren). »Ich muß mir die Welt nicht erst anschauen, um sie zu kennen. Die Welt kommt zu mir.« Das traf auch noch in einem andern und minder gewichtigen Sinne zu: die Welt, seine Welt, die Schar seiner Freunde aus vielen Städten und Ländern, kam tatsächlich zu ihm in die Rue Tournon und umgab ihn dort bis spät in die Nacht. Nur selten fand er sich bereit, zum Essen ein weiter als fünf Minuten entfernt gelegenes Restaurant aufzusuchen. In einem solchen Lokal geschah es einmal, daß ein besonders beflissener Kellner die selbst in den kleinsten Lokalen übliche Frage, ob Monsieur die Mahlzeit nicht mit einem Aperitif beginnen wolle, schon mehrmals gefragt hatte und keine Antwort bekam – Roth sah verloren und wasserblau an ihm vorbei und hatte die Hand leicht an das eine der tabakvergilbten Enden seines blonden Schnurrbarts gelegt. Der Kellner ließ sich's nicht verdrießen. »Quelquechose pour commencer, Monsieur?« fragte er abermals. Und jetzt bekam er eine merkwürdige Antwort. »Je ne commence pas«, sagte Roth, ohne sich zu rühren. »Je ne commence plus. Je suis fini.«

Er hatte das in einem unvermittelt scharfen, beinahe gehässigen Tonfall gesagt, in den er nicht selten auch ohne ersichtlichen Anlaß verfallen konnte. Überhaupt hatte er viele Tonfälle und viele Anlässe für sie – weil er ein heißes Herz besaß und einen wachen Verstand. Rührende Anteilnahme und Hilfsbereitschaft wechselten bei ihm mit einer (auf ihre Art ebenso rührenden) Streitsucht, und auf dem kargen Raum, der den spärlichen publizistischen Plattformen der Emigration zur Verfügung stand, im »Neuen Tagebuch« etwa, in der »Pariser Tageszeitung« oder in der vom Herbst 1938 bis zum Kriegsausbruch erschienenen »Österreichischen Post«, erging sich Joseph Roth in manch einer unfruchtbar verkauzten Polemik (die er, wenn sie sich gegen einen preußischen Widersacher richtete, womöglich mit »Joseph Roth, ehem. Leutnant der k. u. k. Armee« signierte). Er kultivierte sein Österreichertum und dessen katholisch-legitimistische Tendenzen mit einer Agressivität, die eigentlich schon wieder ein Dementi dieses Österreichertums war: das Dementi des geborenen Rebellen, dessen inneres Auflehnungsbedürfnis immer wieder hindurchschlug durch die soignierten Weltanschauungsgewänder, die er sich zurechtgeschneidert hatte und die er, auch ohne einen Sous in der Tasche, mit vollendeter Kavaliershaltung zu tragen verstand. Gegen Ende seines Lebens begann Joseph Roth, einer der letzten altösterreichischen Dichter, in Aussehen und Gehaben immer mehr seinem zwei Jahre zuvor verstorbenen Freund Karl Tschuppik zu ähneln, einem der letzten altösterreichischen Journalisten, von dem er eine Schnurrbartbinde geerbt hatte, die Tschuppik seinerseits von Peter Altenberg vererbt worden war, dem sie beide ähnlich sahen …

Dann häuften sich die weißen Untertassen auf dem Tisch des »Café de la Poste« zu immer höheren, immer bedrohlicheren Säulen; und dem Zuspruch, den unverdrossene Freunde etwa noch versuchten, begegnete Roth mit einer verbissen anschaulichen Schilderung, wie das Bicarbonat, das er nun schon vor jedem »Fine« einnehmen mußte, ihm die Magenwände zementierte.

Und dann, im Mai des Jahres 1939, ist der österreichische Dichter Joseph Roth, der heuer am 2. September 60 Jahre alt geworden wäre, als 45jähriger gestorben. Er war ein Dichter und ein Österreicher durch und durch. Er starb im Exil. Er starb am Exil. Er ging daran zugrunde, daß er ein Dichter und ein Österreicher war.

Und daran wird, wenn nicht alles trügt, wohl auch sein Werk und sein Ruhm zugrunde gehen – in Österreich zumindest, wo man wenig von ihm weiß und noch weniger für ihn tut. Denn es genügt, daß seine Bücher in viele Sprachen übersetzt sind und in vielen Ländern gelesen werden, und daß sein berühmtestes Buch, der »Radetzkymarsch«, in aller Welt als einer der repräsentativen österreichischen Romane gilt.

OTTO BASIL
Ritter Johann des Todes
oder Das österreichische Apokalypserl

Es waren Jahrzehnte einer tiefen Dämmerung – des seichten Dahindämmerns –, ehe Satans Sonne, gemeint ist die schwarze Sonne des Krieges, über der unschuldigen Erde sich erhob, die rasch zerfurcht werden sollte von den Narben der Schützengräben. Durch jene rosige phaiakische Vorkriegsdüsternis, die kein noch so süßer Dämmerstundenlerchensang wohnlicher zu machen imstande war, läßt Albert Ehrenstein seinen Helden Karl Tubutsch – »mein Name ist Tubutsch, Karl Tubutsch. Ich erwähne das nur deshalb, weil ich außer meinem Namen nur wenige Dinge besitze ...« – wandeln, wobei »wandeln« ein schönfärbender Ausdruck ist, denn Tubutsch, hochbegabt mit zwei linken Füßen, hatscht durch die zerfallende Zeit, deren Schatten ihn anpacken wie Fleischhackerhunde. Was erlebt dieser auffallend puerile Tubutsch mit dem greisenhaften Denkvermögen, der sich selber extrem zuwider ist, und in dem wir deshalb einen passiven, untüchtigen Vorläufer jener smarten »Beatniks« wittern müssen, die zur Zeit die Atombombe verherrlichen? »Wenn man mich fragte, was ich gestern erlebt habe, meine Antwort wäre: ›Gestern? Gestern ist mir ein Schuhschnürl gerissen‹«.

Ein Lebensuntüchtiger und daher Todsüchtiger wie Karl Tubutsch, eine sich selber zersetzende Ich-Figur, wie es nur noch die Gestalten de Sades sind, muß auf der spätakanischen Szene, inmitten eines Operettenensembles von Gigerln, Feschaks, Strizzis und Mitzikatzerln, als ein grinsender, in blutige Lumpen gehüllter Clown dastehen. Seine Lazzi sind auch dementsprechend: schwarz wie die Galle, gelb wie der Neid. Und damit hätten wir die Landesfarben Kakaniens, deren Zusammenstellung den hierorts üblichen Hang zum Dekorativen und Funebren verrät. Mit bitteren Späßen vertreibt Ehrenstein-Tubutsch die Zeit, sich die Zeit, die er die »weiße« nennt und später, während des von der Monarchie leichtsinnig entfachten Weltbrands die »rote« nennen wird. So kommt Tubutsch zum Beispiel darauf, daß es parfümierte Wachmänner gibt, wodurch sich sogleich der Gedanke in sein Gehirn frißt, herauszufinden, »ob vielleicht alle Sicherheitsleute – etwa infolge einer neuen Verordnung – Wohlgerüche zu verbreiten hätten«. Die Recherche, eines potentiellen Dadaisten nicht unwürdig, scheitert, und auch die Abhandlung »De odoribus polyporum« (»Polyp« war im damaligen Plattenbruderjargon ein Spitzname für den Polizisten) bleibt ungeschrieben. Man sieht: Tubutsch ist kein Fadian; willig stürzt er sich – oder wird von seiner Phantasie gestürzt gleich einem Verbrecher vom Tarpeischen Felsen – in die sinistren Abenteuer der Ironie. Um gut zwei Jahrzehnte nimmt er die schwarzen Kalauer der Surrealisten vorweg, sein Witz ist ebenso hintersinnig wie schizophren, ebenso metaphysisch wie zahnlos. Auf dem Meldezettel beantwortet er die Frage nach dem Glaubensbekenntnis mit »Griechisch-paradox«, und in die Rubrik Beschäftigung trägt er hämisch ein: »Ich strebe eine kleine Anstellung beim Chorus mysticus an«. Gewissenhaft will er sich mittels des Wiener Straßenverzeichnisses auf die Fiakerprüfung vorbereiten. Als dies scheitert, träumt er davon, Erfinder zu werden. »Was ich erfunden habe? Ich werde mir mein Tintenfaß als Fliegenfänger patentieren lassen.« In der Nacht fährt er im Bette auf. »Was ist? Nichts, nichts! Will denn niemand bei mir einbrechen? Ich sehne mich nach einem Mörder!« Doch niemand tut ihm den Gefallen; nicht einmal Zahnschmerzen – das mindeste, was man vom Dasein verlangen kann! – darf Karl Tubutsch für sich in Anspruch nehmen. »Ich möchte keineswegs zum Zahnarzt gehen, nein, die Schmerzen hegen und pflegen, sie nie erlöschen lassen, immer wieder wachrufen. Es wäre doch wenigstens ein Gefühl!« Seine späten Nachfahren, Beatniks und Verfechter der »poésie concrète«, werden sogar dieses Flämmchen Sehnsucht nach Gefühl zum Ersticken bringen.

Nachdem Tubutsch zwei Fliegen namens Pollak, die einzigen Gefährten seiner Einsamkeit, verloren hat – seiner Zimmereinsamkeit, in der sich bereits Sartres Claustrophobia, die »Huis clos«- und »Altona«-Situation, als tragikomisches *Lever du rideau* zum kommenden Inferno ankündigt –, erscheint ihm der Tod in allerhand vertrackten Masken. Er sieht ihn »als Kondukteur, der meinen Fahrschein einzwickt, für ausgenützt erklärt, nicht warten will bis zur nächsten Haltestelle, mich zum Aussteigen drängt …

mit eines tschechischen Akzents nicht entbehrenden Worten«, er sieht ihn als rohen Burschen, Fledermäuse annagelnd, als vandalisch Laternen auslöschenden Studenten, Reichstag auflösenden Minister, als Motorführer. »Dem Wagenführer ist es verboten, mit den Fahrgästen zu sprechen.« Diesen Charon-Spruch, umso schauerlicher, als er in seiner wahren Bedeutung keinem Fahrgast aufzugehen scheint, kommentiert er mit folgenden Worten: »Die Übereinstimmung ist auffallend«. (Die apokalyptischen Zeichen fallen nur den Propheten auf.)

Der Sturz in frühen Tod – »mir bleibt nichts anderes übrig, ich werde von dannen gehen, die Erde, dieses Kabinett mit separiertem Ausgang, verlassen« – ist eine perspektivisch ins Unendliche sich schichtende Ausflucht vor sich selbst. Bemerkenswerterweise sieht Tubutsch das irdische Leben als »möbliert« gemietetes Zimmerchen, aus dem es nur den einen Ausweg gibt: ins Nichts. Derlei symbolistische Verkleinerungstendenzen sind überall dort zu gewahren, wo private Endpositionen als Ausdruck einer kollektiven apokalyptischen Stimmung bezogen werden. So beschreibt der Wüstling Swidrigailow, Repräsentant der sich zersetzenden Herrenschicht im zaristischen Rußland, knapp vor seinem Selbstmord die Ewigkeit als bäuerliche Badstube voller Spinnen. Wird solcherart der Makrokosmos ins Spiegelbild der menschlichen Pupille gebracht, so wird konträr der Mensch megalomanisch als Sternwesen erster Ordnung empfunden. In Ehrensteins frühem Gedichtbuch »Die weiße Zeit« begegnen wir vielen größenwahnsinnigen, forciert-bizarren Bildern, wie sie den Expressionisten geläufig waren, im Falle Ehrenstein nicht unbeeinflußt von Momberts und Scheerbarts Visionen; etwa: »Den Mond möchte ich schlucken und ausspeien ins All ... den Aussatz des Himmels, die Sterne, achte ich längst nicht mehr«; oder: »Zum Rinnsal ward der Ozean, zum hygienischen Spucknapf. Wolken von Butterstullenpapieren umhüllen den sterbenden Gaurisankar« (hier läßt der Dichter die hoheitsvolle Natur vor dem Unrat des ausflugmachenden Plebejers, der die Wienerwald-Wiesen mit Eßpaketpapieren bedeckt, kapitulieren, nämlich: krepieren). Zwischendurch wird schockartig der Mensch immer wieder diminutivisch gesehen, zu einem Mikrogeschöpf, zum schädlichen Bazillus, zum Ungeziefer degradiert; es ist, als benütze Ehrenstein in seiner grandios erdichteten Raumlandschaft das Fernrohr einmal normal, ein andermal verkehrt. So heißt es in einem Gedicht mit dem bezeichnenden Titel »Ich bin des Lebens und des Todes müde« vom Menschen: »Er ist wie Schleim, gespuckt auf eine Schiene«.

Die kakanische Apokalypse, von der wir im Sinne Ehrensteins sagen dürfen, sie sei ein Apokalypserl gewesen, ein herziger Weltuntergang, halb

Dilètto halb Harakiri, eine Selbstverbrennung, aus deren Asche der Vogel Phönix in Gestalt einer Versicherungsgesellschaft siegreich wiederauferstand, hatte sich schon früh in unbedeutenden Randerscheinungen kundgetan, von denen – als pars pro toto – aufs gespenstische Ganze geschlossen werden konnte. Eine von diesen Erscheinungen war der beinah shakespearesche »Übermut der Ämter« als Ausdruck eines überalterten, verknöcherten und verkalkten Beamtentums, das sich, wie es alte Bürokratien zu tun pflegen, verselbständigt hatte und sich nun – seinem eigentlichen Zweck, zu dienen, quasi surrealistisch entfremdet – als »versetztes Objekt« schizophren gebärdete. Diese sonderbare, weil vom Untertanenverstand sich absondernde, vergötzte Beamtenwelt ist bekanntlich von Kafka im »Prozeß«- und »Schloß«-Roman auf eine unheimliche Ebene erhoben worden; den Autor des »Tubutsch« dagegen hat der subalterne Beamtenclan zu grimmigen Invektiven gereizt, die an Gustav Meyrink denken lassen. Spuren davon finden sich überall in Ehrensteins Frühwerk, in vielen Vexationen tritt der Beamte auf, besonders in den mit orientalischer Fabulierkunst vorgetragenen, aber auch vom österreichischen Barock und Biedermeiertheater (Raimund) nicht unbeeinflußten Zaubermärchen, die sich oft wie kleine, pointiert erzählte Sprachteppiche ausnehmen. In scheherezadischem Tonfall, mit Anklängen an die Anekdotik der galizischen Juden, werden da Dinge erzählt, die ebensogut dem Lokalteil der »Kronenzeitung« oder eines anderen damaligen Fünfkreuzerblattes entnommen sein könnten. Daß das Göttliche sich dort offenbart, wo es am wenigsten vermutet wird: im Abseitigen, ja Unreinen, ist, wie man weiß, eine urtümliche Auffassung, und der Tabu-Begriff bringt das Überirdische und das Ekelhafte (in beiden Fällen Gefährliche, zu Meidende) auf den gleichen Nenner. Bei Kafka werden die von bestechlichen, obszöne Bücher lesenden Richtern in schmutzigen Talaren geführten Verhandlungen zu einem übersinnlich angeordneten Verfahren, das dem davon Betroffenen keine Kritik an der Behörde und deren Entscheidungen zugesteht. Bei Ehrenstein ist etwa der Hausmeister, der den Obolus des Sperrsechserls in Empfang nimmt und »auf seinen Schlapfen bettwärts« schlürft (»Tubutsch«), ein Wesen von höherer Gewalt, dem eine schicksalhafte Bedeutung wie der altgriechischen Ananke zukommt – ähnlich den ordinären Waschweibern, die sich in Joyce's »Finnegans Wake« (»Anna Livia Plurabelle«) zuerst mit unflätigen Tratschereien unterhalten, sich allmählich in Druidinnen und zuletzt in Bäume verwandeln, deren Blattgeflüster im Lispeln der Wellen untergeht.

Es ist nur natürlich, daß der junge Ehrenstein, wie viele andere Schreibende der Epoche auch, vom Schein der »Fackel« magisch angezogen, ja geblendet wurde und nicht nur zu ihren begeisterten Lesern, sondern bald auch zum engsten Mitarbeiterstab zählte, denn damals, zwischen 1905 und 1913, führte Karl Kraus seine nachmals so extreme Ich-Zeitschrift noch als avantgardistische Revue, Herwarth Waldens Berliner »Sturm« verwandt. Kraus, der Ältere und Reifere, hatte eine ähnliche Einstellung zur Mitwelt wie Ehrenstein, einen ähnlich blitzartigen aphoristischen, freilich weniger barocken Wortwitz, und sehr rasch bildete sich zwischen dem vielgefürchteten »Fackel«- Herausgeber und dem noch unbekannten Poeten ein Meister-Schüler-Verhältnis heraus. Kraus hat dies später, eben in jenem zitierten Artikel »Die Gefährten«, für Ehrenstein nicht gerade schmeichelhaft wie folgt enthüllt: »Aber zu sagen ist, daß ich in einer Zeit, in der ich noch verurteilt war, literarische Charaktere und was immer sich daraus entwickeln möge, auszubrüten, auch Herrn Albert Ehrenstein ... die denkbar ausgiebigste Förderung habe angedeihen lassen. Selbstlos hatte ich mich durch Jahre hingegeben, Abend für Abend, aller schon mitgebrachten Ermüdung zum Trotz, stumm gezückte Manuskripte stumm übernommen und durchfrisiert, wiewohl ich wußte, daß ich dem Autor mit dem Dreck auch einen Teil seiner Eigenart nahm.« Mit dem »Dreck«? Gerade Ehrensteins besonderes Vokabular, unauflöslich verbunden mit einem gewissen talmudischen Tonfall, einer bestimmten stilisierten Denkmelodie, ist eben »krausisch« (oder »krauslich«) und vielfach schon zu einer Zeit der »Fackel« abgelauscht worden, da Kraus von Ehrenstein noch nichts wußte.

Der erwähnten Polemik war ein witziges Pamphlet Ehrensteins vorangegangen, in dem er sich von seinem einstigen Idol losgesagt, ihn als »apostolischen Denunzius«, »alten Klassikaner«, »heiligen Crausiscus«, »Plagiarier« usw. tituliert hatte, worauf Kraus Ehrenstein unter anderem einen »Einfallspinsel« nannte. Der Streit mag über den Anlaß hinaus – Aufdeckung eines Jean-Paul-Plagiats, begangen von dem jungen Wiener Literaten Georg Kulka (der sich einige Jahre später vergiftete) in den »Blättern des Burgtheaters« – ein paar Kaffeehaustische in Wien, Prag und Berlin entzückt haben. Uns darf heute die Feststellung genügen, daß die Abhängigkeit des jungen Albert Ehrenstein von Kraus nicht nur eine äußerliche, stilistische, sondern eine tief philosophische gewesen ist. Zwei revolutionäre Denker, vom gleichen Punkt aus aufgebrochen, um eine brüchig gewordene Welt, eben die kakanische, aus den rostigen Angeln zu heben, mußten einander begegnen und sich brüderlich in die Arme fallen. (Einige Jahre vorher war Otto Weininger in den »Fackel«-Kreis geraten, und nun – beide waren Puerile – ist es der ihm geistesverwandte Ehrenstein, der in den Zauberbann des Timons von Wien gerät.) In den Texten des »Tubutsch« und der »Weißen Zeit« ist der ideologische Einfluß der »Fackel« und die Redaktion ihres Herausgebers bis ins kleinste Anschauungsdetail, bis ins Wortmark hinein unverkennbar, und Kraus selber war es, der die Erstausgabe des »Tubutsch« (mit Illustrationen von Oskar Kokoschka) im Verlag der Wiener Firma Jahoda & Siegel veranlaßte, die auch den »Fackel«-Druck besorgte. Der Dichter, von dem Kraus 1920 meinte, er sei dazu verdammt, »ein Genie zu bleiben, ohne es zu sein«, und er habe »seine Berufung mit einer kleinen Prosaarbeit verausgabt, über die hinaus es immer wieder nur gelingen könnte, die von jeder Produzierkraft entblößte Persönlichkeit des Tubutsch zu produzieren«, bewog den nämlichen Karl Kraus zehn Jahre vorher zu dem Urteil, er (Ehrenstein) komme »auf langem Weg in die Literatur daher, fast von Lawrence Sterne« und er sei »einer von dem viel bemerkenswertern Stamme jener Asra, welche sterben, wenn sie leben«. Wem sagen Sie das? könnte man hier rhetorisch einflechten. Mit diesem Wortspiel nämlich hat Kraus das Wesen Ehrensteins, wie es uns heute in seiner Abgeschlossenheit und Abgeschiedenheit total sichtbar ist, aufs tiefste getroffen und aufs anschaulichste vorgestellt.

Das pueril Denkerische, genialisch Zergrübelte, stets aber verzweifelt Todsüchtige bricht in Ehrenstein, wie in Weininger, immer neu auf. Todsüchtigkeit möchte man überhaupt »das Elementare« in Ehrensteins so disparaten und desparaten, oft rein spielerisch-zerebralen, also manchmal auch recht fragwürdigen Hervorbringungen nennen, die von Formeln wie der nachstehenden (in dem Gedicht »Matura«) nur so blitzen:

Ich aber kenne einen dem das Haupt zersann
der Aorist von Pi.

In einem anderen Gedicht wird die Unempfindlichkeit der kreatürlichen, beziehungsweise kosmischen Schöpfung gegenüber gymnasialem Bildungsgut und der abendländischen Heilsgeschichte pathetisch beklagt, wobei ein ironischer Unterton, die Distanz des Autors zur aufgezeigten Problematik »betonend«, so dunkel mitklingt, als rühre er von einem Cello her:

Die brausenden Ströme ertrinken machtlos im Meer.
Nicht fühlten die Siouxindianer in ihren Kriegstänzen Goethe,
und nicht fühlte die Leiden Christi der erbarmungslos ewige Sirius.

Stünde etwa in der zweiten Zeile statt »Goethe« »Karl May«, so hätten wir es mit einem der üblichen Ulkgedichte neudeutscher Prägung zu tun. Was aber (in der dritten Zeile) die »Erbarmungslosigkeit« der Ewigkeit anlangt, so ist solch ironische Erkenntnis – »ironisch« in der Perspektive Kierkegaards – in vielen Verpuppungen des Ehrensteinschen Geistes, besonders der frühen Zeit, zu finden. Die ironische Spannung im Werk einer so ausgesetzten Seele kann überhaupt nur dadurch erklärt werden, daß die gesamte Existenz Ehrensteins im Zeichen eines unaufhörlichen Kampfes zwischen Theophilie und Theophobie stand, darin der Dostojewski-Seele ähnlich. In jener Frühphase, die hier besonders interessiert, in der apokalyptischen, hatte sichtbarlich das Theophobische die Oberhand, behielt sie ungefähr bis zu den »Briefen an Gott« (1922), um sich später, nach etlichen Erschütterungen und Schwankungen, ins Gegenteil zu verkehren. Man wird daher nicht fehlgehen, sich den Satiriker Ehrenstein (von dem der Monokelträger des deutschen Expressionismus, Kasimir Edschmid, einmal behauptete, er kultiviere sein Leid »wie eine Champignonzucht«) aus einer fundamentalen existentiellen Erschütterung heraus zu erklären, die sozusagen Hand in Hand geht mit der ersten großen Erschütterung der modernen europäischen Zivilisation (1914–1918). In ihrem Bereich ist Kakanien schon rechtzeitig als »Versuchsstation für den Weltuntergang« (Kraus) gesichtet worden.

Todsüchtigkeit setzt fast immer Unbehaustheit voraus. Auf Tubutsch ist ein Geniefunken des sinnreichen Junkers von der Mancha (und des Peter Schlemihl) gefallen: auch Tubutsch ist ein großes tragikomisches Menschenbildnis in der evakuierten, weil sinnentleerten, letztlich unbewohnbaren Welt. Phantasten, also Romantikern, gelingt es bisweilen, diese Leere in eine animistische Schau zu verwandeln, in ein lebenslängliches spektakuläres Ereignis, dem ähnlich, das Don Quijote und sein Schildknappe mit den fahrenden Komödianten erlebt. Das *auto* vom Hofstaat des Todes, das dort die Schauspieler aufzuführen im Begriffe sind, wäre für jeden Ritter von der traurigen Gestalt (zum Beispiel für einen Chaplin, der ja mit Tubutsch eine »verzweifelte« Ähnlichkeit hat) die reale Handlung, und es mag als Glücksfall gelten, wenn es dabei mit einer Tracht Prügel abgeht. Tubutsch, der ein wahrer Ritter des Todes ist wie seine Unsternbrüder Sarpedon, Baber, Tai-gin, Nitimur, Nepomuk Kiwi und Baron Wodianer-Bruckenthal-Sarmingstein, Antiromantiker bloß dem äußeren Anschein nach, sieht hinter die Kulissen der humanistischen Illusion: das Erlebnis des Nichts öffnet ihm immerhin die Augen für die schmerzliche Schönheit eines entlarvten, also entgötterten, von sinnlosen Existenzen durchwimmelten Daseins, von Existenzen, die »nicht da, nicht dort« sind, keinen Fußbreit Erde unter ihren Füßen haben und nicht einmal im Nirgendwo wurzeln.

Der österreichischen Apokalypse kann etwas nicht abgesprochen werden, das anderen Apokalypsen durchaus abgeht: Gemütlichkeit. Der historische wie metaphysische Umbruch vollzog sich hierzulande in vollster Gemüts-

ruhe, geistiger und körperlicher Rüstigkeit und melodramatischer Heurigenstimmung. In der Sozialsphäre wurde der Majordomo reibungslos durch den Hausbesorger entthront, der sowieso schon stark im Kommen gewesen war. (Daher ist der österreichische Literaturexpressionismus ein Expressionismus in Glacéhandschuhen, eine Titularrevolution mit Nachlaß der Syntaxen, ein Schrei aus dem Vakuum, der entfernt an den Erzherzog-Johann-Jodler erinnert.) Solche Gemütlichkeit, der das Epitheton »furchtbar« nicht versagt werden soll, spricht schon aus jedem Wort der 1911 in der »Fackel« erstmals veröffentlichten Ehrenstein-Parabel »Ritter Johann des Todes«. Diesem Ritter ohne Furcht und Adel, der auszog, »das Neue« zu suchen, gellt nach jedem bestandenen Abenteuer der Ruf »Du wirst schon sehen!« nach. (»Und ich seh doch meine Zukunft, daß ich keine Zukunft habe, klar und dicht vor mir!«) Über diesen fernhintreffenden Satz »Du wirst schon sehen!« schrieb Oskar Maurus Fontana im Dezemberheft 1949 des »Plan«, er sei »der Ruf der durch nichts mehr zu erschütternden Haustierhaftigkeit«. Tatsächlich ist es am Anfang des Ritters schwangeres Weib, das diesen Satz spricht; und zum Schluß – nachdem der Ritter Johann sogar den Herrgott erschlagen hat – ist es wieder sein schwangeres Weib, nunmehr einen jungen Ritter Johann des Todes an der Hand haltend, das mit den rechthaberischen Worten »Was hab ich gesagt!« den Heimkehrenden empfängt. Was bleibt dem furchtlosen Sucher und Nichtsfinder anderes übrig als sich zu erhängen – denn nur der Tod ist »das Neue«.
Albert Ehrenstein, von dem ein Kritiker (Paul Hatvani) einst sagte, in seinem Wort habe die deutsche Sprache ein homerisches Gelächter angestimmt und er hätte auf dem Umweg über Jonathan Swift die Metaphysik unseres Dialekts und unserer Dialektik zu antikem Pathos gesteigert, dieser Telepathetiker der Kriegs- und Friedensgreuel unserer Welt hat seinen Tubutsch, seinen ersten Ritter Johann des Todes, keinesfalls mehr eingeholt, geschweige denn überholt – so viele Werke der Feder des Nimmermüden später sonst noch entflossen sind. Wir stehen nicht an, diesen melancholischen Bericht aus einem Tollhaus als das bedeutendste literarische Dokument des österreichischen Expressionismus zu rühmen, in seiner ungeheuren geistigen Vibration nur noch, freilich bloß annähernd, von Hans Flesch-Brunningens Groteske »Das zerstörte Idyll« und – viel, viel später – von Theodor Sappers gleichfalls dem Expressionismus zugehöriger Erzählung »Kornfeld« erreicht. Propheten à la Ehrenstein tauchen immer dort auf, wo Weltuntergänge im Anzuge sind. Der Dichter des »Tubutsch« hatte seine satirische Kraft verschwendet, als Kakanien zu Ende gegangen war. Die nächstfällige Apokalypse hat er zwar überlebt, aber schweigend …

INGRID PUGANIGG

I

Für meine literarische Arbeit war Trakls Lyrik nicht bedeutsam. Doch gebe ich zu, auf diesen Nebel stand ich.

II

Allerdings nimmt Trakl, der für mich am wenigsten eigenständige, deutschsprachige Dichter des zwanzigsten Jahrhunderts, in der deutschsprachigen Literatur einen wichtigen Platz ein. Er produziert eine Bifurkation.

III

Trakls Lyrik: zumeist eine Simulation von Goethes *Erlkönig*.

INGRAM HARTINGER

Er hat seinen Namen wahrscheinlich eher sehr schweigend geschrieben. Der Name verbrannte ihm schier unter seiner Feder. Was für seltsame Schreibtische hat er wohl benutzt und wie ist es ihm gelungen, eine Zeitlang mit dem Wort und seiner Verschwörerfratze zusammen zu sein? Ergriffen von Zeit und Blick, weinte er in den Novemberabend hinein. So sprachlos nicht, nicht dermaßen konventionslos! – Ich sage: ich bin *mit* Trakl und *mit* Trakl beurteile ich das Wesen der Besessenheit (auch meiner eigenen), sehe ich den Menschen mit schwarzem Mantel, dem Leib der Schwermut, hinterrücks grinsend – *mit* Trakl: in der komplizenhaften Attitüde von Fremdling und Bruder. Und ich sage, daß mir oft danach ist, diesen Menschen im Wandel durch den Park zu begleiten, denn gleich danach kommt es zum Einbruch des nächtlichen Denkens, langsam regt sich ein wechselndes Gesicht. Humus ist der Trakl-Text für mich, Schmetterlingsflattern in Agonie, ich lege das Buch aus der Hand, schon kauere ich im elysisch zerzausten Baum seines Nachwirkens. Diese Stadt, die Pfützen und die Müdigkeit. Ich laufe barfuß mit Trakl zu einem verschlossenen Brunnen hin. – Der Dichter hat dieses Jahrhundert längst überdauern können. Trakl lebt, nackt wie ein – nun eher schon – übermütiger Engel.

114

HELMUT EISENDLE

Romanze zur Nacht nach Georg Trakl

Eisendle unterm Sternenzelt
geht durch die Grazer Mitternacht.
Der Falk aus Träumen wirr erwacht,
Sein Antlitz grau im Mond verfällt.

A. P. Schmidt weint mit offnem Haar
am Fenster, das vergittert starrt.
Im Hilmteich ganz auf süsser Fahrt
zieht Kolleritsch sehr wunderbar.

Der Bauer lächelt bleich im Wein,
die Jugend Todesgrausen packt.
Herr Hengstler betet wund und nackt
vor des Richters Kreuzespein.

Der Hütti leicht im Schlafe singt.
Sehr friedlich schaut zur Nacht das Kind
mit Augen die von Sommer sind.
Im Hurenhaus der Arno ringt.

Beim Talglicht drunt' im Stadtparkloch
der Waldorf malt mit weisser Hand
ein Frischmuthportrait an die Wand.
Das Forum flüstert immer noch.

REINHARD P. GRUBER

graz
die unheimliche literaturhauptstadt

man kennt ja das beispiel eines steirischen dichters, der, kurz nachdem er
die stadt wien gesehen hatte, ins kloster ging, als sich herausstellte, daß die
dort lebenden mönche ebenfalls wiener waren, blieb ihm nichts anderes
mehr übrig, als der enthaltsamkeit und ihrer kutte ade zu sagen und sich in
graz einzubürgern.
die qualifiziertesten dichter wiens, die ihrer stadt sämtlich durch selbstmord entgehen zu müssen glaubten, sind an einer typisch wienerischen ignoranz gestorben: sie wußten nicht, daß es graz gibt. in wien bringen sich
die dichter um, in graz diskutieren sie. in jedem zweiten haus wohnt ein
berühmter dichter. man braucht nur in eine straßenbahn einzusteigen und
schon ist man mitten in einer literaturdiskussion. in wien müssen die dichter zum rundfunk betteln gehen, damit ihnen eine viertelstunde literatur
abgekauft wird. in graz sind sie die herren. auf hunderten von plakaten
lacht die forum-mannschaft den grazern ins gesicht, umkränzt von fri-
schem lorbeer, dem begehrten kräutl für die gschmackige dichtersuppe, die
auf jedem speisezettel der grazer restaurants das menü anführt. wie eine
dunstglocke brütet der duft der dichtersuppen über der grazerstadt,
jahraus, jahrein. man kennt ihn bereits bis über die grenzen des landes
hinaus.
tragen sich mehr als zwei grazer dichter mit der absicht, einen gemeinsamen spaziergang durch die innenstadt zu unternehmen, so läßt der grazer
bürgermeister ohne umschweife die amtsgebäude beflaggen. dann bibbert
die stadt in fiebriger erregung, die fenster werden aufgerissen und schon erscheinen fähnchenschwingende kleinkinder, väter mit ferngläsern, mütter
fuchteln mit den büchern der autoren durch die luft. beim anblick der
ersten persönlichkeit werden die lautsprecher der grammofone auf volle
lautstärke eingestellt: der »einzug der gladiatoren« schallt bis hinauf zum
schloßberg. dann kommen sie: in maßgeschneiderten steireranzügen, grüne oder rote lampas an den hosen (je nach rang), rosarote krawatten an der
brust, ziehen sie durch die herrengasse (die nach ihnen benannt wurde),
und winken ihren tausenden lesern gönnerisch zu, lüften manchmal
freundlich den hut oder erscheinen auf den festlich geschmückten balko-
nen, um sich huldigen zu lassen. mit ausnahme des linkshänders kolleritsch
halten sie ständig einen großen schwarzen filzstift in der rechten hand –

eine nette geste gegenüber der autogrammhungrigen jugend, die ihre idole auf schritt und tritt begleitet und gar manchen händedruck erhascht.

vielleicht verdienen die grazer dichter nicht viel. das ist aber auch gar nicht nötig. sie werden von jedem beliebigen passanten, gar nicht zu sprechen von den wirtsleuten, bei jeder gelegenheit eingeladen, ja genötigt, ihr gast zu sein. jeder dichter kann in jedes wirtshaus gehen, um sich bedienen zu lassen. hunger kennt keiner. die vornehmsten generaldirektoren rechnen es sich zur ehre an, wenn einer der fürsten ihre einladung zu einem königlichen mahle annimmt.

grazer dichter haben den stärksten körper, den ein dichter überhaupt haben kann. nähert sich irgendein ausländischer fremdkörper einem dichter, ohne die gebührende ehrenbezeugung, weil er aus unerfindlichen gründen den dichter nicht kennt oder gar eine abwegige abneigung zu ihm hegt, so wird er vom dichter auf der stelle – unter dem beifall der umstehenden – zu boden gestreckt. der körper eines grazer dichters ist so stark und eisern und konsequent wie die literatur, die dieser körper produziert. fast alle grazer dichter können mit der ihnen eigenen statistischen elektrizität glühbirnen bis zu 200 watt mit den bloßen fingern hell erleuchten (sie zählen daher zu den größten sparern der knappen österreichischen energie). schöne frauen sind besondere liebhaber dieser dichterenergien, die auch potenzen genannt werden. daher leisten sich die grazer dichter mehr frauen als es tage in der woche gibt, die feiertage ausgenommen.

erscheint wolfgang bauer auf dem grazer hauptplatz, um die öffentliche vertilgung von einem paar krainer mit kren und senf vorzunehmen, dann wartet bereits das fernsehen, um seine wichtigsten und witzigsten sager am würstelstand mitzuschneiden. kommen gerhard roth und alfred kolleritsch dazu, dann hat die grazer rathauskorrespondenz schon die kulturredakteure aller grazer tageszeitungen zusammengetrommelt. dann liegt eine neupublikation schon in der luft – oder es wird soeben der beschluß gefaßt, wer in der nächsten ausgabe der literaturzeitschrift »manuskripte« entdeckt wird, das heißt, für reif erklärt wird, das bundesdeutsche verlagswesen mitzuwürzen. hat die erste garnitur der grazer dichter den beschluß gefaßt, welcher nachwuchsdichter sich fortan zur ersten garnitur der grazer dichter zählen darf, dann ist damit für den zur ersten garnitur vorgestoßenen nachwuchsdichter gleichzeitig die erlaubnis erteilt worden, an allen privaten festgelagen der ersten garnitur teilzunehmen. dies war ihm bis jetzt nur bei vorliegen einer entsprechenden persönlichen aufforderung möglich. von nun an kann er die wohnungen der vornehmsten dichter jederzeit betreten oder verlassen, er kann die dort befindlichen alkoholischen getränke unaufgefordert zu sich nehmen, er kann bis zu drei betten pro wohnung für sich beanspruchen.

das arbeitshaus der grazer dichter ist das forum stadtpark. entsprechend seiner wichtigkeit und der anzahl der dichter ist es das höchste haus, das je in graz erbaut wurde, es ist der blickfang, das wahrzeichen von graz. hier rattern täglich bis zu 800 schreibmaschinen, um den deutschen sprachraum mit frischer literatur zu versorgen. daher spricht der volksmund nicht ganz unberechtigt vom forum als einer gebärklinik der deutschen literatur.

betreut wird der gebäudekomplex von den bekannten forumhostessen, den schönsten mädchen von graz. sie warten in der empfangshalle auf das eintreffen von berühmten dichtern oder touristengruppen aus übersee, die sie durch die schauräume geleiten – allerdings nicht, ohne ihnen vorher den 250seitigen, reichbebilderten wegweiser durch das haus in die hand gedrückt zu haben. mit diesem katalog will die hausverwaltung die wiederholung von vorfällen unliebsamer art verhindern (erst im vergangenen jahr konnte ein australischer besucher den anschluß an seine gruppe nicht halten; er wurde nach vier tagen völlig erschöpft, am ganzen körper zitternd, in der nähe des PEN-kabinetts aufgefunden).

die größte attraktion für den besucher ist natürlich die riesige rotationshalle, in der über 300 arbeiter und angestellte in tag- und nachtschichten am druck der neuesten ausgabe der »manuskripte« arbeiten. hier hat auch der forumgrafiker günter waldorf seine eigene abteilung, in der er die aktuellsten dichter in oft zweimonatigen sitzungen für das titelblatt der »manuskripte« porträtiert. am meisten bewundert wird aber der herausgeber der zeitschrift, alfred kolleritsch, der die beaufsichtigung der arbeiten in der halle ganz allein vornimmt. kolleritsch, der mit seinen über zwei metern an körperlänge alle anderen dichter um hauteslänge übertrifft und daher auch präsident des forums ist, steht auf einer fahrbaren kanzel und gibt seine nötigen anweisungen per megafon an die entsprechende arbeitsgruppe weiter.

er ist es auch, mit dessen druckgenehmigung die literarischen karrieren in graz gestartet werden; er weiß genau, wann der richtige zeitpunkt dafür gekommen ist. er hat die verlage in seiner hand, er dirigiert die deutschsprachige literatur. die grazer buchhandlungen bemühen sich, bei der auslagengestaltung seinen persönlichen geschmack zu treffen. dafür werden sie mit einem besuch des präsidenten belohnt.

die zahl der freunde der dichter ist legion. wenn die grazer dichter nicht gerade dichten, dann trinken sie. ihre fans trinken mit ihnen ohne zu dichten und hoffen, auf diese weise einmal dichter zu werden.

hatten die grazer dichter früher einmal einen beruf, von dem sie sich außerpoetisch ernährten, so leben sie heute nur mehr von der dichtung. jeder von ihnen hat jedoch – seiner persönlichen veranlagung gemäß – ein bestimmtes hobby, das er in seinen mußestunden betreibt. vom präsidenten kolleritsch weiß man, daß er, wie auch sein freund klaus hoffer, ganz gern ein paar stunden unterricht in der schule hält. wolfgang bauer wiederum unternimmt des öfteren reisen nach sarajevo, new york, mexico oder voitsberg. gerhard roth ist ein begeisterter fütterer von computern. franz buchrieser beschäftigt sich mit der züchtung von neuen apfel-, kirschen- und ribiselsorten. harald sommer besitzt eine eigene filmkamera und einen pilotenschein. willi hengstler ist verheiratet und arbeitet juristisch. gunter falk neigt zur soziologie. bernhard hüttenegger liebt es, dissertationen zu schreiben. rose nager sägt holz. alfred p. schmidt trinkt gern ein bier und spielt bass. reinhard p. gruber übt journalismus. helmut eisendle lebt im ausland. kommt ein ausländischer oder außergrazerischer hoher würdenträger der literatur nach graz – man denke an h. c. artmann, peter handke, hans frick oder urs widmer – so veranstalten die ansässigen dichter einen großen aufmarsch, der inzwischen zu einem festen bestandteil des steirischen brauchtums geworden ist. hören wir, mit welchen worten der bekannte steirische volkskundler viktor von geramb diesen aufmarsch in seinem standardwerk »sitte und brauch« (s. 159/160) beschreibt:

»am frühen morgen beginnt der abtrieb. voran der kühbub, dann der stier, der zwischen den hörnern ein fichtenbäumchen oder aber – heute freilich schon sehr selten – eine geschmückte holzpuppe trägt. nach angemessener entfernung folgt dann das übrige vieh, voran die leitkuh mit einer riesigen halsglocke an einem schön gestickten breiten glockenriemen. die stirne ist mit einem bunten herz aus buchenschwammschnitzereien, die mit rotem stoff unterlegt sind, sowie aus goldflitter und glasperlen geziert. häufig ist auch ein spiegel (ein alter abwehrzauber gegen hexen und »schratln«) darauf angebracht und selbst die hörner sind mit tütenförmigen, reichgezierten flitter- und bändchenhülsen besteckt. ähnlich, wenn auch nicht so reich, ist auch das übrige vieh geputzt, und es fehlt nicht an sträußen und kränzen von almblumen. es ist ein herzerquickender anblick, wenn solch ein zug bimmelnd und läutend in stolzer freude einherzieht, und es scheint, als ob selbst das vieh fröhlicher und stolzer in die welt blicke als gewöhnlich. als abschluß des zuges folgt dann endlich der ›protzwagen‹, der mit reisig, zirbenkränzen und flitter geschmückt ist und der die gewonnenen käse- und buttermengen trägt. manchmal schließen sich diesem zug noch mehrere wagen an.«

der ruf, den sich graz als literaturhauptstadt oder als geniewinkel erworben hat, kommt jedenfalls – und dies mögen meine bescheidenen ausführungen gezeigt haben – nicht von ungefähr. schließlich ist er mit den grazer dichtern groß geworden.

ALOIS BRANDSTETTER

Nach und neben Handke ...
P. H. ist Kärntens Beitrag zum literarischen World Cup

»Natürlich kann ich nicht extra für Sie über Kärnten und Literatur schreiben. Dazu fehlt mir einfach die Lust, und dazu habe ich zu viel anderes im Kopf, und dazu habe ich überhaupt vielleicht zu wenig im Kopf. Alles Gute für Ihre Zeitschrift, Peter Handke.«

Das ist der Text einer Karte, die Miriam Raggam-Lindquist von Peter Handke aus Paris erhalten hat. Die Anrede: »Liebe Frau Miriam mit dem langen Namen«. Raggam-Lindquist ist Redakteurin der Zeitschrift »Die Brücke«, die vom Land Kärnten seit dem Jahre 1975 herausgegeben wird. Die Doppelnummer dieser »Kärntner Kulturzeitschrift« (Herbst 1975/Frühjahr 1976) war im besonderen der Literatur gewidmet. Im Beiträgeverzeichnis des Heftes finden sich so ziemlich alle Namen, die man mit der Kärntner Literatur nach 1945 und davor, der deutschsprachigen sowohl als auch der slowenischen, verbindet. Die Ausnahme, die große Ausnahme: Peter Handke.

Sieht man auf das, was Peter Handke, 1942 in Griffen geboren, seit dem Frühjahr 1966, als der Roman »Die Hornissen« erschien, geschrieben und mit dem Geschriebenen erreicht hat, so findet sich in Kärnten weder heute noch in der Geschichte Vergleichbares. Handke ist für das kleine Land Kärnten sozusagen zu groß, er ist mit Kärntner Maßstäben nicht mehr zu messen. Der große Sohn der Heimat macht ihre Grenzen und ihre Enge sichtbar. Das ist dialektisch... Nachdem er weggegangen ist (»hinaus«), sehen die Daheimgebliebenen (samt den nach Kärnten Zugezogenen) allesamt ein wenig wie Zurückgebliebene aus. Die Dichter Kärntens tragen

denn auch schwer an Handke. Einige begegnen der literarischen und gesellschaftlichen Irritation, die er bedeutet, dadurch, daß sie ihn gänzlich außerhalb der laufenden literarischen Konkurrenz sehen. So brauchen sie ihn
nicht zu beneiden und zugleich sich selbst nicht als relativ zu erfahren. Das
Sprechen über ihn mißlingt meistens, es gerät entweder giftig oder devot.
Wenn sich aber auch keiner mit ihm vergleichen kann und will, so ist er als
schlagendes Argument, Gegenargument, stets komparativ anwesend. Er ist
die ferne Bezugsgröße alles Dasigen und Hiesigen. Von Gert Jonke (»Geo-
metrischer Heimatroman«, 1969) und Peter Turrini (»Rozznjogd«, 1973)
heißt es öfter, daß sie *neben Peter Handke* die bedeutendsten jungen Kärntner Autoren seien. Gibt man, wie ich es getan habe, eine Anthologie heraus
(»Daheim ist daheim«, 1973), in der auch Handke vertreten ist, so weiß die
Kritik gewissermaßen ungeschaut, wo hier hinten und wo vorne ist. Peter
Handke – und ferner liefen. Es wurde nicht erst einer kritisiert und getadelt,
weil er an H. erinnert, ihm aber nicht nahekommt. An Handke kommt keiner vorbei.

Neben denen, die hier und anderswo *via imitationis* vom anerkannten Klassiker profitieren wollen, gibt es hier auch solche, die sich indirekt dadurch
zu profilieren trachten, daß sie ihren eigenen Lebenslauf mit dem Hs. in
Verbindung bringen, sei es, daß sie seine Mitschüler gewesen oder vor ihm
oder nach ihm am Bischöflichen Knabenseminar Tanzenberg oder am Klagenfurter Gymnasium studiert haben. So schreibt der Verlag »Jugend und
Volk« über seinen Autor Obernosterer, der diese umständliche Werbung
nicht notwendig hätte, auf der hinteren Einbanddecke des Buches »Orts-
bestimmung«, 1975: »Obernosterer, Engelbert, wurde 1936 in St. Lorenzen
im Lesachtal als siebentes Kind eines Bergbauern geboren. Zugleich mit Peter
Handke besuchte er das Priesterseminar in Tanzenberg ...« Als Handke vor
einiger Zeit zu einem Maturatreffen nach Klagenfurt kam, wurde das in
Zeitungen entsprechend gewürdigt. Es wurde lobend erwähnt, wie bescheiden er »aufgetreten« und wie sehr er eigentlich trotz allem der *Alte* geblieben sei, was einem *jungen* Menschen natürlich schwerfallen muß. So ist
überhaupt das meiste, was über Handke wie auch über Thomas Bernhard
in den Zeitungen geschrieben wird, Gesellschaftsklatsch. Handke ist im öffentlichen Bewußtsein der Kärntner Beitrag zum literarischen World Cup,
er ist der österreichische Vertreter beim Poetry-Contest, so wie der einzige
noch berühmtere Kärntner (Udo Jürgens) Österreich beim Song-Contest
vertrat. Der Großteil dessen, was in den österreichischen Zeitungen und vor
allem im Fernsehen (»Steckbrief«, »Schauplätze der Weltliteratur«) über Literatur, vor allem über Literaten gesagt und gezeigt wird, dient zur Befriedi-

gung von Afterinteressen und zur Bestärkung von falschen Vorstellungen über diesen Gegenstand. Etwas Gründliches über ein *Werk* ist kaum zu sehen oder zu hören, das wäre wohl nicht mediengerecht. Im Fernsehen wird vor allem an der Sensationierung des mitunter auch sehr Langweiligen laboriert. Dort fängt man weniger mit Büchern als mit Denkmälern und Gedenkstätten an. H. C. Artmann hat diese provinzielle Gesinnung trefflich verspottet, als er, wie er erzählt, sicher zu Handkes Belustigung, diesem einmal aus Griffen eine Karte schrieb: »Herzliche Grüße aus Handkes Geburtsort!«

Es gibt viele Bücher, die von Kärnten handeln, aber wenige authentische, bei deren Lektüre man den Eindruck hat, daß sie wirklich von dem handeln, wovon sie zu handeln firmierend behaupten – die Texte der meisten Kärntenbücher, vor allem die Begleittexte zu Bildbänden, sind katastrophal. Die Heimatliteratur aber nimmt sich dieses Thema oft zu fest vor und verfehlt es schon durch den krampfhaften Vorsatz, manchmal auch aufgrund ideologischer Sehstörungen. Eines der wenigen Bücher, das etwas Wesentliches über das geistige Klima im Land aussagt, ist Handkes Erzählung über den Tod seiner Mutter »Wunschloses Unglück«. Dieses zugleich artistisch raffinierte und existenziell betreffende und nahegehende Buch über ein Frauenschicksal hat wie nebenbei noch alle Vorzüge einer realistischen Heimatliteratur. Anderes von anderen Autoren über diese Heimat entspricht, auch wenn es das materielle oder geistige Elend und die Armut ihrer Bewohner nicht verschweigt, doch oft so ziemlich genau dem, was Handke in »Wunschloses Unglück« über die »saubere Armut«, die die Armen »gesellschaftsfähig« macht (S. 55) und, einen Buchtitel Karl Heinrich Waggerls aufgreifend, die »fröhliche Armut« im Gegensatz zum »formvollendeten Elend« (S. 58) sagt. Undenkbar wäre es etwa, daß Josef Friedrich Perkonig (1890–1959), den viele für den wichtigsten Kärntner Heimatdichter, die Mitglieder der »Perkonig-Gesellschaft« für den größten Dichter Kärntens überhaupt halten, das geschrieben hätte: »Zum Beispiel kam es in einigen Haushalten vor, daß die einzige Schüssel in der Nacht als Leibschüssel verwendet wurde und daß man am nächsten Tag darin den Teig knetete« (S. 56). Es ist sehr bezeichnend, daß dieses eher kuriose hygienische Detail, aus verschiedenen Gesprächen zu schließen, die Kärntner am stärksten beschäftigt und geärgert hat, mehr als ihnen andere Stellen, wo von Abtreibungen die Rede ist, zu denken gaben. Hat das vielleicht mit der moralischen Verfassung des Landes zu tun? (Bekanntlich haben übereifrige Kärntner Politiker schon vor Inkrafttreten des Gesetzes über die Fristenregelung seine fraglose Exekution hierzulande in Aussicht gestellt.)

Ein anderes wichtiges Buch über Kärnten und insbesondere Klagenfurt stammt von Uwe Johnson und heißt »Eine Reise nach Klagenfurt« (Frankfurt 1974). Johnson hatte sich aufgemacht, das Grab seiner Kollegin und Briefpartnerin – 1973 war sie in Rom gestorben – auf dem Friedhof Annabichl zu suchen und nach ihrer Heimatstadt zu sehen, über die »die Bachmann« wenig, aber unter anderem geschrieben hatte: »Man müßte überhaupt ein Fremder sein, um einen Ort wie K. länger als eine Stunde erträglich zu finden.« Johnson machte zudem eine Reise in die Vergangenheit, in jene zwischenliegende Zeit, von der Bachmann in »Jugend in einer österreichischen Stadt« (»Das dreißigste Jahr«, Erzählungen, München 1961) handelt, in welcher der Benediktinerplatz »Platz der S. A.« hieß. Es ist eine verblüffend einfache Sache und zugleich eine literarische Meisterleistung, wie Johnson recherchiert und vorerst recht äußerlich scheinende, jedermann zugängliche aktuelle und historische Informationen, Daten und Fakten bietet, auf diesem Weg aber schließlich den allezeit bedenklichen Zustand einer Stadt (hier K.) freilegt. Es ist ein Portrait ganz ohne expressionistische Verzerrungen, aber leider kein *schönes* Bild. Es mußte schon ein nicht ortsblinder *Fremder* kommen, um Klagenfurts Vergangenheit literarisch zu »bewältigen«. Es hat den Anschein, als ob auch das größte Problem des Landes, das Zusammen- oder Auseinanderleben der beiden Volksgruppen, auf einen auswärtigen Dichter warten müßte. Dieses Problem, das man nicht »lösen« wollen darf, sondern mit dem zu leben man lernen muß, liegt als gewaltiger Stoff vor den Haustüren der Dichter der Volksgruppen.
Die Stadt Klagenfurt ist mit der Organisation des Andenkens ihrer großen Söhne und Töchter vollauf beschäftigt. Seit 1977 vergibt sie jährlich, bisher zweimal, den Ingeborg-Bachmann-Preis (100 000 Schilling) im Rahmen einer Veranstaltung, der sogenannten »Woche der Begegnung«, der »Tage der deutschsprachigen Literatur«. Dank des publizistischen Einflusses der vor allem deutschen Juroren (Rolf Becker, R. W. Leonhardt etc.) sind diese »Tage«, an denen sich bis zu 30 Autoren vor Publikum und Juroren mit einem Originaltext präsentieren, trotz vieler Unkenrufe (einschließlich eines von mir) und weiterhin anhaltender Kritik für die Stadt Klagenfurt und den Suhrkamp-Verlag (Preisträger: 1977: Gert Jonke, 1978: Ulrich Plenzdorf) zu einem großen Erfolg geworden. Was man halt so Erfolg nennt. Radio Kärnten aber, der Mitveranstalter, hat Sendefutter auf Monate hinaus. Die gelesenen Texte schließlich werden, sofern dafür von den Autoren zur Verfügung gestellt, in den sogenannten »Klagenfurter Texten« publiziert.
Wie anderswo, hat auch in Klagenfurt einiges an kultur- und literaturpolitischer Aktivität den unangenehmen Beigeschmack von Wiedergut-

machung, auch von Alibi- und Ersatzhandlungen. So hat man sich sehr spät darauf besonnen, daß Robert Musil am 6. November 1881 in Klagenfurt (Bahnhofstraße 50) geboren wurde. Zwei Jahre später übersiedelten die Musils freilich nach Steyr, die Klagenfurter Zeit Musils fällt also gerade in jenes Lebensalter, das in unserer bewußten Erinnerung einen weißen Fleck bildet. Aus der späteren Zeit gibt es aber nur noch einige mehr oder weniger belangvolle Äußerungen des Sommerfrischlers Musil über Klagenfurt und Kärnten, etwa, daß im Wörthersee angenehm »spazieren zu schwimmen« sei. Karl Corino, der langjährige Sekretär der Vereinigung »Robert-Musil-Archiv« und nunmehr Obmann-Stellvertreter, hat in einem Aufsatz »Robert Musil und Kärnten« diese spärlichen Spuren in dem eingangs erwähnten Heft der »Brücke« aufgezeichnet. Das Geburtshaus Musils sollte nun vor einigen Jahren geschleift werden und einer neuen Bank Platz machen. Der listenreiche Karl Dinklage, von Haus aus eigentlich Wirtschaftshistoriker, hat aber die Stadt bei ihrer Musil-Ehre gepackt und die Restaurierung des Gründerzeit-Hauses und die Installierung eines Musil-Archivs im Hause durchgesetzt. Eine von Dinklage 1960 zusammengestellte Ausstellung von Musil-Archivalien wurde inzwischen in 59 Städten in 12 Ländern dreier Erdteile gezeigt. Inzwischen spielt Musil auch im germanistischen Lehrbetrieb der jungen Klagenfurter Universität für Bildungswissenschaften (der den Namen Musils zu geben einmal erwogen wurde) eine wichtige Rolle. Prof. Friedbert Aspetsberger und Prof. Karl Dinklage sind dabei, durch musilbezügliche Anstrengungen (u. a. durch die Herausgabe der »Musil-Studien«, Vorbereitung einer Kritischen Ausgabe der Werke), auch durch Vorträge und Vortragseinladungen, Klagenfurt (neben Saarbrücken) zu einem Zentrum der Musil-Philologie werden zu lassen.

Das literarische *Leben* (Literatur*betrieb*) Klagenfurts dürfte sich nicht wesentlich von dem anderer Städte dieser Größe unterscheiden. Die Kultur- und Literaturpreise des Landes entsprechen dem österreichischen Standard in den Bundesländern. Jährlich finden in Klagenfurt an die 20 Autorenabende statt, in die sich als Veranstalter die »Österreichische Buchwoche«, eine Buchhandlung, der »Kärntner Schriftstellerverband«, der »Literarische Arbeitskreis an der Universität« u. a. teilen. Es haben hier in den letzten Jahren viele Schweizer und deutsche Autoren und so ziemlich alle österreichischen meist mehrmals »gelesen«. Mit Ausnahme Peter Handkes … Es gibt einen eigenständigen »Kärntner Schriftstellerverband« mit 39 Mitgliedern, die Landesgruppe des Pen-Clubs zählt zwölf Mitglieder, in der »Grazer Autorenversammlung« haben sich fünf Kärntner organisiert (Peter Handke ist aus der »Grazer Autorenversammlung« vor kurzem ausgetreten). Der

»Kärntner Schriftstellerverband« hält jährlich in dem kleinen Ort Fresach (»Sonnenbalkon des Drautales«) eine Internationale Schriftstellertagung ab, die sich wegen ihrer sprichwörtlich gewordenen kollegialen Atmosphäre und vor allem durch den Besuch vieler Autoren aus den Ländern des Ostens einen Namen gemacht hat. Motor und Spiritus rector dieser Tagung ist der Präsident des Schriftstellerverbandes Walther Nowotny. Klagenfurt besitzt neun Buchhandlungen, in denen wie überall in Österreich und Deutschland dieselben Bücher verkauft – und dieselben Bücher nicht verkauft werden. In Klagenfurt sind zwei Verlage. Ohne daß man ihnen zu nahe tritt, wird man sagen dürfen, daß sie bei unbestrittenen Verdiensten auf anderen Gebieten, etwa neuerdings um das wissenschaftliche Schrifttum aus dem Raum der Universität, für die Literatur keine über die Region hinausragende Bedeutung haben. Das ist vor allem eine Aussage über den *Vertrieb*, betrifft also weniger die Produktion als die Distribution (und Rezeption), wobei diese drei natürlich in einem sehr sensiblen Verhältnis zueinander stehen. Die Kärntner Verlagssituation ist im übrigen typisch für Österreich, wo man inzwischen einem jungen Autor kaum einen einheimischen Verlag wünschen mag, wenn man es gut mit ihm meint. Neben jungen Autoren gäbe es aber auch einige verstorbene, die wiederaufzulegen und ins allgemeine Kulturbewußtsein zu heben, mehr als bloß Lokalpatriotismus wäre. Mit Musil, Bachmann und Lavant sollte es noch nicht getan sein.

Literarischen Underground gibt es bei so wenig »ground« natürlich hier nicht, auch keine Minipressen und Kleinverlage. Immerhin aber haben sich in den letzten Jahren einige Literaturzeitschriften zu Wort gemeldet: »Das blaue Band«, »Unke«, »Fettfleck« (von Kärntnern in Wien gemacht), »Log«, »Schreibarbeiten«. Ein eigenes Kapitel wäre die slowenische Literatur und die Zeitschrift »Mladje« des Herausgebers Florian Lipusch, die literarisch begonnen hat, aber neuerdings mehr an Kulturpolitik und Geschichte interessiert ist. Wenn ich mich über dieses Kapitel der Kärntner Literaturszene nicht äußere, so nicht aus Mißachtung, sondern aus einem gegenteiligen Gefühl, ich könnte verantwortlich nur von Übersetzungen sprechen.

Herausgeber der genannten »Schreibarbeiten« ist Josef Winkler. Von ihm wird im Frühjahr bei Suhrkamp das erste Buch erscheinen. Vorschußlorbeeren und hohes Lob von namhaften Autoren (Elias Canetti, Martin Walser) lassen hoffen, daß er der nächste ist, der beweisen wird, daß Kärnten das ist, als was es gilt: eine literarische Talentecke. Vielleicht werden wir schon bald in den Zeitungen lesen: *Nach und neben Peter Handke ist Josef Winkler ...*

MICHAEL SCHARANG

Die Antwort

Für Ernst Jandl
zum 70. Geburtstag

Ist
wie Sie reden
deutsch?

Wir jedenfalls
reden anders.

Statt Erdäpfel
pflegen Schlagobers
wir zu sagen
statt Karotten
Paradeiser nämlich.

Auch ist zum Glück
das Von
bei uns verboten.

Von Quark deshalb
kann nicht die Rede sein.
Wir reden Topfen.

Das ist
wie jedes Landeskind
gelernt hat zu erklären
österreichisch.

HANS WEIGEL

Sprache als Schicksal
Vorläufige Bemerkungen über »Das Österreichische« in der österreichischen Literatur

Die deutsche Literatur ist vergleichsweise jung. Sie ist spät daran innerhalb der abendländischen Kultur- und Geistesgeschichte der Neuzeit.

Die österreichische Literatur fragt, während diese Zeilen geschrieben, gedruckt und gelesen werden, lebhaft danach, ob es sie gibt und worin ihr Österreichisches besteht. Sie ist innerhalb der Literatur deutscher Sprache ebenso verspätet dagewesen wie diese innerhalb der neuzeitlichen europäischen Literatur, und sie hat, überdies, ein rundes Jahrhundert gebraucht, um sich selbst als österreichisch erleben zu lernen.

Die englische, die französische, die spanische Literatur waren fraglos auf London, Paris, Madrid als Zentren und Richtpunkte orientiert – die italienische Literatur hatte immerhin ein räumlich vorhandenes Italien als Maßstab und Aufgabe wie die deutsche Literatur das räumlich und sprachlich einheitliche Deutschland. Die österreichische Literatur aber mußte sich mit einem nicht recht faßbaren Begriff namens Österreich auseinandersetzen, der historisch, politisch und geistig vieldeutig und variabel war und geblieben ist, der stets in der Spannung von Idee und Wirklichkeit, von Vergangenheit und Gegenwart oszillierte.

Die österreichische Literatur war und ist immer zugleich mehr und weniger als ein gleichberechtigter Sektor der Literatur in deutscher Sprache.

Es gibt ebensowenig eine österreichische Sprache, als eine belgische und schweizerische Sprache existiert; wohl aber ist die Sprache, in welcher der Österreicher träumt, denkt, spricht und schreibt, von allem Deutsch außerhalb Österreichs merkbar unterschieden. Sie nimmt etwa eine mittlere Position zwischen dem Deutsch der Schweizer und dem Deutsch der Deutschen ein. Die Schriftsprache der deutschsprechenden Schweizer ist, mit ihrer Umgangssprache verglichen, nahezu eine Fremdsprache. Für den Österreicher ist seine Umgangssprache die Muttersprache und das Deutsche die Vatersprache. Will er sich in Rede oder Schrift unmittelbar ausdrücken, ist er unverkennbar österreichisch. Will er über seine unmittelbare Welt hinaus Gedanken und Bilder zum Wort erhöhen, hat er Widerstände zu überwinden, unvergleichlich intensivere Widerstände als der deutschschreibende Deutsche. Aus dieser höchst produktiven Nötigung ergibt sich in Lyrik und Prosa die besondere Dichte und Größe der Sprache österreichischer Autoren, wenn sie die besondere Aufgabe der Auseinandersetzung mit der besonderen Ausgangssituation des österreichischen Dichters bewältigen, wenn sie gleichsam die rechte Synthese von Mutter und Vater verwirklichen, ergibt sich aber auch die besondere Gefahr für die österreichische Literatur, im Provinziellen stecken zu bleiben.

Aus dieser schicksalshaften Hypothek resultiert auch die besondere Tragik des österreichischen Dramas. Der österreichische Dramatiker ist mit einem selbstmörderischen Dilemma konfrontiert. Er kann entweder seine Gestalten sich unmittelbar in dem ihnen gegebenen Wort ausleben und ausdrücken lassen; dann erreicht er mitunter weltliterarische Höhen, aber den Preis der Unübersetzbarkeit, der höchst begrenzten Verständlichkeit außerhalb Österreichs: Die bedeutenden Dramen Raimunds, Nestroys, Schönherrs, Schnitzlers und »Der Schwierige« von Hofmannsthal, Höhepunkte der österreichischen dramatischen Literatur, können nicht nur in fremde, sondern auch in die eigene Sprache nicht übersetzt werden. Das Umsteigen in den Ewigkeitszug ist für das österreichische Theater nur von der Lokalbahn aus möglich; »Die Zauberflöte«, das österreichischeste aller Bühnenstücke, repräsentiert gültig diese besondere Konstellation.

Sucht der österreichische Dramatiker jedoch aus der scheinbaren Begrenzung des Lokalen und Regionalen in das Allgemeine vorzustoßen, muß er zuviel opfern und wird an der Sprache scheitern. Ein österreichischer Autor (hiermit wird eine persönliche und sicherlich provokante Meinung geäußert) kann sich in Lyrik und Prosa dem deutschen Autor ebenbürtig oder gar überlegen aussprechen, aber er kann lebendige Gestalten auf der Bühne nur dann mit Aussicht auf Gelingen sich ausdrücken lassen, wenn sie aus seiner unmittelbaren Welt kommen und in ihr verharren. Darum blühte in Österreich stets das dramatische Handwerk, das Libretto mittleren und niederen Ranges, darum blühte und blüht auch stets der besondere, besonders strukturierte, überaus geschätzte, dominierende österreichische Schauspieler (der vor dem Dramatiker Vorrang genießt), welcher sich ohne den Zwang zur »Umsetzung« unmittelbar in seiner naturgegebenen Sprache elementar auszudrücken vermag.

Der Lyriker und Prosaschriftsteller österreichischer Herkunft muß, wie jeder deutschschreibende Autor, seine Sprache erst ad hoc schaffen. Anders als in den anderen Literaturen gibt es im Deutschen keine bindende, geprägte, maßgebende sprachliche Norm. Der deutsche Sprachföderalismus verleiht der deutschen Sprache gerade auch da, wo sie die hochdeutschen Höhen anvisiert und erreicht, ihre beglückende Vielfalt und begnadete Einzigartigkeit.

Für den in deutscher Sprache schreibenden Österreicher ist der Weg zur Vollendung, wie schon gesagt, weiter und mühseliger als für den deutschen Autor deutscher Herkunft. Der Deutsche muß seine Sprache entdecken, der Österreicher muß sie erfinden und sich in ihr entdecken.

Diese Problematik erklärt vielleicht die besondere Beziehung der österreichischen Literatur zu ihrer Sprache und die ausgeprägte Tendenz der österreichischen Literatur, mit der Sprache zu spielen, sich der Sprache bewußt zu sein, im Material zu arbeiten. Wo das Wort nicht selbstverständlicher Besitz ist, sondern fragwürdig, und aus der Fragwürdigkeit durch Gestaltung erlöst sein will, wird es transparent.

Träume und Gedanken müssen in der österreichischen Literatur einen weiteren Weg zurücklegen als in den sprachlich gesicherten Bezirken der deutschen Lyrik und Prosa, um Form zu gewinnen. Es ist bemerkenswert, bedenkenswert und spricht von tiefer Notwendigkeit, daß der Österreicher Karl Kraus der extremste und unerbittliche Verfechter des Sprachlichen als des höchsten Kriteriums jeder Lebensäußerung gewesen ist. Für Karl Kraus ist die »Sprache unser« der absolute Maßstab von Wert und Unwert weit über die Literatur hinaus, er selbst meisterte sie und war ihr in äußerster Hingabe verbunden und verfallen, wie es nur einer werden konnte, dem sie – gleich Demosthenes – nicht unmittelbar mitgegeben war, sondern der als Österreicher erst fanatisch um sie werben, Widerstände überwinden mußte, um sie sich ganz zu eigen zu machen.

Auf dem schmerzhaften Weg solcher Annäherung ergeben sich große Einsichten und geheimnisvolle Abenteuer. Die Spannung im Erlebnis des Wortes kann sich auf dem Weg des schöpferischen Witzes entladen, die Lust des Entdeckens und Erfindens im Bereich des scheinbar Gesicherten und Bekannten kann sich im Spiel erfüllen.

Die Österreicher kultivieren den Witz und lieben das Spiel mit dem Wort und der Sprache, nicht weil ihnen die Sprache selbstverständlich ist, sondern gerade weil sie ihnen, Wort für Wort, jeweils neu zum Erlebnis wird.

Wenn eine erste, überaus begrüßenswerte und sehr zeitgemäße Zusammenschau der österreichischen Literatur dieses Jahrhunderts unternommen wird, scheinen mir Andeutungen solcher Art über das Sprachliche als Fundament und Voraussetzung unerläßlich. Sie wollen Vorarbeit leisten für die Selbsterkenntnis Österreichs im Spiegel seiner Literatur. Sie sind hierfür umso wesentlicher, als die Frage nach dem Österreichischen dieser Literatur Einigkeit darüber, was »österreichisch« ist, voraussetzt und als diese Einigkeit nicht besteht.

Das Wort »Österreich« wird noch in diesem Jahrhundert sein Millenium feiern. Doch sein Inhalt ist nicht nur »horizontal« im Lauf der Geschichte veränderlich gewesen, sondern variiert auch »vertikal« in den Vorstellungen der Zeitgenossen. Daß in letzter Zeit die Frage nach dem Österreichischen immer lebhafter gestellt wird, scheint ein positiver Aspekt der Gegenwart, wenngleich es ein österreichisches Paradoxon darstellt, daß die Frag-Würdigkeit als Symptom der Lebendigkeit angesprochen wird.

Die österreichische Literatur der Neuzeit ist noch entfernt davon, zweihundert Jahre alt zu sein; sie wurde überdies zur »österreichischen« Literatur erst rückwirkend erklärt, wobei sich das Adjektiv »österreichisch« und das Substantiv »Literatur« in die rückwirkende Tendenz teilen (denn die dramatische Literatur der österreichischen Volks-Klassik gilt erst dem ersten Drittel dieses Jahrhunderts als Literatur).

Die österreichische Literatur befand sich während ihrer großen Stunden von der Blüte der Volkskomödie über die einsame Vollendung der Prosa Adalbert Stifters bis zum entscheidenden Augenblick des Aufbruchs unseres Jahrhunderts stets in einer Zweifrontensituation: Sie hatte sich innerhalb Österreichs als »deutsch« von der nichtdeutschsprachigen Literatur der österreichischen Länder abzugrenzen und ihr gegenüber zu behaupten, ebenso aber als »österreichisch«, also nicht deutsch, von der Literatur Deutschlands zu unterscheiden. Die zweite Aufgabe war dadurch zusätzlich erschwert, daß sie unbewußt geleistet wurde. Denn im Zug der Bewältigung der ersten Aufgabe entschwand die zweite Front dem Bewußtsein. Es ist für uns kaum faßbar, in welchem Maß sich jene, die für uns zum Inbegriff des Österreichischen geworden sind, über diese ihre Wesensart unklar waren. Wir wollen uns zum Erweis dieser Tatsache mit einem Zitat aus Ferdinand von Saars »Wiener Elegien« begnügen:

Hehr aufschauert in mir wonniges Heimatgefühl.
Ja, da bin ich im Herzen der alten, der herrlichen Ostmark,
Deren Banner einst stolz flatterte über dem Reich –
Über dem Reich, von dem sie getrennt nun, beinahe ein Fremdling:
Österreichs Söhne, man zählt kaum zu den Deutschen sie mehr.

und zum Erweis der noch weitaus erschütternderen Erkenntnis, wie weit diese Häresie in das erste Drittel unseres Jahrhunderts reichte, mit einem Hofmannsthal-Zitat aus dem Jahr 1927:

Dieser Gruppen gibt es viele im innerlich so weiten Raume unseres großen Landes, vom Bodensee bis an die Kurische Nehrung, von der Weser bis ins Steirische Gebirge, und ihr geheimer Konsensus – all dieser Abseitigen, Unbekann-

ten, von Geistesnot sich selber berufenen Habenden – ist die wahre und einzig mögliche deutsche Akademie.

Das Österreichische dankt seine Existenz Napoleon I. und Otto von Bismarck, den Siegern des Ersten Weltkrieges und einer magischen, von Österreich nicht mitverursachten Konstellation im Zweiten Weltkrieg. Die Lebensberechtigung nachzuliefern und zu erhärten, ist unserer Zeit vorbehalten, die ein zehntes und doch auch erstes Jahrhundert der österreichischen Realität erlebt.

Das Wunder der österreichischen Literatur besteht darin, daß Österreich in seiner Literatur und daß diese Literatur in Österreich trotzdem existiert und mehr als dies: daß sie seit dem Eintritt in ihr Jahrhundert eine schier unbegreifliche und sehr kontinuierliche Blüte erlebt, ein perikleisches Zeitalter ohne den geringsten Perikles – daß sie im Begriff ist, nicht nur eine Gegenwart und Zukunft zu haben, sondern sich auch, vom neugewonnenen Stand- und Blickpunkt aus, die Vergangenheit neu zu holen und das Österreichische in ihr und von ihr her auf die Gegenwart und Zukunft hin zu erleben – daß sie eminent und eindeutig österreichisch ist, noch ehe sie erkannt hat, worin dieses ihr spezifisches So-Sein besteht.

Österreichisch-Sein war bis zu unserer Zeit – und ist auch noch in unsere Zeit hinein – ebensosehr ein Schicksal wie eine Eigenschaft. Österreichisch: das war eine fragmentarische Lebenshaltung, ein Hang zum Scheitern, zur resignierend-fatalistischen Selbstaufgabe, der Primat des Lebens vor dem Schaffen, der Reflexion vor der Produktion, das Dominieren der Möglichkeit vor der Verwirklichung.

Indem Österreich im zehnten Jahrhundert seiner ideellen Existenz nun mit sich selbst identisch wurde und aus der Sphäre von Ideen in seine Wirklichkeit eintrat –

(– jeder Österreicher wird diese Entwicklung anders benennen, und man wird sagen: zur Wirklichkeit verdammt, degradiert, reduziert, gezwungen, verurteilt wurde, ich aber sage: erlöst –)

– hat es über die bewährten Konstanten künstlerischer Selbstäußerung in der Musik und bildenden Kunst und in der reproduzierenden Kunst eine neue gewonnen: die österreichische Literatur mit ihrer Rampe, ihrem Rollfeld von Raimund und Nestroy über Stifter zu den großen Gestalten der Jahrhundertwende und den bedeutenden Zeitgenossen der folgenden Generationen. Der Hang zum österreichischen Schicksal ist gewiß im neuen Jahrhundert nicht überwunden; die Gegenwart mag dabei außer Betracht bleiben – eine österreichische Schlüsselgestalt des Scheiterns in näherer Vergangenheit ist Franz Kafka.

Worin aber das Österreichische an und in unserer Literatur besteht, sofern es nicht biographisch ist, sondern ein Gemeinsames, das unsere Lyrik und Prosa vom Wesen der nicht-österreichischen Lyrik und Prosa unterscheidet, kann nicht, kann noch nicht eindeutig gesagt und gezeigt werden, wenn es auch an zahlreichen Versuchen, die Frage zu formulieren und die Antwort zu skizzieren, nicht gefehlt hat und nicht fehlt.

Die Zweifrontenstellung des österreichischen Dichters ist, mit verändertem Vorzeichen, immer noch gegeben. Nur geht es jetzt nicht mehr um die erste Front innerhalb eines Vielsprachenreichs und die zweite gegenüber dem deutschen Nachbarn. Diese ist konstant geblieben; jene jedoch, wenn auch immer noch innerösterreichisch, hat sich gewandelt. Und damit sind wir wieder zum dominierenden Leitmotiv gelangt: zur Sprache. Die Sprache der österreichischen Lyrik und Prosa höherer und höchster Ordnung muß sich über den Mutterboden der Mundart, über das Regional-Provinzielle erheben, muß sich von allem, was »Heimatkunst« im engen, üblen Sinn ist, radikal entfernen, sich aber ebenso von der Angleichung an das Sprach-Klischee außerhalb der österreichischen Grenzen bewahren. Sie darf sich nicht selbst aufgeben, darf weder Mutter noch Vater verleugnen. Sie muß in Österreich deutsch und in Deutschland österreichisch sein. Sie muß innerlich bei sich selbst zu Hause bleiben, auch wenn sie in die Welt geht. Sie muß selbstbewußt und ihrer selbst bewußt sein.

Daß dieses zweifache Selbstbewußtsein in der österreichischen Lyrik und Prosa unseres Jahrhunderts triumphal verwirklicht wurde, ist eine Leistung, mehr noch: eine Gnade.

Die eigentliche säkulare Rechtfertigung der Existenz Österreichs über alle Letzten Tage der Menschheit hinaus und durch alle Weltuntergänge hindurch liegt in diesem Entstehen der österreichischen Literatur seit der Jahrhundertwende. Ein Land ist der Sprache mächtig geworden. Ein Fragment wurde vollendet.

Der Schritt Österreichs in seine neue Existenz war, von außen gesehen, politisch. Die eigentliche Ermöglichung Österreichs aber geschah im Wort seiner Lyrik und Prosa. Der österreichische Geist hat sich in der Sprache materialisiert. Jeder einzelne Autor entdeckt seine Sprache, indem er sie erfindet; alle gemeinsam aber haben, unbewußt und unabhängig von einander, Österreich erfunden. Indem sie fragen »Was ist Österreich?« und »Worin besteht das Österreichische?« setzten sie Österreich und das Österreichische in die Welt und nehmen die Antwort vorweg, die spätere Generationen in dankbarer Rückschau geben werden. In ihren Texten ist Österreich.

O. P. Zier

Immer mehr und mehr – versaut er
Ferdinand Sauter, 1804 – 1854

Nein, der verdreckte, zerlumpte Mann, der am 30. Oktober 1854 im Hernalser Notspital an der Cholera krepiert, der eruptive, hochpolitische Spontanpoet – ein Schanigarten-Villon des Vormärz –, der, wie Ferdinand Sauter, »sich selber nicht vertraut er« und »mehr und mehr – versaut er« auf seinen Namen reimt, sich nie der Beweihräucherungskaste andient, eignet sich nicht als Biedermeier-Statuette, der die Heiligenbildchen-Germanistik ehrfürchtig ihre Sekundär-Devotionalien darbringt. Er – früher Vertreter einer mißachteten österreichischen Literaturtradition – kann es auch verschmerzen, wenn Claudio Magris in einer Grillparzer-Verbeugung mit einem Nebensatz über ihn hinwegplaudert, stellt er doch in seiner »Grabschrift« fest: »Und der Mensch im Leichentuch / Bleibt ein zugeklapptes Buch« und empfiehlt: »Deshalb Wandrer, zieh doch weiter, / Denn Verwesung stimmt nicht heiter.«

*

Am 6. Mai 1804 wird Ferdinand Sauter in Werfen (Salzburg) geboren. Der Vater, fürsterzbischöflicher Rat, Kämmerer und Pfleger, von Sauter-Biographen später als musischer Mensch beschrieben, findet in der Gegend seines beruflichen Wirkens Eingang in zwei Sagen, die weniger den privaten Schöngeist als vielmehr die rabiate Amtsperson überliefern. 1807 stirbt er bei einem Lokalaugenschein im verschneiten Hochgebirge – die junge Witwe zieht mit vier Söhnen und einer Tochter im Alter von einem halben bis zu vier Jahren zuerst in die Stadt Salzburg, dann als Verwalterin des Landgutes ihres Schwagers, eines erfolgreichen Pianisten, nach Gnigl – Ferdinand, der verhätschelte Lieblingssohn, verlebt dort die zwei schönsten Jahre seiner Kindheit. Danach reißen die Verbindungsstricke Sauters zu Geborgenheit und Vertrautsein mit geliebten Menschen in rascher Folge: Er ist acht, als der Onkel stirbt – mit dem jüngeren Bruder Ludwig kommt er aufs Gymnasium, das er nach der 5. Klasse verläßt, um »die Handlung« zu erlernen. Statt der erhofften Freiheit im Kontor erwartet ihn lebenslange intellektuelle Unterforderung eines verhaßten Brotberufes, der ihm »Falle« und »Schlinge« ist. Schreiber- und Kommis-Stellen in Oberösterreich. Mit sechzehn kommt er als Kaufmannsgehilfe nach Wels. Heftige Lektüre, eigenes Schreiben, zunehmende Depressionen des Berufs und der provinziellen Enge wegen – er fürchtet abzustumpfen. »Was Flügel hat, das rettet sich«:

Mit einundzwanzig landet Sauter in Wien. Berufskäfig: Das Komptoir einer Papierfabrik. Rasch findet er Anschluß an verschiedene Literatenzirkel und den Schubert-Kreis (Moritz von Schwind porträtiert ihn 1828).

Verliert er 1825 die geliebte Mutter, stirbt zwei Jahre später der jüngere Bruder Ludwig, mit dem er in Wien zusammenlebt, in seinen Armen. Er reagiert mit Selbstmordgedanken und -versuchen, jahrelanger Trauer und klammert sich in aussichtsloser Liebe an die Braut eines älteren Bruders: »Die Seele darbt, die Sinne – Saus und Braus«. Private, berufliche und politische Misere treiben ihn in den Mahlstrom alkoholgetränkter vormärzlichen Amüsements als Reaktion auf Metternichs unerträglichen Zensur- und Polizeispitzelstaat. Im »Silbernen Kaffeehaus« verkehren u. a. Grillparzer, Lenau, Grün, Bauernfeld, Feuchtersleben, Raimund; Sauter, dessen Gedichte in den dreißiger Jahren in Almanachen, Taschenbüchern, Zeitungen erscheinen, kann literarisch mithalten, ist politisch auf der Seite der Opposition, weiß sich gesellschaftlich unterm Hund. Sein schlecht bezahlter und doch viel Zeit okkupierender »Papierposten« proletarisiert ihn; äußerlich beginnt er zu verwahrlosen. Hin- und hergerissen zwischen Depression und verzweifelter Ausgelassenheit, sein letztes Geld verschenkender Gutmütigkeit und »unbezwinglicher Spottlust«, die ihm beinahe ebenso viele Feinde macht, wie er Bekanntschaften schließt, nimmt ihn die Mitwelt seines »horriblen Äußeren« wegen mehr und mehr als »burlesken Sonderling« wahr. Von geradezu ruinösem Wahrhaftigkeitsstreben, Feind jeglicher Posen (er *ist* Dichter und nicht Dichter-Darsteller), hat er den Ruf, »in guter Gesellschaft unmöglich« zu sein – ein Oberleutnant bei den Deutschmeistern wird gemaßregelt, weil er Arm in Arm mit ihm, dem »dekorumswidrigen Zivilisten«, gesehen wird. Mit zunehmendem Alter dominiert sein »stark demokratischer Zug« ganz und macht ihn zum »sprichwörtlichen Feind der Salons und Parketts«. Zuvor unterwirft die feinere Gesellschaft Sauters »Urwüchsigkeit« noch ihren Vergnügungsabsichten, lädt ihn etwa zusammen mit dem affektierten Salonreimer Karl Hugo, dem »Fürsten der Poesie«, ins Haus, um sich an der vorhersehbaren Konfrontation mit dem Grusel des Entsetzens zu delektieren. Blasiertheit ist ihm ein Greuel – der weichherzige Sauter kann grob werden: Das in artig-bürgerlicher Dressur Kuchen offerierende Söhnchen der Frau von Scheidlein (den Tee hat er schon mit dem Hinweis abgelehnt, ihn nur bei Bauchweh zu trinken) frägt er: »Wie heißt denn, du kleiner Schnipfer?« »Cäsar!« »Cäsar? Das is ja a Hundsnam'! B'halt dein Apportel!«

1839 verliert er nach 14 Jahren seine Stelle; obwohl völlig verarmt, fühlt er sich erleichtert, reist auf Verwandtenbesuch ins Salzburgische und springt auf der Rückreise bei Hallstatt einer Wette wegen übermütig von einem Felsen: Er bleibt bewußtlos mit gebrochenem Bein liegen – fortan hinkt er. Einziger Trost: Lenau, ihm literarisch, politisch und von der psychischen Anlage her sehr nahe (persönlich erst flüchtig bekannt), kommt samt Freundin drei Tage und Nächte an sein Krankenbett – der zutiefst gerührte Ferdinand Sauter bedankt sich mit einem Gedicht.

Heiratsversuche schlagen fehl: *No ja, Herr Sauter, ich tät' Ihnen schon heiraten, wenn S' net so viel trinken täten und so schlampig wären.*

> *Und aus geahnten schönern Welten*
> *Besucht den Dichter, karg und selten,*
> *Die Muse, Dolmetsch seiner Qual;*
> *Da schleppt er durch die öden Tage,*
> *zu krank zur Lust, zu stolz zur Klage,*
> *Die Sehnsucht ohne Ziel und Wahl.*

Es kommt nicht zur biedermeierlichen Häkeldeckchen-Idylle des geordneten Hausstands: Vorstadtwirtshäuser und -gastgärten bleiben sein eigentlicher Wohnraum; beim Umzug hat er als einzigen Besitz und Hausrat Pfeife und Stiefelknecht vorzuweisen (letzterem widmet er ein Gedicht). »Pech«, einer der wenigen erhaltenen Vierzeiler der letzten Jahre:

> *Wann i wer g'storb'n sein,*
> *Grabts mi in Asphalt ein –*
> *Denn Pech bleibt bis ans End'*
> *Mein Element.*

Sauter verwirklicht jene »Schmalzlosigkeit« des Dialektgebrauchs, die hundert Jahre später der *Wiener Gruppe* Kredo werden soll. Verständlich, daß er von den »Bauernliedln« seines oberösterreichischen Freundes Stelzhamer nicht allzuviel hält – bohèmehafte Lebensführung und Abstammung aus der Provinz verbinden ihn mit dem Mundart-Underdog (die »wilden Gesellen« schockieren bei ihren Stifter-Besuchen die als spießig beschriebene Ehefrau des Mäßigkeit Predigenden, von Freßsucht Geplagten). Sauter ist in seinen Gedichten stets nahe bei seinen Erfahrungen: »Mein Sonntagmorgen. Keine Dichtung«, ein Hymnus an die arbeitsfreie Zeit. Ein Leben lang wird sein starker innerer Freiheitsdrang von den äußeren Zwängen seiner beschränkten Existenz geradezu karikiert. »Das ist ein Ringen, ist ein Kämpfen, / Kein Automat, ein Mensch zu sein; / Nicht eingelullt von Ätherdämpfen, / Fühlst du die ganze Wucht der Pein.« Er flieht in die Betäubung von Alkohol und tumultöser Vorstadtgeselligkeit. Vor und nach der Revolution von »unerschütterlicher Gesinnungstüchtigkeit« (umgeben von Wendehälsen wie Seidl oder Vogl, dem er seine »Soldatenlieder« nie verzeiht), an politischen und sozialen Fragen interessiert, scharf urteilend, illusionslos auch dem Literaturbetrieb gegenüber:

Sie treiben Schacher mit Gesinnung
Und schlagen Münzen aus Gefühl …
Du siehst, die Welt wird immer enger,
Die unsere nämlich, liebes Blut.
Doch ihre Pulse klopfen länger,
Wenn längst im Staube liegt die Brut.

Herwegh wünscht sich »ein gelungenes Lied, was die Menge packt« – in Wien kennen »Tausende« das jeweils um aktuelle Strophen erweiterte »Gassenlied« von Ferdinand Sauter, die »wohl furchtbarste Satire auf das reaktionäre Österreich« (sogar 1902 kann es noch nicht gedruckt werden, weshalb nur ein paar harmlose Teile überleben, die politisch explosiven verlorengehen). 1841 schreibt Meißner an Hartmann, Sauter werde »von allen Prager Poeten angefleht, sein geniales ›Gassenlied‹ uns zukommen zu lassen«. Zwei Strophen habe er sich gemerkt und deklamiert – sie hätten Furore gemacht.

*

Der uneitle Sauter ist konsequenter Demokrat – bis in die Friedhofswahl. Den Hernalser zieht er dem Währinger Friedhof vor: »Schubert, Beethoven sind wohl dort, es ist mir aber dort zu aristokratisch – zu viele Monumente.« Der rapide Herunterkommende – Hygieneempfehlungen pariert der meist angeheiterte, nicht besoffene Trinker mit: »Ja soll i mi denn auswendi a no waschen? I wasch mi lieber inwendi!« – hat die feine Kaffeehaus-Enklave als »zu aristokratisch« in Richtung Wein- und Bierrinnsalen von Vorstadtkaschemmen verlassen. Das bedeutet Resignation und Aufbäumen zugleich: Eingepfercht in mißlichste Lebensumstände, ständig vor der Depression auf der Flucht in den ablenkenden Trubel, ist an ein abgerundetes Werk nicht zu denken (die politischen Satiren hätten zudem keine Chance gegen die Zensur), überdies ist seine Domäne die Improvisation. Für einen ›Pfiff‹ Wein schreibt er, 32 Reime und Inhalt sind vorgegeben, in fünf Minuten ein passables Gedicht. Als bravouröser Stegreifpoet und vielbewunderter Interpret erreicht er mündlich und unzensiert sein Publikum, die einfachen Leute. Eine Vorstadtspelunke ist kein akademisches Biotop – Sauter, um »Unterspickt's« angegangen, improvisiert auch Zoten. Hans Deissinger, Sauter-Dissertant von 1913, atmet noch 1926 auf: »Glücklicherweise unterließen es seine Zuhörer zumeist, diese unflätigen Ergüsse niederzuschreiben.« Sie sind ebenso verloren wie ein Großteil seines übrigen Werkes, auch wenn sich Aussprüche wie: »Verkauft's mei G'wand, i bin im Himmel!« bis heute erhalten haben und schon in seinem Todesjahr festgestellt wird, daß »hundert charakteristische Züge, geniale Einfälle, lustige Streiche« von Sauter »im Volke Wiens« lebten und fraglos vieles ohne Urheber-Etikett Kursierendes auf den »narrischen Ferdl« zurückgeht. Wenn das Original Sauter auch als Heurigen-Entertainer seine bissig-witzigen Vierzeiler »mit rauher Tenorstimme« zur Musik improvisiert – »derb zynisch im Ton, oft gegen bestimmte Personen gerichtet« –, so hat das natürlich nichts zu tun mit dem vorgefertigt-normierten, abgeschmackten Vergnügungsritual heutiger Fließband-Heuriger.

*

Zeitlebens gequält vom Diebstahl seiner künstlerischen Möglichkeiten, den der Brotberuf an ihm verübt, attackiert er scharf die sinnsprüchelnden Hohelieder auf Fleiß und Arbeit, welche die Menschen an der Kandare halten sollen, und frägt in ihrem Namen: »Todmüd bin ich, doch hab' ich auch gelebt?« Früh formuliert er einen Hauptwiderspruch moderner Existenz: »Kein Apparat, ein Mensch zu sein!« Schonungslos zerpflückt er das eigene Ich – und Bilder der Verwüstung sind es, die der illusionslose Idealist in gebotener Tiefenschärfe wiedergibt, wenn er aufs Leben blickt: »Lieb' erntet Haß, Verrat belohnt Vertrauen, / Zerstörung führt die Kelle schon beim Bauen, / Der Glaube ruft den Zweifel selbst zu Gast / Und Frieden tauft sich eine Spanne Rast.« Was hier mit »Vergiß, vergib! Ein Krösus sei im Hoffen« und »Heran! Ich steh' dir, Leben, mild und wild!« einmal mehr in verzweifelte Selbstbeschwörung mündet, ist an anderer Stelle Sarkasmus pur: »Mir hat sich jüngst mein liebster Freund verlaufen; / Wo find' ich Gold, den zweiten mir zu kaufen?« In einem Gutteil der erhaltenen Naturlyrik gestaltet Sauter vehement politische Unzufriedenheit. Peter von Matt ortet in der Lyrik dieser Zeit eine »demonstrativ außergesellschaftliche Natur« – Sauter protestiert gegen Baumschlägerungen: »Die andern sanken unterm Beile / der nimmersatten Industrie ... Entfalte, Sturm, die Riesenflügel / Du findest keinen Widerstand.«
Sparsam, zurückhaltend im Gebrauch von Bildern – im Vergleich zu Beck, Grün »und selbst Lenau«, gelingt ihm höchst Originelles: »Da schleicht der Lenz heran auf grünen Socken.« Er selbst gibt lachend »die herrlichste Landschaft« als »pittoresken Plunder« für »die raucherfüllte, dumpfqualmige Stube einer vulgären Wiener Kneipe«. Stellen- und mittellos, lehnt er einen gutdotierten Posten in Mittersill im Salzburgischen ab: »Lieber hungern

in Wien, als dort oben wohlleben!« Freunde beschäftigen ihn bei Zeitschriften, für ein von Stifter redigiertes Sammelwerk arbeitet er als Kopist und zuletzt ist er (über Friedrich Halms Vermittlung) widerwillig Polizzenschreiber einer Versicherung. Im Revolutionsjahr 1848 wird am meisten gedruckt: »Den Proletariern« etwa (»Löffel seid ihr nur den Essern«) oder »Geheime Polizei« (»Du warst ein Narr der schnöden Pflicht«). Sein »Ingrimm gegen die Reaktion« nimmt gegen Ende seines Lebens zu und »tobt sich in der Improvisation zahlreicher politischer Gedichte und Aphorismen aus«.

*

Frei von Dünkeln, bricht er – ohne Beethoven und Mozart den Rang abzusprechen – eine Lanze für Lanner. Er wendet sich an die »strengen Geistesrichter von der Feder«, denen er in Sonettform sagt: »Des Flieders Blühen hindert nicht die Zeder.« Dabei ist er Fremdem und vor allem Eigenem gegenüber äußerst kritisch. Er, der seine Gedichte schon beim Greißler versetzen muß (der darin liest und sie gar nicht mehr hergeben will!), schlägt Stifters Angebot, ihm seinen Verleger zu vermitteln, ebenso aus wie alle übrigen Einladungen zur gesammelten Herausgabe: »Unter den 200 meiner Gedichte verdienen höchstens 60 gedruckt zu werden.« Zusammengestellt, fürchtet er, würde das gleichförmige Metrum vieler Arbeiten »eine gewisse Monotonie hervorbringen«. Schlampigkeit und Schlendrian verhaken sich mit den Skrupeln: Es bedarf jahrelangen Drängens, damit er 30 Texte reinschreibt. Der 1855, kaum ein Jahr nach seinem Tod, von Julius von der Traun, dem Politiker und Schriftsteller Schindler, herausgegebenen Sammlung samt Lebensbild wird von Sauter-Kennern neben engherziger Beschränkung auf die Kunstlyrik mangelnde Kenntnis von Werk (»Glassplitter sind aufgenommen, Edelsteine übersehen« worden) und Person vorgeworfen. Hebbel, selber eben durch Heirat in bürgerlichem Wohlleben mit Sommerhäuschen verankert, spricht dem Gestrandeten in einem (in seiner historisch-kritischen Ausgabe von 1903 fehlenden) Verriß dichterisches Talent ab. Ein auch anhand der unzureichenden Traunschen Ausgabe nicht nachvollziehbares Urteil – in Hebbels Aversion gegen und Sauters Bekanntschaft mit dem »behäbigen Stifter« begründet? (Ironie am Rande: Hebbel publiziert eine seiner Stifter-Attacken in jenem »Wanderer«, der für Sauters Begräbniskosten aufkommt.) Die nicht nur mit dem von Schindler amputierten Sauter Vertrauten rühmen seine »launige, spottlustige Natur«, eine »bis ins kleinste gehende Beobachtungsgabe« und beschreiben die Bandbreite seiner Kunst als von der »Überlegenheit des Goetheschen Epigramms« über die »bittere, versteckte Ironie und beißende Schärfe Lessingscher Stachelverse« bis zu jenem »verletzenden Sarkasmus und groben

Zynismus« reichend, »der den Dichter in seinen massenhaft mündlich fort-
gepflanzten Aphorismen berüchtigt« macht. In mancher Beziehung könne
man Sauter »einen ins Wienerische des Vormärzes übersetzten Heine nennen«, mit dem er etwa »das gewaltsame Umschlagen und Abbrechen einer
Stimmung zugunsten einer witzigen Wendung« gemeinsam habe (Börner).
Mit seiner Lyrik von hoher Musikalität und Offenheit gegenüber sprach-
spielerischen Elementen (»Herbstwehen«, das erste gedruckte Gedicht, ein
gelungenes Vokalspiel), schielt er nie auf die Ewigkeit: Vieles von dem, was
ihm nicht gestohlen wird, verschenkt oder verliert er; der Platz im Konver-
sationslexikon, dessen sich Stelzhamer gewiß ist, ist ihm »papierne Unsterb-
lichkeit«, und »selbst die zu erreichen, hindern uns des Lebens Sorgen«.
Dazu gedrängt, entsteht aus dem Stegreif die so endende »Beherzigung«:

Eines doch bedenke jeder,
Was er immer tut und treibt,
Ob mit Hammer oder Feder
Brot er schmiedet oder schreibt:
Daß die Mühsal des Erwerbens
Ihm sein Bestes untergräbt
Und am Tage seines Sterbens
Niemand weiß, ob er gelebt.

Zu Beginn unseres Jahrhunderts noch Gegenstand eines Theaterstückes
(Alexander Girardis letzte Rolle) und eines Romans, ist Ferdinand Sauter
völlig vergessen. Nicht eine einzige Ausgabe seiner Dichtungen ist heute im
Buchhandel erhältlich.

FRANZ KAIN

Stelzhamer und die Stelzhamerei

Der Vater der Dialektdichtung heißt Martin Luther. Allerdings handelt es
sich hier um einen jener Väter, die ihr Kind nicht mit Liebe gezeugt haben,
sondern denen der Zeugungsakt bei der Lustbefriedigung lediglich »passiert« ist.

Martin Luther, der als Schöpfer der deutschen Schriftsprache gilt, hat sein Werk zu weit im Norden vollbracht. Die sächsische und (deutsch-)böhmische Kanzleisprache, die Basis für seine Bibelübersetzung, war eben schon immer steif, betulich, hölzern-gravitätisch und exakt in einer lästigen Weise. Dadurch, daß die Schaffung der Hochsprache zu weit im Norden erfolgte, wurden viele südliche Dialekte aus diesem Prozeß ausgeschlossen und hinausgedrängt. Aber es scheint, daß Martin Luther anders gehört als geschrieben hat, denn der Sprachkünstler hat in seinem berühmten Lied »Ein feste Burg ist unser Gott« kühn »Waffen« auf »betroffen« gereimt. Es muß in seinen Ohren ähnlich geklungen haben. Mehr als zweihundert Jahre später ist es Goethe ebenso ergangen, er hat frankfurterisch »Neige« auf »schmerzensreiche« gereimt.

Franz Stelzhamer, seines Zeichens literarischer Nationalheiliger von Oberösterreich, hat in einem frühen Aufsatz »bedauert«, daß sie, »die Schöpfer der einheitlichen Schriftsprache nicht tiefer hinabgegangen sind«, nämlich in südliche Dialekte. Zur Rechtfertigung seiner eigenen Dialektdichtung sagt er, daß sich gerade die ausgegrenzten Dialekte jetzt »muthig emporbäumen«. Stelzhamer hat sich vorsichtig ausgedrückt, denn das »muthige Aufbäumen« ist ja weit mehr, es ist die Folge der Ausgrenzung, die Rache für die Zurücksetzung der Dialekte. Vernachlässigte und gedemütigte Sprache ist jahrhundertelang nachtragend wie eine verschmähte Liebe.

In der Tat war der Verlust für die deutsche Sprache durch das »Herausfallen« der südlichen Dialekte groß und unwiederbringlich. Mancher starke Konjunktiv ist dadurch nicht salonfähig geworden und manche Präzision ist ganz verloren gegangen. Man denke nur an die Geschlechtsbezeichnung im Dialekt des südlichen Salzkammergutes: »zwo« für zwei Frauen oder Mädchen, »zwee« für zwei männliche Wesen und »zwoa« für Mann und Weib, beziehungsweise für etwas »Sächliches«. Das »Hochdeutsche« ist da viel umständlicher.

Nun ist es um Dialekt und Dialektdichtung nicht ganz schlecht bestellt, solange die Menschen das Fehlen einer ausgeprägten Mundart noch als Mangel empfinden. Wirklich schlecht bestellt ist es hingegen, wenn das »Urige« und Eigenwillige schon mißliebig ist und nur seine Glättung gilt und gefördert wird.

Eine Tracht ist solange lebendig, solange sie auch werktags getragen wird. Mein Vater hat seinen »Bräutrock« aus dem Jahre 1914 in den Dreißiger Jahren bei der Maurerarbeit abgetragen und es hat Jahre gedauert, bis er schließlich zerwetzt war, brüchig wurde und zerfiel. Wer eine Tracht nicht am Werktag trägt, der trägt sie meist auch am Sonntag nicht. Hier hat die »Erneuerung« eingesetzt, die Stilisierung, damit das Gewand leichter und lockerer zu tragen sei. Diese Bemühungen sollen nicht aufgegeben, aber auch nicht übertrieben werden, weil sonst manche »Tracht« entsteht, die von boshaften Spöttern als die Quasi-Uniform einer »Volks SS« bezeichnet wird, mit der Vorliebe fürs Dunkle und Dunkelblaue. Der Schreiber dieser Zeilen bekennt, daß er die Tracht seiner Heimatgegend nur selten trägt, wenn er aber seinen alpinen grünen (Tuch-, nicht etwa Loden-)Rock anzieht, dann tut er es meist »politisch«, wenn er nämlich »radikal« und gleichsam »bolschewistisch« auftritt. Da will er zeigen, daß er ein Hiesiger, ein Dasiger, ein Bodenständiger, ein Verwurzelter ist und sich von vornherein von dem Einheitslook der ÖVP-Steirer unterscheiden will. Und er tut es nicht ohne Bosheit, halten zu Gnaden.

Die Verdünnung des Dialekts geht für den, der den Dialekt wirklich schätzt, höchst bedenkliche Wege. Schon in der Alltagsverwendung geht eine ständige Nivellierung vor sich. Man macht einen Dialekt nicht besser, wenn man ihn abschleift und ihn so verwendet, als übersetze man aus dem Hochdeutschen. Wenn ein Radioansager in einem Allerweltsdialekt erklärt, »do ham ma uns dann köstlich amüsiert«, kann einem das Gruseln kommen und man muß fragen, wozu denn hier Dialekt gut sein soll.

Noch schlimmer ist es auf dem Gebiet der Dialektdichtung. Ein bekannter Linzer und oberösterreichischer Autor erklärt, er verwende einen »allgemeinen« Dialekt und lege sich nicht fest auf eine »besondere Ausprägung«. Aber gerade diese »besondere Ausprägung« macht ja die Güte einer Dialektdichtung aus und nicht das Herausbrechen der Eckzähne.

HC Artmann als ein Meister auch der Dialektdichtung hat bei seiner bekannten lyrischen Sammlung »med ana schwoazzn dintn« keineswegs ein schönbrunnerisch gefärbtes Wienerisch verwendet, sondern eins, das mehr in Ottakring und Simmering zuhause ist, eben weil es dort »unverfälschter« ist.

Wie weit Schriftsprache und Dialekt auseinanderklaffen, zeigt sich in der schriftlichen Wiedergabe von Dialekt. Aber hier müßte als Grundsatz gelten, lieber schwerer zu lesen, als leichter und maulfauler zu plaudern.

Die Dialektdichtung leidet deutlich unter dem Mangel an Prosa und Satire, bei einem Vorherrschen des Lieblichen und vermeintlich Lieblichen. Es ist zuviel die Rede von dem »Bleamerl«, das ein schönes »Dirnderl« an seinem »Herzerl« trägt, womit auf das »Brusterl« hingelenkt wird und besagtes »Brusterl« wieder von einem samtenen »Miaderl« zusammengehalten und hervorgehoben wird. Eine solche »Innigkeit« konnte sich nur das Volkslied leisten, aber ein Volkslied kann man nicht machen (oder doch nur ganz selten), es kommt dabei nicht Zucker-, sondern Sacharinsüßes heraus.

Ob ein Dialekt lebendig bleibt oder abgeschliffen seine Kontur verliert, hängt freilich nicht nur von den Möglichkeiten der Dichtung ab, denn nivellierend wirkt die »Mobilität«, der Fremdenverkehr, die Arbeitsteilung und die Schulbildung. Man muß sich bewußt sein, daß Dialekterhalten und sich im Dialekt dichterisch auszudrücken, ein ständiges Schwimmen gegen den Strom bedeutet (das gilt freilich im übertragenen Sinne für jegliche Literatur, soferne sie nicht eine arschkräulerische, pardon, eine opportunistisch spekulative ist).

Es geht also darum, den Dialekt aufzuheben, nicht im Sinne des Auslaufens, sondern des Bewahrens. Das kann sicher nicht in Bausch und Bogen geschehen, aber wohl in einigen Elementen des Dialektes, wie ja auch klassische und moderne Musik immer wieder Elemente der Volksmusik aufgenommen haben, ohne jedoch bei ihr direkt »abzuschreiben«.

Dialekt ist nicht nur etwas, das sich präziser ausdrückt als die »schöne« Sprache. Dialekt ist auch eine stete Erinnerung an alte Formen, Ausdrücke und Metaphern. Es müßte daher danach getrachtet werden, besonders jene Dialektdichtungen zu entwickeln, die sich der »ungeschliffenen« Sprache bedienen und nicht der glattgehobelten. Und wenn sich ein solcher Dialekt nur noch in einigen Tälern erhalten hat, dann kommt es eben gerade auf ihn an, zu zeigen, wie Sprache aus diesem Material in ganz besonderer Weise für uns dichtet und denkt. Glasperlen können nicht als Edelsteine ausgegeben werden und wenn, nur in betrügerischer Absicht. Die Förderung der Dichtkunst soll sich nicht auf den literarischen Musikantenstadel orientieren, sondern mehr auf das schon ungewöhnlich klingende. Kinder sollten ihre Muttersprache (und das ist in den meisten Fällen ein Dialekt) nicht nur »nebenbei« lernen, sondern sie auch genauer kennenlernen. Kindergarten und Schule sollten nicht den fatalen Ehrgeiz haben, den Dialekt so schnell wie möglich zu verdrängen.

Sprache ist etwas Lebendiges, das sich ständig erneuert und weiterentwickelt. Dies geschieht durch Hereinnahme von Fremdwörtern oder auch durch Eingemeindung von »unteren« Ausdrücken und Sprechweisen. Längst haben wir uns daran gewöhnt, daß die Schweizer »innert« schreiben, wenn sie »innerhalb« meinen, und wer norddeutsche Lyrik kennenlernen will, der muß wissen, daß man in diesen Gegenden zu einem kleinen »Mösel« eben »Luch« sagt. Auch die deutschsprachige Literatur in Österreich müßte bei der Hereinnahme von Dialektausdrücken weit kühner sein. Diese Ausdrücke und Sprechweisen sind viel zu schön, um sie dem Zufall oder der Gschaftelhuberei zu überlassen. Es lebe Franz Stelzhamer, immer noch, obwohl er inzwischen auch manches Haar hat lassen müssen, denn auch er hat halt manchem zuliebe und zu Munde schreiben müssen. Was er an der Hochsprache als Mangel empfand, ist ihm bei der »obderennsischen Mundart« allerdings auch selbst unterlaufen. Wendungen des Salzkammergutes kommen in »seiner« Mundart nicht oder doch kaum vor, von der Ausdrucksweise anderer Bundesländer ganz zu schweigen. Aber trotzdem, Stelzhamer in Ehren, aber nieder mit der Stelzhamerei, die sich anschickt, Berge der Sprache einzuebnen mit der Absicht, sie »leichter« und »flüssiger« zu machen und dabei Charakter und Schönheit preisgibt, weil Charakter und Schönheit nun einmal mit Anstrengung und eiserner Übung verbunden sind.

PS: Man soll nicht aus dem Dialekt leichtfertig ins Hochdeutsche übersetzen. Da hat der Schreiber dieser Zeilen einmal in einer Geschichte (vornehme Leute sagen, es handle sich um einen Essay) über das Innenleben eines Wirtshausgastes geschrieben, daß besser etwas erwartet sei als erloffen. Der Dialektausdruck heißt: »Bössa dawocht wia daloffn.« Eine klare Weisheit, die es nicht notwendig hätte, »verdeutscht« zu werden. Weil er es getan hat, wurde er auch sofort dafür bestraft. Eine alternative Zeitschrift hat die Geschichte übernommen und aus dem »erloffen« ein »ersoffen« gemacht, weil der Abschreiber hier einen Druckfehler vermutet hat. Das »ersoffen« heißt aber, Wirtshaus, Wirtshausweisheit und Wirtshauspoesie völlig und skandalös vergröbernd mißzuverstehen, als ob alles auf das »Saufen« reduziert wäre. Vielleicht war's ein Kollege, der gerade Germanistik studiert und vor lauter Analyse die Hintergründigkeit nicht mehr sieht. Aber dann hat der ORF eine ganzstündige Sendung gemacht und hat dazu nicht den Originalbeitrag, sondern dessen Abschrift in der Zeitschrift benützt. Und obwohl doch beim ORF die gescheiten Leut haufenweise zusammengeballt sind, auch hier wurde das Wort »ersoffen« statt des ursprünglich gebrauchten »erloffen« gebraucht. Auch die Gestalter der Sendung sind keineswegs über die völlige Sinnentleerung gestolpert. Recht geschieht ihm. Man soll Dialektsprüche nicht übersetzen, sondern sie gebrauchen, wie sie gewachsen sind, auch auf die Gefahr hin, daß sie sprachtauben Menschen gelegentlich Kopfzerbrechen bereiten.

Helmut Qualtinger

Verehrte Theaterbesucher! Liebe Freunde!

Der Österreicher Helmut Qualtinger ist tot. Ob er dieses Land geliebt hat, weiß ich nicht. Ich weiß, daß dieses Land ihn geliebt hat, und ich glaube, daß diese Liebe von jener Art war, die einen Menschen zum Ersticken bringen kann. Helmut Qualtinger ist viele Tode gestorben, wovon sein letzter, der physische, nur der öffentliche und folglich auch der offiziell beklagbare ist.

Man hat Qualtinger mit Nestroy verglichen, ich vergleiche ihn mit Bert Brecht. Das Böse, oder besser gesagt, das Bösartige und die Bösartigen hatten in Qualtingers Werken durchaus Name und Adresse. Als die Gemeinten mit den wohlklingenden Namen Ende der fünfziger Jahre seine Garderobe betraten, um ihn mit jener österreichischen Liebe zu umarmen, welche Zuwendung vorgibt und Erstickung will, verließ er das Kabarett. Je öffentlicher er wurde, desto umfassender kam dieser tödliche Mechanismus in Gang. Eine ganze Nation verlieh ihm – ungefragt – die kumpelhafte Bezeichnung »Quasi«, weil sie nicht hören wollte, was er sagte, sondern nur »wie« er es sagte. Sie liebte seine Erscheinung, sie verniedlichten seine Person, um den erschreckenden Inhalten seiner Sätze zu entkommen. Wenn ich mit ihm herumzog und ihn diese ungebetene Liebe buchstäblich umfing, und er nicht aufhörte zu saufen und sich selbst zu zerstören, hatte ich manchmal das Gefühl, er wollte das Objekt dieser Umarmung, seine Erscheinung, seinen Körper vernichten, um ihr endlich zu entgehen.

Es wurde immer wieder gesagt, Helmut Qualtinger verkörpere das Österreichische, ja er sei die Inkarnation des Österreichers schlechthin. Auch dieses Urteil bedeutet eine Immunisierung, eine Erstickung. Helmut Qualtinger hat österreichischen Figuren seinen Körper, seine Stimme, sein Gesicht »geliehen«, aber sein Geist war von ganz und gar unösterreichischer Art. Er war unfähig zu vergessen, unfähig zu verdrängen. Wer ihn näher kannte, weiß, wie sehr sein Kopf ein einziges Lexikon war: angefüllt seit Jahrzehnten mit all der Niedertracht und den Niederträchtigen dieses Landes, abrufbar in verzweifelten Tages- und Nachtstunden.

In den Kommentaren zu Qualtingers Tod steht immer wieder: »Er wird uns unvergeßlich bleiben«. Das ist ein Satz wie ein Grab, in dem schon mehr verschwunden ist als ein Mensch. Was soll uns unvergeßlich, also lebendig bleiben? Jenes lieb gewordene Bild vom »Quasi«, an dem sich nun jeder bis zur absoluten Beliebigkeit bedienen kann, oder die Sätze des Schriftstellers Helmut Qualtinger, die treffen, ja verletzen wollen?

Durch den Tod Helmut Qualtingers und durch üble Unterstellung kam dieser Theaterabend in ein merkwürdiges Licht: als wären seine Produzenten hurtige Arrangeure einer literarischen Totenfeier, sein Hauptdarsteller der Schnellste im Nachfolgespiel.

Nichts von alledem ist der Fall. Diese Aufführung ist von Helmut Qualtinger gewollt, er hat sich noch vor zwei Wochen nach dem Fortgang der Proben erkundigt. Der Schauspieler Erwin Steinhauer will mit »seiner« Art, mit »seinen« Fähigkeiten, mit »seiner« Überzeugung für das Werk eines großen Schriftstellers eintreten.

Helmut Qualtinger ist tot, und das ist mehr als traurig. Wenn wir den Schriftsteller Qualtinger wirklich leben lassen wollen, dann müssen wir endlich auf- und annehmen, wovon dieser Schriftsteller redet: das ganze Ausmaß jener politischen und menschlichen Schweinerei, die unter uns lebt und vielleicht auch in uns lebt. Ich wünsche Ihnen und mir die Bereitschaft dazu. Danke fürs Zuhören.

HEIMITO VON DODERER
Drei Dichter entdecken den Dialekt

Die Geschichte der neuen Dialektdichtung in Wien ist sehr kurz. Sie umfaßt kaum zweieinhalb Jahre. Im Januar 1956 erschienen erste Proben von H. C. Artmann und Gerhard Rühm in der Zeitschrift »alpha«; danach im Sammelband »Continuum«. 1958 gelang H. C. Artmann der Durchbruch : »med ana schwoazzn dintn« (Otto Müller, Salzburg) wurde allgemein bekannt.

Man entsinnt sich jetzt literarhistorisch früherer, älterer und alter Dialektdichter, bis hinauf zu Johann Peter Hebel und wieder herab zu Ludwig Thoma: aber es kann nicht verborgen bleiben, daß mit solchem Entsinnen ein Mißverständnis vollzogen wird. Dieses war besonders beim Erscheinen des ersten Buches von H. C. Artmann fast allgemein. Vielleicht hat es auch dem Buche mit zum Erfolg verholfen: also ein schöpferisches Mißverständnis. Aber das verpflichtet uns nicht, ihm zu erliegen.

Die Dialektdichter kamen fast alle vom Dialekt her und drangen dann wohl auch in nicht wenigen ihrer Werke bis zum Hochdeutschen durch. Aber behaust waren sie doch beim geheimsten Selbstgespräch in der Mundart, also diesseits jener Wasserscheide des Geistes, welche man die Dialektgrenze nennen könnte. (Ihr Überschreiten hab' ich einst genau beschrieben, »Dämonen«, 530f.) Damit waren sie, erstens, dem Regionalen verfallen, befanden sich also ganz nahe der Heimatdichtung, ihrer Innigkeit und vor allem Sinnigkeit; zweitens aber genossen sie die verbindlichen Begleiterscheinungen alles Mundartlichen, sein Behaglich-Anbiederndes, das zugleich den Fühler vorstreckt, um zu erfahren, ob der andere auch »von da« sei, und auf jeden Fall diese Qualität betont. Alle Mundart ist soziabel, ist Angleichung oder Mimikry und *captatio benevolentiae* in einem dazu.

Von alledem ist bei unseren drei jungen Autoren hier keine Spur zu finden. Sie kommen nicht von der Mundart und ihrer Gesinnung her, sondern sie entdeckten jene auf ihrem Wege: und mit ihr eine Fülle klanglicher Valeurs, welche das Hochdeutsche gar nicht bietet; auch von der außerordentlichen Konkretheit der Mundart wurden sie bezaubert, und noch von anderen ihrer Qualitäten. Artmann, Rühm und Achleitner sind keine Dialektdichter. Wohl aber haben sie auch Dichtungen im Dialekt geschrieben. Vielen davon eignet ein parodistischer, ein den Dialekt selbst parodierender Charakter. Das läßt an Karl Kraus denken, aber nie an Stelzhamer oder Thoma. »wir begannen uns damals, in einem stadium der auseinandersetzung mit der sprache, für den dialekt zu interessieren. er stellte für uns einen (in unserem sinne) noch unentdeckten sprachbereich dar« (Gerhard Rühm). »eine dichtung, die sich auf die spezifischen möglichkeiten der sprache beruft, hat es auch wieder möglich gemacht, den dialekt zu gewinnen. sein besonderer reichtum an wörtern, die konkretes bezeichnen, seine vorliebe für die behauptung (der sprachliche ablauf geschieht selten in sätzen und logisch), sein hang zur wiederholung, ergeben eine vielfalt von gestaltungsmöglichkeiten« (Friedrich Achleitner).

Man sieht, daß auch die Selbst-Zeugnisse dieser jungen Dichter in jene von uns schon angedeutete Richtung weisen.

Bei H. C. Artmann gehört schon das Inhaltliche, das Substrat, oder, sagen wir besser, der Vorwand zum Gedicht, dem Dialekthaften an, der großstädtischen Peripherie und ihrer »schönen Melancoley«, wie das späte Mittelalter den dichterischen Affekt benannte. Artmann ist der Sänger der Banlieue geworden, des Wiener Vorortes Breitensee im besonderen. Von allen drei

Künstlern steht er – wenn er im Dialekt schreibt – dem Regionalen der Heimatdichtung am nächsten, vielleicht durch die Urwüchsigkeit seines Talentes; und doch ist sein Weg zum Dialekt im Grunde der gleiche gewesen wie bei dem massiven Achleitner und dem scharf profilierten Rühm. Diese beiden freilich sind weitaus konsequenter.

Am meisten Gerhard Rühm: er läßt das Substrat und damit alles Begriffliche ganz fallen und behält den Dialekt nur als Klang. Seine »lautgedichte im wiener dialektidiom« sind zweifellos der *nucleus* des vorliegenden Buches. Hier, wie schon in nicht wenigen Stücken Achleitners, wird die eigentliche Kunstgesinnung dieser neuen Wiener Dialektdichtung erst ganz offenbar.

GERHARD RÜHM

wie man im hawelka klassiker liest

wea gallopiat zua schlofnszeit?
da voda mit sein paumpaletsch.
ea beidlt und druckt eam wia net gscheit,
dass a des haschal fost zaquetscht.

»trottl, wos drahst denn dei gfries dauand fuat?«
»heast, papa, sigst du den ealkenig net?
mi n potzn schwaunz und en steirahuat?«
»des is do da nebe! sei net so bled!«

»du siasses goschal, geh, kumm zu mia!
a hamliches spü, des spül i mit dia!
a haufm unkraut wokst aum straund,
mei oide wachlt mi n aubrunztn gwaund.«

»papa, papa, geh, hea do zua,
wos da ealkenig ollas wass!«
»du faungst no a floschn! gib a ruah!
duach d finstare hosn kräut hekstns a schas.«

»i steh auf di, auf dein weissn popo,
und gehst net glei mit, so reiss i da n o!«
»papschi, papschi, jetzt greift a zua!
ea soi mi lossn, i hob scho gnua!«

da vota wiad grantig, vatäut a watschn,
da klane krepiat, s ross valeants hatschn –
doch do blinkt scho s hawal und so bstöt a si gleich
an doppetn bianla und an schwoazn fia d leich.

ERNST JANDL
verwandte

der vater der wiener gruppe ist h. c. artmann
die mutter der wiener gruppe ist gerhard rühm
die kinder der wiener gruppe sind zahllos
ich bin der onkel

ALEXANDER LERNET-HOLENIA
Gruß des Dichters
Brief an den »Turm«

Sehr geehrte Herren, sehr verehrter Herr Doktor Seefehlner, ich habe mich
einen ganzen Tag damit befaßt, das zweite Heft des »Turms« zu lesen, und
bin nach dieser Lektüre ebensosehr geneigt, wieder an den Geist zu glauben, wie sie mich zum Glauben begeistert hat. Sie gestatten mir, Sie und die
Herren der Österreichischen Kulturvereinigung von ganzem Herzen zu be-
glückwünschen! Ein Programm, eine große Tendenz, die jahrelang ver-
schüttet gewesen sind, erheben sich nun, buchstäblich, wieder aus dem
Schutt, und es ist, den grotesken äußeren Umständen zum Trotz, keine
Spur des Zögerns, kein Zeichen der Unsicherheit zu merken. In der Tat
brauchen wir nur dort fortzusetzen, wo uns die Träume eines Irren unterbrochen haben, in der Tat brauchen wir nicht voraus-, sondern nur zurück-
zublicken. Um es vollkommen klar zu sagen: wir haben es nicht nötig, mit
der Zukunft zu kokettieren und nebulose Projekte zu machen, wir *sind*, im
besten und wertvollsten Verstande, unsere Vergangenheit, wir haben uns
nur zu besinnen, *daß* wir unsere Vergangenheit sind – und sie wird unsere
Zukunft werden. Auch das Ausland wird kein eigentlich neues, es wird, im
Grunde, das alte Österreich von uns erwarten, wiederum den Staat also,
der, mag er inzwischen auch noch so klein geworden und mit dem Weltrei-
che von einst dimensionär gar nicht mehr zu vergleichen sein, das Prinzip

enger Nationalität zugunsten seiner Kultur, seiner Lebensart und seiner politischen Tradition längst aufgehoben hatte und wiederum aufheben wird.

Wir mögen uns ein wenig vereinsamt fühlen, wenn wir nun unser eigentliches Leben fortzusetzen haben und uns von so vielen der Bedeutenden und Großen, die mit uns noch über die Schwelle des Jahrhunderts gegangen waren, verlassen sehen. Aber es wäre falsch, durchaus eine neue Generation von Talenten heranzüchten zu wollen. Wir »züchten«, meine ich, überhaupt nicht, wir lassen das von selber Werdende wachsen, und ich bin überzeugt, daß die neuen Talente schon da, daß sie nur noch nicht bekannt und erprobt sind. Und ich bin sicher, daß das benachbarte deutsche Volk nicht wie bisher, mit seiner bloßen Massivität und Massenhaftigkeit, unsere jungen Leute verwirren wird. Nichts andres auf der Welt hat sich ja jemals so sehr selbst ad absurdum, buchstäblich zum Absurdesten, geführt wie das deutsche *Volk*. Zur *Nation,* zur Geistigkeit Deutschlands also, mögen wir unbewegt weiter in Beziehung stehen und ihr, wie im ganzen letzten Jahrhundert, auch in Zukunft mehr geben, als sie uns gegeben hat.

Gewiß werden wir noch erhebliche Zeit in materieller Unfreiheit zu verharren haben. Wir wollen's hinnehmen als Folge des Unheils, das uns heimgesucht hatte und nach dessen genauen Ursachen zu forschen kleinlich wäre. Ein Staat ist ein viel zu multiples Gebilde, als daß man eindeutig sagen könnte, er, als Ganzes, habe ein Verderben mit heraufbeschworen und es abwehren wollen. Was wir *jetzt* unter allen Umständen zu wahren haben, ist unsere geistige Freiheit, zu der auch die religiöse gehört. Wir dürfen uns weder unter den kulturellen oder zivilisatorischen Geschmack andrer demokratischer Völker, noch unter die allzu aufgeklärten, das Geheimnis der Religion allzu aufklärenden Tendenzen gewisser Partikel des eigenen Volkes traditionslos beugen. Denn was uns sogar all die Zeit unserer totalen Unfreiheit *geblieben* ist, war die Unbeugsamkeit unseres Urteils und – um eines der stolzesten Worte Dantes zu gebrauchen – *nostra cattolica fede.*

Sehr ergeben und dankbar, mich zu Ihnen und den Ihren zählen zu dürfen, Ihr

Alexander Lernet-Holenia

St. Wolfgang,
den 17. Oktober 1945.

Surrealismus und so

Menschen, die den Kopf verloren haben,
behaupten meist, sie hätten ihn sich zerbrochen.

In unseren Heften erscheinen Gedichte, »die man nicht versteht«, Briefe an die Redaktion befassen sich damit, man diskutiert und zitiert, ein Wort ist in vieler Munde: Surrealismus. Bevor der Pallawatsch heillos geworden ist, möchte ich einiges sagen, und zwar:

Erstens: Was Surrealismus ist, haben einige tausend Bücher, Essays, Artikel, Kritiken, Polemiken, Diskussionen und Manifeste nicht eindeutig erklärt. Hier nur Kostproben: »Der Surrealismus verkündet die Allmacht der Begierde« (nach Nadeau). »Kampf Dir, Papst, du Hund« (offener Brief an Paul Claudel, 1925). »Die Kunst ist eine Dummheit« (Vaché). »Ich werde niemals arbeiten, meine Hände sind rein« (Aragon 1925; heute Kommunist). »Wir sind die Defaitisten Europas« (derselbe 1926). »Es gibt nur Unordnung und Tollheit« (Eluard). »Ich habe niemals etwas anderes als den Skandal gesucht, und ich habe ihn um seiner selbst willen gesucht« (Aragon 1924). »Der Exhibitionismus ist einer der reinsten, uneigennützigsten Akte, die ein Mensch zu realisieren fähig ist« (Dali). »Öffnet die Gefängnisse« (Surrealistische Revolution Nr. 2). »Man muß den Pessimismus organisieren« (Naville). »Der einfachste surrealistische Akt besteht darin, mit dem Revolver in der Hand auf die Straße zu gehen und blindlings darauflos in die Menge zu schießen« (Breton, Zweites surrealistisches Manifest, 1929). »Ein neues Laster ist eben geboren worden und ein Wahn mehr dem Menschen gegeben: der Surrealismus, der Sohn der Raserei und des Dunkels« (Aragon).

Zweitens: Wer Trakls »Psalm« gelesen hat, kann sich den deutschen literarischen Surrealismus ersparen; denn in Jahrzehnten fiel ihm nichts anderes ein, als seine Zeilen mit dem Traklschen »Es ist« (ein Licht, das der Wind ausgelöscht hat ...) zu beginnen und in der Traklschen Diktion fortzusetzen. Ärmeres gab es selten in der deutschen Literatur.

Drittens: Fragt man einen unserer literarischen Surrealisten, so erfährt man: Primat des Unbewußten ... Traum ... Fort mit dem Reim ... Intuition ... Psychoanalyse ... modern ... und überhaupt ... also, nichts!

Viertens: Ist der Surrealismus überhaupt modern, wenn man unter diesem nichtssagenden Wort etwa das versteht, was gegenwärtig en vogue ist? Die ganze Welt, von New-Yorker und St. Pöltner Hinterwäldlern abgesehen, sagt: nein. In Frankreich, wo er üppigst blühte, wurde er vor 15 Jahren ad acta gelegt; die Kritiker behaupten, daß er seit 1936 tot ist, und die komisch-heroischen Rettungsversuche, die Papst Breton unternimmt, locken keinen Hund mehr hinter dem Ofen hervor. Dali, Chirico und die anderen Heerführer von einst machen heute sehr brav in Neo-Klassizismus und Neo-Manierismus, ihre Stoffe nehmen sie aus der katholischen Religion!

Fünftens: Ist der Surrealismus modern, wenn man darunter das versteht, was der Gegenwart nottut? Ich sage: nein, und ich behaupte sogar, daß sich der Surrealismus zeitfeindlich gebärdet. Er fußt auf Konzeptionen, die zeitlich oder ihrem Wesen nach dem 19. Jahrhundert angehören, und er versucht, diese Konzeptionen verwertend fortzuführen. Die Berufung auf Freud, die Hochschätzung der Soziologie, die teilweise Aneignung der materialistischen Philosophie, der Fortschrittsglaube und der Optimismus der naturwissenschaftlichen Epoche mischen sich zu einer intellektuellen Weltschau, die an unseren Problemen kilometerweit vorbeischielt; was bleibt, ist ein unbrauchbarer Individualismus, also pure Vergangenheit, und aus dieser Verspätung erklärt sich die spießbürgerlich ästhetisierende Ideenlosigkeit, welche sich hinter tollsten Inhalten tarnen muß. »Nicht die Spur von einem Geist, und alles ist Dressur.«

Sechstens: Ist, was unter der Marke »Surrealismus« die »Neuen Wege« betrat, tatsächlich Surrealismus, oder nicht? Nun: diese gleich lahmen wie zahmen Sprüchlein entsprechen wohl keinem Punkt der surrealistischen Theorie, und verglichen mit den Vorbildern, etwa den auch nicht gerade erregenden Produkten eines Eluard, schmecken sie penetrant nach Limonade; daß man auch Joyce beschwört und sogar Eliot, macht sie nicht schmackhafter. In Wahrheit sind diese ach so modernen Anfertigungen kümmerliche Bastarde des Expressionismus und Urenkel der Romantik, beiden innig verwandt in der Brutalität dem sprachlichen Eigenleben gegenüber, in der Sprach- und deshalb Weltfremdheit, in der Faszination vor dem Stoff und der Ignoranz aller sprachlichen Belange, welche die Form (und damit die Kunst) ermöglichen.

Siebentens: Surrealisten (und die sonst jeweils Modernen) haben bedeutende Kunstwerke dann geschaffen, wenn sie vergaßen, daß sie Surrealisten (oder sonstwie Moderne) sind. Auch »unsere« »Surrealisten« sind dann am besten, wenn sie unprogrammatisch sind.

Achtens: Wie beweisen unsre »Modernen«, daß sie dies sind? Indem sie »unverständlich« schreiben. Und zwar um jeden Preis. Sie sollten aber wissen, daß der Grad des rationalen Verstehens niemals der gleiche ist. Schopenhauer sagt, ganz befriedigt durch den Eindruck eines Kunstwerks seien wir nur dann, wenn er etwas hinterläßt, was wir, bei allem Nachdenken darüber, nicht bis zur Deutlichkeit eines Begriffs herabziehen können. Doch sollten wir – um mit Camus zu reden – den Willen zur Hellsichtigkeit nicht unterschätzen. Wie freilich der einzelne dann die Waagschalen belastet, wie er Hell und Dunkel verteilt: das bestimmt der künstlerische Zwang, und das macht seine Freiheit aus. Die Mode aber wohnt am andern Ende der Welt.

Neuntens: Wie machen sie's, »unverständlich« zu sein? Sie mißachten die Satzzeichen (weil sie sie mißverstehen); sie schreiben (seit Grimm besonders originell) kleine Anfangsbuchstaben; bauen Sätze, die auf Prothesen gehen und beim geringsten Luftzug aus dem Gleichgewicht geraten und einstürzen; sie glauben, die philosophische Logik auszuschalten, wenn sie die Sprachlogik verneinen, indem sie die Wörter und Fügungen ihrer natürlichen Sinnträchtigkeit beraubt und was sonst noch Bubiköpfen einfällt an niederem Unfug, an Verletzung des Lebensrechtes der Sprache. Demut vor fremdem Leben ist ihnen unbekannt.

Zehntens: Warum tun sie so? Weil sie nicht anders wollen, sagen sie. Ich hingegen sage: weil sie nicht anders können. Hinter dem Schlachtruf »Neue Formen«, hinter dem Bannstrahl »Fort mit dem Reim und den übrigen alten Requisiten« verbirgt sich mit tödlicher Sicherheit die ganz banale Unfähigkeit, das, was dem Dichter als Möglichkeit in die Hand gegeben ist, mit Leben zu erfüllen. Diese Neutöner haben sich noch nicht die Spur eines Gedankens über den Reim (zum Beispiel) gemacht, bestenfalls bei Arno Holz was Bequemes darüber gelesen, aber schon haben sie ihn »erledigt«; und wenn sie die Alliteration nicht antasten, dann nur deshalb, weil sie nicht wissen, was das ist. Die Zumutung, gerecht zu sein gegen die Sprache, ja hinter ihr zurückzutreten, weisen sie mit Entrüstung zurück. Sie wollen nicht, sagen sie. Ich aber erinnere mich in solchen Fällen der Fabel vom Fuchs, dem die Trauben …

Elftens: Wer praktisch oder theoretisch gegen diese Umtriebe Stellung nimmt, wird »unmodern« gescholten. Getrost! Gern will ich unmodern sein. Denn was modern ist, ist notwendig irgendwann – meist schon sehr bald – nicht mehr modern. Was hingegen unmodern ist von Anbeginn, weil es nicht der Mode, also keiner Laune, keinem Geschmack, keinem sogenannten Stilempfinden genügt, sondern einzig sich selber: das wird zwar unmodern bleiben, aber es wird bleiben. Es kann nicht dem Schicksal alles Modernen verfallen, nämlich: aus der Mode zu kommen; weil es nie in Mode war, sondern immer in Geltung ist. Dies freilich verbürgt kein Inhalt, sondern nur die Sprache, welche schon mehr überlebt hat als einen surrealistischen Sturm im Wasserglas.

Zwölftens: Ich halte zwar für höchst notwendig, im Ausland zu lernen, besonders Kultur, weil die uns bitterer fehlt als dessen Valuta, aber ich halte für dumm und würdelos, die von der Herrschaft abgelegten Kleider zu tragen. Mit anderen Worten: Österreich ist so weit zurückgeblieben hinter der Welt, daß wir – zumal auf »Neuen Wegen« – keinen Grund haben, diesen Abstand zu verkürzen. Zuspätzukommen ist unsre persönliche Note, ist heimische Wesensart. Wir machen gern viel Lärm um nichts, nämlich um uns, und wirbeln, wenn's uns grad einmal einfällt, den Staub auf, zu dem der Surrealismus längst schon geworden ist.

Andreas Okopenko

Apologie ohne Surrealismus

> *Titel gaben zu keiner Zeit eine richtige Vorstellung;*
> *wenn es anders wäre, würden die Werke überflüssig sein.*
> G. Courbet

Ich weiß nicht, ob es einen Surrealismus gibt. Tatsache ist, daß es Menschen gibt, die behaupten, Surrealisten zu sein. Ich kenne deren einige aus unseren jungen Kreisen. Sie nehmen freiwillig den Bannspruch der schöngeistigen Gesellschaft auf sich, gewisser Ziele wegen, die man ihnen in die Schuhe schiebt und mit denen sie so wenig zu schaffen haben wie ein neugetaufter Erdenbürger mit den Mißständen des Papsttums im Mittelalter. Man wirft ihnen Aussprüche von Dali und Aragon und Eluard vor, erwartet stündlich, sie von Laternenmasten herab in die Menge schießen zu sehen und dergleichen. Man ist von ihrer Verrücktheit so überzeugt, daß nirgends wo ein greller Naturalist oder ein stammelnder Expressionist auftauchen kann, ohne sogleich als »Surrealist« be-, nein, gekennzeichnet zu werden. Surrealismus ist ein Sammelname für jegliche mehr oder weniger literarische Verrücktheit, Surrealismus ist eine Sünde, Surrealismus ist eine Art Desperados-Heldentum (Schiller hätte heute keine »Räuber«, sondern »Surrealisten« geschrieben!). Ich weiß aber wie gesagt nicht, ob es einen Surrealismus gibt. Dagegen weiß ich, daß es irgendwo Reimlexika gibt und junge Menschen, die sie verwenden. Ich weiß auch, daß es Kreise gibt, in denen derart lebensweise Gedichte wie:

Denken wir nicht an das Morgen,
Machen wir uns keine Sorgen,

Lasset uns genießen, kosen,
Brechen uns der Holdheit Rosen ...
usw.

als der Gipfelpunkt des poetischen Talentes gelten mögen. Und ferner weiß ich, daß das Erleben, durch derlei Filter ausgedrückt, von seiner ursprünglichen Schönheit nicht mehr viel erkennen läßt. Und daß der junge Dichter damit nicht viel spezifischer ausgesagt hat als mit einem »Da-da-Hii-lala.« Ich würde fast von einem konventionellen Dadaismus sprechen.

Ich weiß auch, daß unsere mit mehr oder weniger Berechtigung so genannten Surrealisten dem unbefangenen Empfinden mehr zu sagen imstande sind; ja fast wage ich zu sagen: alles – worauf es nämlich ihnen ankommt. Ist doch ihr Gebiet nicht das Meditieren, nicht das Symbolisieren, sondern einfach die Wiedergabe der in tieferen, minder bewußten psychischen Schichten vorliegenden und ablaufenden Erscheinungen. Gewiß täte ich in den Augen gewisser Kreise besser daran, von einer Hoflogik zusammengehaltene sinnige Philosopheme um (je nach Geschmack) blühende oder welkende Rosen im Hinblick auf Jugend- bzw. letzte Lieben unter besonderer Berücksichtigung prickelnder Sündhaftigkeiten als »gesund« und »schlicht« anzupreisen. Dennoch sage ich es frei heraus, daß ich jede ungesuchte, sich von selbst einstellende Aussage, und stehe sie dem Kodex des ästhetischen Rechenschiebers noch so fern, für weitaus gesünder und natürlicher halte. Sagt es nicht alles, was es sagen will, wenn – um die leider nicht veröffentlichten »fantasmagorischen greguerias« von H. C. Artmann zu zitieren –

der student aus dem paradiese sagt:
verzeiht frau base, wenn ich in die dukatene mittelmäßigkeit eurer vorstel-
lungen eindringe.

Oder, wenn das Empfinden der Resignation eines verregneten späten Nachmittags zu dem Ausspruch veranlaßte:
»Ich habe an einen Telegraphenmast meine Wünsche gebunden ...«
Oder ein inneres Bild (H. C. Artmann):

mein mund stirbt im duft des heurigen grassamens
schillernder lavendel und eine reife zitrone im nachheu.

Überall ist hier, sofern es sich um Wiedergaben gerichteter (irgend ideengebundener) minderbewußter Erscheinungen handelt (»dukatene Mittelmäßigkeit« bürgerlicher Vorstellungen; »meine Wünsche ... gebunden« in Resignation usw.), eine (natürliche) Logik eindeutig enthalten; in den ande-

ren Fällen wiederum, wo es sich um ungerichtete Erscheinungen von rein bildhaftem Charakter handelt (»reife Zitrone im Nachheu«), ist die Frage »Wie ist dies zu verstehen?« ebenso unangebracht wie die nach der Philosophie eines Aquarells. In jedem Fall aber ist wirklich Persönliches ausgesagt, oft Kaumsagbares (die angeführten Beispiele waren mit Absicht aus noch relativ sagbaren Bereichen gewählt), und von Verdunklungsabsichten zu sprechen, wäre hier ein ebenso peinliches Beispiel von Kurzschlüssigkeit wie die Verwechslung von Grubenlicht und Grubendunkel oder von Patient und Psychiater. Dies zur Verteidigung unserer jungen »Surrealisten«.
Ob es indessen einen Surrealismus gibt, weiß ich nicht.

H. C. ARTMANN

Nochmals Surrealismus

Verzeiht, frau base, daß ich eindringe in die dukatene mittelmäßigkeit …

Man hat mir eben zum wievielten male nahgelegt, als irgendwie hauptbeteiligter (oder rädelsführer) zur diskussion für und wider surrealismus stellung zu nehmen. Ich denke, mit meiner antwort lange genug gezögert zu haben und will deshalb an dieser stelle ein paar worte einwerfen.
Die meiner meinung nach in frage kommenden autoren wären in erster linie Helene Diem, René Altmann und H. C. Artmann. Die genannten schreiben natürlich surrealistische gedichte; doch ist bis heute noch keines davon in den »Neuen Wegen« veröffentlicht worden und deshalb erübrigen sich von *vornherein* sämtliche originalaufsätze, angefangen von Eisenreich via Jungwirth bis Wawerda. Und es besagt schließlich genug, wenn herr Wawerda mit unvergleichlicher spitzfindigkeit merkt, daß mein »vorsommerliches rondo« nicht surreal, sondern ausgesprochen zahm sei und nur der großbuchstaben entbehre. Der chronist verzeichnete weyland allerdings mit ungläubigem erstaunen, daß mich herr Wawerda (ein *centurio primi pili* sondergleichen) aus einer avantgarde zieht, um mich ins literarische hinterland zu versetzen. Nichtsdestotrotz wäre ich, auch ohne jemals ein gedicht geschrieben zu haben, schon allein in meiner lebenshaltung und -anschauung ein *surrealist. Quod erat demonstrandum.* Wo nun, frage ich, kämpft der lyriker Wawerda eigentlich, wenn ich und meine nächsten freunde in der *arrièregarde* maßliebchen pflückend versauern – ?
… that is the question.

HEIDI PATAKI

Andreas Okopenko

Hinterm Scheunentürl wart mei Annamirl.
(Lexikon-Roman)

Die Kritik an Okopenko trifft 7 auf 1 Streich, denn: Okopenko ist ein österreichisches Phänomen; in ihm fand die Wiener Ideologie ihren adäquaten Exponenten, die österreichische Seele ihren Archetypus. Okopenko ist gleichzeitig auch ein Phänomen innerhalb der österreichischen Literatur. Zerfällt diese doch bei oberflächlicher Betrachtung in zwei Hauptgruppen – in die Heimatschriftsteller, und in die »bekannten Autoren«, wobei die ersteren die letzteren und wegen ihrer oft bewußt gezüchteten Provinzialität verdientermaßen nur in Österreich bekannt sind; die letzteren den hohlen Klang ihres Namens hierzulande nur ihrem Auftreten in der Bundesrepublik verdanken: heimische Manufaktur versus ausländischen Industrieartikel. Die Heimatdichter erschienen ausnahmslos in österreichischen, die urbanen Autoren stets in bundesdeutschen Verlagen; den Pofel, den man ihnen dort nicht abnimmt, bringen sie zusätzlich in Österreich unter, als Stargäste. Okopenko läßt sich unter keine dieser beiden Gruppen subsumieren. Zwar erscheinen seine Bücher in Salzburg, werden jedoch hüben wie drüben diskutiert, hüben sogar mit Nachdruck – die extremen Gegensätze Heimatdichter und »bekannter Autor« scheinen in Okopenko versöhnt. Als Demonstrationsobjekt für die gängige Ideologie ist er somit ein gefundenes Fressen.

Diese Wiener Ideologie kann nur gebührend würdigen, wer ihr buntes Register kennt, besonders jene unausrottbaren Phrasen, die auf den Steirerhut des gut österreichischen Dichters gehen und die Phantasmagorie unseres Literaturbetriebs in bukolischen Farben malen. Etwa so: Bleib im Lande und nähre dich redlich; hier gehts zwar hinterwäldlerisch und verschlafen zu – dafür sind die Sitten aber längst nicht so rauh wie in Franken und am Rhein; vorm kapitalistischen Konkurrenzkampf bleibe man verschont, was zur Folge habe, daß der Autor nicht so rasch in den Mahlstrom des Literaturbetriebs gerate. Es ist zwar alles klein und gemein, doch ein Talent könne sich noch in der Stille bilden und in Ruhe reifen. Der Österreicher hat zwar nix, aber was er hat, das hat er fix, und für die Lilien auf dem Felde sorge der allgütige Vater Staat. Immer noch besser, als Schaden an der Seele zu nehmen und im bundesdeutschen Wohlstandssumpf zu versinken!

Okopenkos literarische Produktion widerlegt dieses Stilleben. Auch ihm ist es nicht möglich, selbst über Form und Inhalt dessen, was er schreibt, zu bestimmen und seine sogenannte Inspiration als höchsten Richter anzurufen: anstatt den Pferden, muß er das Denken dem Verlag überlassen. Was war es anderes als der Druck ökonomischer, verlegerischer Mechanismen, der Okopenko, den »Labor-Surrealisten« und »letzten Erben der ›Neuen Sachlichkeit‹« zwang, anstatt auch weiterhin nur Gedichte zu schreiben und den Spleen der Latrinenmelancholie zu päppeln – Prosa, einen Roman zu produzieren?

Auf die Dauer macht nämlich die heilige Einfalt anstelle der Vielfalt das verlegerische, wenn auch subventionierte Kraut nicht mehr fett. Sind doch die literarischen Institutionen allerorten hektisch bemüht, sich allerhand einfallen zu lassen, um den Leser aus der Lethargie zu reißen, in die er Arm in Arm mit dem Autor versackt ist. Die längste Zeit hat die Literatur über sich selbst, die Welt und ihr Schicksal räsoniert, hat sie den Überdruß an der totalen Fadesse ihrer Existenz in Lamentos destilliert: über den Zustand der Gesellschaft, die Entfremdung des Autors vom Publikum, den Verfall des Zeitgeists. Nichts als Ausreden von Waschlappen, um von den eigenen Schlappen abzulenken! Stracks präsentierte man dem Publikum was Ausgefallenes, formale Exzesse, ästhetische Ausschweifungen, auch sogenannten Sex. Als es allmählich dagegen abzustumpfen begann, wandte man härtere Bandagen an – mit einer Art Dokumentarliteratur (was dokumentiert sie außer der Unfähigkeit ihrer Autoren, auf eigene Faust ein Thema zu finden?). Und auch der gleichzeitig einsetzende Run auf die Politik zeitigt höchst widerwärtige Früchte (wird denn nicht die Revolution nur ersehnt, um die Literaturmaschine mit neuen Materialien zu füttern?).

Am schlechtesten kam bei all dem die Lyrik weg, ihr ging's beinah an den Kragen: sie sei wahrlich klein und häßlich und dürfe sich nicht mehr blicken lassen. Und hört er gewiegte Literaturmanager über Gedichte sprechen, lernt der Lyriker das Gruseln; dann reden Blinde von der Farbe, Kaufleute von einer höchst eigentümlichen Ware ohne Absatzmarkt, deren Herstellung sich dem Surplus durch prosaische Zugpferde verdankt; wenn überhaupt. Lyrik als das Häutchen auf dem abgeschöpften Rahm.

So verrottet und verlottert konnte die literarische Szene in Österreich gar nicht sein, daß nicht auch sie diese Trends zu spüren bekommen hätte. Okopenkos »Lexikon-Roman« ist das Resultat ähnlicher verlegerischer Spekulationen; doch man muß ihm zugestehen, daß er sich recht geschickt aus der Affäre gezogen hat. Imitiert doch die lexikalische Anordnung von Stichworten das erfolgreichste Genus der Literatur – das Sachbuch, womit wenigstens rein äußerlich der belletristische Charakter kaschiert wird; dazu kommt, daß die zwangsläufig knapp kalkulierten Abschnitte dem Lyriker recht adäquat sind. Ärgerlich wird die Chose jedoch, wenn der Leser direkt angesprochen und aufgefordert wird, munter mitzutun, sich aus eigenen Versatzstücken spielend seinen Roman zu basteln: jedem sein Gefühls-LEGO (»Raum zum Einkleben Ihres vollschlanken Lieblings-Pin-ups«, »Raum für einschlägige Erinnerungen des Lesers«, usw.).

Um diese Albernheiten erträglich zu finden, müßte man dem Autor gutwillig unterstellen, in ironischer Absicht zu handeln und durch die technische Unmöglichkeit dessen, wozu er aufruft, gleichzeitig gewisse Tendenzen des experimentellen Theaters ad absurdum zu führen. Die eingestreuten »Mini-Essays« vermasseln Okopenko diesen Kredit und belehren den Leser eines besseren: hier schlägt ihm österreichisches Muckertum mit aller Gewalt entgegen: Die harten Sachzwänge des Alltags sollen durch die Verkleinerung in humoristische Miniaturen, durch imitierende Komik, ausgeglichen werden. Auf Sammetpfötchen zieht sich die kauzige Individualität ins muffige Kämmerlein des Privatlebens zurück und reproduziert dort zum eigenen Spaß die Taten der großen Welt.

Im übrigen ist die politische Position Okopenkos wie die der gesamten Kahlschlag-Generation wegen ihrer Qualligkeit schwierig zu klassifizieren. Unter dem Stichwort »Politik« schreibt Okopenko: »Um Rätselraten zu sparen: der Autor des Lexikon-Romans möchte eine Menschheit, die unter den Konditionen von LIBERTÉ EGALITÉ FRATERNITÉ bestandfähig ist, zum Sozialismus nicht geprügelt zu werden brauchte, in ihm die Individualität und alle anderen Wert- und Lustfaktoren höchst entwickeln könnte, keine Repression mehr kennt und alle Intelligenz an Stabilisierung und Intensivierung des Lebens wendet ...« Hosianna. Zwar täte man Okopenko bitter unrecht, nähme man seine politischen Ausführungen allzu ernst, doch immerhin bezeichnet er sich selbst hartnäckig als »Revisionisten« und Vertreter der sogenannten »heimatlosen Linken«. Zutreffender wäre jedenfalls der Terminus »introvertierter Anarchist«; die Revolution findet permanent im Weltinnenraum statt; die historische Parallele zu Restauration und Biedermeier ist unübersehbar.

So spiegeln auch Okopenkos Mini-Essays die Situation des Intellektuellen in diesem Vaterland, ohne geeignete Möglichkeiten zur Artikulation und Placierung seiner Reflexionen, ohne jede Resonanz bei einer Öffentlichkeit, die dem Intellektuellen alles schuldig bleibt, wenn sie ihn nicht gerade mit

Füßen tritt. In dem wichtigen Aufsatz »Der Fall ›Neue Wege‹« (Literatur & Kritik, 9/10, 1966) hat Okopenko einige Stationen dieses Leidensweges chronistisch notiert – die Regression des politischen Bewußtseins besitzt in Österreich wahrlich Tradition.

Die erzwungene politische Unmündigkeit führt auch zur Regression des ästhetischen Bewußtseins; dazu liefert die Literatur nach dem Kahlschlag Exempel über Exempel. Unter dem Stichwort »Affirmative Dichtung« verteidigt sich Okopenko gegen die Politisierungspostulate dessen, was er unter der Neuen Linken versteht, und entwirft dabei ungewollt, aber für ihn umso verräterischer, ein Programm des radikalen Anarchismus. Ein Programm, das politisch wie ästhetisch genau dem entspricht, was auf der Tagesordnung steht: »Daß ... Kultur, Freizeit, Seele, Liebe, Freundschaft als Ventil für die Sehnsüchte begrüßt werden, die sonst den imperialistischen Lok-Kessel sprengen könnten, ist leider wahr. Daß aber jeder Polier, der seinen Kumpeln ein Bier zahlt, ein Verräter am Klassenkampf ist, denn gut beraten müßte er sie blauprügeln, um darzustellen, wie unmenschlich das vorrevolutionäre Zeitalter ist; daß jede APO-Studentin, die ihrem APO-Studenten eine gute Gefährtin ist, liquidiert gehörte, weil sie mit dem Irrlicht einer privaten Gutartigkeit das Finster der öffentlichen Bösartigkeit verunkenntlicht; daß jeder, der Tiere nicht quält, Eltern nicht killt, Freunde nicht anzeigt, Fragende nicht anschreit, Lahme nicht umwirft, ein Unmensch ist, weil er den revolutionswichtigen Haß abdämpft; ... daß eine komplette Hölle modelliert werden müßte, um uns wohlgenährte Sklaven endlich mit der Entschlossenheit hungernder Chinesen auf zum letzten Gefecht losrennen zu lassen; daß eine Welt gebaut werden müßte, vor deren Schrecknissen jeder Flammenwerfertod, jedes an den Ohren Aufgehängtwerden, jede lebenslange Gefangenschaft im Verhörkeller zum Zuckerl ersüßen würde«: ... leider ist das nicht Okopenkos Programm. Denn er beschließt diese Fanfarenstöße, für die es weit und breit in der österreichischen Literatur kein Äquivalent gibt, mit dem gesperrt gedruckten Satz: »das mache ich nicht mit; dazu ist mir die seit Kindertagen vorgefundene Welt auch unter zweifelhaften Kapitänen zu lieb.«

Wie sein Anti-Programm beweist, ist Okopenko ein Anarchist bis auf die Knochen; aber einer, der Angst hat vor seiner eigenen Courage und darum sein Anarchistentum standhaft verleugnet. Daher wirken Okopenkos Gedichte auch, als hätten sie einen langwierigen Instanzenweg durchlaufen und die Zensurstelle passiert – der Autor als Prokurist reflektiert seine zwiespältige Situation dergestalt, daß er in larmoyanten Selbstgesprächen seine Idiosynkrasien gegen das Wiener Landleben hätschelt, zärtlich-erotische Gefühle protokolliert und als »Substantialist« ein paar Seitenhiebe gegen Formalisten austeilt: Literatur als »Liebeserklärung an die Welt«.

Gegen diese Auffassung von Literatur richtet sich mit scheinbarer Berechtigung die Parole vom Gebrauchswert: hier prallen zwei Gegensätze aufeinander, die einander verdienen: beider Unfähigkeit zur Differenzierung verdankt die Lyrik heute ein Gutteil ihres Schlamassels. Am meisten trug dazu aber der stagnierende Literaturapparat bei: Um den Gaumen des erschlafften Publikums erneut zu kitzeln, besannen sich die einschlägigen Institutionen rechtzeitig bestimmter ästhetischer Theorien, die sich mit dem Warencharakter der Kunst auseinandersetzen. Nun gab's wieder einen fetten Brocken zu kauen: »Literatur als Ware«. Vor allem der Terminus »Gebrauchswert«, beispielsweise eines Gedichts, machte die Runde. Und all dies ausgerechnet in einem Stadium, da sich der Gebrauch von Literatur nicht nur quantitativ vermindert hat, sondern auch qualitativ dubios geworden ist! Die Verteilerfunktionäre scheuten sich dennoch nicht, nun jedes Gedicht nach seinem »Gebrauchswert« abzuklopfen. Und zwar in dem elend vordergründigen Sinn, nach dem »Nutzen«, dem »Informationsgehalt« zu fragen; was wiederum, nur notdürftig kaschiert, die fossile Frage nach der »Aussage« eines Gedichts meinte.

Doch der Gebrauchswert der Lyrik kann heute nur ihr anarchistisches, explosives, destruktives Element sein: die Literatur läßt sich darum so schwer politisieren, weil sie im Moment, da sie sich ernst nimmt und keine Angst vor sich selber hat, weitaus radikaler und utopischer ist als die Politik.

Dieser destruktive Gebrauchswert, das verdrängte anarchistische Potential, bricht bei Okopenko in seinem eigentümlichen Hang zur Darstellung von Grausamkeiten und Folterszenen durch, beispielsweise in seinem exorbitanten Stereo-Hörspiel »Algerie francaise«, und anderswo. Es läßt vermuten, daß Okopenko die österreichische Narkose-Maske der Resignation nur mit Widerwillen trägt – der Austriazismus ist ein Narkotikum, um sich damit zu betäuben. Unter diesen Voraussetzungen hat sich Okopenko als Repräsentant einer ganzen Generation und einer spezifischen Situation tapfer genug geschlagen.

Konrad Bayer

situation der österreichischen literatur der gegenwart

entgegen, trotz einer reihe, vieler, ungeleugneter widerstände, umstände, ungünste, missverständnisse, hindernisse, wie sie wollen, gibt es für, hat die junge österreichische literatur, österreichische literatur der gegenwart (– die nichtssagende kategorie entsteht nun zu aller ärger aus vorbestimmtem titel und jetzt liegt er da, der bleiche spulwurm, dem sonnenlicht der bedeutung vorenthalten, hilflos am boden …) seit einiger zeit, zerplatzen der naturgeschützten nachkriegsschreiber, jahren, eine chance, günstige gelegenheit.

ungestört zeigt sie sich, die, in einem unkontrollierten zustand wuchernder pubertät.

das alter (lebende heroen sind hier unbekannt) nimmt an dieser vegetation nützlich keinen anteil oder hat sich soweit als unzuständig erklärt, gezeigt, erwiesen, dass kritik, korrektur, einfluss sich nicht ereignet oder dort, weit draussen, kaum sichtbar, in der perspektive verschwunden, an der sache, phänomen vorbeigeht, vorbeiging. eins, zwei, rechts, links.

in diesem erfrischenden klima mangelnder interpretation wächst sie, die, im fruchtwasser der sie umgebenden interesselosigkeit ungestört, wie gesagt, heran, die kräftige spätgeburt, 5 kilo 80, der kleine!

nebenan ist das mistbeet des schlechtverdauten surrealismus; – die musterschüler von kalkvater grillparzer wohnen im gartenhäuschen.

ELFRIEDE GERSTL

Über Bayers Zweifel an der Kommunikationsfähigkeit der Sprache in einem engeren privaten Sinn und inwiefern er verstanden oder mißverstanden wurde

Wie lange muß ein österreichischer Dichter tot sein, damit seine literarische Auferstehung auch in Wien gefeiert wird?

Im Fall Konrad Bayer, der hier in seiner Heimatstadt zu seinen Lebzeiten mißachtet und totgeschwiegen wurde, sind es genau 15 Jahre. Nach 15 Jahren größter Bewunderung und Wertschätzung bundesdeutscher Verlage und Kritiker ist es endlich so weit.

Seine Person ist inzwischen zu einer mythologischen geworden, über die sich nur wenige seiner engsten Freunde wie Gerhard Rühm und Friedrich Achleitner ungestraft äußern dürfen.

Knurrend bewachen die meisten Freunde und Jünger von damals die Erinnerung an den Freund und Meister, in erster Linie voreinander. Soll er denn nicht genannt werden? Nein, auch nicht gepriesen. Die Erinnerung an ihn ist ihr Besitz. Daß jeder Erklärungsversuch bei einem so privaten nach innen gerichteten Werk unzureichend ist, ist auch mir klar, ob er auch ein Sakrileg ist, weiß ich nicht.

1. In welchem Klima sind die Arbeiten von Konrad Bayer und der Wiener Gruppe überhaupt entstanden?

In den 50er Jahren, in der Zeit der schwarz-roten Koalition in Österreich und des kalten Krieges an allen Fronten, war die sogenannte Verwichtelung auch im Kulturbetrieb perfekt und allgemein.

Eine gewiß antifaschistische und verschwommen humanistisch ausgerichtete offizielle, zumeist aus Pen-Klub-Mitgliedern bestehende Staatsliteratur gab den Ton an, hatte die Macht über Medien, Verlage und Preisverleihungen und ebenso die Macht, alles von einer dementsprechend lethargischen und versumperten Öffentlichkeit fernzuhalten, was sie selbst nicht verstand oder was ihrem dem 19. Jahrhundert abgelauschten Literaturverständnis widersprach. Blind oder allergisch gegenüber Sprachproblemen und ihrer Erörterung drängte diese selbstgerechte und bornierte Literaturmafia problembewußte, in ihrem Leben und Schreiben Experimente riskierende Autoren wie eben die der Wiener Gruppe in ein esoterisches Abseits (auch so ein Mißverständnis, über das noch zu reden sein wird) und in die zunächst gar nicht freiwillig gewählte Isolation.

Verständigung mit diesen Offiziellen, ein Diskurs auf so unterschiedlichen

Ebenen war nicht möglich, im Punkt 62 im *starken toback*, einer Gemeinschaftsarbeit von Konrad Bayer und Ossi Wiener, heißt es:

> *warum haben konrad bayer und oswald wiener die führenden politiker der*
> *welt noch nicht aufgeklärt?*
> *beweis: ein hund kann über seine hundheit nicht belehrt werden.*

Immer enger schlossen sich die Ausgeschlossenen zusammen und begannen nun ihrerseits sich anbiedernde Adepten zu stampern, man kann auch sagen zu verscheuchen, oder hartnäckigere kniffelige erkenntnistheoretische Fragen zu stellen. Wer schon etwas Vorkenntnisse mitbrachte, rasch lernte und den Jargon der Gruppe bald gut beherrschte, durfte immerhin bei den öffentlichen Treffen in Lokalen dabeisein. Diejenigen, die dabei waren ohne nur Adabeis zu sein, machten einen radikalen Prozeß der Verunsicherung durch, sie lernten z. B. redend auf jedes ihrer Worte zu achten und sich Sprache auch nicht mehr arg- und kritiklos wie Speisen reinzustopfen. Jedenfalls realisierte die Gruppe mit ihrem gemeinsamen Arbeiten, Feiern, Ausgehen, Diskutieren der Grundlagen, der Anwendung von Theorie auf ihre alltägliche Lebenspraxis, ein Programm, von dem linke Autoren meist nur reden oder träumen.

2. Es ist das Verdienst der Wiener Gruppe und zwar vor allem Bayers, Wieners und Rühms, Probleme der Philosophie, vor allem der Erkenntnistheorie, exemplifiziert und poetisiert zu haben. Artmann kam eindeutig vom Surrealismus her, Achleitner vom Konstruktivismus, was zunächst auch für Rühm zutrifft, dessen Werk aber das breiteste Spektrum der formalen Möglichkeiten umfaßt. Bayer war zeitweise Artmann sehr nahe, wenn nicht sein Schüler, wo es um surreale, fantastische, romantische und hermetische Schreibweisen ging, andererseits war er ebenso wie Wiener an wissenschaftlichen und philosophischen Problemen und Welterklärungsmodellen bzw. ihrer Verwerfung interessiert.

Wiener wird in Bayers Aufsatz über *hans carl artmann und die wiener dichtergruppe* der Theoretiker der Gruppe genannt, und dann wörtlich: »seine theorien bilden das rückgrat vieler versuche«, und ich möchte hinzufügen, daß es Wieners Verdienst ist, die uralte versteinte philosophische Problematik des Universalienstreits und der Abbildtheorie in den permanenten Diskurs der Gruppe eingeführt zu haben, unakademisch, witzig, in umgangssprachlichen Formulierungen.

Und worin besteht das Verdienst Bayers? Als ob sich das nun wieder sagen ließe. Nur im engen Bezug zum erwähnten Thema kann man z. B. sagen: Bayer der Poet hat gezaubert und aus dem uralten Fels nochmals Wasser sprudeln lassen, oder anders gesagt, er hat das Poetische in der Problematik gesehen, ähnlich wie Wittgenstein, den ich auch für einen großen Dichter halte und dessen zweiphasiges Werk auf die zwei Phasen der Entwicklung der Wiener Gruppe, die man sich natürlich nicht scharf abgegrenzt denken darf, tiefgehenden Einfluß hatte.

Mit den zwei Phasen meine ich die von Wittgensteins Frühwerk beeindruckte neopositivistische (hinsichtlich Sparsamkeit und der Ökonomie der Mittel mit dem höchsten Entwicklungsstand der positivistisch fundierten Wissenschaft wie der Warenproduktion korrespondierend), ich meine die der konkreten Poesie nahestehende Periode, der sich viele Gemeinschaftsarbeiten verdanken, während in einer zweiten, sagen wir es abgekürzt, einer antipositivistischen Periode, die umfangreicheren Einzelleistungen wie eben der *sechste sinn* oder die *VERBESSERUNG VON MITTELEUROPA* entstanden. Wie hört sich das an, wenn Bayer, der niemals didaktisch sein wollte und es dennoch war (wie er auch Konsequenz verlacht hätte, und in seinem Arbeiten, Leben und Sterben doch sehr konsequent war), wenn er in wenigen einprägsamen und amüsanten Sätzen die Position des Solipsismus beschreibt.

seit ich weiss, dass alles meine erfindung ist, vermeide ich es, mit meinen freunden zu sprechen. es wäre albern. allerdings hüte ich mich, ihnen zu sagen, dass ich sie erfunden habe, weil sie schrecklich eingebildet sind und glauben, dass sie mich erfunden haben. es würde ihre eitelkeit verletzen. ich staune über die eitelkeit und die überheblichkeit meiner erfindungen. gestern wollte jemand unter dem hinweis, dass er mir geld geliehen habe, eine größere summe kassieren. ich versuchte, ihm die sache vorsichtig zu erklären, aber er verstand garnichts, und ich erfand, dass er sich auf mich stürzen wollte, weil ich in meinen erfindungen streng logisch vorgehe. ich schlug ihm die türe vor der nase zu und erfand mir einen nachmittag mit sonne. es war sehr schön, aber langweilig. deshalb liess ich es 23 uhr werden, las ein buch und legte mich zu bett.
ich habe den heutigen tag erfunden und bin sehr froh darüber. auch mit der erfindung der musik bin ich sehr zufrieden. (1958)

Auch diesem Stück sind wahrscheinlich Gespräche mit Wiener vorangegangen. Inwieweit Bayer Einfluß auf Wiener hatte, ist in einem ernstzunehmenden Umfang unbeantwortbar. Es wäre nur denkbar, daß Wiener durch Bayers reiche Assoziationsfähigkeit und die Vielfalt seiner poetischen Einfälle bei der Herstellung von Textmodellen, zu denen Wieners Theorien wie gesagt meist das Rückgrat gebildet haben, das Fleisch aber dann von

Bayer hinzugefügt wurde, manchmal in eine Konkurrenzsituation geraten sein mag, der sich vielleicht manche seiner poetischen Leistungen auch innerhalb der *VERBESSERUNG* verdankt, einer Konkurrenzsituation, der er auf philosophischem Terrain kaum je zu begegnen gewohnt war.

3. Welche Zweifel und Traurigkeiten hat die Beschäftigung mit den alten unlösbaren Problemen der Philosophie seinen früheren, den sozialen, emotionalen oder wie immer man sagen will, noch hinzugefügt?

Er mußte erkennen, daß Kommunikation nur auf einer sehr groben quasi mechanistischen Ebene funktioniert und daß er trotz meisterhafter Sprachbeherrschung weder einen Vorgang abbilden kann noch seine Individualität in dieser alten, aus vielen Altersschichten bestehenden, mit einer vollgestopften Rumpelkammer vergleichbaren, nun mal so ererbten Sprache, seine Individualität nicht »zur Sprache« wird bringen können, sondern mit ihr sozusagen bei sich wird bleiben müssen.

Daß Sprache gut genug ist, um im Stammkaffee zwei Eier und ein Butterbrot zu bestellen und auch zu erhalten, und daß man ihm nicht stattdessen eine Portion Schraubenschlüssel bringen wird, womit er aus dem lebenserhaltenden Verband der Kommunizierenden ausgeschlossen gewesen wäre. Hätte er Schraubenschlüssel bekommen, wäre die grobe Mechanik des Verstehens allerdings aufgebrochen gewesen und eine den Einzelnen auf eine neue Weise vereinsamende angstmachende Freiheit hätte die Macht angetreten.

Das Aufbrechen alter Sprachmuster, Befreiung der Begriffe aus den Gefängnissen der Semantik und Grammatik, war vielleicht ein Akt der Selbstbefreiung, das Erlebnis einer Spracheuphorie und zugleich eine Kampfansage an die mächtigen bewahrenden Kräfte, die sich in und mit einer verkrusteten Sprache durch die Stadt bewegten wie in einem Panzer. Ulrich Janetzki schreibt in seinem Aufsatz *Versuch das Unsagbare zu zeigen*: »Die Unangemessenheit von Sprache in bezug auf Erkenntnisse rein individueller Art läßt Bayer nach der möglichen, ihm immanenten Bewußtseinssphäre fragen. Nicht nach dem Bewußtsein von Welt, dies ist sprachlich vermittelt, sondern nach dem Bewußtsein seiner selbst fragt er, nach den Möglichkeiten seines Selbst-Bewußtseins.«

4. Welchen Anwürfen und Mißverständnissen waren und sind wohl immer noch die Texte Bayers und anderer Vertreter der Wiener Gruppe ausgesetzt? Besonders hartnäckig dem Vorwurf der Hermetik und Esoterik, der aus drei verschiedenen Ecken kommt:

(1) von den Mächtigen des Kulturbetriebs, für die Sprache und ihr Funktionieren nicht hinterfragenswert, weil Instrument ihrer Machtausübung darstellt.

(2) von der Paranoia der Abendlandschützer, die vor Angst (auch um ihre Privilegien, die sie meist ohne es zu bemerken schon verloren haben) nicht denken können, sobald ihnen was Neues zunächst Unverständliches begegnet, ohne zu sehen, daß hier poetische Traditionen auch noch in ihrer Verfremdung, Relativierung und Persiflage ihren höchsten Grad von Differenzierung erfahren haben.

P. O. Chotjewitz schreibt in seiner Besprechung für *Literatur und Kritik* über den *sechsten sinn,* »Bayer hat sein eigenes literarisches Tun auf das Wandern in den Endmoränen einer großen kulturellen Tradition, gegen die zu revoltieren uns als letzte mögliche Tätigkeit geblieben ist, reduziert. Seine Texte sind allesamt Ausdruck der großen Nutzlosigkeit der Literatur und der Literaten und sie verraten Bayers saturnische Freude daran.«

(3) können die Vulgärmarxisten nicht sehen, können ebenfalls aus kleinbürgerlicher Ängstlichkeit vor allem Neuen, das ihre eigene Position infragezustellen imstande wäre, nicht sehen, daß hier keineswegs verstiegene oder esoterische Inhalte, was immer das sein mag, abgehandelt werden, sondern etwa im *sechsten sinn* Parties angedeutet werden, Liebesbeziehungen, erotische Situationen, Gespräche eines Freundeskreises in Wohnungen und immer wieder in Lokalen der Wiener Innenstadt, sie sind ferner unfähig einzusehen, daß das Festhalten an altbackenen unreflektiert und ungebrochen verwendeten Erzählweisen, wie sie einem in realistischen Bestsellern begegnen, egal wieviel Bilderbuchbauern oder Arbeiter in ihnen vorkommen, literarisch und politisch reaktionär ist, das Aufbrechen veralteter, bürgerlichen Traditionen verpflichteter Strukturen hingegen vergleichsweise revolutionär oder doch aufrührerisch ist. Ich zitiere nochmals aus der Rezension von Peter O. Chotjewitz: »Unsere Literatur ist nur ein Reflex eines ganz allgemein fehlenden Gegenwartsbewußtseins, eines Bewußtseins, das sich immer noch hinter irgendwelchen wärmenden Metaphern von vergangenen Menschheitsepochen versteckt und gefühlsmäßig wie auch intellektuell dem technisch-industriellen Stand einer Kunst und Kultur am Ende des zweiten Jahrtausends nicht zeitentsprechend ist.«

5. läßt sich zeigen, daß Bayer nicht nur mißverstanden wurde, sondern sehr wohl auch eine starke Faszination ausübte und ausübt, auf schon Sensibilisierte, auf Lernfähige und daher auch zur Verunsicherung Befähigte und immer wieder – wen wundert's – auf Literaten, auf Junge ebenso wie auf die Stars. Ich denke an Peter Handke, der für seine *Publikumsbeschimpfung* deutliche Anleihen bei Bayers *kasperl am elektrischen stuhl* sowie dem *idiot* gemacht hat, Gunter Falks frühe Franz-Geschichten erinnern stark an *gertruds ohr,* Eisendles Wissenschaftspersiflagen lassen an Bayer und Wie-

ner denken. Walter Benjamins Behauptung »Ein Autor, der die Schriftsteller nichts lehrt, lehrt niemanden«, drängt sich hier auf. Bayer hat viele belehrt, wenn auch auf ganz unterschiedliche Weise, manche haben von ihm Techniken gelernt, anderen war er ein Beispiel für eine abenteuerliche, konventionsverachtende, risikoreiche Weise zu leben und zu schreiben.

Einige von Bayers Verfahrenstechniken, mit denen er konventionelle Erzähltechniken desavouiert, sind: das Wörtlichnehmen von Phrasen, Reihung oder Steigerung von Klischees, Verwissenschaftlichung banaler Vorgänge oder die Vortäuschung einer wissenschaftlichen Sehweise, wobei die wissenschaftliche Terminologie ironisiert wird.

So kann man aus dem Montageroman *der sechste sinn* verschiedene Interpretationsebenen herausfalten oder -filtern und, wenn man will, entsprechend verschiedenes von ihm lernen. Man kann dieses Buch als eines ansehen, in dem in verschlüsselter, manchmal offener Form (»es ist ja nichts versteckt, es ist ja nichts verborgen«, sagt Wittgenstein über den Wahrnehmungsfluß in den *Logischen Untersuchungen*) alles über die Perspektive gesagt ist. Man kann es aber auch als die Aufzeichnung einer sprachlichen Abenteuerreise sehen, die Perspektiven des Bewußtseins aufreißt, die die vertraute schützende Welt der fünf Sinne übersteigt, und wenn ich schon Reise gesagt habe, sage ich auch noch Trip und behaupte, die Texte Bayers haben die Verführungskraft einer Droge.

Daß Jemand zu einer mythologischen Person gemacht wird, wirft ein Licht auf die Leute, die sie dazu machen und sich durch die zeitweilige Teilhabe an einem Geheimnis geadelt fühlen; daß Jemand für die Rolle ausersehen wird und geeignet ist, liegt an der Authentizität und Ausstrahlung der Person. Die Radikalität von Bayers Selbstpreisgabe und sein Interpretation und Diskussion abwehrendes und erschwerendes Nach-innen-Sprechen mögen noch dazu beigetragen haben, daß sich im Laufe der Jahre etwas um ihn gebildet hat was er nie intendierte, eine Gemeinde.

Reinhard P. Gruber

HC Artmann: Phallus phalli steigern

nur wenige wissen, daß er lieber artmann als kunstmann heißt. seine art, künstler zu sein, ist eine zu tiefst männliche und daher sexuellpoetische.

als letzter sproß einer waldviertlerischen sippe aus st. achatz am walde kommen ihm eminente arterhaltende aufgaben zu; er löst sie zur zufriedenheit des clans, indem er ganz europa begattet (satyrismus). seine zeitweilige rückkehr zum clan löst in der regel das rituelle verspeisen eines spanferkels aus, begleitet vom kultisch-ekstatischen umtrunk (kannibalistisch-mythologische tradition).

mit vorliebe wirft er sich in die poetischen landschaften und menschen europas, um sie aufzusaugen (vampirismus). aufenthalt daher nicht stet …

anfang der 50er jahre taucht er in wien auf und erfindet zur rechtfertigung seiner existenz das geburtsjahr 1921; 30 lebensjahre läßt er auf diese weise im dunkeln seiner und der europäischen geschichte verschwinden (souvenir kriegsverletzung). sofort proklamiert er 1953 das programm seines weiteren lebens, die acht punkte des poetischen acts, und verwirklicht es auf der stelle bis zum heutigen tag. seit damals als dichter unangreifbar und unbegriffen. dichtet als dichter und zeremonienmeister der abendländischen poesie alle gattungen, ausgenommen österreichische heimatromane (vaterland europa).

hält sich zu beginn seiner poetischen tätigkeiten, bei denen er zuerst neue, dann noch günstigere wege beschreitet, ständig im untergrund – der damals noch keller heißt – auf. mitbegründung einer literarischen kellerfraktion: die keller- bzw. bodenständigste zeit: strohkoffer (in dem der art-club tagt/nächtigt, der allerdings von gütersloh gegründet wurde), dom-café, club cité, kleine schaubühne, arche usw. seit er seine zeremoniellen anweisungen aufschreibt, gilt er als theaterschriftsteller.

Klagenfurt erwählt er für den – nach ihm in mode gekommenen – poetischen act der polizistenbeohrfeigung zur aktualisierung und theatralisierung der österreichischen umwelt. so wird seine freundschaft zur kärntner landeshauptstadt und ihrem theater gefestigt; selbst taxifahrten von paris nach klagenfurt scheut er nicht mehr.

konrad bayer erkennt in seiner lebensform den »beweis, daß die existenz des dichters möglich ist«. nach peter o. chotjewitz weigert er sich, »die pflichtübungen der literarischen gesellschaft zu absolvieren«. nach hc artmann lebt er das ausschließliche intensive, das: ausschließlich-intensive leben des hc artmann, das heißt: wo jemals in europa intensives leben spuren hinterlassen hat, spuren in landschaften, menschen, kulturen, da ist auch hc artmann gewesen. er ist spuren nachgegangen und hat spuren hinterlassen (trapper). durch seine kunst des fährtenlesens, des schnupperns, der orientierung in fremdem gelände ist er für seine freunde zum wegmacher geworden, zum fremdenführer für poetische touristen.

nicht unwesentlich verdankt z. b. die südsteirische weinstraße ihren edlen ruf den ausgiebigen wanderungen artmanns. so konnte ihm nicht verborgen bleiben, daß die anmutige blume der ansässigen weine durch ein besonderes preßverfahren gewonnen wird: durch stampfen der weintrauben mit den bloßen füßen von 13–16jährigen hübschen steirischen mädchen. so hat er die steiermark nicht nur als land der brutalen biertrinker, sondern auch als stätte erlesener weinkultur entdeckt. die völker mit den trächtigsten mythologischen traditionen, wie normannen, kelten, steirer, iren, waliser, bretonen, basken, berner u. alle a., sind ihm bekannt wie keinem 2. in mitteleuropa; als letztverbliebener apostel, der noch das pfingstwunder erlebt hat, spricht er auch deren sprachen (superpolyglotte), neben anderen, minder wichtigen.

wegen seiner immer überraschenden, als polyphon zu bezeichnenden sichtweisen seiner welt wird er auch als 2-äugiger polyphem bezeichnet und führt so die mythologische linie als *poly-monstrum* im 20. jh. weiter:
    seine herkunft ist nur polygenetisch zu erklären;
    vollblütigkeit = polyämie ist sein ausgeprägtestes charaktermerkmal;
    wie sein wesen, so seine bekleidung: polychrom.
    er ist der erlauchteste vertreter des polydämonismus;
    leidet an polydipsie, polyurie und polyästhesie;
    hängt der polygynie an;
    ist erfahrener polyhistor umd polymathetiker;
    sein erscheinungsbild ist von humanem polymorphismus geprägt;
    er ist polyphage;
    seine bewegungen verlaufen polyrhythmisch;
    läßt sich von polysemien leiten und verleiten;
    ist polytechnisch begabt;
    lebt polyvalent.

intime kenner artmanns behaupten, er sei ein direkter nachfahrer des grafen dracula; seine unentwegten streifzüge sprechen nicht dagegen: länger als kurze zeit ist er noch nie an ein und demselben ort gesichtet worden, und auch dann nur nachts (nächtliche allgegenwärtigkeit). nachzuweisen ist ihm nichts; noch niemand hat ihn festhalten können. da er potentiell

überall anzutreffen ist, kommt ihm die modalität der ortlosigkeit zu; noch mehr allerdings die der zeitlosigkeit: er ist so barock wie aufgeklärt modern antik. wer würde jemals die absurde behauptung aufstellen, artmann könnte einmal als fünfzigjähriger angetroffen werden?
so erweist sich seine festlegung an ein geburtsdatum als hämische list eines fruchtbaren, zeit- und ortlosen, poetischen dämons.

ELFRIEDE GERSTL

konkrete poeten und die es einmal waren

wer diesen angestrengten weg gegangen
verlegen vor verlangen nach exaktheit
verlogen nennend die kalkül verachten
betrogen um die zeit die sie verloren
befragen sie den nutzen der askese
betragen sich wie aufgeklärte ketzer
betrauernd insgeheim verlornen glauben

LIESL UJVARY
Zur österreichischen Literatur

Meine Antwort auf die Frage Alfred Kolleritschs, was mir an der österreichischen Literatur (Kunst) dieses Jahrhunderts wichtig war: Da ich in diesem Kräftespiel – der heutigen Literatur- und Kunstszene in Österreich – lebe und schreibe, bedeutet mir die österreichische Literatur (Kunst) naturgemäß viel. Aber ich liebe sie nicht. Es liegt in der Luft, man muß es einatmen, ob man will oder nicht. Das gilt nicht nur für die heutige, sondern allgemein für die österreichische Kunst dieses Jahrhunderts, die ich insgesamt als viel zu nahe empfinde, um so etwas wie ein objektives Urteil fällen zu können. Und gerade an jenen Kunstwerken, die ich für hervorragend halte, reizt und stört mich ihr wie mir scheint oft unerträglich korruptes Verhältnis zu unserer real existierenden Wirklichkeit. Ihre wie ich meine nicht genügend kompromißlose, nicht genügend radikale Haltung, welche diese Kunstwerke letztlich unfähig macht, dieser Wirklichkeit ein Bild entgegenzusetzen, das wirklich den Nerv trifft. Im Grunde genommen ist das natürlich mein Problem, das Problem meines Lebens und Schreibens, und die Errungenschaften und Blamagen der österreichischen Literatur und Kunst sind für mich Inbegriffe dafür, was ich mit mir machen kann und was ich nicht mit mir machen darf, um hier zu bestehen.

ERICH FRIED
Zur österreichischen Literatur seit 1945

Es gibt einen alten, recht langweiligen Streit, ob die deutsche und österreichische Literatur zusammengehören oder getrennt zu betrachten sind. Am Ende des Zweiten Weltkriegs meinten einige Österreicher sogar, es gäbe eine besondere österreichische Sprache. Die meisten österreichischen Schriftsteller, von Walther von der Vogelweide über Grillparzer bis zu Trakl, Karl Kraus und Musil wären darüber mehr als erstaunt gewesen. Nach Ende des Zweiten Weltkriegs aber finden wir tatsächlich beträchtliche Unterschiede zwischen der deutschen und der österreichischen Literatur, sowohl was Voraussetzungen und Bewußtseinslage als auch was Arbeitsbedingungen der Schriftsteller betrifft.

Nach 1945 war in Deutschland und in Österreich falsches Bewußtsein der eigenen Lage weitverbreitet, aber in beiden Ländern grundverschiedenes falsches Bewußtsein. In Deutschland proklamierte man das Jahr Null, tabula rasa, den völlig neuen Anfang, was natürlich oberflächlich, ja unsinnig war, weil man seine Sprache, ja mit ihr das ganze Herangehen an die Artikulation seiner Gedanken und Gefühle nicht von einem Tag auf den anderen vergessen oder auswechseln kann (obwohl man sich natürlich damit auseinandersetzen kann, was aber nicht die Jahr-Null-Methode war). Dieser Jahr-Null-Mythos der Mitte des 20. Jahrhunderts führte unter anderem zur Kahlschlaglyrik und – unter Berufung auf Wittgenstein und angloamerikanische Nachfolgephilosophien – zu sprachlichen und gedanklichen Zurücknahmen, die die Verlogenheiten einer Sprache und eines Geisteslebens unterlaufen und so vermeiden wollten, wobei aber der Bereich des Denkbaren und Sagbaren so eingeengt wurde, daß die Dichtung ihren Aufgaben nur mehr zum kleinen Teil genügen konnte.

Das in Österreich vorherrschende falsche Bewußtsein aber behauptete etwa: »Die bösen Deutschen sind wir jetzt los und können uns auf unsere eigenen gesunden alten Werte besinnen.« Daß nicht alle alten Werte so besonders gut waren, daß sie zum Teil auch schon bei der Erziehung des jungen Adolf Hitler Pate gestanden hatten, wurde vergessen. Österreich war »befreit«, während Deutschland nur »geschlagen« und »besetzt« war. Dieser Gegensatz war mindestens eine grobe Versimpelung. Wichtiger war, daß die Stadtkerne und Bibliotheksgebäude in Deutschland zum großen Teil zerstört, in Österreich erhalten geblieben waren und daß das ganze Kulturleben in den beiden Ländern verschieden wieder in Gang kam, in der Bundesrepublik mehr vom Westen, besonders von Nordamerika beeinflußt, während man in Österreich mit weit weniger Hemmungen auf alte Konventionen und Traditionen zurückgriff – auch ein so integrer Mann wie Rudolf Felmayer, der sich als Sozialist verstand. Andererseits waren in Österreich schon in den ersten Jahren nach dem Krieg kulturelle Anregungen aus den Nachfolgestaaten der ehemaligen Monarchie deutlich merkbar, zum Beispiel in Otto Basils *Plan*.

Waren die vorherrschenden Kulturtendenzen in beiden Ländern verschieden, so entsprach dem auch die Verschiedenheit der Ansätze zur Gegenkultur. In der Bundesrepublik knüpfte diese in der Literatur stärker an Brecht an, in Österreich finden sich mehr expressionistische, ja sogar surrealistische und – vereinzelt – dadaistische Elemente, die man neu zu beleben suchte. (Von der DDR, deren literarischer Einfluß in beiden Ländern ein interessantes Thema ist, will ich hier absehen, weil die andersartige Gesellschaftsordnung mit anderen Methoden der Tabu-Erzwingung Vergleiche zwar nicht unmöglich macht, das Thema Unterschiede zwischen deutscher und österreichischer Nachkriegsliteratur dadurch aber gesprengt oder allzu kompliziert wird.) Das Gebäude der traditionell-konventionellen Literatur schien jedenfalls in der Bundesrepublik Deutschland zunächst demoliert zu sein, obwohl Grundmauern und Keller nur allzu gut erhalten geblieben waren. In Österreich aber schien dieses Gebäude erhalten, ja von neuem wohnlich gemacht zu sein, obwohl seine Risse so deutlich sichtbar geworden waren, daß die Gegenkultur gerade in ihnen Wurzeln schlagen konnte. Das ist natürlich nur eine Darstellung in ganz groben Umrissen. Zum Beispiel Bayern nahm schon nach wenigen Jahren eine Art Mittellage zwischen österreichischem und deutschem falschen Bewußtsein ein. Dennoch ist leicht nachzuweisen, warum etwa Gedichte wie Ingeborg Bachmanns *Große Landschaft vor Wien* und viele andere aus *Gestundete Zeit* oder *Anrufung des Großen Bären* im damaligen Deutschland nicht geschrieben werden konnten, daß sie aber, ebenso wie die ersten Gedichte des aus der Bukowina, einer Enklave alt-österreichischer Kultur, stammenden Paul Celan, eine ungemein wichtige Ergänzung der deutschen Dichtung, ein Gegengewicht zur Kahlschlaglyrik darstellten. Andererseits war es kein Zufall, daß Peter Otto Chotjewitz Ingeborg Bachmanns lyrische Sprachkontinuität von großer Spannweite als »kitschig« mißverstehen konnte oder daß Beda Allemann Celan zu sehr als Mystiker, der zum Teil dunkel bleiben müsse, sieht (was allerdings seither Marlies Janz in ihrem ausgezeichneten Buch *Vom Engagement absoluter Poesie. Zur Lyrik und Ästhetik Paul Celans* überzeugend berichtigt hat). Auch die ganz unzulängliche Würdigung von Ilse Aichingers erstem und bedeutendstem Werk, dem Roman *Die größere Hoffnung*, in der Bundesrepublik – obwohl in einem großen deutschen Verlag erschienen – dürfte auf die Verschiedenphasigkeit der österreichischen und deutschen Literatur jener Jahre zurückzuführen sein.

Später nimmt natürlich wechselseitige Beeinflussung zu, aber österreichische und deutsche Dichtung sind immer noch »ungleichzeitig«. Die Dichtung hat in beiden Ländern auch auf andere Wirklichkeiten zu reagieren. Westdeutschland setzt sich immerfort mit der DDR auseinander, wird zum wichtigsten Land der EG, gerät in den Sog von Aussichten, Gefahren und Sachzwängen einer neuen wirtschaftlichen und politischen Großmacht.

Österreichs Lage ist ganz anders. Die Literaturen beider Länder haben daher eigentlich teils verschiedene Funktionen. Die Entfremdung sieht in beiden Ländern verschieden aus. Natürlich hat Österreich auch keine der deutschen nur entfernt vergleichbare Studentenbewegung; was im Zusammenhang mit dieser entstand, hat in Österreich keine oder nur nachempfundene Entsprechungen. Dafür bleiben den Österreichern Tendenzen erspart wie die deutsche von 1968, daß einer eigentlich nicht mehr seine Zeit mit Dichtern vertun könne.

Da die vorherrschenden österreichischen Kulturtendenzen lange Zeit konservativer waren als in Deutschland oder dies doch offener zeigen konnten, hat sich in Österreich auch ein spezifisch österreichischer Protest gegen falsche konventionelle Kulturwerte entwickelt, der von Wedekind-Anklängen bis zu einer besonderen Art Nihilismus reicht (Artmann, Rühm, Konrad Bayer, Oswald Wiener usw.).

Oder um ein ganz anderes Beispiel zu zitieren: Ernst Jandls Texte unterscheiden sich radikal von der konkreten Poesie Gomringers, aber auch Heißenbüttels. Ironie, beißender Sprachwitz, der auf Karl Kraus, ja selbst auf Nestroy zurückgeht, Kritik an Schablonenbegriffen (häufiger noch als bei Heißenbüttel) lassen bei ihm die Sprache keineswegs einziges Thema der Dichtung bleiben. Andererseits hätte Jandl in Deutschland nie (oder doch erst in den letzten Jahren, etwa in Bayern) soviel Widerstand gegen seine Dichtung gefunden wie in einigen Teilen Österreichs selbst an höheren Schulen.

Auch der offizielle Literaturbetrieb war in beiden Ländern verschieden. In Österreich gab es nie eine »Gruppe 47« mit all ihren Vor- und Nachteilen. Dafür gibt es in Deutschland kein Gegenstück zum »Steirischen Herbst«; auch der Hamburger »Literatrubel« ist das nicht. Eine blamable Don Quichotterie wie Alexander Lernet-Holenias Austritt aus dem P.E.N. als Protest gegen Heinrich Bölls Nobelpreis wäre in Deutschland kaum möglich gewesen. Wichtig ist, daß viele Jahre nach 1945 die Existenzbedingungen für Dichter in Österreich viel schlechter waren als in Deutschland. Rundfunkhonorare zum Beispiel waren nur ein Bruchteil der deutschen. Dies und auch die reich subventionierte Stipendienpolitik Westberlins zog zahlreiche österreichische Schriftsteller nach Deutschland. Wer konnte, veröffentlichte in deutschen Verlagen. Mittlerweile ist die Literaturförderung in Österreich um vieles besser geworden, Rundfunk und Fernsehen bieten höhere Honorare, ja sogar einzelne Verlage haben sich einigermaßen entwickelt. In der Rezeption bestehen noch immer Risse zwischen den beiden Ländern. Ein großer Schriftsteller wie Arno Schmidt, von dem sich viel lernen ließe, wird in Österreich völlig unterschätzt. Ein vielseitiger und origineller Dichter und Schriftsteller wie Andreas Okopenko ist in Deutschland nach all den Jahren noch fast unbekannt. Was sich als avant-gardistische oder linke Literatur versteht, ist in Österreich manchmal funktionslose Nachahmung deutscher Versuche ohne deren politischen oder Kulturkampf-Hintergrund und bleibt daher Manier. Dafür findet es ein österreichischer origineller Dichter wie Ingram Hartinger schwerer, bekannt zu werden, als er es in Deutschland gefunden hätte. Am besten wird es wohl sein, möglichst intensiven Kontakt zwischen österreichischen und deutschen Schriftstellern, Kritikern und Medien zu suchen. Das falsche Bewußtsein in den beiden Ländern ist zwar nur teilweise überwunden, in Deutschland droht sogar ein Rückschlag, aber die Unterschiede des falschen Bewußtseins und der Entfremdungen in den beiden Ländern sind geeignet, jeweils die eingefleischten Fehler der anderen Kultur sichtbarer zu machen und zu unterminieren. Verbesserte österreichische Kulturförderung macht es österreichischen Schriftstellern leichter als früher, Eigenheiten zu bewahren; Verbindung mit der deutschen Literatur kann ihnen gleichzeitig helfen, nicht in allzu selbstgefälligen Partikularismus zu verfallen. Funk- und Fernsehaustausch müssen noch sehr verbessert werden. Ebenso bedarf der Vertrieb kleinerer österreichischer Verlage in Deutschland und der kleinerer deutscher in Österreich gezielter Hilfe. Dramatisches Talent fehlt in Österreich nicht, aber die Theater, von der »Burg« angefangen, haben noch allzu viel Eigenleben alten Schlages bewahrt. Mehr Kontakt mit den besten deutschen Bühnen könnte nichts schaden.

Was allgemein nottut, ist nicht einfach Anlehnung an deutsche Literatur, sondern überhaupt intensiverer Anschluß an geistige und ästhetische Entwicklungen in den verschiedensten – vor allem westlichen – Ländern.

Ohne einen solchen Anschluß würde sich auch die österreichische Dichtung früher oder später in allzu engem Zirkeltanz zu drehen beginnen.

Wolfgang Bauer

Was ist das österreichische Theater?
Eine Gleichung

Immer wieder werde ich freundlicherweise gebeten, eine Meinung zum »öster-
reichischen Theater« abzugeben. Meist räumt man mir, mehr oder weniger
bittend, die Möglichkeit einer Schimpfkanonade ein; und wenn ich gerade bei
Laune bin, ziehe ich auch gegen den einen oder anderen Feind oder Mißstand
vom Leder. Hier aber, ebenso ersucht, meinen Senf dazuzugeben, möchte ich
mich auf die beinahe mathematische Erkenntnis beschränken: »Österreichisches
Theater« ist gleich »österreichisches Theater«.

Mit welchem Organ, denke ich beim Betrachten einer Landkarte, könnte
man Österreich vergleichen? Wohl am ehesten mit der Bauchspeicheldrüse,
jenem Organ, das als einziges imstande ist, sich selbst zu verdauen. Und
Selbstverdauung ist die Lieblingsbeschäftigung nicht nur in der österreichischen Theaterszene. Der Österreicher schmeckt sich selber am besten. Sein
Imponiergehabe besteht eben nicht im einfachen Angeben (was das Natür-
lichste von der Welt ist!), nein, er beißt ein Stück von sich selbst ab, frißt es
und sagt dann: Schaut her in aller Welt, wie mir mein eigener Mist
schmeckt!! Dieser tolle Vorgang heißt dann »typisch österreichisch« und
wird gelegentlich mit dem Wort »dialektisch« verwechselt und durch es
veredelt. In Wirklichkeit ist es die nackte Angst, die den »Österreicher« zu
diesem »genialen« Trick zwingt, es ist die Angst vor einer Verstopfung. Und
verstopft von oben bis unten ist nicht nur das »österreichische Theater«,
schließlich wird auch frech behauptet, es gäbe einen »österreichischen
Film« oder gar eine »österreichische Popszene«! Mit der Beifügung unseres
Landesnamens, den man im geheimen für eine Art Zauberwort hält, versucht man, sich in Sparten der Kunst und der Kultur, die längst und immer
anderswo grenzenlos gelaufen sind und laufen, besonders hervorzutun und
mit dem Minderwertigkeitskomplex Geschäfte zu machen. Wahrscheinlich
ist das der typische »österreichische Humor«, alles ist bei uns typisch, das
ist das typisch Österreichische. Jeder österreichische Künstler müßte mit
einem typisch österreichischen Typenschein ausgestattet werden, den er
dann überall herzeigen kann. Auf diesem Schein ist dann Österreich als sich
verdauende Bauspeicheldrüse zu seh'n, vielleicht mit dem Slogan »Ohne
uns geht's auch!« Tief innen in dieser Selbstverdauungssicherheit aber sitzt
winzig klein und schreiend das schlechte Gewissen des Selbstmörders:

Kommt einmal »Hilfe« von außen, beendet man den Verdauungsprozeß und schließt sich devotest jedem beliebigen »großen Bruder« an (US-Film, US-Popmusik, »Deutsches« Theater oder z. B. »Grüne«, »Nazis«, »Rocker« usw.), um endlich wieder Schuld aufzuladen, durch Schuld von der Krankheit der Unschuldssucht zu genesen.

ROBERT SCHINDEL

Herbstkarte Österreich Sechsundachtzig

1.
Qualtinger tot ist
Ein neuer Kanzler dafür
Adieu Sommerlicht

Schlagende Wetter
In Linz. Atemgezerre
Qualtinger ist tot

Aber aus Kärnten
Die volkstümliche Hoffnung
Kleiner Mann ganz groß

Und aus Hollabrunn
Ein Erzbischof freundlich schubst
Uns gen Mariam

2.
Im Café Alt Wien
Auf den Rücken fällt Schürrer
Zorniger als einst

Zum Parlamente
Schieben sich krumme Grüne
Gegen Dümmre dort

Die Mitte so mief
Rechts sind sie biotümlich
Links sentimental

Herbstlich tief drinnen
Neblig die Aussicht aufs Wort
Qualtinger tot ist

3.
Qualtinger ist tot
Das Raimundtheater lebt
Auch tot ist Raimund

Das Theater wie
Lebt dieses Fernsehen gern
Wie fernschauert Tod

Kappen erschossen
Oskar Werner gerissen
Nichts mag mehr Prießnitz

4.
Arbeitslosenblau
Die grüne Steiermark. Zum
Schnaps pendeln Pendler

Ich und du am Zopf
Die Stadt Steyr, ihre Tränen
Über die Dörfer

Akademische
Verhökern ihre Psychen
Am Lustmarkt der Angst

Metallarbeiter
Schütteln die hohlen Fäuste
Beim Bier gewaltig

Von den Parteien
Verschissne pflanzen Mythen
Hin zu den Auen

Bauern brechen jetzt
In den Nebeln der Ernste
Das Brot Österreich

5.

Juden am Rande
Slowenen grüß Gott, verletzt
Zigeuner wie je

Erschlagene Fraun
Und Schwule angstfrei niemals
Heimat bist Söhne

Ich und du am Zopf
Pornojäger im Beichtstuhl
Qualtinger tot ist

6.

Das Vergessene
Ist durch die Lücken dahin
Ist Waldheim kommen

Endlich der Adolf
Weg aus Linz und auf Wien hin
Arbeitslos wieder

7.

Tief im Herzen doch
Auf den Schlieren des Zeitgeists
Qualtinger leblos

ERICH HACKL

Weder Trotz noch Wehmut
Elisabeth Freundlichs »Fahrende Jahre«

In einem Pflegeheim am Stadtrand von Wien steht eine Tür weit offen: die Tür zur Kammer der 86jährigen Schriftstellerin Elisabeth Freundlich. Denn Freundlich, die ich als größte politische Erzählerin Österreichs verehre, ist eine neugierige Frau; noch heute, da ihr jeder Schritt Mühe bereitet, will sie spüren, was in ihrer Umgebung vorgeht, und sei diese Umgebung auch der raunende Alltag einer Notgemeinschaft von Kranken und Gebrechlichen, von alten Menschen und jungen Pflegerinnen. Die Freude am Beobachten ist immer Voraussetzung ihres Schreibens gewesen, und sie sorgt, in dem lang erwarteten Bericht über Freundlichs »fahrende Jahre«, für jenes weise Staunen, das der Schweizer Philosoph und Kunsthistoriker Konrad Farner »traumnüchtern« genannt hat.

Die Herausgeberin Susanne Alge warnt davor, Freundlichs Erinnerungen mit einer Autobiographie zu verwechseln: Auch wenn sie ein ganzes Leben und beinahe ein volles Jahrhundert umfassen und der Chronologie selten vorgreifen, könnte jedes ihrer neun Kapitel für sich bestehen, als schlichte Erzählung, die den politischen Ereignissen durch die Hinwendung zum privaten, scheinbar sogar banalen Detail erst jene Dramatik verleiht, die uns den Abstand zu Zeit und Raum vergessen macht.

Zu meinem Ärger wird Elisabeth Freundlich in der literarisch versierten Öffentlichkeit, wenn überhaupt, nur als Gefährtin des Philosophen Günther Anders wahrgenommen, sodaß jeder Hinweis nicht ohne Referenz auf ihre Vita auszukommen glaubt. Nun denn: Geboren 1906 in Wien, dort Studium der Germanistik, Romanistik und Theaterwissenschaft. 1932 Regieassistenz bei G. W. Papst in Berlin. Am 11. März 1938 Emigration über Zürich nach Paris, dort Gründungsmitglied der »Ligue de l'Autriche vivante«, Mitarbeiterin der »Nouvelles d'Autriche« und Redakteurin eines österreichischen Freiheitssenders. Im Mai 1940 Flucht nach Südfrankreich, bei Port Bou über die spanische Grenze (einen Tag nach Walter Benjamins Freitod), dann Lissabon, Überfahrt nach New York. Nach einem Studienlehrgang an der Columbia University Sachbearbeiterin am Metropolitan Museum of Art, später Lektorin an der Princeton University sowie am Wheaton College. Feuilletonredakteurin der »Austro-American Tribune«. Im Mai 1950 Rückkehr nach Wien, seither freie Publizistin und Schriftstellerin.

Der Verlag hat das Buch, das diesem Lebenslauf literarische Gestalt gibt, großzügig mit Bildern aus dem Privatbesitz der Autorin illustriert – aber Freundlich stellt gleich zu Beginn fest, daß ihr Gedächtnis sich nicht durch eingefrorene Momente aktivieren läßt: »Ich beuge mich tief über vergilbte Photos, sie bleiben stumm und leer, ich bekomme sie nicht zu fassen.« Anders als die ihr in manchem verwandte Ruth Tassoni, übrigens eine Studien- und Schicksalsgefährtin in Wien wie später im US-amerikanischen Exil, sucht Freundlich ihre Welt nicht im flüchtigen Augenblick, in flüchtigen Begegnungen wiederzugewinnen – sie wählt Stunden, Tage, Jahre, in denen das öffentliche Geschehen ihr Dasein bestimmt hat.

Da ist die Kriegserklärung Österreich-Ungarns an Serbien, mit der die unbeschwerte Kindheit endet; die Verhaftung ihres Vaters, des prominenten Sozialdemokraten (Rechtsanwalts und Präsidenten der Arbeiter-Bank), im Februar 1934; der Spanische Bürgerkrieg, der deutsche Überfall auf Frankreich, die Flucht in die Vereinigten Staten – Ereignisse, die zart angedeutete Liebesbeziehungen töten.

Oft sind es Namen, Begriffe, die Erinnerungen wachrufen. »Ka-ry-a-ti-den« buchstabiert die siebenjährige Liesl, »die tragen das Parlament«. Und später, nach Ausbruch des Ersten Weltkriegs, lernt sie von ihrem Vater ein neues Wort, das ihr ungemein gefällt, *weisungsgebunden:* »Warum wollte Vater nicht weisungsgebunden sein, ich begriff es nicht. So ein schönes Wort!« Da findet sich auch die Erinnerung an den Tag, an dem der Achtjährigen das Paradies verlorengeht: Während der Sommerferien in den Dolomiten gerät Elisabeth auf eine Wiese mit wilden Orchideen, und berauscht von dieser nie geahnten Schönheit läuft sie zurück ins Hotel, um ihr Entzücken mit den Eltern zu teilen. »Und da geschah das Furchtbare. Es war unfaßbar. Ich suchte und suchte, es war wie verhext, ich konnte die Wunderwiese, so nah vom Haus, einfach nicht wiederfinden.«

Es ist etwas Seltsames um diese Erinnerungen. Im Gegensatz zu den vielen anderen Schicksalen, die Freundlichs fahrenden Jahren ähneln, durchweht sie ein Hauch von Geborgenheit, der selbst die elenden Momente der Not, Niedertracht und Gefahr mildert. Man gewinnt den Eindruck, einer Frau zu begegnen, die in ihrer Kindheit so viel Güte empfangen hat, daß sie für den Rest des Lebens nicht mehr versteinern konnte. Dies bestätigt auch Susanne Alge im Nachwort: »Voraussetzung für Eigenständigkeit und politische Courage der positiv besetzten Figuren in Elisabeth Freundlichs Werk ist immer Geliebtwerden beziehungsweise Liebesfähigkeit. Engstirnigkeit – und zwar losgelöst von ideologischer Position – wird stets mit individuellem Mangel begründet. Darin äußert sich ihr großer Glaube an die prägende Kraft der Kindheit: Nur wer sich selbst sicher ist, kann einmal angenommene Normen überdenken, differenzieren, ändern.« Halb im Widerspruch dazu stehen die Verse von Günther Anders, denen das Buch seinen Titel verdankt: »Wer uns in Fahrt bringt, macht uns erfahren, / Wer uns ins Weite stößt, uns weit. / Nun danken wir alles den fahrenden Jahren, / Und nicht der Kinderzeit.«

Die fahrenden Jahre sind Jahre der Verstoßung und des Widerstands. Und hier beharrt Elisabeth Freundlich auf Erfahrungen, die ketzerisch klingen in unserer Zeit, in der ehemalige Linke beteuern, schon immer reaktionär gewesen zu sein: »Blicke ich heute nach vielen Jahren auf mein Leben zurück, dann muß ich dabei bleiben, daß die Kommunisten in der Emigration die besten Organisatoren, auch die hilfsbereitesten Menschen – selbst gegenüber Nicht-Parteigenossen – gewesen sind.«

Doch mit den Sozialisten hat Freundlich, die nie Mitglied der Kommunistischen Partei gewesen ist und auf den Slansky-Prozeß in der CSSR, bald nach ihrer Rückkehr nach Europa, mit Abscheu reagiert hatte, nur schlechte Erfahrungen gemacht. So wurden ihren Eltern vom Pariser Büro der Vertretung österreichischer Sozialdemokraten die lebenswichtigen *sauf conduites* (für die Flucht über die Demarkationslinie nach Süden) lange Zeit nicht ausgefolgt, weil Tochter Elisabeth als militante Kommunistin angesehen wurde. »Und dann entsinne ich mich noch genau, wie einige österreichische Sozialdemokraten, unter diesen mein Vater mit mir, eines Morgens vor der Préfecture standen. Vater bat damals einen an sich verdienstvollen Funktionär, der im Jahre 1934 nur knapp dem Galgen entgangen war und der in Montauban die Interessen seiner sozialdemokratischen Genossen vertrat, auch Alfred Polgar zu legitimieren. Darauf die Antwort, die sich mir unauslöschlich eingeprägt hat: ›Ich kenne keine Österreicher, ich kenne nur österreichische Sozialdemokraten.‹«

Von ihrer Zeit in Frankreich gelingen Freundlich sehr warmherzige Porträts von drei Mitstreitern im Kampf für ein freies Österreich – den Schriftstellern Emil Alphons Rheinhardt, Otto Heller und Walther Tritsch. Von ihnen hat nur Tritsch die Grauen des deutschen Faschismus überlebt; Rheinhardt ist im KZ Dachau an Typhus gestorben, Heller in den letzten Kriegstagen im Lager Ebensee umgekommen.

In New York gestaltete Elisabeth Freundlich das Feuilleton der »Austro-American Tribune«, das Fachleute für das beste kulturpolitische Periodikum des deutschsprachigen Exils halten. Sie gewann neben Autoren wie Bruckner, Viertel, Ehrenstein, Broch oder den Brüdern Mann auch Bert Brecht als Mitarbeiter. »Bei allen gab es einen kleinen Aufenthalt, man besprach den nächsten Beitrag, die politische Lage, Alltagssorgen. Aber nur

Brecht sagte, wenn ich kam, nach einem flüchtigen Blick auf mich – ich sah wohl recht abgekämpft aus, die New Yorker Subway nach Arbeitsschluß gibt einen Vorgeschmack der Hölle: ›Ruhen Sie sich erst einmal aus. Wir essen gleich, dann wollen wir sehen, was Sie brauchen können.‹ Und da brachte Ruth die dampfenden Schüsseln herein, und der Eisenring um meinen Kopf begann sich zu lockern, ich taute allmählich auf. Erst in diesem Moment begann Brecht ein Gespräch über Politik und Literatur, wollte über die österreichische Emigration informiert sein, sprach über eigene Arbeiten, forderte einem eine Stellungnahme ab, breitete die Photos mit den Vierzeilern darunter aus. Gemeinsam überlegten wir, welche der Stücke ich veröffentlichen könnte. Dieser Respekt vor der Erschöpfung, dieses Brich-das-Brot-mit-mir: Ich habe es ihm nie vergessen.«

Schon in einer rührenden Erzählung, eigentlich einer Hommage aus dem Jahr 1956, »Statt einer Ehrensalve«, hat Elisabeth Freundlich ihr Wiedersehen mit Wien, fünf Jahre nach der Befreiung, geschrieben. Es ist das Wiedersehen mit einer derben, verrohten Stadt. Einer schäbigen Stadt mit schäbigen Menschen. Wer, wie die Autorin, wiederkommt und den US-amerikanischen Reisepaß gegen die österreichische Staatsbürgerschaft eintauscht, wird für verrückt gehalten. Patriotismus gilt (sofern er sich nicht mit dem Gamsbart der Lüge ziert) als Symptom einer unheilbaren Geisteskrankheit.

»Ich hatte bei allerhand Ämtern Schlange zu stehen, um meine neue, alte Staatsbürgerschaft bescheinigt zu bekommen. Sudetendeutsche um mich herum, die alle ihre Einbürgerung betrieben. Sie hielten Empfehlungsschreiben in den Händen, wonach sie im Dienste der amerikanischen Besatzungsmacht sich als Ehrenmänner erwiesen hätten, oder Bestätigungen von Unbekannt, daß sie ihr Lebtag lang treu sozialdemokratisch gesinnt gewesen seien. Sie alle vertrieben sich die Wartezeit ganz ungeniert mit Seufzen und Wehklagen nach der glorreichen, der entschwundenen Zeit, da in Brünn, in Prag oder in Ostrau Henlein und Heydrich so gut für Disziplin und Ordnung gesorgt hatten.«

»Und dennoch«, schreibt sie in ihren Erinnerungen: »Wie in einem Lied besungen, schäumte auf dem Heldenplatz der Flieder wie eh und je und wußte nicht, was sich hier zugetragen hatte; in der Prater Hauptallee reckten die Kastanien die weißen und roten Kerzen in ihrer ganzen Pracht in die Luft, und das alles, wonach ich mich die ganzen Jahre gesehnt hatte, machte mich wehrlos gegen vieles andere.«

Freundlichs Hoffnung, in ihrer Heimat als Schriftstellerin leben zu können, erwies sich als trügerisch. Ihr Roman »Der Seelenvogel«, den sie im Gepäck mitgebracht hatte, sollte erst 36 Jahre später erscheinen. Als Journalistin boten sich ihr nur Stellungen bei Blättern der Besatzungsmächte; »aber genau das wollte ich nicht«. So versuchte sie sich als Übersetzerin durchzuschlagen – und geriet aufs Schlachtfeld des Kalten Krieges: O'Caseys »Preispokal«, den sie unter Mitwirkung von Günther Anders ins Deutsche übertrug, durfte als Machwerk eines kommunistischen Friedenshetzers im Burgtheater nicht aufgeführt werden. Der Regisseur, Berthold Viertel, mußte mit seiner Inszenierung ins Zürcher Schauspielhaus ausweichen.

Im Grunde ist Elisabeth Freundlich bis heute eine Außenseiterin wider Willen geblieben. Die sieben Bücher, die sie im Lauf ihres Lebens veröffentlicht hat, sind über ebenso viele Verlage verstreut. In Wien haben eigentlich nur der Schulfunk und die Zeitung der jüdischen Gemeinde Nutzen aus ihrem publizistischen Talent gezogen. Zu Kongressen wurde sie gelegentlich eingeladen, als Historikerin wie als »Zeitzeugin« (unerträglicher Euphemismus, der Opfer und Täter zusammenspannt!). Den Professorentitel bekam sie verliehen, weil er die ehrende Instanz zu nichts verpflichtet. Sonst ist sie in ihrer Heimat nicht beachtet worden.

Jüngere Autoren oder Autorinnen haben sie kaum für sich entdeckt. Schon als sie die »Austro-American Tribune« redigierte, war Elisabeth Freundlich das geringe Interesse junger österreichischer Schriftsteller an Kollegen im Exil aufgefallen. »Vielleicht hätte mir das eine Warnung sein sollen, aber ich hatte den Gedanken der Heimkehr während der ganzen Zeit nie in Frage gestellt ... Hätte ich gewußt, mit welchen Schwierigkeiten ich zu kämpfen haben würde, vielleicht hätte ich nicht den Mut aufgebracht, diesen Schritt zu tun.« Und: »Noch 1980 nannte sich eine an sich verdienstvolle Ausstellung im Oberen Belvedere ›Die uns verließen‹. Zahlreiche Beamte waren mit dieser Ausstellung befaßt, keinem ist es eingefallen, gegen den Titel zu protestieren. ›Die wir verstießen‹ hätte es doch wohl heißen sollen.«

Am Ende der fahrenden Jahre ist keine Versöhnung in Sicht. Aber auch keine Verbitterung. Weder Trotz noch Wehmut: »Die Wahrheit kann man nicht in Worten ausdrücken, sondern nur durch ein ganzes Menschenleben.« Ihrer Erinnerung an Otto Heller hat Freundlich ein Versprechen angefügt. »Wir werden dich stets bei uns haben, indem wir dich Tag für Tag vermissen.« Ich vermisse Elisabeth Freundlich schon heute.

Ulrike Längle

Max Riccabona zu Ehren

Bauelemente zu einer Laudatio für Max Riccabona anläßlich der Verleihung des Ehrenpreises des Vorarlberger Buchhandels am 24.10.1991 in Rankweil

»Keine Sau will mehr rühmen, jedes noch so dumme Schwein möchte berühmt werden«, schreibt der deutsche Satiriker Robert Gernhardt in der Essaysammlung »Glück Glanz Ruhm«.

»Wenn er auch nicht so berühmt geworden ist, wie ihm gebührte, so ist doch nicht alles verloren«, urteilt der Schriftsteller Christian Paul Berger in einem Essay über Max Riccabona.

Und die »wienzeile«, ein Wiener Undergroundblatt, kommt zu folgendem Schluß: »Kompliment. Die Nullen hinter der Eins, die Du bist, hast Du Dir WIRKLICH REDLICH verdient«, worauf Riccabona antwortet:

Sacrament: was soll ich jetzt noch sollen
nach chinesischen Riten
im Zeitalter des Scheins
ohne aus der Rolle zu fallen
als um Pardon zu bitten?

Wenn wir heute zusammengekommen sind, den Künstler Max Riccabona zu ehren, den großen Schriftsteller und Verfertiger von Collagen, und die Person, so tun wir dies mit einem doppelten Gefühl: einerseits mit Bewunderung und Respekt vor seinen Werken, andererseits in dem Bewußtsein, daß er selbst solchen Ehrungen mit ironischer Grandezza zu begegnen pflegt. So antwortete Riccabona kürzlich in einem Rundfunkinterview auf die Frage, was er zu dieser Preisverleihung sage, er, mit seinen 76 Jahren: »Sie kommt wohl etwas früh.« Und fügte hinzu: »Wenn man bedenkt, was ich publiziert habe …«

Riccabonas Vita, von ihm selbst in den »protokollen« 1978 unter dem Titel »Ich wurde. Gehversuche zu mir selber« dargestellt, liest sich wie ein Schelmenroman; hier der Anfang:

Ich wurde am 31. März 1915 in Feldkirch, Vorarlberg, als Sohn eines damaligen k. k. Hof- und Gerichtsadvokaten, sehr gescheiten Mannes, formal bedeutenden Lyrikers (etwa im Jugendstil à la Max Halbe schreibend, Mitarbeiter des »Föhn«, des »Nebelhorn«, des »Brenner« usw., kannte u. a. Trakl), Wagne-

rianers und vielleicht daher großen Hypochonders geboren, welches, eingekes-
selt zwischen hohen Bergen einerseits und im Laufe der Jahrtausende grün ge-
wordenen, dann mit saurem Wein bepflanzten und schließlich von Baugenos-
senschaftsreferenten bekleksten Felsbrocken andererseits, mehr oder minder
erratischen Blöcken liegt. Astrologisch Widder mit starken Jupitereinflüssen
und einem Wassermannaspekt behaftet, machen sich die Einflüsse des Götter-
vaters durch eine leider etwas zu starke Neigung zum Embonpoint, der Was-
sermannimpuls durch eine gewisse Neigung zur Scharlatanerie bemerkbar:
Meine Mutter war nüchtern, unpathetisch, daher eine ganz gute Bachspiele-
rin, und im Gegensatz zu Vater, der, ein großer Kenner von Literatur und Mu-
sik, in Fragen der bildenden Kunst den Geschmack einer Wildsau hatte, auch
diesbezüglich mit einem ungemein entwickelten Spürsinn für Qualität verse-
hen. Sie war eine der ersten, die den inzwischen zu großem Ruhm gelangten
Vorarlberger Maler Rudolf Wacker förderte.

Zu Riccabonas Selbststilisierung zum »Scharlatan« sei hier nur an eine Bemerkung eines anderen großen österreichischen Dichters erinnert, dessen
200. Geburtstag im heurigen Mozart-Jahr fast untergegangen ist: Franz
Grillparzer schrieb in seinen Tagebüchern über Österreich: »Dieses Land,
wo Genies zu Scharlatanen werden.« Damit soll jedoch nichts gegen echte
Scharlatane vom Format etwa eines Cagliostro gesagt sein … Im nüchternen Stil der Mutter dargestellt, verlief Riccabonas Biographie in der Folge
durchaus in den Bahnen des großbürgerlichen und adeligen Milieus, aus
dem er stammt: humanistisches Gymnasium in Feldkirch, unterbrochen
durch einen Aufenthalt in einem Davoser Lungensanatorium, 1932 Bekanntschaft mit James Joyce in Feldkirch, dessen Werke er damals noch
nicht gelesen hatte, was er aber später nachholte. Matura, Studium der
Staatswissenschaften in Graz, wo er Mitglied der CV-Verbindung »Traun-
gau« wurde, weil »sie die schärfsten Raufereien gegen die Nazis lieferte«,
dann, wiederum nach seinen eigenen Worten, »faustische Herumstudiere-
rei« an verschiedenen europäischen Universitäten, Paris, Cambridge, Sala-
manca und Perugia. 1936–1938 studierte Riccabona an der Konsularakade-
mie in Wien, übrigens gemeinsam mit Kurt Waldheim, mit dem ihn sonst
nicht viel verbindet, und schloß dieses Studium als Diplomkonsul ab.
Damit, mit der Begegnung mit James Joyce und dem Studium, sind die
zwei Pole benannt, die für Riccabonas Leben entscheidend werden: Literatur und Politik. Über den österreichischen Gesandten in Paris, Dr. Erwin
Wasserbeck, wird er zum politischen Nachrichtendienst herangezogen;
nachrichtendienstliche Tätigkeiten übt er auch für den englischen und
französischen Geheimdienst und für den Vatikan aus, für den er Stim-

mungsberichte aus dem Dritten Reich liefert. Im Widerstand gegen den Nationalsozialismus schrieb Riccabona auch politische Beiträge in verschiedenen Zeitungen, etwa im französischen »Bulletin Quotidien« oder im englischen »Manchester Guardian« unter dem Pseudonym »Spectator alpinus«. Er war Kurier für die monarchistische Widerstandsbewegung und mit knapp 24 Jahren als Vizeaußenminister einer der vielen geplanten österreichischen Exilregierungen vorgeschlagen. Seine Analyse der Lage in Franco-Spanien diente als Grundlage der antinationalsozialistischen Propaganda in Spanien. Damals soll Joseph Roth zu ihm gesagt haben: »Herr von Riccabona, Sie wären ein großartiger Minister, aber nie ein Dichter.« Er hatte Unrecht, womit wir wieder bei der Literatur angelangt sind. Mit Joseph Roth war Riccabona nach eigenen Worten nicht nur bekannt, wie mit Joyce, sondern befreundet; kurz vor seinem Tod spendete er ihm noch die Nottaufe. In den literarischen Salons lernte er André Malraux und Carl Einstein kennen. Auch Riccabonas bisher durchaus nach burleskem Muster verlaufende Biographie entkam nicht dem Zugriff der Nationalsozialisten: 1940 wurde er zur Wehrmacht eingezogen, nach verschiedenen Vorfällen, die ihm auch Haft einbrachten, 1941 als »asthenischer Psychopath« aus dem Heer entlassen. 1941 verhaftete ihn die Gestapo nach einem Hinweis auf seinen Umgang mit Otto Habsburg und Joseph Roth in Paris. Er kam ins Polizeigefängnis Salzburg, wo er zu schreiben begann. Riccabonas erstes Gedicht, auf Zigarettenpapier aus dem Gefängnis geschmuggelt, nach seinen eigenen Worten »literarisch unbedeutend, aber psychologisch aufschlußreich«, sei hier als düstere Momentaufnahme im Kontrast zum durchaus komischen Ton wiedergegeben, in dem er auch über diese Zeiten zu berichten pflegt:

Polizeigefängnis Salzburg Herbst 1941
Morgen im Polizeigefängnis

Pfeifen, Schritte dröhnen im Korridor
Manch fremden Landes abenteuerlicher Sohn
Aus tollen Träumen schreckt empor
Dann döst er dumpf, fahl lichtet's schon

Wolkenlumpen wallen
Der Morgensonne Strahl schleicht scheu
Die Bäume sind kaum zu sehen, morsches Welken,
                    Blätter dürften jetzt fallen

Aus der Zeit geistert Geschehen zu mir,
die Morgensuppe schillert wie giftiges Gebräu ...
Ein letzter Kohlweissling verendet am vergitterten Fenster
Draussen knallen düstere Gestalten jetzt mit Stiefeln auf's Land
Und hasten, Schemen in Grau, finstere Gespenster
Fatal verstrickt in Leere, gespiesst an der Zeitgeschichte Rand

Die letzte Zeile, später durchgestrichen, lautete:

Ich weiss, für sie bin ich Tand.

Vom Januar 1942 bis 1945 war Riccabona Häftling im Konzentrationslager Dachau, zunächst Pfefferminzpflücker, dann Hilfsschreiber und Pfleger. Auch in diesen Jahren, in denen er mit politischen Häftlingen wie Leopold Figl, Viktor Matejka oder dem Holländer Nico Rost Bekanntschaft schloß, der später in »Goethe in Dachau« über diese Zeit berichten sollte, beteiligte sich Riccabona weiter an Widerstandsaktionen. Seine eigenen KZ-Memoiren, an denen er seit Jahren schreibt und die den Titel »Auf dem Nebengeleise« tragen, dürften zu einem zeitgeschichtlich wie literarisch außergewöhnlichen Dokument werden.

Doch nun weiter in der Biographie, nach diesen ausführlicheren Passagen wieder im »nüchternen Stil« der Mutter: 1945 nach der Befreiung durch die Amerikaner Entlassung aus dem KZ, nachdem sich Riccabona noch mit Fleckfieber infiziert hatte, in Vorarlberg politische Tätigkeit in Zusammenarbeit mit der französischen Besatzungsmacht als Vorsitzender der »Österreichisch demokratischen Freiheitsbewegung«. Für seine Tätigkeit im Widerstand erhielt Riccabona schließlich 1979 vom Bundespräsidenten das »Ehrenzeichen für Verdienste um die Befreiung Österreichs von der nationalsozialistischen Gewaltherrschaft« verliehen. Als kleine Anekdote aus Riccabonas Jahren in der Vorarlberger Landespolitik berichtet er selbst, in »Ich wurde«, von einem Festbankett: »Meine schönste Erinnerung an diese Zeit ist ein offizielles Dinner, bei welchem getreu der Speisenfolge von der Tafelmusik zum Gorgonzola die ›Träumerei‹ von Schumann gespielt wurde. Gerührt gab ein hoher Funktionär meiner Heimat dazu mit dem Käsemesser den Takt.«

1949 schied Riccabona aus der Politik aus, schloß sein zweites Doktoratsstudium, das der Rechtswissenschaften, in Innsbruck ab und trat in die Kanzlei seines Vaters in Feldkirch ein, wo er bis zu seiner vorzeitigen Pensionierung (1967) infolge der gesundheitlichen Schäden, die er sich in Dachau zugezogen hatte, tätig war. Seither lebt er als Pensionär im Jesu-

heim in Lochau, jedoch keineswegs untätig. Seit 1957 arbeitet er an seinem »opus magnum«, einem unvollendeten »work in progress«, von dessen tausenden Seiten 158 unter dem Titel »Bauelemente zur Tragikomödie des x-fachen Dr. von Halbgreyffer oder Protokolle einer progressivsten Halbbildungsinfektion« 1980 im Wiener Rhombus-Verlag veröffentlicht wurden, und widmet sich, wie es in dem schönen Ausstellungskatalog des Vorarlberger Landesmuseums heißt, das Max Riccabona 1989 als erstem lebenden Vorarlberger Künstler eine Personalausstellung widmete, »den verschiedensten Disziplinen der Kunst, so auch der Collage.« – Natürlich könnte man noch zahlreiche Prominente anführen, mit denen Riccabona im Laufe seines Lebens Kontakte hatte, etwa den Ökonomen John Maynard Keynes, den er in Cambridge kennenlernte, Theodor W. Adorno, Ernst Bloch und Gunter Falk, mit denen er beim »Europäischen Forum« in Alpbach bekannt wurde, Ezra Pound, dem er auf der »Brunnenburg« in Südtirol begegnete und den er ebenso wie Montherlant, Ives Becker, Alfred Jarry, Jaques Audiberti, Edith Sitwell oder John Donne übersetzte – doch auch ohne die Nennung dieser Namen dürfte klar geworden sein, was für eine Persönlichkeit mit Max Riccabona geehrt wird. Soweit es überhaupt erlaubt ist, dies von einem Menschen zu sagen, ohne ihn damit zu einem bloßen Repräsentanten machen zu wollen: In Max Riccabona lebt ein Stück Altösterreich, lebt die Zeitgeschichte, lebt ein kritischer Geist, der sich nie vereinnahmen ließ, lebt ein europäisches Bezugsfeld, lebt die Literatur. In Halbgreyfferscher Manier wäre hier wohl eine Assoziation angebracht, die seine Wohnadresse »Jesuheim« mit dem Bibelwort in Verbindung brächte »Und das Wort ist Fleisch geworden und hat unter uns gewohnt« – doch wir wollen nicht blasphemisch werden und sind uns überdies der Tatsache bewußt, daß Riccabona – in Cagliostroscher Manier – eine Verbindung mit dem Teufel näher läge. Sicher ist jedoch, daß Max Riccabona, der auch das Triviale nicht verachtet, drum sei dieser Vergleich erlaubt, ohne weiteres Aufnahme in die Rubrik: »Menschen, die man nicht vergißt« fände, die die Zeitschrift »Reader's Digest« jedenfalls in meiner Jugend führte.
In Max Riccabona lebt aber vor allem ein allumfassendes satirisches Lachen, womit wir beim Werk angelangt wären.

Anläßlich von Max Riccabonas erster Lesung im Forum Stadtpark Graz, die auf Vermittlung des Soziologen Gunter Falk zustande kam, schrieb Wolfgang Bauer eine Besprechung, die am 26. Oktober 1965 in der »Kleinen Zeitung« erschien:

»Dunkelkammerlesung im Forum Stadtpark: SÄTZE WIE DONNERNDE BISONS. Bei verfinsterter Bühne, in einer Reihe des schummrig beleuchteten und von einigen interessierten Damen und Herren bevölkerten Zuschauerschlauches des Forums sitzend, las Samstag Maximilian von Riccabona. Zigarren schmauchend, mit flackerndem Blick, die Stimme temperamentvoll und gespannt auf- und abschnellend, immer wieder in wild zusammengeschüttelten Manuskriptbergen suchend und stöbernd, führte er dem von Lachen geschüttelten Publikum sein Werk ›Dr. von Halbgreyffer, Roman einer Halbbildungsinfektion‹ vor.«

Mit dem Forum Stadtpark ist auch gleich das literarische Umfeld benannt, in dem sich Riccabona bewegte und bewegt: die österreichische Avantgarde in Graz und Wien, mit einer Reihe von deren Vertretern Riccabona befreundet war und ist: H. C. Artmann, Wolfgang Bauer, Reinhard Priessnitz, Gerhard Rühm, Hermann Schürrer, Gerhard Jaschke oder Gerhard Roth. In deren Umfeld, vor allem in den Zeitschriften »protokolle« und »freibord«, begann Riccabona seit den siebziger Jahren zu publizieren, bis 1980 die Buchfassung des »Halbgreyffer«, seines großen literarischen Projekts, erschien, damals und lange danach eher ein Geheimtip für Eingeweihte – so schrieb Ingeborg Teuffenbach 1982 über eine Lesung in Innsbruck: »Der skurrile Vorarlberger Poet Max Riccabona ist in seiner Heimat weniger bekannt als im Ausland, wo sein Werk demnächst Gegenstand eines Zürcher Literaturseminars sein wird.« – und heute leider vergriffen. Riccabona wurde als alles mögliche etikettiert, als Barockdichter, Rabelais, Swift oder Sterne von heute (die satirische Linie), verglichen mit Herzmanovsky-Orlando, James Joyce, dem Dadaismus oder Ionesco. Andererseits verwendet er avancierte literarische Techniken, etwa die cut-up- und fold-in-Methode eines William S. Burroughs, und beruft sich auf den Dadaisten Tristan Tzara und die Medientheorie eines Marshall McLuhan. Die Herausgeber Ivanceanu und Schweickhardt sehen in ihm eher einen literarischen Aktionisten: »So konnte der Eindruck von ›Literatur‹ entstehen, während tatsächlich das Zeugnis eines gelebten Alpenland-Surrealismus vorliegt«, an anderer Stelle wurde er wegen seiner wütenden Sprachkritik und den zahlreichen obszönen Anekdoten als »Mischung aus Bukowski und Karl Kraus« bezeichnet.

Worum geht es im »Halbgreyffer«? In einer voralpinen Kleinstadt fassen »an einem Winterabend in einer geschmacklos altdeutsch bemöbelten und mit patriotischen Rülpsern in Öl und Aquarell bebilderten Weinschenke« drei Säufer und gescheiterte Existenzen den »haarsträubenden Beschluß«,

ein Werk zu schreiben, »dessen Inhalt schlechthin den Endsaldo und die Zusammenfassung einer gigantischen Weltinterpretation in der Mitte des 20. Jh. bilden sollte«, offensichtlich eine Parodie auf Platons Symposion. Es handelt sich um bizarre und gelehrte Säufer, einen Chronisten, einen »studiosus«, einen »scholaren« und den 14fachen Doktor von Halbgreyffer zu Etschpruntz und Dünnschitz. Im Seelensanatorium des Dr. Florian Fettglauben in Syndenprumpftstetten unter dem Schweinbutzbach kommentiert der Chronist die Dialoge und Ereignisse, die sich abspielen, wobei Riccabona Kenntnisse aus den verschiedensten, mit Vorliebe abgelegenen Wissensgebieten verwendet: historische, philosophische, natur-, rechts- und religionswissenschaftliche Überlegungen vor allem obskurer Natur. Alle vier Protagonisten sind von der grassierenden Halbbildungsinfektion angesteckt und versuchen, der überbordenden Informationslawine Herr zu werden, indem sie vorhandene Deutungen zusammenstellen, die alle mißglückte Wegfindungen darstellen: »das, was in der folge zu lesen oder gar möglicherweise zu meditieren sein wird, gehört in den bereich der mißbildungskunde, der teratologie«, schreibt Riccabona, sich mit dieser Satire auf Halbbildung an einen weiteren literarischen Ahnherrn und ein »relatives Vorbild« (Riccabona) anschließend: Flauberts »Bouvard et Pécuchet.« Ebenso sprechend wie bizarr sind schon die Namen der Protagonisten: Neben Dr. Halbgreyffer ist dies Professor Gervasius Schmalzgeystwinkler, Buchhaltungslehrer an einer Kreuzelstickereifachschule für gefallene Mädchen, ferner Plazidus Speckerorschler, der über Radio Lhasa in den tibetanischen Buddhismus eindringen wollte, aber gescheitert ist, weil das von den Chinesen dort eingeführte Moped durch seinen Lärm jede Meditationsmöglichkeit abwürgt, sowie der Chronist. Wolfgang Bauer hat den Duktus dieses Werkes am treffendsten charakterisiert: Er spricht von Riccabonas »befreiender Hemmungslosigkeit, Ehrlichkeit und Frische«:
»Er läßt die Sätze wie wildgewordene Bisons dahindonnern, er kennt keine Tabus und keine Stilkriterien – nur in einer so ungezügelten Lockerheit, Unwichtiges, das sich ja unbedingt aufdrängt, n i c h t zurückhaltend, können so poetische, geistreiche, urwüchsige und direkt-komische Gebilde aufschießen. Die ›Halbbildungsinfektion‹, die sich in seitenlangen Fremdwortkanonaden« – (Riccabona erzählt übrigens voller Stolz, daß der Computer, der auf Wörter von höchstens 32 Buchstaben programmiert ist, beim Setzen seines Buches versagte! U. L.) – »in genialen Wortbildungen, in parodistischen Kabinettstücken (herrlich die Parodie im Vatikanlatein) ausbreitet wie Dschungelgewächs, ist aber, wie man sofort feststellt, von einem kreuzüberquer belesenen und beschlagenen Dichter angezündelt. Wortwitz, tref-

fendste Formulierungen ausstellend, in bombastischen Sätzen die Handlung vorantreibend, schleudert er sich in hohem Tempo aus den ausgefahrenen Kurven des üblichen Sprachgebrauchs ins Irrsinnige hinaus, ekstatisch, ohne aber Distanz zu verlieren. In einem einzigen, von ihm gezeugten ›Halbbildungsfremdwort‹ rechnet er mit all den sterilen Superintelligenzbestien, den Ausklüglerliteraten und zugleich mit den deutschen Literaturfabriken und -boutiquen ab. Wer ihn einteilen will, nenne ihn Barockdichter, Rabelais oder Sterne von heute. Er ist ein kauziger Alleingänger, der sich um nichts schert, ein Clown, der die entwaffnende Wirkung seiner Späße kennt, ungeniert wie ein zweijähriges Kind, unbelastet und vergnüglich bei aller Informiertheit.«

Die Stoßkraft der Riccabonaschen Satire, Kritik an der nicht mehr kritisch zu verdauenden Informationslawine, wird direkt politisch, wenn er ein Gutachten des NS-Universitätsprofessors Sigurd Kratzkacherl über die Bedeutung des urgermanischen, rassisch einwandfreien Urschweines parodiert, das als Beispiel hier kurz zitiert sei, als »psychopathogramm der gegenwartssprache«, wie Riccabona sagt:

> die auf den hinblick auf den reinsten nordischesten wesen zumutbaren stoffwechsel zu steuernden und nur dem allergesündesten weil nordischesten volksempfinden anzudienendste und daher ihm anzugleichschaltendste rassischest sauberste zusammensetzung des deutschesten urhausurlandschweinsurfutters muss im vordersten vordergrund der lichtmenschlichst zu liefernste arischeste nordischesten reckenstoffwechselfront stehen / der geschmacks- und vor allem der literarisch / amtlich berichtigt in lichtarischeste / nordensgeruchsduftnotenstoffkomplex muss / wenn er auf eine wahrhaftest nordischste dufteroica auf das urdeutscheste aller urschweine werden soll / schon im hinblick auf seinen zusammenhang mit dem urschweinsblutschweiss jener wahrhaftigst unausbleiblichsten folge allen wahrhaftest edelsten werkens wirkens wickelns webens und wallens / allwelches allein heldenwürdigste weil nordischeste betätigung in richtung der adelung der arbeit sowohl der faust als auch der nordischesten seher und daher denkerstirn hervorruft / als die fragestellung schlechthin an der demantensten spitze jeglicher nur möglichster geistesbefriedigungsaufordnung / amtlich berichtigt in befriedigungsaufnordung / stehen.

Riccabonas Satire ist kein Nadelstich mit versöhnlichem Lächeln für menschliche Schwächen, sie verwirklicht das, was Reinhard Priessnitz in einem Artikel über Riccabona gefordert hat: »um so wirksam zu sein, wie sie oft nicht einmal scheint, bedürfte die heute praktizierte satire nicht so sehr der detaillierten besessenheit zur pointe hin, sondern einer übermächtigen anstrengung und potenz, eines unkontrollierten hehren haders sozusagen.« Das Lachen, das die vier Narren im »Halbgreyffer« hervorrufen, hat in seinem Universalismus subversive Kraft.

Und ich spreche hier bewußt von »Narren«, denn Riccabona knüpft ganz offensichtlich an die europäische Tradition des Narren an, der als Hofnarr der Begleiter und das Korrektiv der Macht war, der ungehindert die Wahrheit sagen durfte, der als »Morosoph«, als weiser Narr des Erasmus, in der Renaissance die falsche Größe der Großen und das falsche Wissen der Gelehrten und Philosophen entlarvte. Oder, wie Riccabona selbst sich einmal äußerte: »Das müssen Sie wissen, in den Volksstücken, die Dorftrottelrollen, das sind die schwersten.«

Deshalb die Begründung für die Verleihung dieses Ehrenpreises: »Max Riccabona, dem großen Künstler, für sein avantgardistisches und satirisches Werk, in dem er in unerreichte Gebiete der Literatur vorstößt und durch Lachen befreit.«

Max Riccabona ist ein homöopathischer Dichter. Er bekämpft die »Superlativitis«, indem er selbst superlativische Wortungetüme bildet. Das ist die Methode »Teufel mit Beelzebub austreiben«. Wenn man seine Werke, im Sinne der Bibliotherapie, der Heilung mithilfe von Büchern, anwenden will, empfiehlt sich der Genuß in homöopathischen Dosen. In diesem Sinne zum Abschluß ein Gedicht als Hommage an Max Riccabona, in dem von ihm praktizierten Verfahren des »Abecedariums« geschrieben, bei dem jede Zeile mit einem Buchstaben des Alphabets beginnt. Ich habe mir die Freiheit genommen, ein *sch* einzuschmuggeln:

am anfang
begann max
cholerisch zu husten
dann las er vor
endlose wortungetüme, superlativst
ficken häufiges wort
gackernde gänse im publikum
hirne rauchen
interpreten spitzen bleistifte
jedoch und
kurzum
lieber

max:
nicht ist es das.
ohne dich
provinz ärmer wäre
qual der aufenthalt in engen bergen, breiten tälern
riesig die langeweile
so jedoch: als
schnupftabak
trefflicher wirkung
und höchst aromatisch
verwenden wir deine werke
wunderbare wirkung!
xanthippengleiches niesen befreit hirn
yggdrasilstarke weltesche biegt sich vor lachen
zarathustra dankt ab.

GERHARD ROTH

langsam scheiden
Ein Besuch bei Alexander

Als ich das Niederösterreichische Krankenhaus für Psychiatrie und Neurologie in Gugging bei Klosterneuburg betrat, stand ein schmutziger Leichenwagen vor einem der Gebäude, und vor dem Pförtnerhaus kehrten Insassen in Anstaltskleidung den Asphaltweg. Eine Patientin mit wirren Haaren sprang neugierig hoch, um über den Rand der Milchglasscheibe in den Leichenwagen zu sehen. Sie schaute mich an, wie man jemanden anschaut, den man zu einem Gespräch auffordern möchte.
Alexander H. wartete vor dem grünen Pavillon, in dem sich die geschlossene Männerabteilung befindet. Nachdem Primarius Navratil uns miteinander bekannt gemacht hatte, gingen wir in den Anstaltspark, wo wir uns auf eine Bank setzten. Vor zehn Jahren hatte ich das erste Gedicht von Alex-

ander gelesen, es hieß »Der Morgen« und war in »Schizophrenie und Sprache« abgedruckt. Ich hatte es in mein Notizbuch geschrieben. Es lautete:

Im Herbst da reiht der Feenwind
da sich im Schnee die
Mähnen treffen.
Amseln pfeifen heer
im Wind und fressen.

Mir fiel auf, daß Alexander seine Linke hielt, als trage er einen imaginären Spazierstock. Er starrte vor sich auf den Kiesweg und sprach stockend und leise und ich betrachtete ihn jetzt genauer. Er war klein, aber sein Kopf war groß und das Gesicht sah müde und alt aus und ähnelte einem Fisch. Er hatte eine Hasenscharte, die er durch den gesenkten Kopf zu verbergen suchte, sie war schlecht operiert und schien ihn zu bedrücken. Von Anfang an machte er einen abwesenden linkischen Eindruck. Wenn er durch eine meiner Fragen betroffen war, schob er den Unterkiefer, der ohnedies nach vorne stand, weil ihm oben und unten die Vorderzähne fehlten, weiter vor und ließ ihn kraftlos fallen, so daß sein Mund weit offen stand und man die großen, gelben Zähne auf der Seite sah.

Unser Gespräch war nur ein Fragen und Antworten. Ich fragte, er antwortete. Er sprach kaum einmal aus eigenem Antrieb. Er *antwortete* nur, wartete auf meine Fragen, starrte vor sich auf den Kies. Er trug keine Anstaltskleidung, sondern einen grauen, schmutzigen Anzug. Er war stolz darauf. Die meisten Patienten haben nicht einmal eine eigene Kleidung. Man hatte mir gesagt, daß er gerne rauche; ich bot ihm eine Zigarette an, und er sagte zu meiner Überraschung, er rauche nicht mehr.

Vom Teich, vor dem wir saßen, erhob sich ab und zu flatternd und schäumend eine Ente, und ich sah den wenigen, müde spazierenden Patienten nach, die an uns vorbeigingen. Ich fragte ihn, was ihm am meisten fehle, und er sagte, die Freiheit.

Er starrte vor sich auf den Kiesweg, und sein Unterkiefer klappte herunter, und seine Hände zitterten. Ein Patient, groß, stark, kam vorbei und bat mich um eine Zigarette. Ein anderer mit Anzug und Weste, Schnurrbart, rauchte Pfeife und setzte sich auf die Bank gegenüber.

Alexander machte Pausen zwischen den Sätzen, als müßte er sich überwinden, zu sprechen, als tauchten Erinnerungen in ihm auf, die ihn erschreckten und die er abwehren mußte, bevor er weitersprechen konnte. Manchmal verweigerte er eine Antwort. Er konnte schweigen, wie jemand mit einer Antwort sich Respekt verschaffen kann, aber dann zitterten seine Hände so stark, daß ich das Bedürfnis hatte, ihn zu berühren.

Ich las ihm sein erstes Gedicht »Der Morgen« vor, er hörte aufmerksam zu und antwortete auf meine Frage, daß er sich daran erinnern könnte, und ließ wieder den Unterkiefer fallen. Ich ließ ihm Zeit und fragte ihn dann, ob er jetzt ein Gedicht schreiben könne, mit dem Titel »Alexander«.

»Nein.«

Ich hielt ihm das Notizbuch hin und redete ihm zu, es zu versuchen, und er schrieb in Kurrentschrift:

Alexander
In der Schule war ich froh
In der Klasse war ich immer so
gelernt habe ich sehr viel
zu Hause und in zivil Alexander

Auch ein zweites und drittes Gedicht mit den Titeln »Der Besuch« und »Sommer« schrieb er folgsam.

Er dachte immer ein wenig nach, ließ sich Zeit, aber es machte nicht den Eindruck von Mühsamkeit. Die Hände, die er zuvor nervös gerieben hatte, zitterten jetzt nicht mehr, sondern hielten ruhig den Bleistift.

Auch Johann Hauser, ein einundfünfzigjähriger Maler, der weder lesen noch schreiben kann – er ist im selben Pavillon wie Alexander Herbeck untergebracht –, antwortete auf die Frage, was ihm am meisten fehle: »Die Freiheit fehlt mir am meisten. Den ganzen Tag muß ich studieren, studieren, nachstudieren muß ich den ganzen Tag.«

Mit Primarius Navratil und Hauser ging ich zuerst in die Bastelstube. In der Küche saß ein Patient in Anstaltskleidung, gebückt, trübsinnig mit zurückgekämmtem Haar neben der metallenen Kaffeekanne, aus der es dampfte. Von der Decke hing ein brauner Fliegenfänger, auf dem tote Fliegen klebten. Im Nebenraum saßen fünf Männer vor den Basteltischen, alle in Anstaltskleidung.

Ein kleiner Alter mit Adlernase, vorstehendem Kinn, machte sich an den Primarius heran. Sein Oberkörper war so eingefallen, daß das schlotternde Hemd zwischen den Knöpfen geöffnet und sein weißrosa Bauch zu sehen war. Er beschwerte sich umständlich und kaum vernehmbar. Irgend etwas war mit einer Tasche los. Navratil: »Wo ist sie jetzt, die Tasche?« Patient: »Im Bett unter der Matratze.«

In der Anstalt gibt es zu wenige Kästen, kaum irgendwo besteht ein Platz, an dem die Patienten ihr persönliches Eigentum aufbewahren können. Die

Kleider müssen am Abend auf einen Wagen gelegt werden und werden am Morgen wieder zurückgegeben. Persönliches Eigentum wird oft mutwillig beschädigt. Und natürlich wird auch gestohlen, wenngleich das Problem besteht, wo man das gestohlene Gut verstecken kann, sofern es nicht eßbar oder zum Rauchen bestimmt ist. Ich habe kaum Nachtkästchen gesehen. »Der Patient würde einen Kasten brauchen«, sagt Primarius Navratil zum Pfleger. Der nickt nachdenklich. Pause. Und wir gehen wieder hinaus. Die Männer, die sich von ihren Plätzen erhoben hatten, schauten uns nach. Auf den Tischen lagen geflochtene Körbe, schmiedeeiserne Lampen, Bilderrahmen und davor standen die Männer und schauten uns noch immer fragend stolz an. Hauser kam uns aus einem Winkel über den Hof nachgelaufen, ungelenk, mit eckigen Bewegungen.

Er war mürrisch. Ich hatte eine Stunde zuvor mit ihm gesprochen, und er hatte Verwünschungen und Drohungen ausgestoßen, daß ihm weißer Speichel auf die Lippen getreten war. Zweimal hatte er zu schimpfen aufgehört und lautlos geweint. Dann war er plötzlich mit seinem Mund ganz nahe an mein Ohr herangekommen und hatte mir zugeflüstert, daß man ihn habe umbringen wollen, hier. Er wisse, wer das war. Er starrte mich Zustimmung fordernd an. – In dieser Stimmung hatten wir mit der Besichtigung begonnen und Hausers Zustand war inzwischen nicht besser geworden. Auf jede Frage oder Anregung winkte er verächtlich ab und zog die Unterlippe nach unten. Außerdem blieb er einige Schritte hinter uns und brütete die meiste Zeit vor sich hin.

Plötzlich nahm Navratil seinen weißen Mantel von der Schulter und hängte ihn um Hauser. Von da ab kämpfte Hauser mit einem Drang, fortlaufend zu lächeln. Er machte ein ernstes Gesicht, aber es verzog seinen Mund, sobald man Notiz von ihm nahm und ihn mit Herr Doktor oder Primar ansprach. Er durfte den Ausbildungsraum aufsperren und das zukünftige Kaffeezimmer, das voll war mit Bildern von Patienten.

Am Geländer eines Steges, der zu dem Haus führt, lehnten Patienten und schauten einem Caterpillar zu, der Erde für ein neues Gebäude aushob. Hauser, der bis jetzt mit dem weißen Mantel herumstolziert war, mußte den Mantel wieder ausziehen, da die anderen Patienten sonst eifersüchtig würden. Er tat es widerspruchslos und fiel in seine alte Stimmung zurück. Auf dem Steg stand ein Dicker mit Schildkappe und einer riesigen, adernzerfurchten Nase, die aussah wie ein seltsames hypertrophisches Riechorgan. Andere, an deren Gesicht man fast durchwegs eine Störung erkennen konnte. Wir gingen durch den überfüllten Speiseraum, und der Oberpfleger zeigte uns einen Schlafsaal mit 20 weißen

Betten, sehr sauber, geschrubbter Bretterboden, rotweißkarierte Bettwäsche.

Die Sonne fiel durch große Fenster, als sei sie besorgt, Wärme und Licht zu verbreiten. Die Habseligkeiten der Patienten waren hinter einem blauen Vorhang vor dem Schlafraum untergebracht. Hinter dem Vorhang befand sich ein schmales Brett in Kniehöhe, auf dem Hüte lagen und Taschen und Hemden, einiges hing an Mauerhaken an der Wand, aber im großen und ganzen gab es keinen Platz. In den Aufenthaltsräumen wieder Fliegenfänger, die honigfarben und melancholisch von der Decke hingen und auf deren Papier tote Fliegen klebten. Ich wechselte mit einigen Patienten ein paar Worte, aber ich fühlte mich beschämt, hier eingedrungen zu sein und eine Besichtigung zu machen. Zum ersten Male dachte ich, daß das Wort *Eindruck* stimmt. Was ich sah, hat etwas in mir eingedrückt. Als wir hinausgingen, sah ich den bleichen, runzligen, mageren Alten in Anstaltskleidung, der schon Habt Acht gestanden war, als wir eingetreten waren.

Hauser trottete hinter uns her, in seinem Gesicht spiegelte sich Verachtung. Er verachtete die Kranken, die Räume, die Pfleger. Es hatte den Eindruck, als wollte er sagen: *Mir könnt ihr nichts vormachen,* ihr fallt darauf hinein, ich jedoch weiß, was wirklich geschieht, wie es hier wirklich ist.

Schließlich die geschlossene Abteilung. Im Gang lungerten scharenweise Patienten. Es gab verschlossene, neugierige, argwöhnische, traurige, leblose Gesichter. Einer kam auf uns zu, entsetzt, empört, in der Hand hielt er einen schönen, dunkelbraunen Filzhut, der an der Krempe dreimal durchstochen war und am Kopfteil einen langen Schnitt aufwies. Er hält uns nur den Hut hin, erniedrigt durch seine Wehrlosigkeit. Ob er einen Verdacht habe? – Nein, das sei schon der dritte Hut! Man habe ihm schon drei Hüte »zerschnitten«. Navratil: »Na, brauchen Sie denn einen Hut?« Patient: »Ja, die Sonne, ich muß ihn aufsetzen.« Navratil: »Es ist ja nicht so viel Sonne da ...« Patient ab.

Wir treten in das Zimmer des Malers Prinz. Er ist 70 Jahre alt, seit fast 35 Jahren hospitalisiert, er ist klein, zart, trägt einen Dostojewskibart.

Früher war er Fleischhauer. Auf einem seiner architektonischen Bilder hat er neben einem mit Lineal gezeichneten Gebäude Statuen, Vögel, Ornamente und Menschen mit Fahnen gemalt, die Fahnen mit Hakenkreuzen, alles sehr merkwürdig. Ich fragte ihn nach den Hakenkreuzen. Das sei nur ein kulturelles Symbol, sagte er nebenbei und kommt sofort auf seine Arbeiten zu sprechen. Es ist nicht ganz klar, was er will, aber offensichtlich handelt es sich um Baupläne, um Entwürfe, die er für Gugging zeichnet und bei irgendeiner Architekturstelle einreichen will. Er erklärt mir ganz verwickelt und kompliziert, wie das Haus architektonisch aufgebaut sei, vor allem, was sich hinter den Mauern befände, und das Labyrinth dahinter wird in der Erklärung auch zu einem sprachlichen Labyrinth. Der Primar schlägt ihm vor, mir eine der Zeichnungen zu verkaufen, aber Prinz ist über den Wunsch bestürzt. Er braucht die Arbeiten ja für sein Projekt. Seine Absage ist eine halbe Bitte, aber er ist entschlossen, sich zu behaupten. Navratil: »Aber Sie brauchen ja Geld. Sie brauchen ja immer Geld.« Prinz (ganz verschämt): »Nein, die Bilder kann ich nicht hergeben, Herr Primar. Sehen Sie, das ist so eine Arbeit!« Navratil: »Aber dann kommen sie wieder zu mir, wenn sie Geld brauchen. Sie bekommen 100 Schilling für das Bild.« Prinz (verschämt): »Nein, Herr Primar« – und er fängt wieder an, das Labyrinth zu erklären.

Ich gab ihm das Geld. Prinz nahm es nebenbei und legte es auf den Tisch. Ich sagte ihm, er solle darauf aufpassen, doch für ihn war Geld jetzt nebensächlich. Er wollte das Labyrinth erklären, das er nicht gezeichnet hatte, das hinter den Mauern der Gebäude verborgen war.

Ich sah aus dem Fenster in den Anstaltspark und dachte an Alexander. Alles an ihm hatte eine schwermütige Empfindsamkeit ausgedrückt. Selbst seine gestörte, leise Aussprache hatte etwas Würdevolles gehabt. Ein starker Körpergeruch war von ihm ausgegangen, und als ich mich zu ihm hinuntergebeugt hatte, hatte ich in seinem Ohr einen feinen weißen Belag wie Wachs gesehen. Aber es hatte mich nicht vor ihm geekelt; er hatte sich durch jede Erniedrigung, durch jede Demütigung etwas bewahrt, das ihm seine Würde zu behaupten half. Auch wenn er beim Gehen seine Hände leicht nach vorne gestreckt und nach oben zur lockeren Faust geballt hielt, als trage er eine Schürze, verlor er nichts von seiner stillen Würde.

Am Nachmittag war der Park voll gewesen mit Anstaltsangehörigen. Sie waren auf den Bänken gesessen, nebeneinander, aber ohne Unterhaltung. Einige mit großen Schildmützen und Brillen wie Bertolt Brecht auf einem Foto. Eine Frau in einem roten Kleid, dick, klein, einen Sonnenhut aus Stroh auf dem Kopf, eine Strohtasche in der Hand, kam uns prüfend ansehend näher. Wir saßen vor einem gelben Tisch auf einer buntgestrichenen Bank. Ich hatte ihn gefragt, wie er sich die Zukunft vorstelle. Er hatte lange nachgedacht, dann hatte er resigniert die Hände zusammenfallen lassen. Er bewegte stumm den offenen Mund. Einige Zeitlang antwortete er nur mit »Ja« und »Nein«. »Möchten Sie eine Frau?« – »Ja.« – »Mögen Sie Kinder?« – »Nein.« – »Was denken Sie über die Liebe?« – »Gar nichts.« Ich hatte den Eindruck, daß wir am Nullpunkt angelangt waren. Die große Trauerweide am Teichufer rauschte und die Topfpalmen im Gras bewegten

sich im Wind. Ich fragte ihn aufs Geratewohl nach Kindheitseindrücken, und zu meiner Überraschung erzählte er eine kleine Geschichte von einem Hochwasser, das er erlebt hatte, und einem Seiltänzer mit Namen Strohschneider, der in Stockerau ein Seil vom Rathaus bis zum nächsten Haus gespannt hatte und mit einer Stange über das Seil balanciert sei. Ich bot ihm eine Zigarette an, und diesmal nahm er sie, ohne zu zögern. Ob er etwas besitzen möchte? – Einen Renault, sagt er. Er zündete sich die Zigarette an und schaute mich kurz an. Ob er Angst vor dem Tod habe? – Nein, antwortete er mit Bestimmtheit. Nach dem Tod käme die Wiederauferstehung, die sei »ein schwacher Lichtschimmer«. Ich fragte ihn daraufhin, wen er liebe. Niemanden, sagte er ruhig. Und wer ihn liebe? – auch niemand ... Ja, was er glaube, daß die Menschen über ihn dächten, die außerhalb der Anstalt lebten. – Die würden schimpfen über ihn. – Ja, warum? – Sie würden sagen, er sei ein Todel ... Um ihn abzulenken, frage ich ihn daraufhin, was er den Leuten, die seine Gedichte lesen, sagen möchte, worauf sie besonders achten sollten? – »Der Anfang und der Schluß sind das Wichtigste« – »Und was dazwischen ist?« – Könne man sich ja leicht vorstellen.
Eine Biene summte um seinen Kopf, und er ließ es geschehen. Ob er jemanden hasse? – Nein. – Auch in der Erinnerung, aus der Vergangenheit niemanden? – Nein. – Ob er manchmal singe? – Zu Weihnachten, da singe er »Stille Nacht, heilige Nacht«. – Ob er es mir vorsingen wolle? – Er tut es, ohne zu zögern. Er singt leise und starrt den Kies an. Er singt die ganze erste Strophe. Ich sitze mit einem Mann auf der Bank, der Gedichte geschrieben hat, die zum Schönsten zählen, was die österreichische Lyrik in der Gegenwart hervorgebracht hat, es ist Sommer und er singt »Stille Nacht, heilige Nacht« für mich. Einmal hat er geschrieben: »Alexander ist ein Prophet des Mittelalters, der es ermöglicht, Gottes Vers zu ebnen. – Landen in der See des Südens Italia.« Ich frage ihn nach seinen Träumen, ob er sich an einen Traum erinnern könne? Nein. Und dann, nach einer Pause, erzählt er, ein Kollege habe drei Steine in der Hand gehalten, auf der Schmierseife war. Er sei mit dem rechten Zeigefinger darübergefahren, und da sei er aufgewacht.
Er hat sich über die Tischplatte gebeugt und sein Gesicht ist nun vom reflektierenden Gelb der Platte beschienen. Er sieht aus wie ein trauriger, weiser Chinese. »Die ist besonders schön, die gelbe Farbe«, sagt er auf einmal. Und dann nichts mehr. Die Farbe Blau habe er verehrt, antwortet er auf meine Frage, welche Farbe ihm besonders gefalle. Er schreibt jetzt wieder zwei Gedichte in mein Notizbuch, nachdem ich ihn dazu aufgefordert habe. Eines mit dem Titel »Der Pfirsich«, ein zweites mit dem Titel »Gelb«.

Es sind einfache, kindliche Gedichte ohne Bedeutung, aber vielleicht ist dies seine einzige Möglichkeit, Widerwillen gegen die Aufforderung auszudrücken. Ich frage ihn, ob er sich mehr Besuch wünsche, und er antwortet, das könne er nicht sagen. Ein abgefallenes Blatt fliegt über den Tisch, auf dem noch Pfützen vom gestrigen Regen liegen. Das Blatt taumelt vorbei, wird aufgewirbelt, fällt vor seine Füße. Als ich ihn frage, ob er etwas zum Gedicht »Der Pfirsich« dazuschreiben wolle, sagt er entschieden: »Es ist fertig.« Wir sprechen dann noch eine halbe Stunde über das Leben in der Anstalt und er antwortet mir stets willig, aber ohne Anzeichen von Anteilnahme. Wieder fliegt ein Blatt über unsere Köpfe. Ich mache ihn darauf aufmerksam und sage: »Blatt ist ein schönes Wort.« Er nickt. Und ich frage ihn, welche Worte er schön fände. »Sonne«, sagt er nachdenklich. »Sterne … Die Nacht … Die Uhr.«

Er drückt die Zigarette aus und behält den Stumpen in der Hand. Nach einiger Zeit steckt er den Stumpen in sein Uhrtäschchen, schnell und auf eine überraschende Weise gewandt, als hätte er eine große Übung im Verbergen. Ohne es zu wollen, muß ich aber meine Aufmerksamkeit verraten haben, denn er wendet betreten den Kopf zur Seite, als er meinen Blick auffängt.

Ich: »Die Uhr ist ein schönes Wort. Vielleicht haben Sie Lust, darüber zu schreiben?« Alexander: »Es gibt aber verschiedene Uhren.« Ich: »Schreiben Sie über Ihre eigene Uhr.« Er nimmt das Notizbuch, denkt nach, legt den Bleistift weg. »Da weiß ich auch nichts«, sagt er. Ich: »Oder Die Sterne.« Wieder nimmt er das Notizbuch, den Bleistift. Denkt nach. Legt den Bleistift weg. »Da weiß ich auch nichts«, sagt er wieder.

Ein Gewitter kommt auf, der Wind wird stärker und hinter den Bäumen ist der Himmel schon schwarz. Ich bemerke jetzt, wie müde er schon ist, und wir stehen auf und gehen zurück. Er trägt klein und vom Leben *mitgenommen* die große Plastiktasche in der Hand. Die Haare nach rückwärts gekämmt. Den Unterkiefer vorgeschoben. Er geht mit gesenktem Kopf bis zum Anstaltsgebäude, ohne links und rechts zu schauen. Dort läutet er an die Tür, hinter der er eingesperrt ist, wartet, bis ein Pfleger sie öffnet, und *verschwindet* dann in der Dunkelheit des Ganges. Ein Gedicht von ihm lautet:

Ein bisserl aufpassen und
langsam scheiden. So ist
das möchte ich haben. Ja
so schneiden.

Josef Enengl †

Ein Dichter. Ein Phantast.

Ein phantastischer Dichter.

Eine einsame Größe (ein großer Einsamer?) ist nicht mehr.

Ein Außenseiter, gewiß nicht nur des hiesigen Literaturbetriebs, jeglichen Betriebs.

Josef Enengl, der liebe Freund, die gute reine Seele, ist tot. In seinen Gedichten, Erzählungen, Studien und Essays, in vielen Erinnerungen, gemeinsamen Erlebnissen, bleibt er jedoch mit uns, lebt er in Gesprächen wieder auf, ist er bei jenen, die ihn immer schon verstanden, mit ihm ein Herz und eine Seele waren, die nie einer Interpretation seiner in die trübe Welt gesetzten »exotischen Blumen« bedurften.

»Am Ursprung der Atmung«, so der Titel der umfangreichsten Sammlung seiner literarischen Arbeiten, zu Hause, ragte Josef Enengl in seiner menschlichen und poetischen Größe aus der Masse, die ihn leider viel zu wenig wahrnahm. Wie wußte doch schon Schopenhauer: »Allezeit und überall, in allen Lagen und Verhältnissen haßt Beschränktheit und Dummheit nichts auf der Welt so inniglich und ingrimmiglich wie den Verstand, den Geist, das Talent. Daß sie hierin sich stets treu bleibt, zeigt sie in allen Sphären, Angelegenheiten und Beziehungen des Lebens, indem sie überall jene zu unterdrücken, ja auszurotten und zu vertilgen bemüht ist, um nur allein dazusein.« – Denjenigen, die nur allein da sein wollen, trat Josef Enengl nie in den Weg. Den Krampf überließ er den Vielzuvielen. Ich kann mich nicht erinnern, daß je auch nur ein einziges böses Wort über seine Lippen gekommen ist. Die Härten des Alltags nahm er auf sich und hin. Eine altenbergische Gelassenheit war ihm wohl inne, eine immense Begeisterungsfähigkeit und eine scheinbar grenzenlose Liebe für das Schöne. Dies belegt jede Zeile seines, wie ich meine, äußerst bedeutenden Werks.

Ende der siebziger Jahre durfte ich Josef Enengl über den gemeinsamen Freund Hermann Schürrer, mit dem und anderen ich 1975 die kulturpolitische Gazette »Freibord« gegründet hatte, kennenlernen. 1979 konnte ein Band mit Gedichten Enengls aus den Jahren 1950–1978 mit einem Nachwort von Hermann Schürrer herausgegeben werden. Enengl, so Schürrer, hat sich nie einer Gruppe angeschlossen. Und: Die Kurzlebigkeit dieser Unternehmungen bzw. ihr epigonäres Weitervegetieren ist ja auch nicht besonders aufmunternd, abgesehen von anderen Momenten. Er experimentierte allein, als Einzelgänger. Dadurch erreichte er als Dichter einen Aktionsradius und einen Tiefgang wie wenige österr. Dichter vor ihm, und wenige Leser.

Und weiter: Wenn ich davon ausgehe, daß im Anfang Formwille und Variantenbedürfnis war, finde ich beides sehr stark bei Enengl ausgeprägt. Wie er uns in geschlossenen Blöcken, bestehend aus mehreren oder vielen Gedichten, die Branntweinstube, die Tabakhütte, die Kaiserin Theodora, das perpetuum mobile der Epilepsie, das Ich, Tod und Grab vorstellt, ist faszinierend … So weit Hermann Schürrer.

Sind erst einmal die Antennen für diese subtile Art surrealistischer Lyrik ausgefahren, stellt sich der Wunsch nach mehr poetischer Nahrung dieser Art ein. – Und Josef Enengl verstand es wie kaum ein anderer Autor diesem Wunsch in seiner Produktion nachzukommen, wobei die Konstante an Intensität innerhalb dieser stets von Kritik und Publikum gerühmt wurde. In zum Teil sehr prägnanten Notaten fing Enengl einen Kosmos voll magischer bizarrer Größe ein, den uns sonst vielleicht nur fernöstliche Weisheit in dieser Klarheit zu offenbaren imstande ist. Nehmen wir nur ein Gedicht Enengls aus seinem letzten Buch »Linz – Tibet – Wien«, das sich im Untertitel lapidar als Sammlung von Stenogrammen ausweist und fünf Gedichtzyklen umfaßt: Die Altstadt in Linz – Linzer Donauhafen – Tibet (Widerstand des Geistes) – Wiener Winterhafen – 20 Typen im Beisl am Brunnenmarkt. Aus erstgenanntem:

Ein singendes Schiffswrack.
Ein zerbrochener Propeller.
Papierrosen schmelzen.
Wassermann und Jungfrau.

Uneinnehmbare Schönheit tut sich da auf, läßt keine Dechiffrierung zu, die Schubladen zum Einordnen jeglichen Genres klemmen, versagen, haben ihre Funktionsuntüchtigkeit einzugestehen.

Poetische Perlen liegen mit Enengls Arbeiten vor. Sie laden ein, verinnerlicht zu werden.

Nicht die Unbedeutendsten waren es, die sich seiner Wortkunst näherten und diese über alles schätzten. Ich erwähne Christine Lavant, die in einem Brief an Enengl einmal betreffend eines seiner Gedichte unter anderem schrieb: »Ich wollte, ich könnte noch einmal ein nur annähernd so schönes schreiben.« Oder einen Alfred Kubin, einen Fritz Wotruba, einen H. C. Artmann, eine Friederike Mayröcker, einen Hermann Nitsch. Die Reihe ließe sich leicht fortsetzen.

Freuden, Hoffnungen, phantastische Bilder sind in allen lyrischen Texten Enengls zur Genüge zu finden, aber auch diverse Ängste und Nöte. Eine von diesen, von ihm immer wieder ausgesprochen, war wohl die, daß es einmal endgültig aus sein werde.

In »Zauberer in Erdferne«, meinem Vorwort zu dem bereits erwähnten Sammelband »Am Ursprung der Atmung«, schrieb ich unter anderem auch: »Vorausahnend schaut dieser zeitlose Seismograph Bilder, die dem an den Alltagstrott Geschweißten, in der Turbine der Willkür Festgehaltenen, nolens volens entgehen.« Und: »Enengl befindet sich in seiner Einheit in steter Veränderung. So treffen wir im ›stillen Ozean‹ seiner Seele, hermetisch abgeschlossen von der Umwelt, ›weissagende Eulen‹ wie einen ›Leuchtturm aus Glaswolle im Nebel‹.« In der Residenz seiner ureigensten Gedanken zerplatzt die Seifenblase des Bewußtseins, zum zigsten Mal.

Enengl dichtet: ›Abwärts glüht der Kessel der Vernunft‹, oder: ›Ein Kleid wie Blumenfleisch verklärt die Zeit‹. – Ob wir ihm nun ins Café Billroth folgen, um ›der Narkotisierung der Welt, die noch nicht abgeschlossen ist‹, beizuwohnen, oder mit ihm in andere Folgen ziehen, immer werden wir mit einer selten erlebten Fülle an dichtester Ausdruckskraft konfrontiert.«

Die Großstadt verwischt die Empfindungen, sagte mir Josef eines Nachmittags in meiner »Weltbude«, so bezeichnete er meine kleine Wohnung im 18. Wiener Gemeindebezirk, – und doch zog er es vor, in der Stadt, in der Großstadt zu leben. Vielleicht konnte er nur in dieser existieren. Seit Mitte der 50er Jahre, nach Universitätsstudien in Graz, in Wien. Da lernte er viele und vieles kennen, verfaßte ein experimentelles Wörterbuch, zeichnete Träume auf, schrieb Essays und Studien u. a. über Sören Kierkegaard, James Ensor, Alberto Giacometti, Pablo Picasso. Diese und bereits erwähnte Namen sollen aufzeigen, daß Josef Enengl auch immer der Philosophie und der bildenden Kunst nahestand.

Mit Josef Enengl verlieren wir einen ganz außergewöhnlichen Künstler und Menschen. In seiner Zurücknahme auf Wesentliches in seinem Oeuvre schenkt er uns eine Fülle an Assoziationsmöglichkeiten. Im Wenigen ließ er vieles erahnen, für manche gar strahlen.

ROBERT SCHINDEL

Nichts erinnert an Schürrer

1.

Nichts erinnert an Schürrer
Der Ecksitz links im Alt-Wien
Der Platz vor der zweiten Bar
Als er auf den Rücken fiel
Vor dem gütigen Kellner Niki
Erinnern nicht an Schürrer

2.

Im Asia, früher Café Savoy
Ist er ein chinesisches Schnörksel
Aber im Drogeriemarkt Wienzeile
Vormals Café Dobner
Grimassiert er in den Rasierseifen.
Nichts erinnert an Schürrer

Geschrieben hat er ein dickes Buch. Verschollen
Ists in den Regalen der spärlichen Käufer.
Eingegraben hatte man ihn aber Herumstehende
Standen herum als endlich abwärts gelassen er. Sodann
Fortgingen die Trauernden aus Simmering heraus
Und nichts erinnert an Schürrer

Auch dieser Text erinnert ihn nicht
In keinem Buchstaben ist er vorhanden.
Dahin seine Gedichte die schönsten zuerst
Ungespitzt in die Ewigkeit sind sie
Gedonnert, nichts, auch der Donner
Gewichen ist er, es schneit bloß

3.

Bisweilen wenn ich stark trinke, das
Letzte Glas angsthaft stehnlass mit dem
Rücken zu mir mich abstell dann und
Noch rufe: Schürrer
Ich komme! hernach ist er hier
Und donnernd lacht Schürrer.

WOLFGANG BAUER
»bis in alle ewigkeit«

joe berger ist der bedeutendste nicht schreibende literat, den ich kenne. wenn man eben literatur nicht bloß als ein manuell schreibendes, druckendes denken oder gar als ein aus angst vor der unfähigkeit zur philosophie gewachsenes eitles pseudokünstlerisches handwerk definiert, fallen so unter diesen begriff noch einige leute, deren symbolische zentralfigur zweifelsohne joe berger ist. es wäre leicht, ihn als höchst zerrissenen, viel zu vielfältigen (etwa »traurigen Witzbold« oder dergleichen dumme klischees …) antikünstler zu portraitieren, wesentlicher erscheint mir, eine art gewachsener einheit herzustellen, in welcher sich bergers aufregendes inneres bezugsfeld spannt.

künstlerische fruchtbarkeit ist ein physikalisches problem. es ist ein problem der kanalisation, und wenn es den potenten bildungs- und phantasiedruck eines joe berger-gehirns, gleich den sambesifällen, zu kanalisieren gilt, reicht ein venezianischer canale nicht mehr aus, es muß unweigerlich zu einer grausig-spontanen überschwemmung kommen, in welcher der dichter berger selbst alle hände voll zu tun hat, um zu überleben. aber wie's halt so ist in gottes freier natur (um beim bild zu bleiben), entsteht nun auf bergers denundationsgebiet, auf den tümpeln fanatischer donauauen, umschwirrt von myriaden dobnerscher und hawelkaesker nachtinsekten, wiederum die schönheit einer neuen poetischen philosophie, vielleicht die poetik der nonchalance, die gleich aus zwei quellen von verzweiflung geboren wird: erst das erbrechen des schädels, dann die einsamkeit in der traurigen freiheit, die nur der betroffene kennt, resultierend aus dem mangel an kommunikationspartnerschaft.

auf dem humus dieser verschütteten und kaum zu vermittelnden qualität gedeihen nun – wie kleine fremde signale – joe bergers märchen, in deren heiterer flüchtigkeit dieses große geistige massaker schelmisch verheimlicht wird: … die strenge form des märchens, mit der erst ein wenig gespielt wird, oft wieder lachend vernichtet mit einem wort; der spaß mit dem aberglauben an bleibende bezugssysteme, die parodie des nihilismus und umgekehrt das nihilistische an der parodie und dennoch wieder ein nonchalant hingeworfenes sehr witziges literarisches präsent, an welchem man berger wird nicht total messen können, welches man aber unverzüglich freudig annehmen muß, weil es in seiner bizarren und gescheiten lustigkeit zwangsläufig auch im traditionellen literaturbetrieb allein markant dasteht.

und wer an die »märchen für konsumkinder« glaubt, der glaubt nicht mehr an das märchen einer konsumliteratur, sondern konsumiert alles bis in alle ewigkeit, um auch einmal ein joe berger zu werden …

FRIEDERIKE MAYRÖCKER

Ernst Jandl und seine Götterpflicht

ach herzzerreißende Welt ich weiß es ist alles ganz anders – es ist alles ganz anders, telephoniert er mir, und springt in meiner Vorstellung als Kind durch blendend weiße Narzissenwiesen, Halbmonde auf der Stirn, es geht uns alles ab, telephoniert er mir, und wir wollen eine volle Kompensation im literarischen Bereich, aber man sollte sich dessen bewußt sein, daß man sich auf ein sehr riskantes Spiel eingelassen hat, das einem nicht immer Gewinne anzubieten hat, und es gibt Stunden, in welchen man sich tatsächlich fragt WAS HABE ICH DA BEGONNEN, WORAUF HABE ICH MICH DA EIN-GELASSEN, und das sind nicht immer die besten, und man hat sein ganzes Leben für die Literatur eingesetzt, und es kommt noch immer nichts heraus dabei – seine Vorzüge sind im ganzen so glänzende daß man ihm keine Fehler nachweisen könnte, seine Geistigkeit flößt mir Liebe und Hochachtung ein, er ist eine angenehme Gesellschaft, ein Meteor in einer Dunkelheit, er ist ein freier Geist, ein Meister der Konzisheit, der Sorgfalt, der Ordnungsliebe, er ist cholerisch (wie es sein Vater war), er ist melancholisch gelassen, zuweilen wird er von einer Besessenheit emsiger Akkuratheit, von einer ängstlichen Penibilität erfaßt, niemand kann ihn da erlösen, er klebt eine Briefmarke auf und es ist eine heilige Handlung, mit zwei blaßblauen Falterflügeln, Halbmonde auf der Stirn, sehe ich ihn als Kind, auf vergilbten Photos, das sind die Flügel seiner Kindheit, er sieht darauf seiner früh verstorbenen Mutter ähnlich die hätte ich immer gerne kennengelernt, wahrscheinlich hätte ich mich gut verstanden mit ihr, was für ein Stammbaum, ruft er, und meint die Teerose, ich habe ihm eine einzelne gelbe Rose auf den Tisch gestellt, er hütet sein Medikamentenarsenal, hält es vor mir versteckt, und im Wiener Arsenal haben ja auch seine Großeltern von Mutterseite gelebt, sein Profil zeigt jetzt noch manchmal den Kopf jenes Kindes auf dem Photo, die weit geöffneten Augen, der weit geöffnete Mund und während er seine hinreißenden Verse hinausschmettert; seine Augen können aber auch traurig blicken, blaugraue Blumenbälle. Blumen im Zimmer liebt er so sehr, daß er sie bis zu ihrem äußersten Verwesungszustand im Glase beläßt, die wenigsten kennt er mit Namen, und was die Liebe zu den Tieren angeht, ist es ein Anliegen von ihm seit es ein Anliegen von mir ist, er ist auch ein Pflichtmensch. Seine blaugrauen Augen können ängstlich blicken, aber meist ist er unangreifbar solide in seinem Geist und Gesicht, ein streitbarer : ein friedenstiftender Geist, ein spontaner : ein zurückhaltender Geist, mit seiner Stimme kann er fast alles, er ist für alles kompetent, oder scheint es zu sein, er ist voll Vielfalt, er ist voll Bedächtigkeit, er ist voll Bescheidenheit, er ist voll Würde, er ist voll unbestechlicher Radikalität, er hat Löwenkräfte, er ist furchtlos, ausdauernd, beherzt; seine Gedanken so feingliedrig dennoch festgefügt und facettenreich so daß sein Facettenauge – ich meine, keine Philosophie darüber!, ach ganz gemein und gewöhnlich bin ich in meinen Gedanken wenn ich sie an den seinen messe, ich schneide schlecht ab, ich stehe mit leeren Händen da, bin unbeständig und unentschlossen, meiner nicht sicher, er hingegen so eine Existenz – du bist so eine Existenz, rufe ich, worüber er Tränen lacht. Mit seinen Facettenaugen sieht er die Welt jeden Augenblick neu, von einem Augenblick zum anderen verändert sich seine Welt, verändern sich seine Menschen, die Nachtstunden sind seine inspiriertesten, das sind Kostbarkeiten die er von sich gibt, man müßte immer gleich alles aufschreiben.

Es muß wohl so sein daß man einander zuweilen Schmerz zufügt, also der fortschreitende Altersprozeß macht auch ungerecht oder gleichgültig für einander, zwei weiße Hunde dabei, two beagles, Englisch schreibt er wie Deutsch, aber nicht von daher ist der Mops gekommen, nicht von daher der Mops im Gedicht, sondern aus seiner Liebe zu den Vokalen. Du machst ein Gesicht, sagt er zu mir über den Gasthaustisch wo wir nachtmahlen, als würdest du wieder irgend einen Hund sehen, in den du dich verliebt hast … wie stehe ich da, ein Gefühl allgemeiner Erniedrigung hat mich erfaßt, eine Subordination auf allen Linien, als literarischer Underdog grüße ich aus meiner Versteinerung, usw. Ich habe es ja immer schon mit den Hunden gehabt, usw., nosing the path … aber das ist alles ganz anders, auch spielt die Zeit keine Rolle, wir kennen einander schon seit ewigen Zeiten, Elefantenmusik, ich meine seine große Liebe gehört der Musik, namentlich der Jazzmusik, als ich in den Sechzigerjahren anfing, für Rockmusik zu schwärmen, belächelte er meine Begeisterung, wurde aber bald darauf selbst davon angesteckt, inzwischen bin ich wieder zu Chopin, Brahms, Schubert, Schumann und Bach zurückgekehrt, neuerdings habe ich Satie für mich entdeckt, er aber auch, so kreuzen sich unsere Vorlieben ein wenig vordergründig nicht wahr, oder dem Herzen Beine gemacht, denn die Wirklichkeit ist immer ganz anders. Ein Wort vor ihm zur unrechten Zeit kann die beste Stimmung über den Haufen werfen, ein unpassendes Wort kann einen ganzen Abend zerstören, die Unterhaltung einer Freundschaft ist wie so vieles andere ein Balanceakt, im letzten Paradox seiner Wachzustände bis in die frühen Morgenstunden, Phönix vermutlich eine quälende Morgenröte, ich meine durch die Belehrung in der Musik. Immer schon ist er gegen BELEHRUNG gewesen, er hat immer alles gegen BELEHRUNG gehabt, aber alles für UNTERHALTUNG, AMUSEMENT, ANIMATION wie er sagt, er ist selbst ein großartiger Animator also EINHAUCHER, Atemmensch. Die Esche vor seinem Fenster, die wir beide nicht aufhören können zu bewundern weil sie einst dem spärlichen Erdreich einer Mauerritze entsprungen ist, wächst ihm ins Zimmer, wie sehr Schreiben etwas Waghalsiges und ein gar nicht immer befriedigendes Unterfangen ich meine UNTERGANG ist, weiß er selbst am besten und man oft davon fortgetragen ist auch manchmal in Krankheit und Erschöpfung. In jüngster Zeit lacht er selten, früher hatten wir das Lachen erfunden, Halbmond oder -bruder, einen halbkreisförmigen Horizont auf dem Grunde seines Aschenbechers zeichnend, er zeichnet gerne und gut, sitzt er vor mir, unsere Übereinstimmung im Fühlen und Denken scheint vollkommen, aber auch unser Auseinanderdenken in manchen Bereichen, er FÜR, ich GEGEN die Trivialkünste, ich GEGEN, er FÜR die puristischen Formen der Konkreten Poesie, er FÜR, ich GEGEN den Free Jazz, etc., also alles Verstehen zugleich ein Nichtverstehen, Fragment eines Schattenarms, vielleicht habe ich mir etwas zuschulden kommen lassen, vielleicht scheitere ich jeden Morgen an mir selbst, aber ich habe wieder in seinen Gedanken gelesen, ich schaue in meinen Wahrheitsspiegel: SEIN AUGENPAAR.

SYLVIA TREUDL

schwarze seide
       schwebend
       (oder besser noch)
       (: nachtfarbener damast)
wie schön
: sprache als ziseliertes
  tag werk zeug
  & mondgeläut

in Bewunderung für F. M.

FERDINAND SCHMATZ
fritzi's
auto – bio – graphie

innen
gewendete sinne
berühren sinn
im verbot
dehnen silben
im schreiben
das auge ins selbst

außen
gewendeter sinn
flieht sinne
in lust
tönen vokale
im sprechen
zu lebendes ins ohr

Flieder
stRauch
verwIrrt
lEnde.
alsDann
begEhrlich
kReisen
spInnereien,
laKritzel
zuEngeln

schMusen
schwArm.
zYpressen
schRanken
bOhren
schwaErze.
Circen
anKern
dEinen
tagtRaum.

HEIDI PATAKI

heimrad baecker

h eim der kerbe armer aecker
e id & drama? reiche habe
i rr die hacke, da die backe brach
m akaber; rare reim-baracke
r adebrech-bereiche marke
a ber; keim der kreide
d arbe, meier! ach, der brach ...

b rich die macher, rache-eimer
a ermer kriech der kamerad
e chte eiche, eibe, hecke
c irbe, cier der mai-armade
k ehr die barke, ihm die mark hier:
e hr der macke! kraemer-rache:
r eich ihm eier! reich ihm bier!

JEAN AMÉRY

Trotta kehrt zurück
Über Ingeborg Bachmanns Novellenband »Simultan«

Es war nur eine Zufallsbegegnung mit einem Buch: daß sie den *Coup de foudre* entfachte, die jähe Passion für eine schriftstellerische Leistung, ist wohl nur der Konvergenz zahlreicher, voneinander unabhängigen Kausallinien zu verdanken, von denen ich hier vorzüglich eine mir vornehmen will, die sei durch das Wort *Österreich* gekennzeichnet.
Die fünf Novellen Ingeborg Bachmanns sind ein Stück österreichischer Literatur dieser Zeit, von einer Österreicherin geschrieben, bewegend und »nachvollziehbar«, wie man dies jetzt nennt, vielleicht nur innerhalb eines

Systems österreichischer Anhaltspunkte. Was sollte auch ein junger Nichtösterreicher anfangen mit einem Herrn von Trotta, der in der Novelle »Drei Wege zum See« aus der Nacht österreichischer Vergangenheit herauftaucht? Die berufsmäßig polyglotte Dolmetscherin Nadja, die Starfotografin Elisabeth, die narzißtisch-träge Beatrix, die kurzsichtige Miranda, die um die Liebe eines vergötterten Sohnes betrogene alte Frau Jordan – sie sind allesamt österreichische Frauen, denkbar nur in der Umwelt dieses »Staates, den keiner wollte«, mögen sie auch die Welt zwischen Paris, Genf, London, New York assimiliert haben. Sie sind weltflüchtig auch inmitten einer Mondänität, die gelegentlich nach einem Parfüm, Marke Sagan, duftet: dieses übertäubt nur den süßen Modergeruch der Hofmannsthalschen Terzinen über Vergänglichkeit, der Schnitzlerschen gefährlichen Liebeleien, der muffigen Garnisonen aus Joseph Roths »Radetzkymarsch«. Elisabeth und Nadja flüchten überstürzt und suizidär nach vorn, hinaus in eine Welt, die sie nicht bestehen können. Miranda flieht in ihre Kurzsichtigkeit, der sie am Ende zum Opfer fallen muß, Beatrix auf ihr zerwühltes Faulbett im dürftigen Zimmer oder zum Luxuscoiffeur, bei dem »etwas mit ihr geschieht«. Was sie, die so sehr voneinander Verschiedenen, verbindet, ist immer wieder ein bürgerliches Österreich, das nur noch der Schatten des Höhlengleichnisses Platons ist. Ich mache mir nichts vor: Es ist in Wahrheit ein Totenreich, durch das die Autorin uns führt. Die zeitgeschichtlichen Referenzen Vietnam, die FAO, Algerien, die moderne Psychologie – bleiben der Essenz dieser Erzählungen eigentümlich fremd.

Dem Zauber dieser in die unsrige fremd hineinragenden Welt von gestern kann dennoch zumindest der sich nicht entziehen, der selbst mit diesem Gestern noch auf du und du steht, sei die Duzbrüderschaft auch ironisch gebrochen oder sogar durch Haßliebe entstellt. Wer je mit Leutnant Gustl in der Hauptallee saß, wer mit der jungen Therese durch ein noch ganz provinzielles, von Festspielrausch noch nicht träumendes Salzburg »gewandelt« ist (denn, jawohl: »wandeln« heißt es bei Schnitzler), wer mit Törleß die Schulbank drückte und uferlose Gespräche mit Musils Walter und Clarissa führte – wer also das literaturgewordene bürgerliche Österreich in sich trägt, der ist der hypnotischen Wirkung, die von diesen Novellen ausgeht, anheimgegeben: »Wer die Schönheit angeschaut mit Augen ...«
Irre ich mich nicht, dann wurde der östereichische Reflex naiv und zugleich sentimentalisch hervorgerufen. Die Leichtigkeit und Nebenhingesprochenheit – oder soll ich sagen: die Schlamperei? – des Stils ist sowohl österreichisches Parlando wie wohldurchdachte, kompositorische Technik. Von den

fünf Frauen wird so erzählt, daß die je von der Verfasserin in Besitz genommene Sprachebene haargenau der Bildungs-, Intelligenz- und Gefühlshöhe der beredeten Unheldin entspricht, und zwar so, daß nicht nur die direkte Aussage im Vokabular der Personen vorgetragen wird, was ja nur eine Selbstverständlichkeit wäre, sondern daß bis in die feinsten Nuancen das gesamte Sprachspiel einer jeden Erzählung für sich steht, unverwechselbar, unvergleichbar mit den anderen. Die Titelnovelle »Simultan« in der Nadja, die Übersetzerin, die mit dem zufälligen Reise- und Bettpartner nach Kalabrien vor ihrer aufreibenden und sinnlosen Existenz davonläuft, hat den jagenden, atemlosen Rhythmus, in dem in ihren Kabinen die Simultan-Dolmetscherinnen blitzschnell die für sie inhaltsleeren Sätze übertragen müssen. In »Probleme, Probleme« ist der klinische Fall der in einer narzißtischen Neurose versinkenden Beatrix direkt sprachlich gegenwärtig als monomanische Monotonie. Um die Frau Jordan der kurzen Erzählung »Das Gebell« liegen die Sprachtümer altersverfallener Wiener Vorstadtgassen. Und Elisabeth, die Trägerin der längsten und schönsten Novelle, die doch draußen in der Welt mit Julian Huxley und Marc Chagall diniert hat, haust in der Sprachwelt Klagenfurts, wo man nicht alt sein muß wie der Herr Matrei, um sich irritiert zu zeigen über die bundesdeutschen Feriengäste, die »von neun Uhr morgens an grölten, ihre Autos immerzu wuschen und dann nach ›Fenedig‹ rasten«.

Nur ist freilich die Feststellung der deutlich gegeneinander abgegrenzten Sprachspiele ergänzungsbedürftig. In einer sehr tiefen Sprachschicht nämlich gehören sie durch die Unverkennbarkeit eines noch die fremdsprachigen Einsprengsel imprägnierenden österreichischen Tonfalls zusammen. Und damit komme ich zu einem Punkt, wo meine ganze subjektive Bewegtheit über diese Geschichten, die österreichische Gleichgestimmtheit mit der Verfasserin denn doch vielleicht überschritten werden und ich in einen objektiveren Bereich vordringe. Sehe ich nämlich recht, dann wird hier der Versuch unternommen, eine österreichische Literatursprache zu schaffen oder wiedererstehen zu lassen.

Dieses methodische Zurückschreiten in eine ältere österreichische Sprachwelt, das allerdings von der Verfasserin nicht durchgehend gehalten werden kann, hat, glaube ich, zweierlei Gründe. Der erste ist unzweifelhaft eine Verbindung mit der österreichischen Vergangenheit, die besonders eng ist, wenn man als freiwilliger oder unfreiwilliger Exilierter im Ausland lebt, da sie in solchem Fall zu einer Form der Ichfindung und Selbstkonstitution wird. Der zweite ist jedem heute deutsch schreibenden Schriftsteller vom eigenen Werkplatz her bekannt: Man kämpft einen verzweifelten Kampf

gegen das Neudeutsch der verschiedensten Schattierungen und Bildungs-
räume. Man will um keinen Preis »verunsichern« sagen oder »verkraften«
oder gar »kleinkariert«. Man hat panische Angst davor, »grünes Licht« zu
geben, oder für »Erhöhung« den teuflischen Ausdruck »Anhebung« zu gebrauchen.

Doch halt – gerate ich hier nicht unversehens in ein kulturreaktionäres
Fahrwasser, in das ich überdies noch die Schriftstellerin Ingeborg Bachmann ganz unerlaubterweise hineinreiße? *Et puis?* Besser als von einer »reaktionären« Sprache ist vielleicht von einer »reaktiven« zu reden: die Reaktion, die allergische, gegen das Zeitungsdeutsch ist letzten Endes ein guter
Dienst, den der Österreicher dem großen Nachbarn und der gemeinsamen
Sprache erweist. Das auf den ersten Blick Archaisierende könnte sich, da es
älteres Sprachgut auf einen höheren Punkt der Entwicklungsspirale hebt,
auf die Dauer sehr wohl als verfeinerter und verfeinernder Modernismus
herausstellen.
Ein knappes Wort schließlich zu gewissen Vorwürfen, die gegen dieses Buch
erhoben wurden. Sie hatten nichts mit Österreich zu tun. Was vorgebracht
wurde gegen »Simultan«, war: Große Weigerung vor der Gegenwart, Preziosität, backfischhafte Überempfindlichkeit, Selbstmitleid, Geziertheit, wie
sie einer Frau dieser Jahre und in diesen Jahren nicht wohl anstehe, lauter
letztlich inhaltbezogene Einwände, die außer acht lassen, daß es auch für
die kontemporären »Literaturproduzenten« immer noch auf das Wie ankommt, nicht auf das Was. Selbstmitleid? Nun ja, alles hängt davon ab, wer
sich darin gefällt und wie er es in Sprache verwandelt; der Narrator der
»Recherche«, habe ich mir sagen lassen, war nicht frei davon. Verweigerung
des Weltverstandes und der »gesellschaftlichen Wirklichkeit« ist auch auf
das Schuldenkonto des James Joyce zu buchen. Preziosität kann selbst innerhalb eines Werks einer und derselben dichterischen Persönlichkeit da zu
großartigem Gelingen, dort zu kläglichem Versagen führen, man denke nur
an Rilke. In Ingeborg Bachmanns letztem Buch machen die außerordentlich wohlschaffenen Partien uns die gelegentlichen und ganz unerheblichen
Überzierlichkeiten vergessen. Die österreichische Magie inspiriert noch
einmal, wie schon so oft zuvor – bei Raimund, bei Hofmannsthal, bei Roth
und sogar beim frühen Artmann –, geheimnisreich und anmutsvoll die
deutsche Dichtung.

JOSEF WINKLER

Schutzengel der Selbstmörder
Eingedenken am ersten Todestag Thomas Bernhards

Ein Leichenzug war damals an der Fochlermühle vorbei aus der Schlucht herausgekommen,
ich denke, wahrscheinlich von der Saurauschen Burg herunter, und die Vögel hatten, an-
dauernd erschrocken ans Gitter des Käfigs stürzend, ununterbrochen, von den Gebete mur-
melnden Menschen irritiert, in den Leichenzug hineingeschrien.
Thomas Bernhard: Verstörung

Jo grüeß enk Gott! Grüeß Gott! Karntnerisch, karntnerisch, dos greift aufs
Gmüet, is wia a Blüamle, dos olleweil blüaht, is wia a Jauchzer, der nia nit
verhollt, wia a klors Wasserle draußn in Wold. Jo grüeß enk Gott! Grüeß Gott!
Grüeß Gott!

Erst 1980, als bereits zwei von meinen Romanen erschienen waren, stieß ich
auf das Werk von Thomas Bernhard. Ich hatte damals ein Stipendium des Literarischen Colloquiums Berlin und fuhr öfter in die Autorenbuchhandlung,
um mir Lesestoff zu suchen. Ich blätterte »Die Ursache« auf, las eine Zeitlang,
und schon nach wenigen Sätzen bereute ich es, seine Bücher nicht schon
früher zur Hand genommen zu haben. Heute weiß ich, daß damals die
Lektüre von »Kalkwerk«, »Frost«, »Verstörung«, »Gehen« und »Amras« die
Lawine der Bilder für meinen dritten Roman losgetreten hat. Von diesem
Augenblick an führte ich monatelang seine Bücher mit mir herum, las in der
S-Bahn, am Ufer des Wannsees, in der Berliner Innenstadt in einem Caféhaus
oder in einem Park, ständig einen Bleistift in der Hand haltend, und unter-
strich die Sätze und Geschichten vom Selbstmord und Tod auf dem Lande in
Österreich, in dem ich unter der Knute der katholischen Kirche und unter ge-
walttätigen patriarchalischen Verhältnissen in einem Kärntner Bauerndorf
aufwuchs. »Vom Zufall des Gelesenen hängt es ab, was man ist«, so Elias Canetti. Ich arbeite an einer Sprachmaschine, die den Tod in alle Einzelteile meiner Knochen zerlegen wird. Schreibt ja nicht, Deine Brüder, Deine Schwestern, Deine Tunten, Onkels und Tanten – ich hasse Euch, meine Lieben! – auf
die schwarzen Schleifen meiner Totenkränze. Schreibt Sätze aus meinen
Büchern auf meine Totenkranzschleifen, Sätze, die ihr am meisten haßt.
In einem der Bücher von Thomas Bernhard las ich den Satz »Salzburg ist
die größte Prostituierte Österreichs.« Später variierte ich diesen Satz und
schrieb in einem meiner Romane, die Hostie ist die größte Prostituierte

Österreichs! »Eine Kanone erfinden, groß genug, die Erde hineinzuladen und sie Gott ins Gesicht schießen«, so Friedrich Hebbel. »Beten ist ganz gewöhnlicher Wahnsinn«, so Leo Tolstoi. Schreiben ist ganz gewöhnlicher Wahnsinn. Du brauchst ja nur statt roter Tinte Menschenblut in die Füllfeder füllen, wenn du mit Blut »Jesus Faktor Negativ« schreiben willst. Als Vierzehnjähriger hatte ich noch den Zwang, abends, wenn ich im Bett lag, anstatt vor dem Einschlafen zu beten, hunderte Male vor mich hinzumurmeln, Jesus, du Schwein! Jesus, du Schwein! Jesus, du Schwein! Als ich danach oft die schrecklichsten Schuldgefühle bekam und mich der Gedanke an den Selbstmord bedrängte, murmelte ich oftmals ebensooft vor mich hin, Jesus, du bist kein Schwein! Jesus, du bist keine Drecksau! Jesus, du bist kein Schwein!

Wenige Monate vor seinem Tod, kurz vor der Uraufführung von »Heldenplatz«, die gerne ein paar konservative österreichische Politiker boykottiert hätten, soll in Wien ein Mann mit erhobenem Stock auf Thomas Bernhard zugetreten sein und gerufen haben, Umbringen sollt ma eana! »… man ermordete ihn und mißhandelte dann noch den Toten dafür, daß er die Eigenschaft hatte, ermordet werden zu können«, so Friedrich Hebbel. Nach Bekanntwerden des Todes von Thomas Bernhard stand in großer Überschrift in der Kärntner Tageszeitung: »Er hat ausgeschimpft!« Und als Untertitel: »Heldenplatz-Autor Thomas Bernhard verließ diese Welt.«

Die meisten österreichischen Politiker kriechen zuerst über das Kruzifix, bevor sie sich den Fahnenständer hinaufhanteln, um sich mit ihren Zähnen an den rotweißroten Fahnenfetzen festhalten zu können. Manchmal hört man lautstark das Durchreißen des Fahnenfetzens, und die Person, die sowohl am Kruzifix als auch am Fahnenständer schleimige Schneckenspuren hinterlassen hat, plumpst hinab ins Vergessen. Neuerdings sehe ich auf Bonbonschachteln auch österreichische Landschaften abgebildet, die in Wirklichkeit schon längst von den Industriemenschen, Politikern und ihren Umwelt*schmutz*ministerien zerstört worden sind. Während das Schokoladebonbon auf der Zunge langsam zergeht, darf man mit schlechtem oder gutem Gewissen auf die an der Bonbonschachtel klebenden Abziehbilderlandschaften blicken. Wie Efeublätter ranken sich die gespaltenen Zungen österreichischer Politiker um eine Gefängnismauer.

Der Kärntner Landeshauptmann Jörg Haider, der es gerne hört, wenn ihn die ahnungslos wählende Kärntner Jugend nicht als Landeshauptmann, sondern kumpelhaft mit »Jörg!« anspricht, der einmal – und er hat diese Formulierung bis heute noch nicht zurückgenommen – die österreichische Nation als »ideologische Mißgeburt« bezeichnet hat, der einem Kärntner

Maler nach seiner Inthronisierung als Landeshauptmann empfohlen hatte, Kärnten zu verlassen, sagte vor wenigen Monaten bei einer öffentlichen Aussprache, zu der das Kunstforum eingeladen hatte: »Man muß davon ausgehen, daß der Künstler auch ein Mensch ist!« Künstler nannte er einmal – auch diese Ausdrücke hat er bis heute nicht zurückgenommen – »subventionsabhängige Lemminge« und »nützliche Idioten«. Auf einem der großen, in ganz Kärnten verstreuten Werbeplakate der FPÖ stand, »Der Jörg, der traut sich was!« Wenn man mich fragt, was ich vom Kärntner Landeshauptmann Jörgl halte, antworte ich meistens mit einem Zitat von René Char aus seinem 1943/44 entstandenen Prosagedicht »Hypnos«, das lautet, »Es gibt eine Art Menschen, die stets den eigenen Exkrementen voraus sind.« Ein FPÖ-Spitzenkandidat für ein Bürgermeisteramt, ein Haiderjunge, der inzwischen aber zurückgetreten ist, soll vor wenigen Wochen zu einem Wiener Journalisten, der einen Zeugen angeben konnte, gesagt haben, »Dem Simon Wiesenthal hab' ich gesagt: Wir bauen schon wieder Öfen, aber nicht für Sie, Herr Wiesenthal – Sie haben im Jörgl seiner Pfeife Platz.« Als ich heute, während der Niederschrift dieses Aufsatzes, mit meinem 85jährigen Vater, der noch heute mit zwei Traktoren fährt und alleine seinen Bauernhof mit 40 Stück Großvieh aufrechterhält, über den Kärntner Landeshauptmann sprach, sagte er, Paß auf, jetzt ist er Landeshauptmann, wer weiß, vielleicht wird er einmal Bundeskanzler, man soll nicht gegen den Strom schwimmen! Einmal sagte er, Wenn der Krieg nicht gewesen wäre, dann wäre ich niemals nach Holland, England oder Deutschland gekommen, nichts hätte ich von Europa gesehen. Und ein anderes Mal sagte er, Mauthausen haben sie viel zu früh zugesperrt! In einem Kärntner Bergdorf traf ich einen Jungbauern und Jäger, der unter seinem grünen Hubertusmantel seine Mordwaffe versteckt hatte. Seinen braunen Blindenhund – Jagdhündchen Waltl! – zog er neben sich her und rief immer wieder, Fuß! Fuß! wenn das Tier ausscheren wollte. Bereits angetrunken und in Anwesenheit eines anderen Jägers sagte er in einer Almhütte, Bring mir fünf Juden, die mach ich alle kalt und schaufle das Grab eigenhändig aus! Wenn man in Feffernitz, unweit von meinem Heimatort, zum einmal im Monat stattfindenden Flohmarkt geht, kann man auch da und dort Hakenkreuzabzeichen und echte und gefälschte Gestapoplaketten kaufen. Ein Sittenpolizist, dem es in Klagenfurt gelungen war, einen Päderasten zu überführen, sagte bei der Festnahme, als er ihn mit Handschellen aus der Wohnung führte, Jetzt hab ich dich endlich, zwei Jahre lang habe ich auf diesen Augenblick gewartet, wenn Hitler noch leben würde, würde man euch schwule Schweine schon noch ausrotten!

Thomas Bernhard habe ich nur einmal in meinem Leben gesehen. Ich wohnte ein halbes Jahr in Wien und besuchte im Wiener Burgtheater den »Weltverbesserer« mit Bernhard Minetti. Nach der Vorstellung ging ich zu einem Hintereingang und wartete neben ein paar anderen Autogrammjägern auf Thomas Bernhard, der, wie ich gehört hatte, sich vom Regieraum aus die Vorstellung angesehen hatte. Wenige Minuten nach der Aufführung kam Thomas Bernhard über eine Stiege herunter. Ich stellte mich so nahe wie möglich zu ihm hin, um sein Parfüm riechen zu können. Während er unterschrieb, zitterte ein wenig sein Unterkiefer. Als er in die Textfassung des »Weltverbesserers« vom Schauspielhaus Bochum seinen Namen schrieb, sagte er, Das geht ja wie geschmiert! Unter seinem Namen, den er mit schwarzem Filzstift geschrieben hatte, notierte er auch das Datum: 6. 6. 1981.

»Als der Dorfgeistliche, der auf die Nachricht hin gekommen war, zu Ernestine sagte: ›Madame, es ist ein Glück, jung zu sterben‹, antwortete sie: ›Jawohl, Herr Graf.‹« (Jean Genet) – Mit einer Petroleumlampe in der Hand ging ich über einen Zebrastreifen, der die Gräber von Thomas Bernhard und Jean Genet trennt. – *Plötzlich wird Zehetmayer, er ist vier Jahre alt, von seinem Onkel zum Nachtmahl gerufen, und er erschrickt und dreht sich um und erschrickt noch einmal und entdeckt auf einem Tram eine Männerleiche:* Einen Aufgehängten, *sagt Zehetmayer. Er hat den Erhängten angerufen, ihm befohlen, von dem Tram herunterzuspringen, weil er, der Vierjährige, die Vorstellung gehabt hat, der Erhängte könne ohne weiteres von dem Tram herunterspringen.* Nachtmahl! *hat das Kind gerufen, immer wieder* Nachtmahl! *Der Tote ist der erste völlig nackte Mensch gewesen, den Zehetmayer gesehen hat. Plötzlich ist ihm, dem Vierjährigen, bewußt gewesen, daß der auf dem Tram Hängende* tot *ist, und da hat er einen Schrei ausgestoßen, auf den sofort die Verwandten im Heuboden gewesen sind.* (Thomas Bernhard)

»Ereignisse« nannte Thomas Bernhard eine Kurzprosa, die er 1957 geschrieben hatte und die einige Jahre später in der Edition des Literarischen Colloquiums in Berlin erschienen war. Ich möchte diese Gelegenheit benützen und den »Stimmenimitator« imitierend, von ein paar Ereignissen aus Österreich berichten:

In einem österreichischen Kino, das »Invalidenkino« genannt wird, erhängte sich ein neunzehnjähriger Kärntner hinter einer Kinoleinwand. Erst als man im Kino nach mehreren Tagen den Verwesungsgeruch wahrnahm, wurde der Selbstmord entdeckt. Tod in Cinemascope! schrieb die Kärntner Tageszeitung.

Leck Arsch, zusammenpacken und in die Leichenhalle damit! sagte ein

Mann aus meinem Heimatdorf, nachdem er erfahren hatte, daß seine mit einem Fahrrad bei einem Bauern Milch holende Frau von einem Lastwagen gestreift und tödlich verletzt wurde.

Im September des vergangenen Jahres erhängte sich der zweite Bruder des siebzehnjährigen Robert Ladinig, der sich gemeinsam mit dem gleichaltrigen Jakob im Kameringer Pfarrhofstadel das Leben genommen hatte. Zu dritt hängen nun die Ladinigbrüder – Söhne einer Magd und eines Knechts aus Kärnten – an ihren Stricken. Der zweite Bruder erhängte sich in Arnoldstein am Ast einer Fichte und der dritte strangulierte sich in Villach an der Draubrücke. »Laßt mich wenigstens mit den Beinen strampeln, das darf doch jeder, der aufgehängt wird«, so Juan Rulfo.

In Oberkärnten erschoß ein vierzigjähriger Maurer mit einem Schlachtschußapparat seine Frau und seine drei Kinder, weil er, wie es hieß, Angst hatte, wegen seiner Depressionen in die Psychiatrische Klinik eines Krankenhauses zu kommen. Wochen vorher soll er zu seiner Frau gesagt haben, Bringen wir uns doch alle um, i stirb sowieso im Irrenhaus! Am 3. September 1989, um vier Uhr früh, tötete er mit mehreren Kopfschüssen zuerst seine Frau und danach seine beiden Söhne Peter und Harald. Um sicher zu sein, daß die Buben auch wirklich sterben, öffnete er den Kindern mit einem Messer die Pulsadern, trug die blutenden Leichen aus dem Kinderzimmer ins elterliche Schlafzimmer und legte sie neben seiner toten Frau aufs Bett. Bis zum kommenden Vormittag wachte er, auf einem Stuhl sitzend, den Schlachtschußapparat auf seinem Schoß, bei den Toten. Um neun Uhr Vormittag klingelte die Mutter des Mörders an der Haustür, um die geistig behinderte Tochter aus erster Ehe, die die Nacht bei ihrer Großmutter verbracht hatte, dem Sohn zu übergeben. Nachdem die alte Frau weggegangen war, führte er das Kind zu den Toten ins Schlafzimmer und erschoß es. Danach legte er sich über seine tote Familie und richtete sich selbst.

Der Kunstmaler sagte nach dem, wie es hieß, »Sexualmord« eines siebzehnjährigen Heimzöglings an einem neunjährigen Knaben in Oberösterreich, der tot aus dem Schilf geborgen wurde und dessen Gesicht bereits von den Blutegeln verunstaltet war, Endlich kommen wieder die Blutegel in die Zeitung! Der Siebzehnjährige wurde in allen vier Anklagepunkten, Verbrechen der *versuchten* Unzucht mit Unmündigen, Vergehen der *versuchten* Nötigung zur Unzucht, Verbrechen des Mordes und Vergehen der Störung der Totenruhe – er hatte nach der Tat das Geschlecht des toten Buben betastet – von den acht Geschworenen einstimmig für schuldig gesprochen. Er wurde zu zwölf Jahren Freiheitsstrafe und zum Ersatz der Kosten des Verfahrens verurteilt. Der Kronenzeitungsjournalist schrieb: »Der Mörder des neunjährigen Axel: Ein Milchgesicht. Der Psychiater sagt, Mitterlehner sei geistig zurückgeblieben, fast schwachsinnig, und das sieht man auch: 17jährige sehen heutzutage anders aus. ›Freddy‹ heißt er, nicht Alfred, und das paßt. Freddy Mitterlehner, ein Bub mit dem Gesicht eines 14jährigen, noch ohne Bartwuchs, still und verschlossen. Und wüßte man nicht um das Grauenhafte seiner Tat, wüßte man nicht, wie schrecklich die letzten drei Minuten im Leben des neunjährigen Axel Fischer waren – man wäre versucht zu sagen: Mörder sehen anders aus. Aber irgendwann, schon in frühester Kindheit, ist irgend etwas schiefgelaufen im Hirn dieses Freddy Mitterlehner, er entwickelte eine geistige Abnormität mit homosexuellen Tendenzen. Am 22. Oktober 1987 schließlich kam diese gestörte Persönlichkeit zum Ausbruch – und just in diesem Augenblick lief ihr der blonde Axel Fischer über den Weg …« Statt des Journalisten wurde der Siebzehnjährige in eine Anstalt für abnorme Rechtsbrecher eingeliefert.

Stolz auf Kärnten war ich, als ich im Vergnügungspark der Klagenfurter Holzmesse einen Invaliden im Kärntneranzug sah. Wenn ich wüßte, daß ich eine Todeskrankheit in mir habe und in den nächsten Tagen oder Wochen sterben müßte, würde ich nach Italien, zur Insel Stromboli fahren und mich bei lebendigem Leib mit Haut und Haaren in den Vulkan hineinwerfen, denn meiner Heimaterde vergönne ich nicht einmal meinen Kadaver.

Mei Hamat is a Schotzele, dos hob i häufig gern und wenn is still für mi betrocht, tuats ma olleweil liaba wean. I hob im fremdn Lond ka Ruah, drum geah i wieda ham und wenn i mit zarissne Schua ins Kärnterlandle kam.

Als ich einmal bei Maja und Gerhard Lampersberg in Maria Saal am Tonhof wohnte und eine Zeitlang in derselben Dachbodenkammer hauste, in der auch Thomas Bernhard gelebt hatte – ich erinnere mich noch an den Geruch des Holzverschlages und an die Regengüsse, die im Spätsommer über meinem Kopf laut auf das Dach prasselten – erhängte sich ein paar Häuser weiter ein Familienvater in seinem Badezimmer. Die Kinder, so erzählte man im Dorf, sollen fürchterlich geschrien haben. Der Vater hat sich aufgehängt! Der Vater hat sich aufgehängt! Seine Frau wollte ihn wachrütteln, sie konnte sich nicht vorstellen, daß er tot war. Er sieht doch gar nicht wie ein Toter aus! soll sie immer wieder gesagt haben. Als ich in einem Waldstück nach dem besten Platz suchte, um den Friedhof und die schwarze dahinschwänzelnde Natter des Leichenbegängnisses – allen voran ein vergoldetes Kruzifix – überblicken zu können, bemerkte ich vor dem Friedhof einen parkenden Lieferwagen, vollgeladen mit blutigen Rindsknochen und Rindsrippen. Du sollst nicht töten, weder dich selbst, noch jemand anderen! rief der vor dem schwarzen Leichenwagen gehende Priester.

Maja und Gerhard Lampersberg schenkten mir damals ein kleines Brustbild, auf dem Thomas Bernhard als Fünfundzwanzig- oder Sechsundzwanzigjähriger abgebildet ist. Auf diesem Bild sieht man noch deutlich die Narben von einem Gesichtsausschlag. Lange lag das kleine, weißumrandete Paßfoto auf meinem Schreibtisch.

ILSE AICHINGER

Thomas Bernhard

Im Frieden vorangegangen ist Thomas Bernhard keinem von uns. Aber der brennende Wunsch, ihn zurückzuholen, steigert sich, bei vielen zu ihrem eigenen Erstaunen, von Tag zu Tag. Der Wunsch, das eigene oft sehr rasche Einverständnis mit den Gegebenheiten der Existenz, die Hinnahme grotesker Normen in allen Bereichen, die Hinnahme auch der infamsten Konsequenzen biologischer Grundgesetze, endlich wieder mit dem Zorn zu vertauschen, der unabdingbar ist. Aber Thomas Bernhard gibt das Helfen, von dem er nie sprach, nicht auf. Indem er geht und rasch geht, holt er den Zorn wieder herauf, der notwendig ist, gibt er den Schmerz zurück, der fehlte, bewahrt er uns davor, zu erstarren.

Wenn wir ihn immer wieder lesen, immer weiter lesen, immer neu beim Text bleiben, nicht zwischen die Zeilen dringen – das ist sicher nicht sein Wunsch –, sondern bei den Zeilen, den Worten, den Haupt- und Nebensätzen, den Satzzeichen bleiben, bei allem in seiner unnachgiebigen Reihenfolge, wenn wir die oft sehr scharfen Angriffe, auch wenn sie gegen uns selbst gerichtet sind, gelassen hinnehmen, denn auch sie sind ein Zeichen leidender Auseinandersetzung, geht uns seine und unsere gemeinsame Welt auf. Thomas Bernhard attackiert nicht, was ihm auch nur im geringsten Maß gleichgültig ist. Er attackiert, woran er leidet, und er leidet sehr oft an dem, dem er am meisten zugeneigt ist.

Die bis zum Exzeß und darüberhinausgehenden Beschimpfungen – zum Beispiel seines Landes – erinnern an die auch bis zum Exzeß gehenden Lobpreisungen Stifters.

ALOIS BRANDSTETTER

Was Thomas Bernhard nicht lesen durfte

Die Hamburger »Zeit« hat vor einiger Zeit einen Aufsatz von Thomas Bern-
hard zum Thema »Österreich« gebracht, den der Salzburger Residenz-Verlag
nicht in seiner Anthologie »Glückliches Österreich« haben wollte (»Was Öster-
reich nicht lesen durfte«). Ich bin als Autor des Residenz-Verlages auch schon
einmal mit einem Text nicht durchgedrungen und der sanften Zensur des Lek-
torates erlegen. Es handelt sich bei der untenstehenden Geschichte um ein Ka-
pitel aus meinem Roman »Zu Lasten der Briefträger« (Salzburg 1974). Frau
Gertrud Frank, die damalige Lektorin des Residenz-Verlages, meinte, daß der
Text literarisch in Ordnung sei, daß ihn der Verlag »seinem Autor Bernhard«
aber nicht antun könne, weil der Gemeinte hier keinen Spaß verstehe. Ich habe
natürlich leicht »eingesehen«, daß dem Verlag an Thomas Bernhard mehr lag
als an mir ... So stimmte ich der Kastration meines Textes zu. Ich habe mich in
der Zwischenzeit freilich öfters über meinen Opportunismus geärgert. So habe
ich vor kurzem der »Zeit« die anstößige Passage angeboten. Die Redaktion des
»Feuilletons« hat nach anfänglichem Zögern schließlich die Veröffentlichung
abgelehnt, weil sie in letzter Zeit so oft lobend über unseren österreichischen
»Nationaldichter« berichtet hätten, und die Leser der Zeitung meinen Artikel
als weitere Huldigung verstehen würden ... Als das habe ich ihn freilich sei-
nerzeit wirklich nicht gemeint.

Es gibt natürlich auch Leute, sagt dein Briefträger Blumauer, die lachen
dich höchstens aus, wenn du als dahergelaufener Briefträger etwas Freund-
liches sagst, oder sie werden auch noch wild. In seinem Rayon, sagt Blumauer, betrifft das vor allem den ortsansässigen Dichter. Wenn ich unseren
ortsansässigen Dichter nur sehe, sagt Blumauer, geht mir sowieso schon
kein gutes Wort mehr herauf. Guten Tag, paßt schon nicht, wäre schon zuviel an Güte. Wie er dasteht in seinen Gummistiefeln, in seiner ledernen
Kniehose, mit dieser Leidensmiene. Und die trostlosen und traurigen
Bücher unseres ortsansässigen Dichters, sagt Blumauer, sind nach seiner,
Blumauers Meinung, rein ein Ergebnis von Gummi und Leder, da fehlts
einfach an Sauerstoff, sagt er, hier ist alles erstickt und abgestorben, weil
keine Luft dazu kann.
Stell dir vor, sagt Blumauer, in einer Preisrede sagte unser ortsansässiger
Dichter, daß es nichts zu loben gibt, nimmt den Preis an, steckt das Preis-
geld ein und sagt: Es gibt nichts zu loben! Wer unseren ortsansässigen Dich-

ter auszeichnen will, sagt Blumauer, muß erstens dafür bezahlen und zweitens muß er sich dafür beschimpfen und verspotten und verhöhnen lassen. Und weil das offenbar so schön ist, sagt Blumauer, weil die Juroren und Preisverleiher von Kiel bis Bozen das so gern haben und mögen, darum hat unser ortsansässiger Dichter inzwischen auch jeden Kultur- und Literaturpreis bekommen, der zwischen Kiel und Bozen vergeben wird. Der Mensch, schreibt unser ortsansässiger Dichter, sagt Blumauer, Postmeister, der Mensch besteht aus Niedertracht und Wahnsinn und unendlicher und grenzenloser Dummheit. Und was verschiedene Preisverleiher und Juroren und Kulturpolitiker betrifft, sagt Blumauer, möchte er das sogar auch selbst fast unterschreiben. Für sie trifft das im wesentlichen zu, sagt Blumauer, Masochisten jedenfalls sind sie sicher, sagt er.

Tag für Tag, sagt Blumauer, bringe ich unserem ortsansässigen Dichter Verständigungen von Preisverleihungen. Und täglich gibt es von unserem ortsansässigen Dichter neue Brüskierungen und Beleidigungen und Verunglimpfungen, so schnell können die Kulturpreisverleiher gar nicht verleihen, oft ist unser ortsansässiger Dichter noch kaum vorgeschlagen, da schlägt er auch schon zurück. Aber er braucht das ganz einfach, das erhält ihn am Leben, das heißt am Klagen, und die Kulturellen brauchen das auch, sagt Blumauer. Was ihn, Blumauer, betrifft, sagt Blumauer, so hält er sich angesichts des ortsansässigen Dichters grundsätzlich an dessen Mahnung: Es gibt nichts zu loben.

Schlimme Nachrichten, sage ich, sagt Blumauer, schlimme Nachrichten, mein Herr, sage ich, wenn ich ihm die Post übergebe. Die Nachrichten, sage ich, sagt Blumauer, die ich Ihnen hier übergebe, sind sicherlich die schlimmsten und traurigsten und niederschmetterndsten, sicherlich sind die Nachrichten die deprimierendsten, die ich Ihnen hier aushändigen muß. Oder ich schimpfe einfach auf das Wetter, wie immer es dann auch aussieht. Scheint die Sonne, dann sage ich, die Sonne ist stechend und sengend, die Sonne ist heuer die niederstechendste und versengendste, sage ich. Oder es regnet, dann sage ich, dieser Regen ist der aufweichendste und grundlosmachendste seit Jahrzehnten, sage ich, seit Jahrhunderten, sage ich, oder ich sage auch: seit Jahrtausenden, oder ich sage: seit Menschengedenken.

Immer beschwert sich der ortsansässige Dichter über die Postzustellung. Die Postzustellung ist unzuverlässig, sagt er, die Postzustellung ist die unzuverlässigste. Wenn das geschieht, sagt Blumauer, wenn sich der ortsansässige Dichter über die Postzustellung beschwert, dann geschieht auch folgendes: Ich beschwere mich über mein Moped. Sehen Sie mein Moped, sage ich, sagt Blumauer, und dabei renne ich wie ein Amokläufer um das Fahrzeug herum. Ich halte an und sage: Die Postzustellung kann nicht besser sein als das Material. Und das Material ist schlecht, sage ich. Ich gehe um mein Moped und sage immer wieder: Materialschaden, Materialschäden, sage ich.

Und dann sage ich noch andere Reizwörter. Ich sage etwa: Vergaser! Immer wiederhole ich das Wort: Vergaser. Dauernd sage ich Vergaser oder Vergasung. Oder ich sage: Einspritzung. Oder ich sage: Antriebsschwäche. Ich laufe wie ein Irrsinniger um mein Moped, halte hin und wieder an, schaue auf das Fahrzeug und dann auf den ortsansässigen Dichter und sage: Antriebsschwäche, totale Antriebsschwäche. Dann sage ich: Sehr verehrter Herr, stellen Sie bitte in Rechnung, und halten Sie mir zugute, daß an diesem Moped, das Sie hier vor sich sehen, die Zylinderkopfdichtung schadhaft ist. Die Kopfdichtung, sage ich, immer sage ich: die Kopfdichtung. Und: Die Kopfdichtung ist die undichteste und desolateste schlechthin. Und weil die Kopfdichtung dieses Mopeds die defekteste und desolateste ist, darum ist in diesem Zylinder ein katastrophaler Unterdruck, der Unterdruck in diesem Zylinder, sage ich, sagt Blumauer, ist der katastrophalste. Verstehen Sie mich doch, mein Herr, sage ich, ich bräuchte, um die Post pünktlich und korrekt zustellen zu können, wie Sie es verlangen, mehr Kompression. Ich habe aber leider keine Kompression, sage ich, ich habe keine Kompression, sage ich, sondern nur Depression. In diesem Moped herrscht eine lähmende Depression, sage ich, ja, ich sage nicht nur: Depression, sondern ich sage auch: Deprimation. Ich sage, während ich um mein Moped laufe und von Zeit zu Zeit einhalte, immer wieder das Wort: Deprimation. Die Deprimation ist die deprimierendste und depressivste. Mein Herr, stoße ich hervor, es fehlt an Schubkraft. Die Zündkerzen geben kein Licht, sage ich, im Zylinder ist eine fürchterliche Finsternis ...

PETER TURRINI

Janko Messner

Der Schriftsteller Janko Messner ist mein Kollege, aber mein Verhältnis zu ihm wäre mit dem Wort »kollegial« nur unzureichend beschrieben. Es ist mehr, viel mehr, was mich mit ihm verbindet. Ich glaube, ich liebe ihn wie einen Bruder.

Bevor ich mit Janko selbst Geschichten erlebt habe, von denen ich erzählen werde, kannte ich seine Literatur, seine Geschichten. Sein leidenschaftliches Eintreten für die slowenische Volksgruppe in Kärnten, sein Kampf um die Erhaltung der slowenischen Sprache, seine Trauer über die langsame Ausrottung der Wörter und Sätze, in denen er dachte und fühlte, überzeugten mich. Es bestand eine Art Geistesverwandtschaft zu ihm, ich respektierte und unterstützte sein Anliegen, wie ich das der unterdrückten Schwarzen in Südafrika respektierte und unterstützte. Mein Engagement und meine Solidarität liefen über den Kopf, ich war schon zu lange von Kärnten weg, um wirklich zu spüren, wie es Janko und den Slowenisch sprechenden Kärntnern ging.

Als die slowenische Sprache auf die Ortstafeln kam und viele Deutsch sprechende Kärntner glaubten, zwei Ortsbezeichnungen auf einer Tafel nicht ertragen zu können, und zur Barbarei übergingen, kam mir Kärnten auf eine bedrohliche Art näher. Hier geschah etwas vor meiner Haustüre und nicht in Afrika, ich verlor die Distanz des intellektuell engagierten Schriftstellers, ich stellte fest, daß unter den Wütern gegen die Slowenisch sprechende Minderheit Bekannte, Nachbarn, ehemalige Schulkameraden waren. Ich nahm mir vor, in Kärnten nur noch gemeinsam mit Slowenisch sprechenden Autoren aufzutreten. Ich wollte demonstrieren, daß es in diesem Lande zwei Sprachen gibt und folglich auch zwei Literaturen.

Das Kulturamt der Stadt Villach lud mich ein, im Kongreßhaus eine Lesung zu halten. Ich wollte die Einladung unter der Bedingung annehmen, daß Janko, ein weiterer Slowenisch schreibender Kollege und ich gemeinsam auftreten. Das wurde abgelehnt. Ich nahm die Einladung trotzdem an und griff zu einem Trick. Ich las vier Geschichten vor, die ersten zwei wurden vom zahlreich anwesenden Publikum besonders akklamiert. Ich bedankte mich beim Publikum und sagte, daß der Applaus zu einem großen Teil nicht mir gebühre, sondern den zwei im Saale anwesenden Kollegen, deren slowenisch geschriebene, ins Deutsche übersetzte Geschichten ich soeben vorgelesen hatte.

Nach einer Schrecksekunde geschah viel Schlimmes: Janko und sein Kollege wurden beschimpft, niedergebrüllt, beleidigt. Ihre Geschichten, die man noch kurz zuvor mehr beklatscht hatte als die meinen, waren plötzlich schlecht, hinterfotzig, reine politische Agitation. Das Wertvolle war plötzlich wertlos geworden, das Schöne häßlich, das Literarische platt, die Zustimmung des Publikums ein Irrtum, und dies alles aufgrund einer einzigen Tatsache: Die Autoren bekannten sich zur Slowenisch sprechenden Minderheit. An diesem Abend veränderte sich mein intellektuelles Engagement. Ich habe plötzlich gespürt, was es heißt, ein Slowenisch schreibender Autor in Kärnten zu sein. Aus einer geistigen Solidarität wurde Zuneigung, Freundschaft, Bruderschaft.

Dieses Spiel wiederholte sich noch des öfteren. Unsere Bruderschaft bekam eine Praxis. In Ferlach mußte ich mit meiner Abreise drohen, damit man Janko auf das Podium ließ. Die Literaturkritiker in den Zeitungen verschwiegen oder verhöhnten ihn. Sie beleidigten seine Literatur, aber es war sein unbeugsames Eintreten für die Minderheit, das sie, die angepaßten Feiglinge in den Redaktionen, beleidigte. Er, der seine Muttersprache und damit seine Identität nicht verriet, wurde für die Verräter zum kaum erträglichen Ärgernis. Wie oft habe ich erlebt, daß gerade jene, deren Eltern noch Slowenisch sprachen, ihn am meisten haßten. Aber auch das Gegenteil habe ich erlebt: daß er Menschen, die ihre sprachliche Herkunft verschwiegen, Mut gab.

Die Sprache ist der Ausdruck menschlicher Identität. In ihr wird geträumt und erinnert, phantasiert und gestritten, in ihr speichern sich die Erinnerungen der Jugend und die Hoffnungen der Menschen. Keine Sprache, keine Hautfarbe, keine Rasse ist besser, edler, wertvoller als die andere. Aber wenn man einer Menschengruppe die Sprache nimmt, sie von Amts wegen verbietet, sie überpinselt, sie »schiach« nennt, dann gewinnt sie für diese Menschen an Wert. Wer Jankos verzweifelten Kampf um die Erhaltung der slowenischen Sprache verstehen will, muß wissen, was für ihn damit verbunden ist: die Existenz von Geschichte und Gegenwart, von Würde und Selbstachtung der Slowenisch sprechenden Kärntner.

In diesem Kampf spielt sich für mich auch etwas Grundsätzliches, weit über die Kärntner Verhältnisse Hinausgehendes ab. Wenn heute die nationalfaschistischen Heimatdienstler in Kärnten alles Slowenische ausrotten wollen, so sind sie damit nur Werkzeuge eines viel umfassenderen, modernen Faschismus, der keine nationalen und ideologischen Haltungen mehr brauchen kann, dem auf dem Weg zum total angepaßten Konsummenschen Ideologien und Grenzen nur hinderlich sind, der den völlig gleichgeschalteten, seiner Geschichte und Widersprüchlichkeit beraubten Menschen braucht, um die Herrschaft der totalen Manipulation errichten zu können. Die Kärntner Hitlerbartträger, diese provinziellen Gleichmacher und Ordnungsfanatiker, werden die Gleichgemachten und Geordneten von morgen sein. Sie werden einer internationalen Tourismusindustrie als hirnlose Schuhplattler und Landschaftsgärtner dienen.

Der Kampf um die Erhaltung der slowenischen Sprache ist gleichzeitig der Kampf um die Erhaltung der menschlichen Differenziertheit. Alles Verschiedene, Unterschiedliche, alles Sperrige, Unordentliche, Menschliche geht in immer absurderen und globaleren Ordnungssystemen auf, die alles gleichmachende Coca-Cola-Kultur reicht heute bis in jeden Winkel der Erde. Dieser neue Faschismus befehligt keine Panzer und Generäle, sondern Marketingmanager und Supermärkte.

Ich habe oft erlebt, wie sie den Janko in irgendeine Ordnung pressen wollten. In die Schulordnung, in die Diskussionsordnung, in die Parteienordnung, in die deutsche Sprachordnung, in die kapitalistische Ordnung. Er saß oder stand unter ihnen, wirkte scheu und verlegen und wich kein Jota von sich ab. Er blieb bei seiner Angst, seiner Verletztheit, seiner Überzeugung, seiner Trauer. Er spielte ihnen nichts vor und gab ihnen nicht nach. Ich liebe ihn wie einen Bruder.

GÜNTER EICHBERGER

Vom Himmel hoch
Peter Handke

Am Nikolaustag des Jahres 1942 sah man über der Ortschaft Griffen in Kärnten einen ganz besonders hellen Stern aufgehen. Bald danach ereignete sich etwas, was von den Einheimischen als kurzes, heftiges Erdbeben angesehen wurde: Peter Handke war vom Himmel gefallen. Eine Frau kam des Weges. Sie erblickte den Säugling, fragte nicht lange, zu wem er gehöre, trug ihn zu sich nach Hause und wickelte ihn in Windeln. Um die lästigen Fragen der Nachbarn nicht beantworten zu müssen, floh sie mit dem Kinde in die ferne Stadt Berlin. Als Gras über die Sache gewachsen war und der Sohn ins schulpflichtige Alter kam, kehrte sie mit Kind und überstürzt ausfindig gemachtem Ehemann ins Heimatland zurück, weil sie fand, daß dort ein jeder am besten gedeihen könne.

Peter Handke wuchs auf im stillen und nahm zu an Alter und Wohlgefallen. Er wurde die Freude seiner Eltern, die alles daransetzten, aus ihm einen ordentlichen Menschen zu machen. Und so kam er in ein Internat, um die Weihen höherer Bildung zu erlangen. Er trat aus der Verborgenheit. Es hielt ihn nicht mehr in Griffen. Er brach nach Graz auf und verkündete, sehr zum Verdruß seines Stiefvaters, daß er von nun an ein Dichter sein werde; koste es, was es wolle.

Und es geschah ein Wunder: Alle hatten nur auf ihn gewartet. Aus der Langeweile der Massen gewann er großen Zulauf. Die Sprache sei ein Gefängnis, rief er seinen Zuhörern zu, und wortreich pflichteten sie ihm bei; die Methode, Geschichten zu erfinden, sei überholt, die Phantasie müsse überwunden werden – auch das fand die Zustimmung seines Publikums. »Literatur ist eine Möglichkeit, die Welt zu erobern.« Unbeschadet seines ein wenig großsprecherischen Wesens war Handke im Grunde harmlos; auch wenn er ältere Kollegen beschimpfte oder Gesetzeshüter mißhandelte – hinterher tat es ihm ja doch leid. Einmal hatte er besonders üble Laune, betrat unaufgefordert die Kanzel eines Literaturtempels und warf den anwesenden Worthändlern samt und sonders »Beschreibungsimpotenz« vor; versuchte auf diese rüde Weise den geregelten Literaturbetrieb zu stören. Aber er predigte tauben Ohren, die Worthändler hörten kaum hin und verkauften weiterhin ihre abgelaufenen Waren.

»Ich möcht’ ein solcher werden, wie kein anderer vor mir gewesen ist.« Dieser Spruch stand über Handkes Schreibtisch. Das Volk der Leser, seine Gemeinde, wollte werden wie er. Da ihnen das nicht gelang, versuchten sie, wie Handke auszusehen; auch die Frauen. Seit Goethes Werthertracht hat kein Dichter die Mode derartig nachhaltig beeinflußt wie Handke. Der eingefleischte Handke-Leser gab sich durch mittelgescheiteltes Langhaar, dicke Brille, Oberlippenbart und Schnürlsamthose zu erkennen. Alle eiferten Handke in seinem Bestreben, einzigartig zu sein, nach.

Anfänglich hatte sich Handke nichts sehnlicher gewünscht als Öffentlichkeit, nachdem er nun, wo immer er sich befand, in der Öffentlichkeit stand, entwickelte er eine gewisse Scheu, zog sich lieber in sich zurück. Gegenüber aufdringlichen Huldigern bestritt er gerne, Handke zu sein. Auch gab es inzwischen so viele Doppelgänger von ihm, daß er in der Menge seiner Zwillingsbrüder untertauchen konnte. Um ungestört an seiner Literatur, deren Thema er selbst ist, arbeiten zu können, erwarb er einen ganz aus Elfenbein geschnitzten Turm, der bis in die Wolken reicht; selbstverständlich eine Sonderanfertigung nach eigenen Entwürfen.

Aber auch dieser Rückzug ins private Einzelglück war ihm nicht solitär genug. In seinem Tagebuch notierte er: »Nie kann ich allein sein – immer stört mich jemand anderer: meine Hand, mein Nasenrücken, mein Schweiß, meine kalten Füße ...« Er ging auf Reisen, um das lästige Gemeinschaftsgefühl abzuschütteln. Lehr- und Wanderjahre eines Meisters, der vom Himmel gefallen war. Seinen Turm zog er an einer Schnur hinter sich her.

Er sah die fremden Länder, als schaute er in einen Spiegel. Die Welt war sein Ebenbild; wo er auch hinkam, begegnete er sich. Seine Reiseberichte lesen sich wie Selbstbeobachtungen. Zwischendurch war er zwei Tage lang verschollen. Die Meldung davon ging durch die Weltpresse.

Nicht jede seiner literarischen Äußerungen wurde mittlerweile widerspruchslos hingenommen. Es fanden sich Kritiker, die ihm den Prozeß machen wollten. Handke erschien nicht zur Verhandlung. Er hielt sein Plädoyer andernorts. »Ich bin, mich bemühend um die Formen für meine Wahrheit, auf Schönheit aus – auf die erschütternde Schönheit, auf Erschütterung durch Schönheit; ja, auf Klassisches, Universales ...« Handke hatte die Klassiker als seine eigentlichen Weggefährten erkannt und Goethe als seinen Bruder. Jetzt, da er keine Kultfigur mehr war, begründete er seine eigene Kunstreligion und wurde ihr Hohepriester.

Handkes Sätze begannen nach Weihrauch zu duften, sein Elfenbeinturm wurde zur Kathedrale, seine Reisen bekamen Prozessionscharakter; aber immer weniger wollten ihn begleiten. Handke war heimgekehrt; ein Fremder, den man in Ruhe ließ. Eine Müdigkeit befiel ihn, an der Schreibmaschine fielen ihm immer öfter die Augen zu. Am Nachmittag machte er Spaziergänge wie ein Frühpensionist. Er saß in Wirtshäusern herum, trank schweigend. So lebte er hin.

Doch eines Tages löste er sich aus seiner Erstarrung. Er griff zum morsch gewordenen Wanderstock, überquerte die Alpen und fiel in Frankreich ein. Dort soll er eine Familie gegründet haben.

»Später werde ich über das alles Genaueres schreiben.«

Ernst Jandl

Wenn von Erich Fried die Rede ist

Rede für Bodo Hell, gehalten am 5. 5. 1991 im Wiener Akademietheater anläßlich der Verleihung des Erich-Fried-Preises 1991 an ihn

Verehrter Herr Bundesminister,
verehrte Festgäste, liebe Freunde, lieber Bodo Hell:
ich bin absorbierbar von hervorragenden Texten der modernen Unterhaltungsliteratur, ob diese nun von Graham Greene oder Evelyn Waugh stammen, von Patricia Highsmith oder Stanley Ellin. Das ist kultivierte Erzählliteratur, der ich Stunden höchsten belletristischen Genusses verdanke. Wie schön, auch auf härteren Wegen zuweilen voranzukommen, wie sie uns vorgezeichnet wurden von Autoren wie James Joyce, Virginia Woolf, *and the one and only* Gertrude Stein.

Für die Rezeption der Dichtung unseres Preisträgers, Bodo Hell, ist es entscheidend, ob ich imstande bin, mich vom einen Weg der schönen Literatur, dem der Spannung und Unterhaltung, auf den anderen zu begeben, dem des Anspruchs auf Kunst, und, zu meinem eigenen Wohl, zwischen beiden zu wechseln, wann immer ich will.

Die Art des Gelesenwerdens ist nicht dieselbe, aber ich blicke beiden ins Auge, Ferdinand Waldmüller *und* Max Ernst, Oskar Kokoschka *und* Jackson Pollock, und es tut meinen Augen nur gut. Bodo Hell, unser Preisträger, wird mein Lesetempo verlangsamen, nicht die Tätigkeit meines Gehirns; deren Verlangsamung geschieht auf andere Weise, Pardon. (Diese Entschuldigung nur, weil es ja auch manch anderen betreffen mag.)

Aber – Bodo Hells Reihung von Sätzen, Satzfragmenten und Einzelwörtern wird mich immer wieder aus der gewohnten Bahn stoßen und dazu zwingen, einige Leseschritte ein zweites und drittes Mal zu unternehmen, um zu erkennen, wie hier vom Autor Ordnung geschaffen wurde oder Unordnung gestiftet. Im Alltag sind wir sprachlichen Störungen unentwegt ausgesetzt, ohne die Ursachen und Folgen unseres Stolperns jedesmal überprüfen zu können – viel zu heftig werden wir von der uns züchtigenden Sprache vorwärts getrieben.

Einige Male in meinem Leben hatte ich das Gefühl, wir befänden uns in einem Griff, der unsere Gurgel umfaßt hat, um sie nie wieder loszulassen. Nach dem 2. Weltkrieg befreiten unseren Hals schließlich, und es hatte lange gedauert, Autoren wie Heißenbüttel, Mon, Gomringer, Rühm. Wir dürfen uns glücklich schätzen, daß heute Autoren wie Bodo Hell, Bert Papenfuß-Gorek und Thomas Kling, durchdrungen von der gesellschaftlichen Funktion des Schreibens, die Arbeit ihrer Väter fortsetzen.

Wir haben uns von dem, was diese moderne Welt zur Hölle macht, seit 1945 überhaupt noch nicht getrennt, auch wenn noch so viele von uns an der Festigung der Barrieren zu arbeiten meinen, die unser totales Abgleiten in den Abgrund aufhalten sollen. Wir befinden uns, hier und jetzt, als die gegenwärtigen Meister der Sprache, der Kunst, der Musik, und als Verfechter einer aufgeklärten, antireaktionären, machtfeindlichen Ordnung im Kampf gegen eine internationale Schar von Schurken, die sich zum alleinigen Genuß aller Güter dieser Erde auserwählt wähnen – auserwählt von wem? Zweifellos nicht von ihren Opfern, den gutgläubigen demokratisch gesinnten oder nach Demokratie schreienden Massen, die einem der größten Schwindel in der Geschichte des Menschen aufgesessen sein dürften, man denke bloß, und diese entsetzlichen Vorgänge dürfen trotz der bejammernswerten Kraftlosigkeit unseres Gedächtnisses vielen von uns, wenn auch schattenhaft, erinnerlich sein, an die humanitäre Verpflichtung zum sogenannten »Golfkrieg«, und an die darauffolgende epochale Neuordnung der Welt in dieser Region, diese Region stellvertretend für die Welt überhaupt, unsere Welt, diese wunderbare Neuordnung vorläufig dargestellt mittels jubelnder kuwaitischer Ölscheichs und krepierender Kurden.

Einige zehntausend Menschen – die meisten davon im deutschen Sprachraum – werden es wohl noch sein, die den Blick unseres Dichters Erich Fried im Auge, seine Stimme im Ohr haben. Wir alle wissen, wie sehr Erich Fried uns heute fehlt, in dieser »historischen« Situation. Einige hundert, verschiedener Nation und Sprache, werden noch vorhanden sein, die sich und anderen mitteilen, Erich Fried sei ihr, sie sein Freund gewesen.

Mein Interesse an ihm, Erich Fried, war 1952, ehe ich für ein Jahr als Lehrer nach England ging, durch den seltsam verstümmelten Menschen Hermann Hakel geweckt worden, einem noch einmal zu einem dürftigen Leben sich emporschwingenden Opfer des Nationalsozialismus. Er, Hermann Hakel, schärfte mir ein, mich von des hochbegabten Erich Fried gegenwärtiger Schreibweise nicht beeindrucken und schon gar nicht beeinflussen zu lassen, denn sein Talent, in seinen frühen Gedichten so eindrucksvoll manifestiert, habe ihn nicht davor bewahrt, in jüngster Zeit einen Irrweg zu beschreiten, von dem er wieder abkommen, ganz gewiß wieder abkommen werde.

Hermann Hakel, Verfasser wohlgemeinter Triviallyrik und schwächlicher Konventionalprosa, war als Herausgeber der engbrüstigen Literaturzeitschrift »Lynkeus« nicht völlig ohne Publikum und verstand unter dem Irrweg des Dichters Erich Fried offenbar dessen durch mehrere Jahre intensiv betriebene Assimilation von Eigentümlichkeiten angelsächsischer Lyrik in seinen eigenen neuesten Gedichten, was auch für sein späteres lyrisches Werk nicht ohne Folgen blieb, obgleich er dann, also näher zu uns, lyrischen Formalismen die Ablenkung von humanitärer Botschaft keinesfalls erlaubte.

Was er dazumal tat, war echtes Experiment, nämlich der bislang nicht unternommene Versuch der Verpflanzung als nationalsprachlich erachteter lyrischer Eigentümlichkeiten von der einen auf die andere Sprache. Das wurde für Erich Fried ein voller Erfolg. Offen bleibt, ob damit für die zähflüssige deutsche Lyrik Modelle geschaffen wurden, die auch andere Autoren zu übernehmen, oder wenigstens zu probieren, bereit sein würden. Es ist kaum anzunehmen, daß das in der Absicht Erich Frieds jemals lag – zu gut war ihm die deutsche Lyrik und deren schwach entwickeltes Selbstvertrauen bekannt.

So übernahm er aus dem Englischen, als das vielleicht auffallendste Beispiel von Assimilation, den Ablautreim, sowohl als Binnenreim: »Die Zahl verdoppelt das Ziel, die liebe Labe / ist unerreichbar, ...« als auch als Endreim: »Ein Tümpel / wird ihm zum Tempel / Sein Sinn ist besiegelt // Denn er erkennt / das Kind / in dem er sich spiegelt« – eine überzeugend gelungene Kombination von Ablautreim mit dem sogenannten »reinen Reim«, welcher den Deutschen ja zu Herzen gehen muß.

Wir alle werden es verstehen, daß ein von den Nazibestien in die Emigration getriebener junger österreichischer Jude, Erich Fried, schon damals ein außerordentliches poetisches Talent, eine Phase durchlaufen hat, in der nichts dem schönen lyrischen Wahnsinn, wie er durch Expressionismus und Dadaismus selbst uns Deutschsprechenden ins Herz gepflanzt wurde, eine Grenze zu setzen vermochte; wobei er auch in späteren Jahren sich dionysischem Sprachrausch schamlos hingab. Schamlosigkeit überhaupt ist eines der uns Dichter verbindenden leuchtenden Zeichen. Seine Offenheit gegenüber diesem schönen lyrischen Wahnsinn ist teilweise dokumentiert in seiner Zyklensammlung »Reich der Steine«, aus welcher das folgende Zitat stammt: »Stöbert mit schlanken Stäben in allen Ritzen / brecht das Verblümte das aus den Winkeln welkt / bis euch die Labe spritzt aus des Steines Zitzen! / Keiner wird trinken / der nicht die Ziegel melkt« – wir sind hier unversehens in die Nähe der Gebirgserfahrungen unseres Preisträgers geraten, der zwar nicht Ziegel, wohl aber die Ziege melkt, nicht im Gedicht, sondern in einer alpinen Region während zweier Monate pro Sommer, und der sein neues Werk, das immer noch anwachsende, als eine große monografische Text- und Fotoarbeit bezeichnet, die ihn erst an den schönen, ernsten Titel »Am Stein« denken ließ – so heißt das von ihm beherrschte Gebiet –, die aber nun den Arbeitstitel »Almrausch« trägt, ein wenig, das sei gestanden, zu meiner Verlegenheit.

»Das Gesagte hat aber mitunter zur Folge, daß die Hörenden am Ende um ihre Ruhe gebracht sind, einerseits Buh-Rufe, andererseits Applaus und Bravo-Rufe, Psychoakustik aus dem Phonogrammarchiv, der elastische Brillenbügel scheuert inzwischen die Hautfalte hinter dem Ohrknorpel wund, auch diesen Sommer werden wieder Dutzende Giftschlangen durch die Straßen der Stadt zischen, zuerst ein Klirren an der Küchentür, dann prekäre Stille, ich höre jetzt direkt die Ruhe vor dem Sturm, Regen fällt: wir lassen ihn fallen«, dieser schöne Wahnsinn von heute, dem ebenfalls keine Grenze gesetzt ist, außer durch die Entscheidung des Preisträgers, seines Autors, wirkt eher nüchtern, ein anderer Mensch, eine andere Zeit, und er ist selbstverständlich in Prosa. Denn nur in solcher verfaßt Bodo Hell bisher seine Texte.

Zehn Jahre, oder fünfzehn vielleicht, nach unserer ersten Begegnung, sagte mir Erich Fried, daß er *konkrete gedichte* eigentlich längst schon geschrieben habe, ehe es den Begriff einer »konkreten Poesie« überhaupt gab. Dem vermochte ich nicht ohne weiteres zu folgen, aber inzwischen fand ich mehr als eines, das man als »konkretes gedicht« bezeichnen könnte, wenn man diesen Begriff auch außerhalb der festgeschriebenen Chronologie zu verwenden bereit war, etwa das Gedicht, dessen erste Zeile da lautet: »Ich bin nur ICH LIEBE DICH IMMER.«

Würden Erich Fried und ich heute über österreichische Dichtung sprechen, der stets seine besondere Aufmerksamkeit galt, so stünde, wie einst Okopenko, heute vermutlich Bodo Hell an vorderster Stelle. »Aber warum schreibt er keine Gedichte?« könnte ich gefragt werden, und was sollte ich entgegnen außer: »Das frage ich mich selbst.« Aber möglicherweise hätte man seine Prosa, unter anderen als den gegenwärtigen Voraussetzungen, als »poetische Prosa« eingestuft, ein mir ganz und gar unsympathischer Begriff. Selbstverständlich ist das, was Bodo Hell schreibt, poetische Prosa, nämlich Prosa, in der die Machart nicht, wie es bei erzählender Prosa üblich ist, verschleiert wird, sondern offen zutage liegt.

Die Kur, die Erich Fried seinerzeit für die daniederliegende österreichische Dichtung als notwendig erachtete, wird markiert durch seine eigenen damals geschriebenen Gedichte; durch sein Eintreten für Andreas Okopenko; nicht zuletzt durch seine unermüdliche Propagierung des Werkes des damals völlig unbekannten Elias Canetti, dem die Hebammen einer neuen Literatur in Österreich nach 1945, mit Missionseifer heimgekehrte Herren, die den Titel »Die Blendung« seinerzeit einfach gehört haben *mußten*, nur ein langes zerstörendes Exil in England wünschen konnten.

Gerhard Rühms nicht immer mit österreichischer Devotheit zur Schau getragenes künstlerisches Selbstbewußtsein und die Sicherheit, mit der Erich Fried seine künstlerischen Überzeugungen der Welt gegenüber vertrat, mochten eine Annäherung zwischen beiden erschweren. Ganz anders Artmann, der von seinem ersten Besuch bei Fried höchst angetörnt, wie wir damals noch nicht zu sagen gewohnt waren, in seine Vaterstadt zurückkehrte. Kein Zweifel, daß es für Erich Fried eine österreichische Dichtung nur dort gab, wo sie Anspruch auf Weltgeltung erhob. Kein Zweifel auch, daß eine zweite österreichische Dichtung nur dadurch vorhanden war und ist, daß sie *nur* in Österreich das Feld ihrer Aktivität sah bzw. sieht, wobei es ihren Autoren unbenommen bleibt, von der künftigen Weltgeltung, Nachwelt-Geltung ihrer Produkte zu träumen. Wenn erst die Moden verschwinden …

Wenn von Erich Fried die Rede ist, wird zuweilen Helmut Heißenbüttel zitiert; er sagt: »Ich bin überzeugt, daß das Werk von Erich Fried zum Dauerhaftesten gehört, was diese Zeit hervorgebracht hat.«

Auch zu Bodo Hell sei Heißenbüttel zitiert: »Was in Wort-Text-Kombinationen in den letzten Jahrzehnten versucht worden ist, etwa bei Jochen Gerz, das bringt Bodo Hell hier«, nämlich in seinem Buch »Stadtschrift«, 1983, »mit einem Schlag in eine neue Dimension. Dies ist nicht ein Kuriosum, etwas am Rande, sondern der Versuch, die Möglichkeiten, die es heute gibt, auszunützen zu einem neuen Entwurf von Literatur.« Heißenbüttels Wort, immerhin, hat Gewicht. Und von welchem österreichischen Autor, seit Reinhard Prießnitz, ließe sich sagen, daß er an »einem neuen Entwurf von Literatur« arbeite, wenn nicht von Bodo Hell, unserem Preisträger.

Er und fünf weitere, als sechs der talentiertesten deutschsprachigen Dichter heute, Bert Papenfuß-Gorek, Sascha Anderson, Thomas Kling, Anselm Glück und Hartmut Geerken, alle in einer vergleichbaren Richtung tätig, werden vom 19. bis 26. Mai dem Publikum in Moskau und Leningrad die neue deutschsprachige Literatur in Lesungen vorstellen. Daß das erst möglich wurde aufgrund der gewaltigen politischen und kulturpolitischen Umwälzungen in Osteuropa, bedarf kaum der Erwähnung.

Bodo Hell war zu Ende des 2. Weltkrieges, auch das wollen Sie hören, zwei Jahre alt. Kindheit und Jugend, bis zum Abitur, verbrachte er in Salzburg. Das bedeutete, für seinen Werdegang, das Aufwachsen zwischen den My-

then einer heroischen und den Mythen einer idyllischen Dorf- und Bergliteratur, den Besuchern des Gymnasiums vermittelt durch einen Tiroler,
einen, wenn man es so nennen will, »Südtirolrevanchisten«. So ist es nicht
allzu verwunderlich, daß Bodo Hells literarisches Programm ausdrücklich
das Wort »Entmythisierung« enthält. Diese Entmythisierung ist eindeutig
zu konstatieren an seinen beiden Büchern »Dom Mischabel Hochjoch«,
Linz 1977, und »666«, Graz 1987.

Gefragt, was ihn zum Berg eigentlich ziehe, und das meiste von dem, was
ich über seine Person hier mitteile, mußte ich in zwei langen Gesprächen
mit je einer Liste vorbereiteter Fragen am 28. November 1990 und am
5. April 1991 aus ihm erst herausziehen, denn wir waren einander durch
Lektüre und Vortrag zwar seit einigen Jahren bekannt, aber das zivile Umfeld, das den heutigen Preisträger umgibt, war mir weitgehend verborgen
geblieben; nur das Resultat, schließlich, zählt; aber es *erzählt* nicht, so wie
ich es hier doch wohl tun muß, es erzählt mir nichts, das nacherzählt werden könnte.

Das macht es ja alles so schwierig, und zugleich so interessant, nämlich seine Texte zu lesen und über sie zu sprechen. Danach gefragt also, antwortete
er mir mit dem Wort »Jugendtugend«, diese sei es, was ihn zum Berg immer
noch ziehe, wie zu keiner Zeit mich. »Jugendtugend«, das war ein Wortspiel, und vermutlich ein ernstes, dessen Meister, beiseite gesprochen, im
deutschen Gedicht wohl Erich Fried gewesen ist, der diese Kunst an der
angelsächsischen Poesie erlernt hatte.

Nachdenklich mußte es mich stimmen, daß Bodo Hell, aus bürgerlich-
städtischem Milieu stammend, im Zusammenhang mit dem Berg davon
anfing, wie sehr ihn im Verlauf seiner auf Realität gegründeten Beziehung
zu einer aussterbenden Arbeit, offenbar der eines Rinderhirten im Hochgebirge, der anarchistische Geist im traditionellen Bauern zu faszinieren
begonnen hatte, eines Menschen, der in seinem Denken imstande war, sich
etwa der Post, der Wasserbehörde, dem Naturschutz zu widersetzen, in denen die meisten von uns bedeutende zivilisatorische Errungenschaften zu
erblicken pflegen. Dieser Bestemm scheint ebenso widersinnig wie bewun-
dernswert.

Ein fundierter Kenner der neuen österreichischen Literatur, der in der
Schweiz wirkende Germanist und Kritiker Ernst Nef, äußert sich zu Bodo
Hells Bergliteratur so: »Das faszinierend Eigentümliche dieser Bergnotizen ist
neben ihrer fallweise fast pedantischen Genauigkeit ihr fragmentarischer
Charakter. Sie reihen sich nicht zu einer übersehbaren Ordnung, geben sich
vielmehr wie Schnipsel einer ›unendlich verwobenen Fläche‹ ... Nach Maßen

Hells ist ein ›angemessenes Bild‹ dessen, was ist, eben keine lineare Anordnung, sondern eine Art Dickicht von Beobachtungen und Gedanken.«

Der Wiener Germanist Martin Adel umschreibt das Phänomen dieser Textgestaltung nicht minder präzise: »Die Materialien ergeben sich aus Wissen, Erfahrung, Wahrnehmung; sie erstarren zu einer Kette von Informationen, zu Sprachsignalen. Und sie gewinnen daraus die Konkretheit von Objekten; sie werden gegenständlich, und ihre ununterbrochene, rhythmische und der Sprunghaftigkeit von Assoziationen vergleichbare Abfolge bringt in eben dieser seriellen Verkettung, wie ein filmischer Schwenk um 360°, eine Totale zustande. Es hat etwas von dem Traum, daß man, auf der Stelle tretend, während sich der Erdball unter einem dreht, am Ausgangspunkt anlangt, ohne sich von der Stelle gerührt zu haben.«

Das Orgelspiel erlernte Bodo Hell während seiner Gymnasialzeit beim Salzburger Domorganisten Franz Sauer. Dessen Andenken widmet er seinen Essay über Anton Bruckner, erschienen 1985 im Sammelband »Österreichische Porträts«, Leben und Werk bedeutender Persönlichkeiten von Maria Theresia bis Ingeborg Bachmann, herausgegeben von Jochen Jung. Der überaus komprimierte Essay beginnt so: »als Eingangsparadox: der Organist ohne Orgelkompositionen« und endet so: »nur 13 Jahre nach Bruckners Tod aber sind die Momente, die wir jetzt bei ihm zu hören vermeinen, mit Schönbergs 5 Orchesterstücken op. 16 und mit Weberns 5 Stücken für Streichquartett in die Musik des 20. Jahrhunderts umgekippt.«

Was dazwischen liegt, macht das Lesen spannend und unterhaltsam, fordert zu wiederholter Lektüre heraus und enthält so gut wie alles, was ich mir je über Bruckner zu erfahren gewünscht hätte.

Die Frage, ob er, Bodo Hell, die Orgel nun spielen könne, wird bejaht. Ich habe ihn nie gehört, nur sein Maultrommelspiel, worin er eine artikulatorische Erweiterung der Sprache zu hören vermeint. Seine Musikalität sieht er jetzt realisiert in der Rhythmisierung seiner Prosa; an traditionelle Gedichtmetren ist dabei keinesfalls zu denken.

Zwei literarische Schlüsselerlebnisse bestimmten seinen Weg. 1973 erfuhr er am Roman »Frost« von Thomas Bernhard, daß es die Möglichkeit gab, sich mit künstlerischen Mitteln als Schriftsteller der reaktionären Salzburger Kulturpolitik zu widersetzen. Das zweite Schlüsselerlebnis war die Begegnung mit dem französischen Nouveau Roman, der Doppelbödigkeit des Redens in den Büchern von Nathalie Sarraute mit den konstruktiven Neuerungen in den Büchern von Claude Simon; von dort erhielt Bodo Hell entscheidende formale Anregungen.

Seit 1961 in Wien lebend, hat Bodo Hell hier verschiedene Studien betrieben, soweit und solange sie ihm für seinen literarischen Fortschritt von Nutzen erschienen: Philosophie an der Universität Wien; dort auch Vorlesungen in Geschichte und Germanistik, nicht mehr motiviert vom eigenen oder elterlichen Wunsch, Lehrer zu werden; schließlich besuchte er die Klasse für Film und Fernsehen an der Akademie für Musik und Darstellende Kunst in Wien. Theaterpläne sind vorhanden, in der Art von szenischer Textdarstellung, nicht eines Rollen- und Handlungsdramas. Als Schritt in diese Richtung mag auch die Aufführung vom 22. März 1991 gesehen werden, bei welcher das »Konzert für Kammerorchester und Dichter« des 1955 in Bochum geborenen Renald Deppe wiedergegeben wurde, mit Bodo Hell als dem im Titel der Komposition angeführten Dichter in der Funktion von Texter und Sprecher.

Zu den ersten publizierten Arbeiten zählen mehrere Hörspiele, entstanden in Gemeinschaftsarbeit mit der hochtalentierten und bestqualifizierten, daher weit unter ihrem Wert gehandelten Dichterin Liesl Ujvary.

Zwei weitere Techniken bestimmten das Werk Bodo Hells, beide dem Gros der Lesenden, und vermutlich bis hinauf zu den erfrischenden Höhen germanistischer Lehrkanzeln weitgehend unbekannt, daher, wenn man an solches überhaupt stößt, einigermaßen irritierend. Das ist zum einen eine der Cut-up-Methode des Amerikaners William Burroughs nicht ganz unähnliche Montagetechnik, dokumentiert in Bodo Hells neuestem Buch, »wie geht's«, Graz 1989. Hierin konstruiert Bodo Hell anhand von Tausenden von Indizien, gesammelt in einer von überindividuellen Kräften geformten und gesteuerten sprachlichen Umwelt, ein kritisches Bild der heutigen Gesellschaft, mit thematischen Schwerpunkten, wie etwa Werbung, Bundesheer, Leistungssport, Tourismus. Seine Arbeitsweise verlangt genaue und ruhige Beobachtung, dauernde Sammelbereitschaft, bedächtige Selektion, die Anordnung von primär isolierten, oft rudimentären Einzelsätzen zu nachvollziehbaren Textverläufen, durchbrochen von Störfaktoren, etwa in der Form von appellativ oder interjektorisch eingesetzten Einzelwörtern, die Gliederung in Absätze, schließlich die deutliche Markierung des Textendes ohne Zuhilfenahme einer narrativen Pointe. Das Arbeitstempo ist, wie man sich unschwer vorstellen kann, nicht nach Belieben zu steigern, der Ausstoß zwangsläufig begrenzt. Leerstellen, Löcher, werden in solchen Texten dem Leerlauf vorgezogen, anders gesagt: es gibt nichts zu überbrücken. Der Leser wird auf sein geliebtes kontinuierliches Lesen weitgehend verzichten müssen, statt dessen sich festlesen, festsaugen, von Textstelle zu Textstelle.

Eine wohltuende Erleichterung bieten ihm in diesem Buch nicht nur der annähernd quadratische Satz mit dem relativ breiten hellen Streifen oben und unten, sondern vor allem die im Satzbild genau zentrierten, auf einer Fläche von drei mal drei Zentimetern angebrachten textbezogenen hervorragenden Piktogramme von Bodo Hells Mitarbeiterin Hil de Gard, eine erquickende Entschädigung für die Einbuße manch teurer Lesegewohnheit.

Zuletzt ein Wort zu Bodo Hells Buch »Stadtschrift«, schon 1983 in der international höchst geschätzten »edition neue texte« erschienen. Herren, die in dieses Buch hineinblättern würden, um es sogleich entrüstet von sich zu weisen, bin ich zuweilen begegnet. »Das sind ja Fotografien«, würde es heißen, und tatsächlich sind die ersten drei Viertel des Buches Fotografien, worauf der mitreißende Text »Linie 13 A« folgt, Sie alle kennen sie, einst die schöne klapprige Straßenbahn, nunmehr der Doppeldecker-Autobus. Der Fototeil ist Bodo Hells bisher engstes Herantreten an konkrete Poesie, der vielleicht einzigen revolutionär neuen dichterischen Leistung in der zweiten Hälfte des 20. Jahrhunderts. Sie wird jedem grundsätzlich trägen Leser für immer unzugänglich bleiben. Hier hat Bodo Hell seine verbalen Indizien per Kamera auf seinen Streifzügen durch die Stadt gesammelt, von Hausfassaden zumeist, Geschäftsaufschriften, und meist pro Seite ein Wort. Welche Vielfalt! Das optische Erscheinungsbild der öffentlich sichtbaren Schrift, als Aufschrift, als Schild, vermittelt Zeitgeschichte, Stadtgeschichte, Weltsicht.

Ach, möge doch jeder lesende, denkende Mensch zwischen den fernen Echos nationalsozialistischer Sprachtaktik und den pausenlos in uns eindringenden Sprachklischees unserer jetzigen Welt einmal im Jahr sich zu einer Kur – um dieses Wort nochmals zu verwenden – einer Kur in Sprache entschließen, wie sie nicht nur, aber auch Bodo Hell anzubieten hat, zur Schärfung aller sprachlichen Fähigkeiten, deren wir bedürfen, um nicht in jede Sprachfalle gutgläubig oder aus Unwissenheit hineinzutappen, wie sie rings um uns aufgestellt sind, von abgebrühten Politikern, von gerissenen Händlern, von durchtriebenen Weltverbesserern.

Er, Bodo Hell, Träger des Erich-Fried-Preises 1991, wird uns nun alsbald vorführen, welches Tempo eine langsam erarbeitete Dichtung erreichen kann. Ich beglückwünsche Bodo Hell, ich gratuliere uns zu ihm.

ELFRIEDE JELINEK
Der Turrini Peter

In diesem Land wackelt manchmal der Fußboden von den Tritten seltsamer Untiere, die aus der Erde kriechen, sich langsam an Land ziehen und dort erst einmal einen ordentlichen Feuerstoß aus ihren Nüstern loslassen. Schwerfällig setzen sie sich dann in Bewegung, mit energischen, zielsicheren Schritten, und walzen ein paar Einfamilienhäuser, rosenbestickte Vorgärten und etliche Polstergarnituren und Fernsehsessel nieder. Meist genügt ihnen der Schaden, den sie angerichtet haben, noch nicht, und sie setzen sich zum Telefon. Dort warten sie dann; und wenn man von ihnen verlangt, daß sie sich für ein selbstverwaltetes Jugendzentrum, für einen bei einer Schlägerei mit Jungnazis verurteilten Antifaschisten oder gegen jede Art von Bevormundung der Meinungsfreiheit einsetzen, so tun sie es gleich. So einer ist der Turrini Peter. Meist ruft man ihn als allerersten an.

Sie beschreiben die Perfidie des Wiener Kleinbürgers, die subtile Bösartigkeit hinter der Idylle vom Gurkenglasl und einem Packerl Germ, so wie der Herr Karl. Oder sie schmeißen mit entschlossenen Prankenhieben den Dreck aus den düsteren Provinzschlafzimmern hoch in die Luft, so wie der Turrini, der sich auskennt. Meist tragen sie fremdländische Namen in diesem einstigen Vielvölkerstaat, in dem Deutsch die Sprache einer Minderheit war. Der Turrini Peter hat einen italienischen, noch von seinem Vater her, dem Kunsttischler aus Maria Saal (Kärnten).

Da sitzt er nun verletzt, der Saurier, zernarbt von den kleinen Hackeln der Bauernbundfunktionäre, die zu Legionen gegen ihn angetreten sind, gegen ihn und seine – mit Willi Pevny zusammen geschriebene – »Alpensaga«, die jetzt schon Fernsehgeschichte gemacht hat, verwundet von dem kindlichen Schorf der Schuldgefühle aus diversen Beichtspiegeln, verbrüht von jener provinziellen Bigotterie, die sie ihm, im Namen dieses anderen Zimmermannssohnes, angetan haben. Einer dieser geschundenen Söhne aus den ländlichen Kleinstädten mit ihren Herrgottswinkeln (er ist immer da und sieht alles!) (aber auch wirklich alles!!) (auch das Geld, das du der Mutti aus dem Portemonnaie genommen hast!!!), ihrer dunkeln Onanie in zugigen Abortverschlägen – den letzten Bademodenkatalog aus dem Versandhaus in der zittrigen Hand –, mit ihren abgerackerten Männern und Frauen, die sich am Abend Vater und Mutter nennen lassen, den Nachtkasteln, dem einzigen guten Anzug, dem Brunzkübel, den nur der Vater benutzen darf (die Kinder müssen in den Hof), und dem schweren, geschnitzten Ehebett, wo für das Kind Unbegreifliches und Furchterregendes vor sich geht, das ihm keiner je erklärt, weil es unter Umständen zu einer Unkeuschheit und zu anderen Umständen beitragen könnte.

Und sie versuchen es sich ihr Leben lang aus der Brust zu reißen, wie der Pelikan sich die Federn aus der Brust rupft, um seine Jungen zu wärmen; sie zerren, und sie öffnen sich das Fleisch, diese Kinder aus den kleinen Städten in den Bundesländern, holen in unerschöpflichem Strom jene Gemeinheiten und Niederträchtigkeiten heraus, all die Wünsche, die man hat, wenn der Schnellzug nach Wien vorbeifährt, und man kann nicht mit, all die ironischen Blicke des Turnlehrers, weil der schwere Körper nicht über die Stange will, den quälenden Spott der anderen Schulkinder und die Kuhscheiße, die man gezwungen wird zu essen.

Und wie so oft reicht ein ganzes Leben nicht aus, um diese Narben und blauen Flecken, diese Schrunden und Kratzer wieder aus der Haut zu kriegen: die verlorene Freizeit des Sohnes von Häuslbauern; den Vater, der immer schnitzt, immer arbeitet, während die Kinder der Bauern mit ihren Vätern zur Christmette gehen; die Kellnerin, die man verzweifelt rumzukriegen sucht, weil man nicht weiß, wo man das Zeugs denn sonst hintun soll, und schließlich die Mutter, die Mutter, die Mutter.

In seinen besten Gedichten macht der Turrini Peter das beklemmend deutlich. Schon fast entmutigt und doch mit ungeheuer geballter Energie wirft er sich gegen diesen hohen Bretterverschlag, auf dem steht: Plakatieren verboten!, immer wieder und wieder, und auf dem sich doch letztlich die smarten Männer, die für Zigaretten sehr weit marschieren, breitmachen und die wunderschönen Frauen, die andauernd Mineralwasser trinken und so körperlos aussehen; wirft sich dagegen, um ihn einzureißen, endlich, weil dahinter seine vernichtete Kindheit und seine Mutter auf ihn warten, die er doch noch einmal erleben möchte, aber diesmal viel viel schöner!

Ich fürchte, dahinter ist nichts als ein weiterer trümmerübersäter Bauplatz.

MARIE-THÉRÈSE KERSCHBAUMER

Porträt einer Dichterin: Elfriede Jelinek

Daß sie ihrer Zeit, also uns, immer ein Stück voraus ist, daß sie sich heraus-
hält, Zusammenkünfte vermeidet, Partei ergreift, sich zur Solidarität, die
mit »Basisarbeit« verbunden ist, zwingen muß, öffentliche Diskussionen
fürchtet, Lesungen fast immer ablehnt, daß sie, zur Verblüffung ihrer Umgebung, Standfestigkeit und Ausdauer besitzt: musikalische Eigenschaften?
(musikalische Eigenschaften). Daß ihr Einstieg in die Literatur aus vielen
Gründen überraschend war, Anfang der siebziger Jahre ging die Rede von
den »Senkrechtstartern« in der österreichischen Literatur: Werner Kofler,
Jahrgang 1947, Peter Matejka, Jahrgang 1950, Gert F. Jonke, Jahrgang 1946,
Elfriede Jelinek, Jahrgang 1946: geboren in Mürzzuschlag, Steiermark, lebend in München und Wien. Daß die scheinbare Leichtigkeit ihres Frühbe-
ginns sich im künstlerischen wie parteilichen Gewicht ihres Werks immer
schöner entfaltet hat, daß, was sie bisher schrieb, immer im Kontrast-
verhältnis von Ähnlichkeit und Unähnlichkeit in Beziehung zu setzen
ist: zu ihrer (privaten) Person, zur österreichischen, deutschsprachigen,
zur Weltliteratur, zur Literaturtradition, zur österreichischen Gesellschaft,
zur Geschichte, zur Gegenwartsepoche der (Klassen-)Konfrontationen:
Ein Quasi-Gemeinplatz strukturalistischer Literaturbetrachtung wird seit
1968 an der literarischen Person Elfriede Jelinek *poetisch* manifest. Ihre Forderung an die Literaten: Überwindung einer im Bereich der Sprache festge-
fahrenen Kritik, Befassung mit der gesellschaftlichen Realität. Diese in den
»manuskripten« des *Grazer Forum Stadtpark,* in Wiederaufnahme der Rea-
lismusdebatte, mit dem Komponisten Wilhelm Zobl, Jahrgang 1950, und
mit Michael Scharang, Jahrgang 1941, aufgestellte Forderung wird schon in
den ersten Büchern Elfriede Jelineks, »wir sind lockvögel baby!« (1970) und
»Michael. Ein Jugendbuch für die Infantilgesellschaft« (1972) eingelöst,
und mit dem gesamten Register neuester Schreibtechniken stellt sich die Jelinek seither von Werk zu Werk dieser ihrer Forderung.
Daß sie uns mit ihren frühen Texten schon formale Wege wies. Daß sie mit
dem Roman »Die Liebhaberinnen« (1975) die Frauenfrage in spezifischer
und zugleich allgemein nachvollziehbarer Weise gestaltet hat. Daß sie diese
Frage in dem Theaterstück »Was geschah, nachdem Nora ihren Mann verlassen hatte oder Stützen der Gesellschaft« (1979) literarhistorisch und gesellschaftskritisch neu aufrollt, eine Methode, die sie in den Stücken »Clara
S.« (1981) und »Krankheit oder moderne Frauen« (1984) konsequent fort-

führt, indem sie jeweils von einer Detailfrage ausgeht: Diskriminierung der Frau am Arbeitsplatz (»Nora«), Unterdrückung der Frau als Künstlerin (»Clara S.«), weibliche »Abartigkeit« wie Krankheit und Verbrechen und das abartige Verhalten der Gesellschaft dazu und zur Abartigkeit menschenverachtenden Rüstungswahnsinns (»Krankheit«). Daß ihr 1968 geschriebenes Erstlingswerk »Bukolit. Hörroman« mit den von Robert Zeppl-Sperl, Jahrgang 1944, eigens dafür geschaffenen Bildern erst 1979 erschien. Daß sie drei Jahre an der Übersetzung von Thomas Pynchons »Gravity's Rainbow« (»Die Enden der Parabel«) gearbeitet hat. Daß die narrative Struktur des Romans »Die Ausgesperrten« (1980) sich wie die der vorangegangenen Prosawerke der Stilmittel der Trivial- und Fotoromane, der Comics, der Fortsetzungsromane und Familienserien bedient, daß »Die Ausgesperrten« aber durch ihren dokumentarischen Charakter und die Ideologiekritik (etwa des Existentialismus der fünfziger Jahre) eine Steigerung der gesellschaftsbezogenen Dimension erfährt. Daß das Erscheinen des Theaterstücks »Burgtheater« (1982) vorerst unbemerkt blieb. Daß die inhaltliche Radikalität der »Liebhaberinnen«, der »Ausgesperrten«, in gewissem Maße auch der »Lockvögel«, in dem Roman »Die Klavierspielerin« (1983) in eine formale Radikalität umschlägt: Die bislang geübte Methode zitathafter Anwendung trivialer Muster und reduzierter bis restringierter Text- und Handlungsstrukturen, allerdings in der Absicht, sie als Instrumente der Herrschenden zur Produktion deformierter Wahrnehmungs- und Bewußtseinsformen zu demaskieren, aber auch die bislang unterdrückte Sehnsucht nach dem spielerischen Experiment, auf dessen formale Möglichkeiten die Jelinek durchaus bewußt verzichtet hat, wie »Bukolit« beweist – all dies, das Mögliche und das Praktizierte, wird in dem großen Text vom gesellschaftlich produzierten Masochismus, »Die Klavierspielerin«, abgelöst durch geradezu naturwissenschaftliche Beschreibung von Handlungsabläufen und den schichtspezifischen, klassenbedingten Emotionen und Auslösungsfaktoren dahinter. Hier zeigt sich erneut und deutlicher als zuvor in den »Liebhaberinnen« die literarische Satire als ein Stilmittel gesellschaftlichen Engagements, als syntaktisch-stilistische Materialwerdung von Parteilichkeit, ja von Mitleid: Sei es mit der aus der Anonymität gehobenen Akkordarbeiterin auf dem Lande (»Liebhaberinnen«), sei es mit der spezialisierten Fachprofessorin mit gescheiterter Pianistenkarriere in der Großstadt (»Klavierspielerin«). Mitgefühl mit den Opfern des Faschismus ist denn auch die Triebfeder der Entstehung der satirisch-grotesken »Posse mit Gesang«, des Stückes »Burgtheater«: die erst im Gedenkjahr der Befreiung 1985, dem Jahr der Bonner Uraufführung, für Aufregung und eine beispiellose Hetzkampagne im österreichischen Blätter-Wäldchen sorgte. Gerade weil Stillosigkeit und simulierte Dummheit einzelner Lohnschreiber in Österreich so gefährlich wirksam die Geschäfte ihrer Bezahler betreiben, weil sie die Wut auf ihre Inhalte die Formen der Jelinek als unverständlich denunzieren läßt, seien hier einige der von der Trägerin des Heinrich-Böll-Preises, Elfriede Jelinek, angewendeten Schreibtechniken aufgezählt, um »den ›kleinen Kreis der Kenner‹ zu einem *großen* Kreis der Kenner zu machen« (Brecht, »Betrachtung der Kunst und Kunst der Betrachtung«).

In der Regieanweisung zu »Burgtheater« spricht die Autorin von der in dem Stück zu beachtenden Kunstsprache. Diese weist zunächst zwei ineinander geschobene Grundcodes auf: gesprochenes Wienerisch und hochtrabendes Pseudo-Burgtheaterisch. Dazu die Verfremdung des Textbilds, nach Art der Wiener Gruppe, in eigenwilliger phonetischer Schreibweise. Hinzu kommen von der Autorin willkürlich eingesetzte phonetische Archaismen und Eigentümlichkeiten von grotesker Überhöhung. Dieses aufreizende, zunächst befremdende Verfahren ist allerdings in der deutsch-österreichischen Operetten-, Theater- und Filmszene gesprochener Alltag: phonetische Manierismen, echte und vorgetäuschte Akzente (Heesters, Röck usw.), echte und simulierte Regionalismen, die echte und simulierte Unfähigkeit, diese Regionalismen zu simulieren (sogenannter Mariandl-Dialekt), keinem Betrachter der in »Burgtheater« abgehandelten Filme sind diese Kunstsprachen fremd. Soweit das Phonetische. Zu Jelineks syntaktischen Techniken zählt Kommutation – der Austausch bedeutungsverändernder Lautelemente (Phoneme), Typus: /Hand:Hund/, /Rose:Pose/ usw. –, Jelinek dehnt die Kommutation auf Silben und bei zusammengesetzten Wörtern auf Wörter aus, ein Verfahren, das bewußt-unbewußt nach dem Muster der »psychischen Präsenzzeit« (Friedrich Kainz) vorgeht: Ein im Textkontinuum später aufzuscheinender (für später vorprogrammierter) Laut oder ein Wort drängen frühzeitig, da psychisch bereits »präsent«, an die Oberfläche der gestaltenden Lippen oder tauchen im Schriftbild an »falscher« Stelle auf. Kommutationen dieser Art mit eingeschobenen Relativsätzen, gehäuften Einwortsätzen, dazu Liedanfänge, Filmtitel, bekannte und neuformulierte Kalauer mit der syntaktischen Funktion von Interjektionen, das Gesamtrepertoire kleinbürgerlichen Gedankenguts, durchsetzt mit verblüffenden Wortneuschöpfungen: Dieses ist der Stoff der selbstbezichtigenden Monologe Käthes, der zungenredenden Heldin von »Burgtheater«: ein literaturhistorischer Akt von Dekomposition und Rekomposition von Sprache mittels Sprache, ein in der österreichischen Literatur seit mehr als zwei

Jahrzehnten anvisiertes Ziel, das die Autorin gerade durch die inhaltliche Frage, mühelos scheinbar, erreicht. Kulturmüll als solchen entlarvend, Ordnung im Chaos audio-visueller Wahrnehmung schaffend: Unvergleichlich die Wirkung dieser im Wortsinn textierenden, *ein Gewebe* fabrizierenden Methode: In ihrem Sprachgitter ist die Barbarei der schweigenden Mehrheit eingefangen.

Daß der Roman »Oh Wildnis, oh Schutz vor ihr« (1985) zugleich Lehrgedicht und Strafrede über die kapitalistische Jagdgesellschaft ist, daß dieses aus drei Teilen besteht, die den letzten Tag des Holzfällers Erich beschreiben, eine Nebenfigur aus den »Liebhaberinnen«. Daß der Holzknecht Opfer eines Jagdunfalls wird auf der österreichischen Pacht eines bundesrepublikanischen Multimillionärs. Daß die drei Teile These, Antithese und Synthese repräsentieren, daß sie nach allen Regeln der Rhetorik im erhabenen, mittleren und bescheidenen Stil abgefaßt sind, in barocker, scheinbar wuchernder Fülle, paradoxe Tropen und Hyperbeln, die klassischen Verfremdungsmittel lehrhafter und satirischer Dichtung, in Hülle aufweisen. Daß sie nach musikalischen Prinzipien ausgeführt sind, Worte, Wortketten, Redewendungen, Gruppen- und Medienjargons improvisieren, harmonisieren und rhythmisieren, in Abschilderung der modernen Konsumwelt, in welcher der Mensch gleich Null ist, Müll in einer chaotischen Natur ohne Naturregeln, in der »schreckliche Schwerkraftgesetze … Bäume auf Leute werfen« (Jelinek, »Oh Wildnis«). Daß rhetorische Figuren wie Anapher, Paranomasia und Annominatio Stilmittel der Eingangspassage des lyrischen ersten Teils bilden, der in kühnster syntaktischer Verkürzung Parallelismen gleich diesem enthält: »Nichts ist da, um gesperrt zu werden, nichts um eingesperrt, außer den Bewohnern.« (Ebd.) Daß Elfriede Jelineks spezifisches Verhältnis zur Sprache von ihrer musikalischen Ausbildung (Orgel, Komposition, beides abgeschlossen) bestimmt wird. Daß im Kloster Rebellen erzogen werden, sie wurde in entscheidenden Jahren im Kloster erzogen. Daß die politische Aussage, wie die experimentell-avantgardistische Form ihrer Werke an die heroischen Zeiten des deutschen Expressionismus erinnern. In der Tat hat die Jelinek spätestens mit der »Wildnis« den Expressionismus für die österreichische Literaturgeschichte erobert. Daß sie einer Klasse, der sie von der Mutter her noch halb angehört – Entscheidungsträger in der österreichischen Gesellschaft –, den Weg der wahren Demokratie hinter den von ihr gebrandmarkten Zuständen zeigen möchte. Sie wird mit Nestroy verglichen, mit Karl Kraus, manchmal wird Elias Canetti genannt. Wir sagen: Und auch blickt uns aus ihren Texten das junge Gesicht Georg Büchners an.

Antonio Fian

Haslinger, Josef: Verbrechen und Verantwortung

(Wien zu Frühlingsbeginn 1995. Der Stephansplatz. Passanten. Im Schatten des Haas-Hauses der Schriftsteller Josef Haslinger, lauernd. Ein japanisches Touristenpaar nähert sich.)

Haslinger (springt aus seinem Versteck und stellt sich den beiden in den Weg): Nun halten Sie sich wohl für Helden, was, weil Sie mich aufgespürt haben?! Aber Sie liegen falsch, ich habe mit dieser Sache nichts zu tun. Mein »Opernball« ist auf japanisch noch gar nicht erschienen.
Der Tourist (zu seiner Frau, auf japanisch): Was will dieser Mensch? Soll ich die Polizei rufen?
Die Touristin (hält ihn zurück. Auf japanisch): Laß doch. Sicher nur ein harmloser Straßenhändler.
Haslinger: Jaja, ich kenne Ihre Argumente. Natürlich könnte ein japanischer Germanistikstudent meinen »Opernball« gelesen und den Text hinübergefaxt haben nach Tokio, und mein »Opernball« könnte dort in falsche Hände geraten sein, aber selbst dann ... Nein, ich übernehme keinerlei Verantwortung. Mein »Opernball« – »Opernball«, Sie wissen ja, Roman, bei Fischer, S. Fischer – mein »Opernball« also ist zwar erschreckend realitätsnah, zugegeben, erstklassig geschrieben obendrein, spannend bis zur letzten Seite, aber ausgedacht, verstehen Sie, alles ausgedacht. Ich bin selbst oft erschrocken, *wie* realitätsnah mein »Opernball« ist, das Attentat von Oberwart beispielsweise hätte von mir sein können, es könnte eins zu eins in meinem Roman, meinem »Opernball«, stehen, ich habe das ja öffentlich zugegeben. Ich habe das nie geleugnet.
In Interviews habe ich sogar überlegt, selbst die Kanalisation unter der Oper zu bewachen am Tag des Opernballs, damit niemand meine Giftgasidee in die Tat umsetzt, aber darüber hinaus auch noch sämtliche U-Bahn-Stationen von Tokio zu bewachen, das wäre doch zuviel verlangt gewesen.
Der Tourist (schüttelt bestimmt den Kopf. Auf japanisch): Wenn er ein Straßenhändler wäre, hätte er einen Bauchladen. Ich rufe jetzt die Polizei.
Die Touristin (auf japanisch): Geh, hör auf! Dann wird's halt irgend so ein Sektierer sein, so ein Untergangsprediger.
Haslinger: Alle Ihre Vorwürfe sind absolut lächerlich! Mir scheint, Sie überschätzen ein wenig den Einfluß der Literatur. Aber bitte, meinetwegen holen Sie die Polizei. Man wird mir doch nichts nachweisen können, weil

nämlich zwischen meinem »Opernball« und den Giftgasanschlägen von
Tokio nicht der geringste Zusammenhang besteht. »Opernball« ist ganz
einfach ein penibel recherchierter, verdammt gut geschriebener Zeitroman,
informativ, spannend, Unterhaltung im besten Sinn. Das können Sie auch
Ihren Landsleuten ausrichten (Er tritt zur Seite und läßt die beiden weiter-
gehen. Kurze Pause, dann, ihnen nachrufend): »Opernball«, gell, Roman,
bei Fischer, nicht vergessen!
(Vorhang)

MICHAEL KÖHLMEIER
Marianne Fritz, eine österreichische Scheherazade
Die Sprache, die du nicht verstehst, sprechen deine Opfer

1

Aus zwei Quellen schöpfen wir die Geschichten, die wir uns erzählen: aus
der Erfahrung und aus der Befürchtung. Das Ziel ist das gleiche: das Überleben. Wir machen uns ein Bild von dem, was wir kennen, um es nicht zu vergessen; und wir machen uns ein Bild von dem, was wir nicht kennen, damit
es dem Allumfassenden der Angst entrissen wird. Das hat mit Beschwörung
zu tun und mit Hoffnung. Die Scheherazade aus Tausendundeine Nacht
versinnbildlicht die Grundhaltung des Erzählens: Es geht um ihr Leben.
Die Dichterin Marianne Fritz gibt ihr Leben für ihr Werk. Ihr Roman
»Dessen Sprache du nicht verstehst« quillt über von Geschichten, Fabeln,
Märchen und Personen, Personen, die stets wirklich und unwirklich in
einem sind. Einige wenige Personen sollen hier angedeutet werden.

2

Der Vogelfreie, Johannes Null, Arbeiter, vierundzwanzig Jahre alt. Er entzieht sich den Krallen des Adlers. Das ist der Oberste Kriegsherr. Im Land
des Chen und Lein herrscht Krieg zwischen den Hecht-Grauen und den
Erdfarbenen. Johannes Null desertiert aus der Kaserne; Soldaten suchen
ihn. Tanzende Frauen versperren ihnen den Weg. Der Deserteur entkommt.

Die Soldaten lassen sich von den Frauen ablenken. Die Frauenkörper bewegen sich zu schön, die Soldaten vergessen eine Weile ihre Aufgabe.

Sommer 1914. Johannes Null flieht dorthin, woher er kommt. In die Marktgemeinde Nirgendwo. Der Priester Hochwürden Pepi Fröschl nimmt ihn zu sich – »Pepi Hochwürden; der Vielköpfige; ein Frosch, aber kein ganzer; (›Manchmal ist er auch eine Viper oder so etwas. Eine vielköpfige. Mit Affen im Urwald tut er auch verkehren.‹)«.

Pepi Fröschl, selbst Arbeiterkind, versiert in theologischen Disputen, ist eine der seltsamsten Figuren des Romans. Sein Untergang muß nicht herbeigeführt werden, er trägt ihn latent in sich. Er ist gebrochen, zerfallen mit Himmel, Hölle, Geisterwelt. Er führt den Teufel spazieren.

Pepi Fröschl verrät den Johannes Null. Soldaten holen ihn ab. Sie scheinen nur aus Stiefeln zu bestehen. Johannes will von ihnen gefesselt werden. Er will nicht auf der Flucht erschossen werden. Er wird erschossen. Vier Schüsse. Vielleicht auch fünf, Hochwürden Fröschl – der Judas. Er gab den Häschern das Losungswort: »Schatten.« Er lieferte Johannes Null aus, obwohl er niemanden so sehr geliebt hat wie ihn. Der Verrat war eine sinnlose Vergeudung von Liebe. Zuvor verbrachten sie eine Saufnacht. Erinnerungen kamen hoch – an »Die Nacht des Wasserfalls«:

Der Rest war ihre Unnatur zwischen Felswand und dem Wasser, das herunterfiel und angenehm viel Geräusch von sich gab, ein immerzu fallender Vorhang aus Wasser, ein Rauschen, das sich gleichblieb, gelassen und ruhig; ganz die Natur, die war, sich verstand aus sich selbst heraus, sich verstand, in dem sie war, auskam ohne Furcht. Auch nicht störte die Nichtgeschichte, so sie sich zu helfen wußte selbst, es war die Nacht des Wasserfalls, so hatten ihren guten Eindruck von der Nacht sie stets umschrieben.

Marianne Fritz treibt das Schreiben an vielen Enden bis zum Äußersten. Und wenn sie manchmal schon mit einem Fuß über der Grenze ist, die nicht überschritten werden will, dann macht die Ironie diese Bewegung zu einem eleganten Balanceakt. Der »gute Eindruck«, den Fröschl und Johannes Null in ihrer Erinnerung von der homosexuellen Vereinigung unter dem Wasserfall haben, ist dafür ein Beispiel.

Zwischen der Suche nach dem Deserteur und seiner Auslieferung an die Soldaten liegen 3300 Seiten.

3

Beginnen wir von vorne – würde man sagen, wenn man wüßte, wo vorne ist. »Dessen Sprache du nicht verstehst« erzählt zu viel auf zu vielen Ebenen, als daß man der Fülle des Stoffes mit Chronologie beikommen könnte.

Musikalität und Rhythmus im Mikrokosmos der Sätze widerspiegeln sich im Makrokosmos der Struktur des ganzen Buches. Themen werden angeschlagen, abgebrochen, klingen wieder an, werden variiert, fortgesetzt. Aufhebung von Raum und Zeit – in der Quantenphysik ein Begriff, charmant und wahrhaftig, im Feuilleton eine blinde Nuß –: Bei diesem Roman darf man, ohne rot zu werden, davon sprechen.

Wann ist das Jahr 1914? Wo liegt die Großstadt Donaublau? Was ist das Land des Chen und Lein? Wir wissen es und wissen es doch nicht. Nirgendwo ist das, was das Wort sagt. Aber es ist auch eine Marktgemeinde, konkret und banal. Und Nirgendwo ist auch – wenn es stimmt, daß sich das Nicht-Sein durch das Sein definiert – Überall. Johannes Null ist, was das Wort sagt: Null. Nichts. Aber er ist auch eine schillernde Figur, ein Charakter, ein Leben durch einen Raum hindurch – durch den umfangreichsten Roman hindurch, der in diesem Jahrhundert in diesem Land geschrieben wurde. Und Null ist eine Zahl. Wenn man den Zahlen anthropomorphe Eigenschaften geben will, dann ist Null die stolzeste Zahl, denn sie ist als einzige nicht teilbar.

Das sind drei Arten, den ganzen Roman zu lesen. Allerdings – will man seinen Schönheiten, dem Gewicht seiner Welt (das tatsächlich das Gewicht der Welt zu sein scheint) auf die Spur kommen und gerecht werden, wird auch ein dreimaliges Lesen nicht genügen.

4

Es wird in »Dessen Sprache du nicht verstehst« nicht allein die Geschichte der Familie Null erzählt; aber ihr Schicksal ist dominierend. Die Familie Null steht in der Mitte der Phalanx. Sie bildet den Körper, aus dem die Flügel wachsen, die der Wind der Geschichte bläht. Walter Benjamins Engel der Geschichte: Sprachlos, voll Entsetzen, blickt er zurück.

Läßt sich die Sprache der Opfer aus der Sprache der Überwältiger rekonstruieren? Aller Unwille über Marianne Fritz' sprachliche Eigenheit muß sich dieser Frage stellen. Aber auch die Gegenfrage ist erlaubt: Ist die herrschende Sprache wirklich die Sprache der Herrschenden?

Die Familie Null, die Unteilbarkeit, Unzerstörbarkeit im Namen, wird zerstört, zerstört sich selbst. Josef Null, Josef I., »der Stier«, stirbt im Jahr 1900 auf der Straße. Tod eines aufbegehrenden Proletariers. »Seine Mörder? Saßen hoch zu Roß.« Es sind die gleichen Soldaten, die vierzehn Jahre später seinen Sohn Johannes, den Vogelfreien, suchen und ihn schließlich erschießen. Dieser Vater, der mit seiner Frau wegen dem Herrgott gestritten hat: »Er dürfte auf der Straße liegend seine Söhne gerufen haben ...«

Dann: Barbara Null, die Mutter, ein archaischer Mensch, ein erster Mensch wie aus Erde gemacht, »das Erdäpfelchen«. Sie macht mythische Verwandlungen durch – bis hin zum Affen Gottes, aus dem sie, Hochwürden Fröschl, den Verräter und Geliebten ihres Sohnes, begleitend, bisweilen spricht.

Bei der Figur der Barbara Null schafft die Erzählerin vielleicht die größte Distanz. Eine Figur, die ins Mythische gehoben ist, entzieht sich jeder psychologischen Identifikationsmöglichkeit. Man kann in ihr die Struktur von Seele entdecken.

... sie hatte keine Vorfahren: Ihre Chronologie begann erst mit ihr, davor war alles gegangen verloren, dies begründete die Mamma hiemit, »Ich brauch mich nichteinmal selber merken, jawoherdenn! Wenn ich mich aber nichteinmal selber merken brauch, wofür brauch ich dann – Vorfahren?«

Aber auch sie, die Null Mamma, trägt mehrfach an ihrer Person. Die Geschichten, die über sie im Umlauf sind, die als selbstverständlich geschildert werden, heben sie in eine mythische Distanz. Wenn sie spricht, ist da durchaus bodenständige Unmittelbarkeit. Diese Gegensätze zu vereinen, so daß das eine und das andere in einem Bild gegenwärtig sind, das ist eine große Kunst der Marianne Fritz. Da ist eine konkrete Mutter und die Mutter an sich; da ist ihr konkretes Leid und das Leid an sich. Als hätte die Autorin parallel zu den mannigfaltigen Ergebnissen der Schöpfung auch die Entwürfe des Schöpfers gelesen.

Die Sieger geben ihrer Liebe zur Welt den abstrakten Namen Gott. Die Verlierer haben nur den Menschen, sie halten sich an sich selbst fest – eine unteilbare Zahl, die besagt, daß sonst nichts ist: Null.

Mama Null konnte weder lesen noch schreiben noch aufrecht gehen. Die sich von Sonnenaufgang bis Sonnenuntergang auf den Feldern krümmte und bückte, daß es eine Freude war, für die Bauern der Marktgemeinde Nirgendwo und Umgebung, dabei wirklich nur ganz nebenbei fünfmal Mutter geworden, und alt; schenkte dem einen Sohn bei der Mahd das Leben, gebar den anderen beim Unkrautjäten, einen beim Heuen und einen beim die Erde lockern, auch beim Strohnbänderdrehen wollte einer aus ihrem Bauch heraus; wer kannte sie noch?

Barbara Null, die Mama Null, die Mutter aller Jahreszeiten, wird in die Festung gebracht, in die Festung zu Donaublau – ins Irrenhaus.

Schon in ihrem ersten Buch »Die Schwerkraft der Verhältnisse« hat Marianne Fritz die Festung vorgestellt. Die Festung in einer anderen Zeit, in den Jahren 1945 bis 1963. Hauptperson in diesem Buch ist die ihre Kinder mordende Berta Schrei. Die Festung – diese steingewordenen Schädelknochen,

in die der Mensch eingesperrt wird und sich selbst einsperrt; die Festung –
so kann man Verlagsprospekten und Hymnen des Professors Heinz F.
Schafroth entnehmen, ist auch der Arbeitstitel eines Romanzyklus, dessen
dritter Teil mit »Dessen Sprache du nicht verstehst« vorliegt. Über den Ge-
samtplan dieses unerhörten Werkes weiß wohl nur die Autorin Bescheid.
Das zweite Buch, »Das Kind der Gewalt und die Sterne der Romani«, erschien 1980 im S. Fischer-Verlag.

5

Die Daten zu Marianne Fritz: Sie ist 1948 in Weiz in der Steiermark geboren, lebt heute in Wien – und schreibt. Mit siebenunddreißig Jahren hat sie
bereits ein Werk geschrieben, auf dessen Umfang ein doppelt so alter Dichter stolz sein könnte. Das Erstaunen macht sprachlos.
Eine Zeitlang lebte sie in Vorarlberg. Wir sind manchmal zusammengeses-
sen. Ich erinnere mich nicht mehr sehr gut. Ich schaue ihre Photographie
an. Hinter dieser Stirn entsteht ein solcher Kosmos. Alle Ideologien reißt sie
fort, ihre Liebe gilt nur dem Menschen, dem nackten Menschen, dem un-
teilbaren, dem dennoch unzerstörbaren Menschen. Dem Null-Menschen.
Aber ihr Werk scheint jenseits des Menschenmöglichen entstanden zu sein.
Es ist den Rezensenten nicht zu verdenken, daß sie anfänglich mehr über
den Umfang als über den Inhalt dieses Buches geschrieben haben. Auch
wenn es wahr ist, daß ein Kenner von Barockliteratur über diese Masse
weniger staunt, auch wenn es wahr ist, daß acht Karl-May-Bände genauso-
viele Seiten haben. Aber die Masse veranlaßt nur zu einem ersten Staunen.
Schlägt man das Buch auf und liest, hat man den Eindruck, es handle sich
hier um höchst komprimierte lyrische Prosa – wie man sie sonst in
Büchern von maximal 97 Seiten findet …
Marianne Fritz schreibt, als wäre sie der erste Mensch, der sich auf diese Art
und Weise die Welt aneignet, die Welt zur eigenen Welt macht und sie dadurch ihren Artgenossen erst verständlich machen will – in einer Sprache,
die sie (vielleicht noch) nicht verstehen.
Meine Bewunderung für Marianne Fritz ist groß.

6

Franz Null, Sohn der Barbara, Bruder des Vogelfreien Johannes, Arbeiter in
Donaublau, »die Formel der Schüchternheit und Ängstlichkeit«, hat einen
Traum:
*Eingetreten in seiner Wohnung ein Mensch, den er gesehen, noch nie. Der
gehabt einen Kopf, zwei Füße und zwei Hände, Gliedmaßen: allesamt ihm*

gesagt, ein Mensch so auch gehabt eine menschliche Stimme, die ihn erinnert an irgendeinen Mann.

Merkwürdig nur, der gehabt: kein Gesicht, allessamt sich beschreiben ließ nur schattenmäßig. Als hätte sich gelöst von einem Mann, sein Schatten, und der gestanden in seinem Keller: »Gestatten.«, der Schatten gemeint:

»Bin ich hier richtig: Ich suche meinen Erfinder.« Und Franz gemeint, er träume, niemals er gewesen ein Erfinder und er geantwortet dem, der gesucht seinen Erfinder: »Bedaure, gnädiger Herr. Ohne Arbeit, niemals Erfinder. Ein Erfinder bin ich nicht. Name, Franz Null. Nirgendwo mein Geburtsort, Donaublau voraussichtlich meine letzte Station.

Der Fremde im Traum stellt sich vor. Er sei August, der Bruder von Franz. Im Traum ringt Franz mit der Erscheinung, schlägt sie nieder mit einem Buch. Am Tag erfährt er zufällig aus der Zeitung von der tatsächlichen Tragödie seines Bruders August. Mit Hunderten von Patronen bewaffnet, hatte August den Kirchturm in Nirgendwo bestiegen und von dort aus auf Menschen geschossen, getötet, verwundet. Und warum? Weil seine Geliebte mit einem anderen getanzt und geflirtet hat. Das war Grund genug für den Freidenker August Null.

Dabei war es für den »Eiszeit-Menschen« August Null, der immer über sich Bescheid zu wissen glaubte, gar nicht sicher, ob er Wilhelmine Spieß je wirklich geliebt hat:

Eine Liebesgeschichte gebraucht ihre Kindheit, gewissermaßen, das Krabbelalter, dann die Flegelzeit und da man geflegelt, in dem Stadium sie steckengeblieben, möglich; ehe die Kindheit ihrer Geschichte geworden ...

Also, was heißt Liebe für einen August Null, der die Menschen eigentlich nicht mag? Wann beginnt die Eiszeit für den »Eiszeitigen«? Mit dem Eintritt in die Welt der Erwachsenen? Dort wird dann gegeben und genommen. Vor allem aber nicht Liebe. Arbeit zum Beispiel. Wer gibt und wer nimmt – bleiben wir bei dem die Wahrheit verdrehenden Begriff – im Dorf der Toten, in Nirgendwo, wer gibt und wer nimmt dort Arbeit? Da ist die Fabrik der Familie Schwefel. Sie verästelt sich zu Fangarmen auf der anderen Seite, auf der Seite gegenüber von August Null. Da ist Rudolf Schwefel, Offizier, der Sternenmann, er wird rechtzeitig in Nirgendwo sein, dienstlich, in Angelegenheit des Kirchturmschützen, angereist aus dem Dorf Gnom. Der dortige Bürgermeister ist sein Vater. Gnom stößt die Tür auf zu Marianne Fritz' zweitem Roman »Das Kind der Gewalt und die Sterne der Romani«. Aber die Geschichte des Dorfes Gnom wird erst werden. Der zweite Roman spielt zeitlich nach dem dritten. Sechs Jahre danach, im Jahr 1920. Jetzt schreiben wir das Jahr 1914. August Null macht sich daran, vom

Kirchturm in Nirgendwo auf die Leute zu schießen. Weil seine Wilhelmine mit einem anderen getanzt hat. Aber mit wem? Mit Kurt Schwefel, dem Bruder der galanten Sophie. Mit ihr kann ein August Null nicht. Mit ihr kann vielleicht ein in allen Klassen wendiger Hochwürden Pepi Fröschl.

Hochwürden überzeugt war, daß Frau Schwefel einen August Null erkannt; gewissermaßen eingestuft, als einen Menschen, der verloren hat ... Es schwer fiel – dieser Frau – zu vergessen, nur eine Sekunde. Ihre Bilanz. Und einmal sich zu fragen, was eigentlich das Leben ihrer Arbeiter – es nicht aufhörte, sobald die Sirenen. Sie entlassen? Auch Kinder es zu berücksichtigen galt und Frauen? Wohnen mußten und leben.

Und Pepi Fröschl, sich verbeugt.

Die Sprache, die du nicht verstehst, ist die Sprache deiner Opfer. Und wenn sich ein Opfer wie August Null Worte ausleiht, sich Freidenker nennt, so hat es den Anschein, als wollte er damit seine Sprachlosigkeit, seinem Wesen eigene Sprachlosigkeit beschwören.

Niemand so gierig zu spielen Freidenker wie, eine Null. Genauso wie sich Kinder in die Jugend hinüberspielen, auch hinübergespielt werden in ihre Jugend und zumeist eh nur bitterbös karikieren die mit Ausred in der Tat: Ein Sack Ausred jeder Erwachsene und die Kinder bald sich merken konnten, im Leben man gebraucht wie einen Sack Mehl man im Leben gebrauchen könnte einen Sack so voll Ausred.

Und Wilhelmine, die Geliebte von August Null, hat getanzt und geflirtet mit Kurt Schwefel, dem »Sturmvogel«, dem »Wildwestler«, dem Weitgereisten, der dem August und auch seiner Wilhelmine klarmachen könnte, was es mit der stolzen Unteilbarkeit von Null auf sich hat. Also verschanzt sich August auf dem Kirchturm und schießt. Und verliert. Und wird wie seine Mutter nach Donaublau in die Festung gebracht.

Die anderen Söhne der Mamma Null: Josef jun., der mit Marx argumentiert, die Revolution verehrt – er wird auf dem Nullweg im Unglücksjahr 1914 erschossen, vom Klassenfeind.

Matthias begeht nach dem Tod seiner Frau Selbstmord. Er hinterläßt fünf Kinder. »Den Kampf um die fünf Kinder des Matthias gewinnt Gott, Kaiser und Vaterland.«

7

Die Geschichte der Familie Null bildet einen Hauptfaden in diesem Geflecht aus Geschichten, Figuren, Träumen, Metamorphosen, Fabeln, Märchen; Hunderte von Personen stützen diesen Kosmos.

Wer dieses Buch liest, wird lange Zeit allein sein. Niemand und nichts wird ihm bei der Lektüre helfen können. Manchmal habe ich auf die Sprache geflucht, wenn sie mir vorkam wie das blöde, künstliche Hauptwort-, Infinitiv- und Partizipgestammel eines tumben Tankwarts, der an seinen türkischen Untergebenen Befehle austeilt: Du gehen jetzt Arbeit, sonst du bekommen Schimpf ... Und jeder weiß, die Türken reden so, weil man mit ihnen so redet. Aber: Wie redet man von denen, die in einem literarischen Sinn sprachlos sind? Die Laute nachformen? Die aus dem Sprachmüll anderer ihre Signale bauen?

Wir machen die Angst kleiner, wenn wir die Dinge benennen, vor denen wir uns fürchten. Benötigen wir dazu eine neue Sprache? Erzeugt eine solche Sprache neue, nie gesehene Bilder der Wirklichkeit? Ist sie gegen den »glatten Diamanten« der gängigen Sprache nicht einfach nur ein matter Glassplitter? Sprache erzeugt Wirklichkeit. Aber Wirklichkeit erzeugt auch Sprache. Marianne Fritz treibt alles bis an die äußersten Grenzen. Auch das Risiko, falsch verstanden zu werden. Dieses Risiko einzugehen, erfordert mehr Mut als das Risiko, nicht verstanden zu werden. Mit aufgebrühter, abgeschlaffter österreichischer Avantgarde hat Marianne Fritz nichts zu tun. Ihr Buch läßt sich nicht vergleichen. Niemand und nichts wird einem bei der Lektüre helfen können.

8

Ein Rat vielleicht: laut lesen.

Ein neckischer, verführerischer Tanz, der Soldaten ablenken soll, ablenken von einer mörderischen Arbeit – wie soll so ein Tanz beschrieben werden? Mit seiner Beschreibung beginnt das Buch. Es ist die Sprache des Tanzes selbst. Was heißt da verstehen? Lesen Sie! Aber lesen Sie laut:

Und der Chor hinter ihr, vier Mädchen die Reihe, hüpften zwei Schritte nach links, stockten kurz; legten den Kopf nach links. Und hüpften: zwei Schritte nach rechts; und stockten kurz; legten den Kopf nach rechts, drehten sich im Kreise; der Zeigefinger deutete auf die Frau, die vor ihnen ging, alle Zeigefinger deuteten, Buckel wurden gemacht, Rücken gekrümmt.
Rolle.
Die Augäpfel, zwei Köpfe zusammengesteckt und getuschelt, die Hände in den Hüften, empört, ach!
Was hat, sie getan:
 Und ich beiße diesen Käse,
 Und der Käse ist süß,
 Und ich blicke nach dem Schäfer,
 Der Schäfer ist jung.

Gekicher, Getuschel und Hände um das Ohr, einmal nach links: Hört, Hört.
Einmal sodann: nach rechts Hört, Hört. Und so auch nach hinten und nach
vorne es mitgeteilt Hört, Hört.

9

Ludwig Hohl hat einmal geschrieben, man sollte auf den Buchrücken vermerken, mit welcher Geschwindigkeit das jeweilige Buch gelesen werden will. Ebenso wie der Petersdom in Rom seine Schönheit dem Betrachter erst aus großer Entfernung preisgibt und ein Ring aus der Nähe betrachtet werden muß, so müssen manche Bücher sehr schnell (Balzac) und andere sehr langsam (Celan) gelesen werden. Und ist es in der Regel so, daß Bücher, die man langsam lesen sollte, auch eher kürzer sind. Dicke Wälzer wollen verschlungen werden.

Welche Lesegeschwindigkeit erfordert »Dessen Sprache du nicht verstehst«? Die Musikalität der Sprache bietet viele Möglichkeiten. Die Musikalität – sie war für mich der erste Schlüssel zu diesem Werk – zu diesem gigantischen Gedicht.

WERNER KOFLER

Du holde Kunst
Eine Absage

.

Sprecher: Das Landesstudio Wien brachte die Sendung *Du holde Kunst.*
Unter dem Motto *Reimmichls Wiederkunft* hörten Sie Musik und Literatur
in folgender Reihenfolge:

GRETL UND FRANZ: Wie groß bist Du.

ROBERT SCHNEIDER: Das ist die Geschichte des Musikers Johannes Elias
Alder, der 22jährig sein Leben zu Tode brachte, nachdem er beschlossen
hatte, nicht mehr zu schlafen.

GRETL UND FRANZ: O Maria, gnadenvolle.

ROBERT SCHNEIDER: Und es lag Elsbeths Herz auf Elias' Herzen, und Elsbeths
Herzschlagen ging in Elias' Herzschlagen.

GRETL UND FRANZ: Segne Du Maria.

ROBERT SCHNEIDER: Glart auf den Zunderpilz und fingert am losen Glied.

GRETL UND FRANZ: Maria Maienkönigin.

ROBERT SCHNEIDER: Die Brüste der Weiber quollen auf, und manch einem
starrte der Hosenlatz.

GRETL UND FRANZ: Leise sinkt der Abend nieder.

ROBERT SCHNEIDER: Halt ein, da kömmt mir eine Melodie.

GRETL UND FRANZ: Der Engel des Herrn.

ROBERT SCHNEIDER: Elias schämte sich ob des unzüchtig entglittenen Blicks.
– Oh, er wolle Elsbeth ein guter und ehrenhafter Mann werden!

GRETL UND FRANZ: Es lebt Maria.

ROBERT SCHNEIDER: Da gingen ihre Brüste nieder und formten sich zu vollen, reif gewordenen Birnen. Das Mondlicht tanzte im gezopften Haar und
ließ es wie Lametta aufglänzen.

GRETL UND FRANZ: Ich gehe, wenn ich traurig bin.

ROBERT SCHNEIDER: Wenn er sonntags nach Tisch sein Pfeifchen schmauchte, naste sie zufrieden nach dem Tabakrauch. Sie liebte die Menschen und das Leben. Diese Liebe konnte ihr keiner versauen.

GRETL UND FRANZ: Meerstern ich Dich grüße.

ROBERT SCHNEIDER: Auf ihrem Gesicht lag eine ungewohnte Blässe, obwohl es von dunklem Teint war. Elias sah das und frug umständlich, ob sie marode sei.

GRETL UND FRANZ: Milde Königin gedenke.

ROBERT SCHNEIDER: Oh, wie hatte er nur daran zweifeln können, daß ihm Elsbeth von Gott vorbestimmt sei!

GRETL UND FRANZ: Über die Berge schallt.

ROBERT SCHNEIDER: Da war ihm, als müßte er weinen. Er wollte weinen und konnte es nicht.

GRETL UND FRANZ: Wir ziehen zur Mutter der Gnade.

ROBERT SCHNEIDER: Der Sommer, das erwähnten wir schon, war überaus ereignisreich, und zwar auf mancherlei Weise.

GRETL UND FRANZ: Rosenkranzkönigin.

ROBERT SCHNEIDER: Daran glauben wir mit kindlichem Ernst, denn das Böse ringt so lange mit dem Guten, bis es im Guten untergeht.

GRETL UND FRANZ: So nimm denn meine Hände.

ROBERT SCHNEIDER: Und frug mit verstellt erwachsener Stimme: Frau Mutter, was meint Liebe? – Was Liebe meint?, lachte die Lukasin, küßte ihm sein glänzendes Knollennäschen und zog ihm die Kapuze über den Kopf.

GRETL UND FRANZ: Maria vergiß mein nicht.

ROBERT SCHNEIDER: Denn der Regen hatte wieder eingesetzt.

GRETL UND FRANZ: O Maria meine Freude.

Zusammenstellung der Sendung: Anita Pollak und Konrad Holzer.
Es folgen Wasserstandsmeldungen.

GÜNTER EICHBERGER

Blutbademeister
Werner Schwab

Greifen wir ein Beispiel auf. Erfinden wir uns eine Autorenschaft. Geben wir unserem Projekt einen Namen. Schwab. Ein Name, der auch für den deutschen Markt taugt. Denn dort wollen wir ihn schließlich verkaufen. Gut und teuer. Legen wir ihm irgendeine Kleinbürgerbiographie in die Wiege. Die Mutter Putzfrau, aber gläubig. Der Vater auf der Durchreise. Bald verschollen. Und so bleibt dem Kind für seinen Haß nur die Mutter. Lassen wir unser Projekt Schwab strafweise in Graz aufwachsen. Graz, das heißt Alltagsfaschismus, Kunst, Altstadt, Stadtpark und Alltagsfaschismus. Lassen wir ihn mit der Grazkunst aber nicht zu eng in Berührung kommen. Das macht sich nicht so gut in einer zeitgenössischen Autorenschafts-lebensbeschreibung.

Schicken wir ihn zum Studium nach Wien. Dort lernt man am wenigsten, dort ist die Gefahr am geringsten, daß unser Projekt zum akademischen Schrebergartenzwergkünstler verkommt. Soll er lieber schon am Vormittag Schnaps trinken. Die Leber ist schließlich sinnlos. Soll er sein Geld mit Schach oder einem anderen Glücksspiel verdienen. Lassen wir ihn Skulpturen aus verderblichen Materialien verfertigen, lassen wir ihn verdorbene Prosa aufs Papier kotzen. Und zuerst einmal verordnen wir ihm totale Erfolglosigkeit, nichts als Unverständnis soll ihm entgegenschlagen. Das wird ihn wunschgemäß verbittern. Jeder Blödel, der einen Bleistift halten kann, gilt als förderungwürdig, er aber, unser Projekt, das unangenehme Talent Schwab, wird zehn Jahre lang von Zeitschriftenherausgebern, Rundfunk-redakteuren, Lektoren und Juroren abgelehnt, abgelehnt und abgelehnt. Wir lassen ihn in die Steiermark zurückkehren, aufs Land, ins steirische Sibirien, die heimatliche Strafkolonie. Als Haftverschärfung den Ehestand. Mit landwirtschaftlichen Hilfsarbeiten schlägt er sich/haut man ihn durch. Es soll ja etwas werden aus ihm.

Und dann zwingen wir ihm einen Entschluß auf. Fürs Theater muß er schreiben. Dort gibt es Beifall, Vorhänge und Geld. Jetzt geht alles wie von allein. Wir schütten ihm ein paar Kübel Theaterblut in den Kopf. Wäre doch gelacht. Fehlt nur noch das Wichtigste. Ein Image. Er soll ja etwas darstellen. Schleifen wir ihn auf Pressekonferenzen, wo er gekonnt ungestüm herausrülpst, daß ihm das Theater aber wirklich sowas von fäkalegal ist, daß das Publikum, das seine Stücke heimsucht, aber wirklich sowas von naturdumm ist, daß er lieber in Hip-Hop-Konzerte geht (oder mit seiner Mutter in die Kirche) als in so ein Dings, ein Theater, eine moralische Bedürfnisanstalt hinein. Und überhaupt sei ihm schlecht und er finde keinen Kübel …

Die versammelte Großkritik ist begeistert über soviel Brechreiz. Den haben wir verdient, stöhnen sie lustvoll, wenn unser Projekt Schwab sie als Spuck- und Speinapf benutzt. Wie aus einem Munde speicheln sie ihn ein. Eine Frage vielleicht noch. Wie es denn komme, daß er pro Jahr acht Stücke auszuwerfen imstande sei? – Ganz einfach, sagt unser Projekt, er habe einen Darmausgang am Kopf. Eine reine Stoffwechselfrage. Fäkaliendramen. Und bisher leide er nicht an Kopfverstopfung.

Nach dieser Antwort fällt die erste Kritikergarnitur vor Faszination geschlossen in Ohnmacht. Dahinter steht die zweite Garnitur, die mit heimischen Kräften durchsetzt ist. Sie beginnt pseudokritisch zu kläffen. Daraufhin versteigt sich unser Projekt Schwab zu der alpin-philosophischen Randbemerkung, das Theater sei so eine Art Dings, so ein metaphysisches Bodenturnen halt. Er wisse zwar nicht, was er damit meine, aber es klinge echt schwabisch.

Und so spricht er weiter in den Raum hinein und führt seine gedankenähnlichen Ausführungen hinaus. Ein Dichter braucht ja seine eigene Kunstsprache, sonst ist er keiner. Seine Schwab-Sprache ist ja wirklich synthetisch, so spricht kein Mensch, darum diese blutige Bodenhaftung. Nur in der totalen Künstlichkeit erkennt sich der Mensch wieder. Es gibt nur den Menschen, den es nicht gibt, meint unser Projekt Schwab. Und die Menschen geben ihm recht. Es ist alles unmöglich, solange man am Leben ist, sagt er. Und das Leben nickt dazu.

Wir geleiten unsere Autorenschaft zu einem noblen Delikatessengeschäft, wo leitende Angestellte mittags ihren Seehasenrogen zu sich zu nehmen pflegen. Schwab bestellt betont ernsthaft Blutwurst. Da stürzt sich der aus Film und Burgtheater bekannte Klaus Maria Superstar auf ihn und sagt in reinstem Altausseer Bühnendeutsch, daß er ihn, unser Projekt, kenne; er sei doch jener vielgespielte neue Radikalkomödienschreiber! – Aber ich, entgegnet Schwab, kenne Sie nicht. Und läßt Klaus Maria mit seinem halbverdunsteten Glas Sekt stehen. (Diese Geschichte werden wir so oft weitererzählen, bis sie allgemein für wahr gehalten wird …)

In seinem Heim legt sich unser Projekt erst einmal in eine Badewanne mit Blut und Innereien. Nachdenklich spielt er mit einer karzinösen Bauchspeicheldrüse. Ein Pressefotograf, der sich eingeschlichen hat, knipst ihn heimlich dabei. Schwab tut, als habe er ihn nicht bemerkt. Dann sagt er aber doch in seiner nachahmlichen Manier, daß er eigentlich mords eine Lust haben täte, den Dings, den Fotografiker so richtig sadomäßig niederzumetzeln. Den Kopf spalten und die Hirnmaden mit Gusto herausfressen, in seinen eigenen Kopf hinein. Aber heute wär er gerade beim Friseur gewesen, und seine Salonpunkfrisur täte er sich also wirklich überhaupt nicht gern durch fremde Blutspritzer versauen …

Doch da ist der Kamerajäger schon freiwillig vom Balkon gesprungen. Das ist der Stoff, aus dem die Schwabschen Dramen sind. Das genügt total als Anlaßfall für ein Theater. Und schon sprudelt brauner Saft aus seinem Kopfloch.

Soviel zu unserem Projekt. Schade, daß es ihn nicht gibt, den Schwab. Schade, daß er glücklicherweise nur unsere Erfindung ist.

MARGIT SCHREINER

Meta Merz

Der Tod ist ein langer Schlaf, der nimmer endet
Der Schlaf ist ein kurzer Tod, der wieder sich wendet.
(al-Ma'arri, 61)

AM MORGEN DES SCHLAFES heißen Notizen von Meta Merz von 1980–81. Sie handeln von den Schwierigkeiten, wenn der Tod sich am Morgen wieder einmal – immer überraschend – doch gewendet hat, aufzuwachen, die Augen aufzumachen, sich zu strecken, aufzurichten, aufzusteigen, einen Fuß vor den anderen zu setzen, zu leben.

tägliche ungemütlichkeit auf den betten des schlafs. (AM MORGEN, erotik, 118)

sagt Meta Merz. Die Noch-Schlafwelt steht der Schon-Wachwelt gegenüber, das Noch-Unlogische dem Schon-Logischen, das Noch-Gedachte dem Schon-Gesagten, das Noch-Räumliche dem Schon-Zeitlichen, das Ganzheitliche dem Getrennten, die Vision der Realität, die Ekstase der Schönheit, die Verzweiflung der Resignation. Im Schnittpunkt der beiden Welten, dem Tod gerade entronnen, dem Leben noch nicht verpflichtet, entstehen Bilder von geheimnisvoller Präzision, glasklarer Undurchsichtigkeit, unmoralischer Wertung, pessimistischer Utopie und erschreckender Lebensfreude. Dort schlummern die Löwen und Savannen.

miriam hält ihre haut in den händen. tränen von tee bedecken ihre stirn. rostrot spaltet sich ihr mund. halb erde halb himmel. in den kniekehlen sammeln sich öl und spatzen. bilder steigen aus ihren gedärmen und legen sich schlafen an ihren schläfen. (AM MORGEN, erotik, 121)

Meta Merz ist am 14. April 1965 in Salzburg geboren. 1965 war ich 12 Jahre alt und lebte in Linz. Ich schrieb gerade an meinem ersten Roman. Er war immerhin ein Schulheft lang, hieß: »Du unerforschter undurchdringlicher Dschungel« und war eine versteckte Liebeserklärung an meine Schulfreundin Susi Kletzmeyer, der ich im selben Jahr zu Weihnachten eine Abschrift schenkte mit einem selbstbemalten Umschlag, auf dem Paradiesvögel, Affen und Löwen abgebildet waren. An irgendeine Reaktion der Susi Kletzmeyer kann ich mich nicht erinnern.

»Seit 1986«, steht in der Kurzbiographie am Ende des einzigen Buches von Meta Merz *erotik der distanz,* posthum im Wiener Frauenverlag erschienen, »seriously addicted to poetry«. 1986, da war ich schon 32 Jahre alt und versuchte immer noch, in dem Dschungel von Gelesenem, Gelerntem, Verlorenem, Vergessenem und für immer Verpfuschtem meine eigene Stimme zu finden.

Im September 1989 ist Meta Merz 24jährig in Salzburg gestorben. Im Herbst 1989 erschien mein erstes Buch.

Es gibt nichts zu beschönigen. Der Tod kommt nie im rechten Augenblick.

steht in dem Nachruf auf Meta Merz am Ende ihres Buches. Ja, man versucht wohl zu trösten, sich selbst oder die anderen. Aber es gibt Augenblicke, die sind rechter als andere. 24 Jahre, das weiß jeder Schriftsteller, sind zu jung, um jene seltenen Glücksmomente zu erleben, in denen das Dickicht (der Dschungel) sich lichtet und das Talent sich mit der Professionalität und solidem Selbstwertgefühl für kurze Zeit überlappt.

Sie hatte es in einer Hinsicht leichter als ich. Sie war nämlich die Tochter der Schriftsteller Christine und Eberhard Haidegger. Bei ihr zu Hause wurde nicht nur gelesen, sondern auch geschrieben.

Ich erinnere mich an ein Treffen bei den Haideggers, als wir die Anthologie der Salzburger Autorengruppe mit dem unglücklichen Titel *angstzunehmen* zusammenstellten. Das muß 1981, 1982 gewesen sein, ich studierte noch Germanistik. Meta Merz, damals 15- oder 16jährig tauchte nur einmal kurz auf, um sich zu verabschieden. Sie hat später aber den Umschlag der Anthologie gestaltet. Die Wohnung der Haideggers war irgendwie überfüllt. Mit Büchern, Zeitschriften, Papierstößen, Blumen. Im Anschluß an die Arbeit gab es Pizza und Rotwein, und Christine erzählte von dem zwiespältigen Gefühl, das die Bewegung ihres langen Zeigefingernagels die ganze Rückenkerbe entlang bei den Männern, deren Aussagen zufolge, auslöst.

Ich ging spät abends mit dem Gefühl von einem auf etwas Zukünftiges gerichteten Heimweh in die Wohngemeinschaft, in der ich damals wohnte, zurück.

Sicher mußte Meta Merz sich ihre geistige Welt nicht gegen den täglichen Familienterror kleinbürgerlicher Zwänge und spießiger Verhaltensnormen erkämpfen, ein ungeheurer Kräfteverschleiß, der mich lange lähmte. (Und immer noch behindert). Und das sah man ihr auch an: Meta Merz war keine graue Maus, sie war für ihr Alter ungewöhnlich redegewandt, belesen, schlagfertig, mit einem Wort: selbstbewußt.

In anderer Hinsicht hatte sie es aber schwerer als ich. Sie war nämlich die Tochter von Schriftstellern. Der Schriftsteller ist ein menschlicher Grenzfall. Zwischen Autismus und Hysterie angesiedelt, zwischen Depression und Euphorie schwankend. Keine besonders rosige Perspektive. Auch: Den Kampf der Eltern um Verlage, Einkommen, Anerkennung vor Augen.

Als ich als Germanistikstudentin den Ratschlag von Thomas Mann an einen jungen Schriftsteller las, der ihm Texte geschickt hatte und fragte, ob er seiner Meinung nach weiterschreiben solle, und Thomas Mann sinngemäß antwortete: Nur, wenn Sie gar nichts anderes können, hielt ich das für kokett. Heute weiß ich, daß er es ernst meinte. Das Schreiben bleibt immer ein Balanceakt ohne Netz und doppelten Boden. Routine ist schädlich, jede Erleichterung abzulehnen. Einen Plan zu haben ist gut, den Plan wieder zu verwerfen, besser. Am besten ist, man trägt jederzeit die eigene Haut zu Markte. Meta Merz weiß das:

der respekt / gebührt der wunde / keinesfalls der narbe / sehen sie / ich / trage meine wunden / stets offen / bei mir / zusammengehalten / durch kleine metallene / klammern / sie verhindern / den austritt / allzuvieler / geheimnisse / welche ich mir / für die zeiten des alleinseins / vorenthalte.
(ZU ENG, erotik, 111)

oder:

(...) denn je dümmer ein frager ist, umso lieber hört er antworten, die wissenschaftlich formuliert sind. (DIE ORAKEL DES DELPHINS, erotik, 150)

oder:

(...) krampfhaftes suchen nach den ursprünglichen worten, die, noch kaum von menschen berührt, geschaffen wurden. die einfach kamen und blieben, anfänglich. (AM MORGEN, erotik, 130)

oder:

vogelscheuche sein und trotzdem hoffen, daß sich die krähen und amseln einfinden werden, stark genug zu überlisten. hart dastehen, sich nicht bewegen können und täglich die eigene haut aufs feld tragen. (131)

Die Beispiele ließen sich fortsetzen. Meta Merz ist kein naiv übersprudelndes junges Talent, sondern ein ganz genau nachdenkender Mensch. Trotz ihrer bilderreichen, stark assoziativen Literatur kommt sie nie ins Schwärmen oder ins Schwelgen in Traumbildern, gerät nicht ins Ungefähre, Vage oder Bramarbasierende. Es ist eine sehr beherrschte Literatur.

Jemand, der so viel weiß, so begabt ist, so selbstbewußt und so jung, ist zwangsläufig sehr einsam.

die wüste lebt, denkt talis. dann das ausgestorbensein, das große schlafen, die kälte einer wüstennacht. man kuschelt sich an kamele, in weiche taxipolster. überheizt. einzig fehlt der geruch, der sand im haar beim aussteigen.
(WÜSTENKINDER, erotik, 116)

Geschrieben im Oktober 1984. Da war Meta Merz 19 Jahre alt. Das ist für mich fast unglaublich. Vor allem die Differenziertheit, die der Text dadurch erhält, daß eben keine Wüstennacht geschildert ist, sondern eine Taxifahrt, womöglich durch Salzburg im Winter, frühmorgens, nach einer Abtreibung. Vor allem die Zartheit, mit der die Bilder der Wüste und der Taxifahrt ineinandergeschoben werden (»man kuschelt sich an kamele, in weiche taxipolster«), der Realitätssinn, mit dem sie das Wort »überheizt« setzt und der traurige Schluß (»einzig fehlt der geruch, der sand im haar beim aussteigen«).

Ich war mit 19 Jahren ziemlich dumpf. Zwar im Kopf in Rebellion gegen alles, im Alltag aber ganz unselbständig. Ich weiß noch, daß ich, als ich im Herbst 1972 fast 19jährig nach Salzburg zum Studieren ging, meinen Vater bat, mit mir inskribieren zu gehen, und daß ich dann vor Scham fast im Boden versunken wäre, als er wirklich mit mir ging.

Meta Merz war schon im Gymnasium Schulsprecherin. Und, wie Mischa, die Freundin eines Freundes, zwei Jahre nach Meta Merz in Salzburg geboren und zur selben Schule gegangen, erzählt, bewundert von allen Schülern. Für ihren Mut und ihre Ausdruckskraft. Mischa sagt, Meta Merz sei in Diskussionen allen gewachsen gewesen, den Eltern, den Professoren, dem Direktor, Politikern.

Wenn ich heute an die Zeit zwischen meinem 19. und meinem 24. Lebensjahr denke, frage ich mich, ob mich das, was mir damals wie eine trübglasig, immer muffige Käseglocke erschien, unter der ich saß bzw. lag, nicht gerettet hat. Ich war depressiv wie sie auch. Zwischen der Natur und mir war ein grauer Schleier, alle Menschen, so nah sie mir auch waren, erschienen mir durch Abgründe getrennt, es ekelte mich vor meinen eigenen Händen. Manchmal wagte ich nicht einmal einkaufen zu gehen, aus Angst, jemand könnte mich plötzlich ansprechen. In diesen Phasen verdunkelte ich mein Zimmer und blieb reglos im ungelüfteten Bett liegen, dumpf vor diffusem Ekel. Wahrscheinlich spürte ich instinktiv, daß die Verwirrung und die Einsamkeit zu groß waren, um daran tasten zu dürfen. Tat ich es doch von Zeit zu Zeit, in Form von Briefen oder Tagebuchnotizen, wurde meine Schrift noch krakeliger, als sie es ohnehin schon war, und am Ende stand: »Ich kann nicht!« was, wie der Psychologe weiß, bedeutet: »Ich will nicht!« Nein, ich wollte nicht erwachsen werden. Wollte, gekuschelt an Kamele, schweigend liegenbleiben. Sie hingegen schrieb DAS KIND IN DER SUPPE:

das kind sei durch die wohnung gelaufen und nackt, obwohl der fußboden aus stein und die herbstgrenze längst überschritten gewesen sei.
es sei durch die wohnung gelaufen, nackt, und habe laut geschrien aus reinstem vergnügen.
das kind habe der pflanze im bad auf der einen seite alle blätter abgerissen, obgleich man ihm verständlich zu machen versucht hatte, daß pflanzen lebewesen wären wie kinder und andere menschen. »tiere auch«, hatte das kind schelmisch gefragt und so seine lehrer verblüfft, die sich nicht einig werden wollten, ob das kind seinen ausspruch aufgrund einer verfrühten begabung oder aus zufall getätigt hatte. in der zwischenzeit war es dem kind, das, noch immer nackt, sich groß im hochformatigen spiegel besah, ein leichtes, auch den dort anwesenden pflanzen die runden blätter zu rupfen.
das kind sei durch die wohnung gelaufen und nackt und keiner hatte es aufhalten wollen, denn es war vergnügt gewesen wie nur selten.
fürsorglich hätte einer ihm die strümpfe hinterhergetragen, bis sie dann doch auf dem fensterbrett in der küche liegengelassen wurden.
später aßen sie suppe mit nudeln drin und das kind wiederholte unablässig,

sofern es nicht gerade den löffel in richtung mund manövrierte, das wort
»huhn«, immer schneller, immer lauter wiederholte das kind und schrie
dann auch »huhn, huhn, huhn«. keiner wußte, was es zu bedeuten hatte,
aber das war auch nicht mehr nötig, denn schon hatte das aufgeregte kind
sich den löffel sehr tief in den mund geschoben und begann ungeniert seine
suppe zurück in den teller zu erbrechen, man verstummte, das kind war
blaß geworden und ließ seinen kopf mit dem löffel in die suppe fallen, seine
füße schlugen laut in die stille an den hölzernen stuhl und keiner mochte so
recht begreifen, wie es in jenem moment einfach einschlafen konnte, ohne
ersichtlichen grund und noch dazu mit der nase in den nudeln, was alle an-
deren in ein befreites lachen ausbrechen ließ, bis die grüne färbung, die kurz
darauf bläulich nachzudunkeln begann, den anwesenden signalisierte, daß
dieses kind in der suppe zu ersticken drohte, oder es bereits war. man zog
ihm den löffel aus dem mund, zupfte nudeln aus seinem haar und war wie-
der stumm.

man aß. das kind im teller schlief, schwieg oder war schon tot.

(Salz, Jg. 15/II. Nr. 58/Dez. 1989, S. 1f.)

Kehren wir noch einmal zum Ausgangspunkt zurück, am Morgen des
Schlafes, zur glasklaren Undurchsichtigkeit der Bilder im Schnittpunkt von
Schlaf- und Wachwelt. Hier ist es außerordentlich geglückt: Die kurze Geschichte ist ganz klar und einfach erzählt, bleibt aber geheimnisvoll. Sie ist
ein moralischer Appell, niemand weiß, von wem, gegen oder für wen. Sie ist
Produkt einer ganzen Reihe von Zweifeln. Es ist eine knappe Geschichte; es
gibt keinen Satz zuviel.

Sie scheint entstanden zu sein, wie Hemingway es in *Paris, ein Fest fürs Le-*
ben beschreibt: »Ich setzte mich morgens an die Schreibmaschine und
schrieb den ersten Satz hin, der mir wahr erschien.« Und aus diesem ersten
Satz folgten, mit einer Logik der Phantasie, alle die übrigen.

Der erste wahre Satz also: »das kind sei durch die wohnung gelaufen und
nackt, obwohl der fußboden aus stein und die herbstgrenze längst überschritten gewesen sei.« Die Möglichkeitsform zu Beginn der kurzen Geschichte drückt den Zweifel an ihrem Wahrheitsgehalt, an dem Wahrheitsgehalt von Erinnerung aus. Vielleicht war es so… Irgendjemand hat gesagt,
daß es so war… Ich glaube, daß es so war. Indem ich es aber glaube, war es
so und nicht anders. Deshalb kann der zweite Satz aus dem ersten entstehen.

Das Kind, ich als Kind, irgendein Kind läuft durch die Wohnung, meine
Wohnung, unsere Wohnung, nackt. Das Kind ist schutzlos, es ist unbe-

deckt, ich habe nichts zu verbergen. Aber: Der Fußboden ist aus Stein und:
Die Herbstgrenze ist – längst – überschritten.

Daraus könnte hervorgehen, handelte es sich nur um einen einfachen Plan:
Kind spielt in elterlicher Wohnung nackt auf kaltem Boden, wird krank
und stirbt. Die Geschichte von Meta Merz ist vager und genauer zugleich.
Genau im Detail, ratlos in der Aussage. Denn: Es gibt keine (verbindliche)
Wahrheit und trotzdem sind Sätze wahr oder falsch. Der Satz: »es sei durch
die wohnung gelaufen, nackt, und habe laut geschrien aus reinstem vergnügen.« ist wahr. Egal, ob es so war oder nicht, egal, wer es behauptet oder erinnert. Und ob überhaupt. Er ist wahr, weil: Das Kind, die Wohnung, der
Steinfußboden im Winter (die Herbstgrenze ist ja *längst* überschritten), es
ist aber trotzdem nackt, obwohl der Boden kalt ist usw., aus reinstem Vergnügen den Pflanzen die Blätter abgerissen und die Lehrer verblüfft mit der
Frage, ob Tiere auch Lebewesen seien, im Spiegel angesehen – nackt – und:
Den Pflanzen – das sind Lebewesen! – noch einmal die Blätter gerupft. Und
zwar aus reinstem Vergnügen. Vergnügt wie nur selten weiter durch die
Wohnung. Und dann – später – später aßen sie die Suppe. Und das Huhn in
der Suppe? Aus reinstem Vergnügen? Sind Tiere auch Lebewesen? Huhn –
Huhn – Huhn. Das Kind erbricht die Suppe und schweigt, schläft oder
stirbt mit dem Gesicht im Suppenteller.

Verfolgt man die Fährte des Unglücks des Kindes, stößt man auf die Nackt-
heit (du sollst nicht), den kalten Steinfußboden (du sollst nicht), auch Tiere sind Lebewesen wie Pflanzen, Menschen und Kinder auch, du sollst nicht
vergnügt sein, die Herbstgrenze ist längst überschritten, am Anfang ist alles
schon zu Ende.

Der Konjunktiv wechselt in dem Moment, in dem die Suppe gegessen wird,
zum Indikativ. Das Vergnügen vorher: nackt durch die Wohnung laufen,
den Pflanzen Blätter ausreißen, sich im Spiegel anschauen, barfuß auf
dem Steinboden laufen etc., ist nur vermutet, das Ende, Schweigen, Tod
oder Schlaf, ist Realität. Der letzte wahre Satz: »man aß. das kind im teller
schlief, schwieg, oder war schon tot.« ist die knappste Realität und sonst
nichts.

Ich möchte, von dieser einen Geschichte Meta Merzens ausgehend, verall-
gemeinern. Ihre Literatur ist: präzise, gläsern, geheimnisvoll. Sie entsteht
aus der Überwindung des Zweifels (an der Realität, dem Traum, der Sprache, der Logik, der Moral etc.) Sie sucht den wahren Satz. Sie meidet
den einen Satz zuviel. Sie ist mystisch, realistisch, a-logisch, a-moralisch,
a-psychologisch. Sie befreit sich immer aufs neue von den konventionellen
Bild- und Sprachmustern. Ihr Regelwerk ist offen.

Dafür noch ein ganz anderes Beispiel. Ich möchte es: Der spannende Dialog, ein Gespinst aus Nichts nennen:

MY HEAD IS A NEVER / MEIN KOPF IST EIN NIEMALS

never: sagte meyers.
wie?
ever: sagte meyers: immerzu nichts und niemand.
eine verrücktheit!
du täuschst dich: sagte meyers: never ever more – das ist die zeit.
inbetween: sagte meyers: das ist raum und zeit in einem. eingerückt.
inzwischen: sagte die stimme: – sind – raum und zeit sind, es ist die mehrzahl.
bist du sicher? fragte meyers: wir sind es doch und wir ist auch nie mehr als ich.
wer fragte die stimme.
du, zum beispiel: sagte meyers: dein leben. räumlich betrachtet eine zeitspanne, zeitlich betrachtet eine ausdehnung im raum. dazwischen nichts mehr als ein kopf, die integrationsfigur.
ach so: sagte die stimme: und verstummte.
siehst du: sagte meyers (und hörte genau hin) jetzt ist es die einzahl – der meyers – ich. niemals sonst, nur an dem verstummen deiner stimme, die – uns – ermöglicht, also die mehrzahl. an deiner abwesenheit wird ich zur einzahl.
inbetween: sagte die stimme.
so ist's recht: sagte meyers: die null ist das nichts und die eins ist das etwas.
never ever more: sagte die stimme.
digitales denken: sagte meyers.
for never tongue: sagte die stimme.
und meyers schwieg. (erotik, 91f.)

Hier ist ironisch, leicht, spielerisch und gleichzeitig kalt, genau, präzise mit den Mitteln der Logik die Logik außerkraft gesetzt worden, das merkwürdige abendländische Denken und seine Grammatik: ich du er sie es wir ihr sie ist sind haben sollen müssen wollen werden schweigen. Es ist ein trauriger Dialog. Beide Dialogpartner sind durch Abgründe – Raum und Zeit ist zwischen ihnen (inbetween) – und die Logik von Einzahl und Mehrzahl voneinander getrennt. So reden sie aneinander vorbei, jeder spricht vor sich hin, und trotzdem sind sie fast musikalisch aufeinander abgestimmt.

Während sie reden, steht zwischen – inbetween, unter, anstelle der Zeilen, ihr Unglück, ihre Einsamkeit, ihre Trauer.

Jeder absurde Dialog demonstriert im Extremen, was Literatur immer macht: auf zwei oder mehr Ebenen zu sprechen. Die Ebenen sind hier extrem voneinander getrennt: Was die Personen sagen, ist beinahe das Gegenteil davon, welche Gefühle sie ausdrücken bzw. in uns auslösen. Gerade die Unbeholfenheit dieser Doppelstrategie aber rührt, ihre Strenge im Diskurs zeigt sie uns zart. Im Nichtinhaltlichen, im reinen Aufbau der Dialoge, Satz und Gegensatz, Satz und Ergänzungssatz, werfen sie einander leicht und spielerisch die Bälle zu. Damit wird ihr Gefühl füreinander außerhalb des Sagbaren gestellt und formal ausgedrückt. Sie sind tapfer, Meyers und die Stimme, sie klagen nicht, sie jammern nicht über die Unmöglichkeit, daß einer auch nur einen Satz des anderen wirklich versteht. Mutig sprechen sie weiter, erklären, relativieren, wägen ab, als ob sie sich verständlich machen könnten. Gerade daran sieht man, daß sie sich mögen oder vielleicht lieben. Daran ändert sich auch nichts, wenn man Meyers und die Stimme als ein und dieselbe Person interpretieren will.

Der Dialog spielt außerdem auf das »nevermore« in Edgar Allan Poe's berühmtem Gedicht *the Raven* an und auf Poe's theoretische Schrift *the philosophy of composition,* in der er anhand seines Gedichts *the Raven* (scheinbar) beweist, daß der Inhalt allein aus der Form entsteht und nicht umgekehrt. Diese skurrile These sagt im übrigen, wie ich überzeugt bin, mehr über das Entstehen eines literarischen Werkes aus als die hinlänglich bekannte umgekehrte These. Und gerade in dem Dialog MY HEAD IS A NEVER, diesem Gespinst aus Nichts, wird ja, wie bereits gesagt, die Liebe ausschließlich durch die Form ausgedrückt. Der Inhalt bedeutet (fast) nichts.

MY HEAD IS A NEVER / MEIN KOPF IST EIN NIEMALS ist der Sammlung EXCHANGEABLE ARTICLES aus *erotik der distanz* entnommen. Am liebsten würde ich mehrere der kurzen Kurzgeschichten daraus vorlesen. Der Plan zu dieser Sammlung ist sehr artifiziell, das Inhaltsverzeichnis selbst liest sich fast wie ein Gedicht:

die abteilungen
my head is a bomb / mein kopf ist eine bombe
my head is clean / mein kopf ist eine waschmaschine
my head is dead / mein kopf ist ein totengräber
my head is an erection / mein kopf ist eine erektion
my head is a foetus / mein kopf ist ein embryo
my head is a general / mein kopf ist eine allgemeinheit

my head is a head / mein kopf ist ein kopf
my head is an infamy / mein kopf ist eine schande
my head is a jaffa / mein kopf ist eine orange
my head is a keeper / mein kopf ist ein aufseher
my head is a leck / mein kopf ist leck
my head is a mist / mein kopf ist ein sprühregen
my head is a never / mein kopf ist ein niemals
my head is an operator / mein kopf ist ein maschinist
my head is a porno / mein kopf ist ein schlechter film
my head is a quarter / mein kopf ist ein viertel
my head is a rock / mein kopf ist ein felsen
my head is a shake / mein kopf ist ein kopfschütteln
my head is a trombone / mein kopf ist eine knochenposaune
my head is up to date / mein kopf ist auf dem laufenden
my head is a vexation / mein kopf ist eine belästigung
my head is a warrior / mein kopf ist ein krieger
my head is an x-ray / mein kopf ist ein röntgenstrahl
my head is a yeti / mein kopf ist ein schneemensch
my head is a zipper / mein kopf ist ein reißverschluß
(erotik, 60)

Trotz dieses artifiziellen Plans gelingt es Meta Merz, in jedem einzelnen Stück Kurzprosa ganz neu anzusetzen, aus einer unerwarteten Perspektive zu sprechen, niemals nur eine Variation einer anderen Kopfgeschichte zu schreiben, sondern eine völlig neue Mitteilung in neuer Form zu machen. Ob, wie in MY HEAD IS A BOMB, Meyers' Kopf wie eine Bombe explodiert und Pfleger ihn am Ende wegschaffen, oder, wie in MY HEAD IS DEAD / MEIN KOPF IST EIN TOTENGRÄBER, das Aufwachen am Morgen beschrieben wird, wenn der Kopf sich löst aus der unartikulierten Verzweiflung und Ekstase der Nacht und Verzweiflung und Ekstase zu formulieren beginnt, während die Hand eine Honigsemmel an den Kopf drängt und ihm durch den Hals steckt. Oder ob, wie in MY HEAD IS A HEAD / MEIN KOPF IST EIN KOPF, Meyers und die Stimme über Meyers' (Kopf) Schmerzen sprechen, diesmal während sie im Garten des Krankenhauses oder der Nervenheilanstalt spazieren gehen und dabei aus ständig wechselnder Perspektive von oben, von unten, von vorn und von hinten beschrieben werden, was die Schrecken des Gesagten (hat Meyers einen Selbstmordversuch hinter sich oder ist er schwer krank?) nicht relativiert, sondern verstärkt, ohne ihn (den Schrecken) den Personen anzulasten, die kaum an das Geschehene rühren, sich nicht im Unglück suhlen, aber doch weiter gegen- und umeinander kämpfen.

MY HEAD IS A LECK / MEIN KOPF IST LECK schildert eine Irrfahrt des Kopfes, wie sie uns – oder wenigstens dem Schriftsteller – häufig widerfährt. Der Kopf weiß nicht, was er tun oder lesen soll, verläßt schließlich das Haus, vergißt seine Haustürschlüssel, vergißt auch Geld für Zigaretten und Fahrscheine, wird in der U-Bahn geschnappt, schließlich identifiziert und wieder freigelassen«... und setzte schließlich zielstrebig seinen irrweg fort, den weg des größtmöglichen vergessens.« (erotik, 89)

MY HEAD IS A FOETUS / MEIN KOPF IST EIN EMBRYO wiederum ist in der Ich-Form geschrieben, eine ganz leichte Erzählung über die letzte versoffene Nacht, als sie alle – wir – schließlich mit dem Heißhunger von Betrunkenen dem Nachbarn eine Gans stehlen, abstechen, rupfen und ausnehmen und neben Herz, Lunge, Magen fünf Gänseeier im Leib der Gans finden. (Hier erbricht übrigens niemand mehr wie in DAS KIND IN DER SUPPE, hier sagt David, der seinen Kaugummi in den Garten spuckt, mit dem Rücken zu den anderen: go ahead.) (erotik, 70)

Meta Merz hat eine beinahe körperliche Sprache. Wenn sie Kopfgeschichten schreibt, dann meint sie wirklich den Kopf. Und dazu gehören nun einmal nicht nur das Gehirn, sondern zum Beispiel auch die manchmal borstigen, manchmal strähnigen, manchmal weich-glänzenden Haare oder der Mund mit Zähnen drinnen, die immer von Karies befallen sind – »steril werden sie ja doch nie«, sagt Meyers in einem Plädoyer gegen Hygienewerbung und für die schamlose Benutzung der Zähne als Beißwerkzeuge. Es ist Blut, Spucke und Schweiß dabei, wenn eine Person bei Meta Merz nach einer durchzechten oder durchliebten Nacht verklebt und verstört aufwacht. Merkwürdigerweise ist das selten in der deutschsprachigen Literatur. Beziehungsweise, wenn es der Fall ist, wird es mit Ekel beschrieben. Das ist hier nicht der Fall. Das liegt daran, glaube ich, daß Meta Merz eine der wenigen deutschsprachigen Autoren ist, für die Sexualität nichts Behauptetes oder Zitiertes bzw. Ekelerregendes ist. Nicht, daß sie sich nun mit Frische und Fröhlichkeit dem Zahnfleischbluten am Morgen oder überhaupt hingeben würde. Sie tut es – ja: zärtlich, mit dem Wissen um die Verletzbarkeit des menschlichen Körpers, um seine Schwäche, seinen Verfall, seine Kraft und seine Schönheit, die gerade in der Verletzbarkeit und der Kraft liegt. Zum Beispiel auch in der sehr realistischen Kurzgeschichte AUSHILFSWEISE FREMDKÖRPER, die die Arbeit zweier Zimmermädchen in einem Salzburger 4-Sterne-Hotel beschreibt. Und zwar werden das teure Hotel, die geizige Direktorin, die wohlhabenden Gäste, die leidigen Frühstückseier, das dreckige Bad, die ungemachten Betten auf eine so genaue und packende – authentische – Weise beschrieben, daß man ahnt: Meta Merz muß einmal kurz in einem Hotel gearbeitet haben. Und auch, daß sie ganz genau weiß, wovon sie spricht, wenn sie beschreibt, wie Hanna, das Aushilfs-Zimmermädchen, gleich nach ihrer Kündigung in ihre alten Stammkneipen stürzt, wo niemand sie vermißt hat (die Kellnerin aber noch weiß: Sie fängt immer mit einem doppelten Wodka an und trinkt dann ihren Rotwein weiter in Achteln), um dann betrunken – und allein – durch verschiedene Kneipen und Discos zu ziehen und um am Ende, jetzt schlicht besoffen, Silvio, den Italiener, mit heimzunehmen oder ins Hotel, wo sie am anderen Morgen verquollen, verkatert, verklebt aufwacht, im Bad auszurutschen und sich beinahe ein Bein zu brechen.

Ich habe in dem Alter nicht diesen Mut der Verzweiflung gehabt.

Ein anderes Beispiel für die Körperlichkeit ihrer Sprache und Bilder ist die Schilderung menschlicher Zustände in DIE ORAKEL DES DELPHINS. Der Delphin, auf seinem Dreifuß über einem Erdschlund sitzend, aus dem »kohlensaures wasserstoffgas« emporsteigt, muß eine besonders dumme Frage beantworten. Sie lautet: »WOHER KOMMEN WIR / WER SIND WIR / WOHIN GEHEN WIR?« (erotik, 150) Er weiß: Je dümmer der Fragende, desto lieber hat er eine wissenschaftlich formulierte Antwort. Da der Mensch zu 70% aus Wasser besteht, beantwortet er die Frage bzw. die drei Fragen mit den drei Aggregatzuständen: gasförmig, fest und flüssig. Mit geradezu brutaler Genauigkeit wird uns beschrieben, wie ein Mensch (wir) sich verflüchtigt (verdampft) und als Fleck an der Decke bleibt, wie auch der feuchte Fleck verdampft, eine Wolke entsteht, als Hagel (fest) niedergeht, Ernten vernichtet und schließlich als trübes Rinnsal im Boden versickert, um sich unterirdisch wieder zu sammeln und als reißender Fluß immer wieder aufs neue alles zu zerstören. Meta Merz ist nicht nur genau mit dem Wort, sie ist auch genau mit den Taten. So beschreibt sie nicht nur hier mit Leidenschaft, Zorn und Verzweiflung die Zerstörungswut des Menschen, seine Dummheit, Hartherzigkeit und Grobschlächtigkeit.

Dagegen trank sie wohl auch an. Sie führte Benns »provoziertes Leben«. Den Preis dafür hatte sie ständig vor Augen.

einen kleinen zärtlich geformten schneeball lege ich dir auf dein warmes herz. unter deiner bettdecke hervor siehst du mich an und ich versuche dir das blau vom gesicht zu wischen. du reagierst mit einem kleinen lächeln und ich bewundere deine eiszähne, rot vom zahnfleisch blut. himmelbeerig.
(...)

ich küsse dich ziemlich unbeteiligt, finde ich. du schmeckst nach kaffee und
nikotin. kein wunder. im hintersten teil deiner mundhöhle spüre ich deut-
lich die reste der filter von kaffee und zigaretten.
(AM MORGEN, erotik, 124)

den körper am abgrund entlang getragen. über die arme gelegte fleischfah-
ne, meeresbrise an der haut, weißen kalk, die knochen sprechen nicht ebbe
und flut.
dann sich ins haus hüllen, unter dach liegen, die augen hochaufgerichtet ins
dunkel.
morgens, von kopf bis fuß in fein zerstäubtem wasser, das salz trocknet
an die lippen einer unvernunft, die immer wieder an den vorsprung geht
und hinabsieht in die kleinen felsbrocken dort unten. frisch geschliffene
möven.
(INKRUSTATIONEN, erotik, 177)

Ja, es ist diese Literatur am Morgen des Schlafes (übrigens, hier möchte ich
einmal einen Vergleich anstellen): Sie ist oft humorvoll wie Kafka, abge-
wonnen dem Dickicht (dem Dschungel) oder der Leere (der Wüste), die,
das, der gleichzeitig Utopie bleiben, sollte der Tod sich doch noch einmal
wenden, und das Kind den Kopf wieder aus der Suppe heben und Meyers
wirklich schweigen und nicht etwa schlafen oder gar schon tot sein. Es geht
um Tropen, Wüsten und Nomaden. Aber um traurige Tropen, kalte Wüsten
und längst versunkene Nomaden, um »miriams tropisches herz«, um den
gläsernen »jemanischen« Berg, man kuschelt sich, wir wissen es schon, an
Kamele, um gedankenverlorene Hirten, die Körbe voll Sand in die Wüste
tragen, um den Geruch, den Sand im Haar. Es geht um den Dschungel und
die Wüste der Erinnerung, es geht immer um das Kind.

»haben sie als kind auch so gern birken geküßt?« erkundigte sich die stim-
me. man hatte immer ein stück weiße rinde an den lippen, danach, und der
baum mit seinem dürren stamm hatte einen dunklen Fleck, da, wo sich der
kuß gelöst hatte. ich saß auch unter trauerweiden und sah hinauf, die läng-
lichen blätter waren ständig in bewegung, gliederten den himmel in feine
streifen. man sah, wie der baum spiegelte, man sah, daß die grünen blätter
gelbe spitzen hatten.
(MY HEAD IS AN OPERATOR / MEIN KOPF IST EIN MASCHINIST,
erotik, 94)

Als ich 1972 nach Salzburg kam, war Meta Merz 7 Jahre alt. Als ich ihre Mutter in der Salzburger Autorengruppe kennenlernte, wahrscheinlich auch erst 14, 15 Jahre. Aus dieser Zeit kann ich mich nur ganz flüchtig an ein kräftiges Mädchen erinnern mit einem runden Gesicht, Brille, dunklem Haar. Sie schien äußerlich mehr nach dem Vater geraten zu sein, hatte aber Christines schnelle, nervöse Bewegungen. Sie sprach so schnell und atemlos wie Christine. Diese allgemeine Erinnerung ist an keinen Raum, keine bestimmte Tages- und Jahreszeit und an keine Situation gebunden.

Ich erinnere mich nur an ein einziges Mal, daß ich sie bewußt angesehen habe. Das muß 1983 im Sommer gewesen sein. Sicher war es im Café Mozart in der Getreidegasse in Salzburg. Ich hatte einen Fensterplatz im Hintergrund des Cafés. Sie saß an einem Tisch in der Mitte. Ich glaube nicht, daß sie mich erkannt hat.

Im Café waren viele Menschen, hauptsächlich Schüler und Touristen. Am frühen Nachmittag und nach 5 Uhr abends ging es ziemlich zu im Café Mozart. Die Kellner, von denen immer zu wenig angestellt waren, schwitzten und wurden schnell unhöflich. Besonders zu den Touristen und Schülern.

Sie war auffällig. Sie hatte grellrote Lippen, lange, dunkelrote Fingernägel, Ohrringe, schwarze Kleidung. Am auffälligsten war, daß sie schrieb. Vor ihr lagen Mappen und Blöcke. Ich dachte damals, sie schreibt nicht wirklich. Jemand, dachte ich, der sich ins Café Mozart setzt, um zu schreiben, schreibt nicht wirklich. Das war ein Irrtum.

Meta Merz über Salzburg:

fenster, balkone, schnee auf den brüstungen, überall, überall, soweit das auge reicht, fenster, balkone, schnee auf den brüstungen, grau, totenstill und blau zerreißt sich der himmel.
niedergetretener rasen, verwelkend unter der dünnen schneeschicht, die grau bis an die hauseingänge wächst.
ein blick nach oben. aufwärts.
der himmel kommt aus den ecken nicht heraus. die abschließenden flachdächer bilden eine gezirkelte linie, die den himmel einspannt.
(PLANQUADRATE, erotik, 57)

die mozartkirche sinkt in sich zusammen als hätte man ihr die luft genommen. gefüllt mit nougat marzipan und schokolade schmilzt sie an der sonne. flüchtet durch rinnen wie der musiker in seiner kutsche. kokossonne wärmt die bänke. auf halbmast gesetzte tigerflaggen streifen in der grauzone. entblätterte sammeln sich auf den marmorstufen. blaugeädert ver-

bringen sie die zeit neben weinflaschen und lesen billige heftchenromane.
die feile umzingelt den nagel. man fragt sich nach neuem. wildgeworden
steht der erzähler auf einem bein und starrt in die menge.
(AM MORGEN, erotik, 123)

Salzburg ist ein ganz eigenes Pflaster. Ich habe die letzten 15 Jahre dort gelebt, am Ende nur mehr zeitweise und außerhalb der Stadt. Erst jetzt, seit ich
endgültig weggezogen bin, spüre ich Erleichterung. Ich träume auch meinen
15 Jahre lang regelmäßig wiederkehrenden Salzburg-Traum nicht mehr. Der
war so: Ein wahnsinniger Mörder schleicht sich in meine Wohnung, und ich
kann mich nicht wehren, weil ich blind, taub und schwindlig bin.
In Berlin sind meine Alpträume irgendwie konkreter.
Salzburg ist nicht nur eng, provinziell, hochmütig, intolerant, geldgierig,
sondern auch extrem wortfeindlich. Überall in den Geschäftsauslagen hängen oder hingen zur Festspielzeit die Karajan-Platten zwischen teuren Lo-
denjacken, und wer in der Apotheke nachfragte, ob es nicht auch einen bil-
ligeren Schwangerschaftstest gibt, bekam nur vernichtende Blicke zurück.
In Salzburg fragt man nicht. Schon gar nicht, ob es etwas billiger gibt. In
Salzburg ist es überhaupt am besten, ganz zu schweigen. Das ist auch ange-
messen angesichts der Schönheit der Stadt, der überall gegenwärtigen Musik und der vielen Berühmtheiten, die seit je hier in den Arsch getreten wurden. Es gibt in der Festspielstadt Salzburg erst seit einem Jahr ein Literatur-
haus, dieses Jahr wurden zum erstenmal Literaturstipendien vergeben, Lesungen fanden zu meiner Zeit ausschließlich in der Katholischen
Hochschulgemeinde statt. Viel schlimmer aber ist die stillschweigende Forderung Salzburgs zu schweigen.
»sie haben dich in diese stadt geboren« schreibt Meta Merz (PLANQUA-
DRATE, erotik, 45). Das halte ich auch für ein Unglück. Man muß, wenn
man schon dort geboren ist, fortgehen. Ich will damit aber nicht sagen, daß
anderswo das Wort, das Meta Merz so wichtig war, besonders ge- oder beachtet wird. In der Vita am Ende ihres Buches werden Performances 1987,
88 und 89 angeführt. Zu der Zeit war ich kaum noch in Salzburg. Ich habe
keine ihrer Performances gesehen.
Eberhard Haidegger schreibt auf meine Anfrage: »Eine Performance wurde
bei der Ars Electronica 1988 innerhalb einer Komposition von Mia Zabelka
aufgeführt, auf die wir noch heute großen Zorn haben; erstens, weil der
Text von den Sängerinnen größtenteils unverständlich zerhackt, gesungen
und gesprochen worden ist, zweitens, weil Mia Zabelka nie die 5000 öS Ho-
norar bezahlt hat.«

Damit ist eigentlich alles gesagt über die Mißachtung des Wortes in Salzburg und anderswo, das von Meta Merz so behutsam und überlegt gesetzt wurde. Schreiben war für sie, da bin ich ganz sicher, ein erotischer Akt – die Erotik der Distanz eben. Nein, sie nahm sich in ihren Texten keineswegs selbst ganz zurück, wie es in einem Nachruf in der Salzburger Zeitschrift SALZ heißt. »Meta Merz«, steht dort, »schrieb keine autobiographisch gefärbte Prosa, sondern war als Autorin mehr Mittlerin als Akteurin.« Wir wollen da nichts verwechseln. Mittler ist der Germanist. Der Schriftsteller ist, wenn er so gut ist wie Meta Merz es war, nie Mittler. Er ist immer Akteur. Und alle Literatur ist schmerzlichste Autobiographie und hat nichts zu tun mit Autobiographie. Es geht um den wahren Satz – oder?

Christine Haidegger, die den Nachlaß verwaltet, schreibt: »Alles Unveröffentlichte wäre 4 große Bananenschachteln voll.« Ich hoffe, daß sie die Texte sichtet und einen Verlag findet, um mehr von Meta Merz zu veröffentlichen.

Am Ende ein Gedicht:

himmelwärz, wasser fällt auf uns hernieder
himmelwärz, wasser fällt auf uns hernieder
prasselnd der tau
feucht
vom regen
sickert das wasser
an uns hernieder
die geduld
der stete tropfen
wieder/nieder/schlagend
taucht in erden tief
rinnt
an asphalten entlang
in richtung
in die richtung
des
einschlägig bekannten
wasserpolizeilich registrierten
kanals
gullywärz

himmelwärz, strahlt eine sonne
sickert das wasser
tiefer zuerd.
saugt sich in wurzeln und fleisch,
strömt der menschenkörper
wasser vor hitze
wasser vor angst

dreimal kräht der hahn
dann fließt ein wasser
viermal kräht der hahn
dann
stürzend ein bach
über ein emaille
in einem badezimmer
abwaschbar
rein
daß ich mich darin spiegeln kann

himmelwärz, kommt ein gewölk
himmelwärz, kommt ein großer schatten
himmelwärz, schwingt sich ein archeopterix herbei
werfend,
den spannweiten flügelschatten
werfend
auf uns hernieder.

naß
SCHAU, ein archeopterix
naß
SCHAU, ein archeopterix
naß
nässer
genäßt
zernäßt
unser schweißblutbett
SCHAU,
die flügelschatten
SCHAU,

himmelwärz,
eine sonne verschattet
SCHAU,
unser salzwasserschweißblutbett
kühlt aus
kühlt aus
ich beginne zu frösteln
mein schweißnasser fetzenkörper
ich beginne zu frösteln

dunkel schäumen die wellen ans flußufer
dunkel schäumen die wellen ans flußbett
auf meinem fetzenkörper gefriert der kalte schweiß
auf meinem rücken
gefriert der schweiß
zu starrem film

himmelwärz, ratten fallen hernieder
himmelwärz, kapitäne grüßen uns
himmelwärz, entfernt sich ein gewölk
himmelwärz, entfernt sich ein schatten
himmelarschundzwirn
schon wieder ein archeopterix ausgestorben
nur
wasser fällt auf uns hernieder,
wasser
und dreimal krähte der hahn.
(DIE ORAKEL DES DELPHINS, erotik, 158ff.)

GERHARD FRITSCH

»Wer hat's Ihnen denn g'schafft?«
Verliert sich »das Österreichische« aus der Literatur?

Das »Erbe« des Österreichers wird oft gerühmt, nicht ganz so oft wie das Abendland, aber meist mit ebensoviel Schwulst.

Die Aufgabe, vom Erbe des Österreichers zu sprechen, ist allerdings wirklich schwer. Alles Österreichische ist schwer definierbar, das hat Robert Musil nicht erfunden.

Während sich nun die Stimmen mehren, daß sich das Österreichische aus der österreichischen Literatur (was ist das eigentlich, wird man nicht selten gefragt) zu verlieren scheint, muß man aber doch feststellen, daß sich das Bewußtsein des Österreichischen durch die sieben Jahre der »Eingliederung« sehr gestärkt hat, das Wissen um eine Eigenart, die sich nicht in der Vorliebe für Backhendeln und Grinzing erschöpft, was die internationale Unterhaltungsindustrie dem Österreicher schon längst als seine Eigenart konzediert hat. Das Österreichische ist am ehesten eine bestimmte, nicht leicht zu definierende Lebensauffassung, jedenfalls viel mehr als eine Lebensart, viel mehr eine noch nie formulierte Philosophie als eine Umgangsform. Diese nicht formulierte Philosophie, diese Betrachtung der Welt wurde nicht durch Küß-die-Hand-Sagen und Weichheit gewonnen, sondern in Jahrzehnten und Jahrhunderten leidvoll genug errungen. Sie ist nie fester Besitz. Das Witzwort von »hoffnungslos, aber nicht ernst«, unter dem unter anderen so viele österreichische Verwaltungsbeamte angetreten sind, in Galizien und Bosnien, in Leitomischl oder Trient, lähmte nicht, sondern forderte die Leistung, eine Leistung jenseits der Phrase, was bereits zu den österreichischen Geheimnissen gehört.

Wie steht es nun mit der Literatur? Man hat ebenso versucht, eine österreichische Nationalliteratur zu konstruieren, wie andererseits jegliche Eigenart österreichischer Autoren zu leugnen, bestenfalls als Symptome einer bestimmten Stammesdichtung anzuerkennen. Selbstverständlich sind die österreichischen Autoren aus der gesamten deutschen Literaturgeschichte nicht zu lösen, wobei der Zeitgenosse allerdings mit einigem Erstaunen registrieren muß, daß in einer der verbreitetsten deutschen Literaturgeschichten Musil zum Beispiel im Kapitel »Dichter und ihre Spießgesellen« mit profunder Verständnislosigkeit behandelt wird – und in einem der besten Literaturlexika der letzten Jahre Broch als Vertreter des Austrojudentums bezeichnet ist.

Zu den verständnisvollsten Diagnostikern des Endes der österreichischen Eigenart in der Literatur gehört übrigens Frau Hilde Spiel, diese blendende – österreichische – Essayistin, die ihr Leben zwischen London und Sankt Wolfgang teilt. Sie schrieb neulich, daß es mit der österreichischen Literatur vorbei sein müsse, denn sie wäre ja für die Leser in Prag, Czernowitz und Agram geschrieben worden; wenn sich jetzt ein österreichischer Autor durchsetzen wolle, müsse er auf sein Publikum Rücksicht nehmen – und dies sitze in Köln, Kiel, Hamburg.

Gewiß, die meisten der heute schreibenden österreichischen Autoren verlegen in der deutschen Bundesrepublik, sie haben dort auch, wenigstens zum Teil, beträchtliche Erfolge. In der Stellungnahme zu manchen österreichischen Autoren stoßen wir aber auf eine gewisse Unsicherheit der Beurteilung, auf eine Irritation, die bei uns, im eigenen Land, nicht nur aus Mangel an geeigneter Literaturkritik, gar nicht richtig empfunden wird.

Diese Literatur aus Österreich ist nicht ganz überschaubar. Man betrachtet sie und sieht auf weiten Strecken Provinzialismus, Tertiärtrakelei und Steirerhüte, und dann erscheinen auf einmal Werke von Autoren, deren Namen bis dahin keinerlei Begriffe waren. Da taucht ein Herzmanovsky-Orlando auf, da schreibt ein Johannes Urzidil, der längst in Amerika lebt, großartige Erinnerungsromane aus dem Böhmen seiner Jugend. Die Verwirrung ist groß, man hat ihn vor einigen Jahren in der Schweiz als Exiltschechen deutscher Muttersprache tituliert, man feiert ja auch Kafka in Frankreich mitunter als großen tschechischen Dichter. Es geht aber nicht um das Geographische allein, bei dessen Klärung man nicht um den Begriff des Österreichischen herumkommt.

Hatte man nicht auch genug zu tun, die Werke von Musil, Broch und Kafka zu sichten, zu bewerten, einzuordnen? Auch sie sind plötzlich aufgetaucht, ins Bewußtsein der Kritik und der Leserschaft getreten. Plötzlich und spät. Posthum. War es nicht auch mit Grillparzer und Stifter so – entdeckt man sie nicht immer noch bei jeder runderen Jahreszahl ihres Todestages neu?

Für die Literatur aus Österreich war immer ein Überraschungsfaktor mit einzukalkulieren. Ihre Entwicklung vollzog sich fast immer außerhalb des öffentlichen literarischen Bewußtseins. Die Kulturseiten, das Feuilleton, die literarische Registrierung geben nur ungenau Auskunft. Hinter Felix Salten und Rudolf Stratz, hinter Hohlbaum und Strobl, ja auch hinter Wildgans und Stefan Zweig waren die großen Namen verborgen. Jahrzehnte mußten vergehen, Katastrophen »passieren«, bis die wahren Werte erkannt wurden. Aber nur zögernd, wenn man von Kafka absieht, dessen Werk mit der Rückkehr der Psychoanalyse unter dem Sternenbanner in das allgemeine

Bewußtsein eindrang. Alles andere wird auch heute noch gern unter »Dichter und ihre Spießgesellen« geführt.

Die Ursachen liegen bei uns selbst. In unserem Land entstand und entsteht Literatur noch immer außerhalb des allgemeinen Bewußtseins. »Wer hat's Ihnen denn g'schafft?«, sagte Kaiser Franz, als der vaterländische Dichter Collin sich wegen seiner patriotischen Verse in Bedrängnis sah. Unsere Literatur war nie offiziell. Sie war, auch im 19. Jahrhundert, nicht Ausdruck allgemeiner bürgerlicher Hochgestimmtheit, selten vaterländisch entflammt wie Geibel, kaum je lehrhaft professoral. Dafür oft ahnungsvoll gewiß wie Trakl und viel öfter verzweifelt, als man es dem Österreicher und er sich selber zuschrieb. Dazu kam, daß in den Dichtern Österreichs das Wissen um Problematik und Größe ihres Staates stets bewußter war als in dessen deutschbürgerlicher Schichte. Für die Dichter Österreichs war die Donaumonarchie vor ihrem Untergang ein Gleichnis der Welt: Sie hatten hier die Weite eines Theatrum mundi, hier waren stets Größe und Lächerlichkeit nebeneinander. Musil, Broch und Joseph Roth haben es so aufgezeichnet, aber nicht nur sie: ein dauernderer Maßstab und richtigere Proportionen sind als Erbe auch dem österreichischen Dichter von heute geblieben. Und dies verliert er nicht, wenn er für Leser in Hamburg, Kiel oder Köln schreibt. Gerade diese Leser sind oft empfindsamer dafür als der Leser in Sankt Pölten oder Sankt Veit.

In der österreichischen Literatur ist die Tendenz nicht so hektisch, sie überholt sich nicht so leicht wie anderswo. Auch wenn Karl Kraus oft gegen belanglose Mediokritäten loszog, gegen inzwischen längst verschollene Nullen, so ist mit dem Journalisten X und dem Kommerzialrat Y stets auch etwas Weiterwirkendes getroffen. In der Genauigkeit das Gültige.

Dies könnte man fast zur ungeschriebenen Devise aller wesentlichen österreichischen Literatur erheben. Wenn das Phrasenhafte, Menschheitsbeglückende, Zukunftsbedeutende, Anklagende längst Papier geworden ist, gilt noch immer ein Bonmot von Nestroy, ein Wort der »Fackel«, eine traurige Passage von Joseph Roth.

Und all dies entsteht nicht aus dem Literaturbetrieb. Natürlich hat gerade in Wien das literarische Kaffeehaus seine besonderen Traditionen, aber es war nie offiziell. Und es hatte selten sektiererische Enge. Neben den Wiener Literaten saß Trotzki und spielte Schach. Jünger wurden hier bald abtrünnig und Propheten änderten ihre Überzeugungen wie Hermann Bahr. Aber nicht aus Charakterlosigkeit, sondern bedrängt von immer neuen Wirklichkeiten.

Natürlich gibt es auch heute einen literarischen Oberflächenbetrieb, gibt es manchmal falschen Alarm um eine neue Größe, gibt es Literaturrevolutionen im Kaffeehaus, wird eine neue Richtung proklamiert, aber das ist nicht das Wesentliche und nicht das Typische. Der literarische Betrieb in Österreich ist keine geschäftige Börse wie anderswo. Besucher, die glauben, die österreichische Literatur in dem oder jenem Lokal versammelt zu finden, täuschen sich meist und sind auch bald enttäuscht. Anfragen nach dieser Literatur, auch bei maßgeblichen Redaktionen, werden oft ausweichend beantwortet, man ist eher vertraut mit Namen, denen nur provinzielle Bedeutung zukommt.

Abgesehen von den großen Toten bescheinigt man einigen älteren Autoren gern ihre österreichische Eigenart, Heimito von Doderer ebenso wie Alexander Lernet-Holenia. Man anerkennt Leben und Werk von Albert Paris Gütersloh als »typisch österreichisch«. Von George Saiko weiß man weithin zu wenig. Sonst würde man seine fast aufsässige Hartnäckigkeit in der Darstellung österreichischer Realität auch so bezeichnen.

So früh übrigens von österreichischen Dichtern die Scheinwirklichkeiten der Welt durchschaut wurden: die Realität gilt hierzulande noch immer nicht als töricht. Auch bei den Dichtern der mittleren und jüngeren Generation nicht, von denen viele und gewiß nicht die schlechtesten bei all ihrer Sorge um potentielle Leser in Kiel oder Hamburg sich mit der Problematik des Österreichischen auseinandersetzen – und als Autoren »österreichischer Eigenart« anzusprechen sind.

Viele kommen aus der Polemik gegen »österreichische Zustände« zum Bewußtsein österreichischer Eigenart, Tragik und Größe. Vielen mag es dabei ähnlich gehen wie Joseph Roth, als er seinen berühmten »Radetzkymarsch« schrieb. In der Beschäftigung mit seinem Thema (in seinem Fall der Untergang der Donaumonarchie) wuchs aus Aggression das Verständnis. Der »Radetzkymarsch« war ja schließlich als Satire auf eine österreichische Lesebuchgeschichte angelegt und er wurde zur ergreifenden Ballade auf das Sterben der alten Monarchie.

In dem neulich erschienenen Buch von Hans Weigel »Flucht vor der Größe« sehen wir ebenso den Weg von der Polemik zu der Erkenntnis wie in den Romanen von Habeck (»Der Ritt auf dem Tiger«), Federmann (»Das Himmelreich der Lügner«) und Dor (»Nichts als Erinnerung«).

Das Österreichische in der Literatur ist keineswegs vergangen, durch den Dienst »an fremden Schreibmaschinen« keineswegs unmöglich geworden. Der alte Modellraum noch nicht in Provinzialismus erstickt.

Der Untergang des spezifisch Österreichischen in der Literatur wird nicht durch eine Leserschaft jenseits des Inns hervorgerufen, viel eher durch Provinzialismus und Phrasen. Durch Getue und Billiges, durch Modisches und

Manierismen – die werden zum Beispiel von Herbert Eisenreich und Humbert Fink ebenso abgelehnt wie sie von Grillparzer und Robert Musil abgelehnt worden sind. So wird hierzulande noch immer das Gültige in der Genauigkeit gesucht und es hat's – Gott sei Dank – wie zu Zeiten des seligen Kaisers Franz, noch immer niemand g'schafft.

HELMUT EISENDLE

Sprachgebrauch und Weltanschauung
Korrespondenz zwischen österreichischer und deutscher Literatur

Wie es den Gepflogenheiten des Literaturmarktes entspricht, sind österreichische Autoren genötigt, ihre Arbeiten in Buchform, für das Theater oder für Rundfunk und Fernsehen in der Bundesrepublik Deutschland zu veröffentlichen. Dieser Umstand ist nicht erfreulich, sondern drückt nur die Dürftigkeit des heimischen Verlagswesens aus. Wäre unsere Sprache nicht dem westlichen Nachbarn verständlich, wären wir in der Situation der Finnen, Sorben und Kurden. Es ist keine Frage, ob das der österreichischen Literatur schaden würde. Den heimischen Autoren steht trotz alledem ein weites Feld zur Verfügung.

»Die Sprache ist die Allerweltshure, die ich zur Jungfrau mache«, sagt Karl Kraus und meint damit vielleicht auch unsere Muttersprache Deutsch, die nun einmal das Medium der österreichischen Literatur ist und bleibt. Diejenigen Autoren, die dem Volk aufs Maul schauen und geschaut haben, z.B. H. C. Artmann mit »med ana schwoazzn dintn«, Stelzhamer, Nestroy und Anzengruber oder Weinheber, haben eine Erweiterung der deutschen Sprache, bezogen auf unser Land, vollbracht, doch aber für die Bundesrepublik mehr oder weniger Exotisches geboten. Keine nationale Gebärde, wie die Schweizer es mit Stolz und Überzeugung machen, überkam die Österreicher. Durch den Umstand, daß in Österreich deutsch geschrieben wird, entstand schnell und auch mit leicht imperialistischen Ambitionen der Eindruck, wir wären zwar nicht unbedingt Deutsche, doch aber Zuträger für die deutsche Literatur.

Wie unterscheidet sich aber die deutsche von der österreichischen Literatur? »Ein Deutscher ist ein Mensch, der keine Lüge aussprechen kann, ohne sie selbst zu glauben«, meint Adorno.

Ein Österreicher hingegen, glaube ich, ist ein Mensch, der die eine oder andere Lüge ausspricht, aber nie glaubt, daß sie eine ist.

Das heutige Österreich ist *jene deutschsprachige Minderheit, die es geschafft hat, einen Staat aus sich zu machen.* Der Rest einer vielsprachigen Monarchie von Gottes Gnaden, umgeben von slawischen Völkern, von Ungarn im Osten, Italienern im Südwesten, Schweizern und Bayern im Westen. Letztere sprechen angeblich deutsch.

Der mehrsprachige, fließende Übergang des Kronlandes zu seinen Nachbarn in allen Himmelsrichtungen, von Cilli bis Varazdin, von Laibach bis Agram, von Preßburg bis Prag, ist aus politischen Gründen abgeschafft worden, um sich mit einer nationalen Gebärde vom ehemaligen Herrscherstaat abzusetzen.

Bedingt durch die Geschichte ist es gleichsam ein sprachverunsicherter Raum, in dem wir uns seit achtzig Jahren befinden. Die Österreicher haben keine Wortgewalt wie die Schwyzer Deutschen zustande gebracht, sondern – wenn überhaupt – lokale Unterschiede in der Umgangssprache toleriert. Der Staat läßt sein Volk in der Schule Hochdeutsch lernen und schreiben, gedacht wird aber österreichisch.

Und das trotz oder wegen der böhmischen Großmutter und den Onkeln und Tanten aus Slowenien und Kroatien. Die Sprache der Nachbarn blieb und bleibt uns mehr oder weniger verschlossen.

»Mit keiner Sprache kann man sich so schwer ausdrücken wie in der Sprache«, sagt Karl Kraus.

Nach meinen langjährigen Aufenthalten in Spanien, Italien, Holland und der Bundesrepublik Deutschland bin ich zur Ansicht gekommen, daß wir zwar notgedrungenerweise deutsch schreiben und mit einem Akzent sprechen, das aber verbrämt mit der Eigenart unserer Mentalität, durch die wir mehr mit Gefühl als mit Vernunft reagieren. Es ist als Relikt die Mentalität eines Vielvölkerstaates von Königsberg bis Ragusa, das dem Österreicher ein Potpourri von Eigenschaften verpaßt hat.

Einerseits ist es also die Verunsicherung, welche die Sprache im Reststaat einer Monarchie auslöst, andererseits die Vielschichtigkeit der Mentalität.

Auf die Literatur bezogen, verfolgen wir Traditionen des k.u.k.-Staates, von denen die österreichische Gegenwartsliteratur entweder aus Sentimentalität oder aus Trotz gegen oder für den großen Nachbarn Deutschland lebt. Joseph Roth aus Brody, Rainer Maria Rilke, Johannes Urzidil, Franz Kafka,

Max Brod aus Prag, Andreas Okopenko aus Kaschau, Elias Canetti aus Rustschuk, Hermann Ungar aus Boskovice, Ernst Weiss aus Brünn, alles Österreicher wie man sagt.

Gegenwart und Vergangenheit. Es bedarf nur eines leichten Aufflaumens der Gegenwart – als kraulte man den Bauchflaum einer Gans – und die Vergangenheit wird sichtbar, die unberührte, wie das reine Weiß dicht am warmen Bauche des Vogels.

Zugehörigkeit. Eine der niedrigsten Tendenzen des Menschen ist: irgendwo dazugehören zu wollen. (Heimito von Doderer)

Natürlich kann man das umkehren. Das gegenwärtige Österreich benimmt sich so, als gehöre alles zu ihm dazu. Neben der Bedeutung der altösterreichischen Literaturgeschichte sind es vor allem Fritz Mauthner und Ludwig Wittgenstein, die durch ihre sprachkritischen und philosophischen Arbeiten Einfluß auf die neuere österreichische Literatur ausgeübt haben.

Will ich emporklimmen in der Sprachkritik, die das wichtigste Geschäft der denkenden Menschen ist, so muß ich die Sprache hinter mir und vor mir und in mir vernichten von Schritt zu Schritt, so muß ich jede Sprosse der Leiter zertrümmern, indem ich sie betrete. Wer folgen will, der zimmere die Sprossen wieder, um sie abermals zu zertrümmern.

Meine Sätze erläutern dadurch, daß sie der, welcher mich versteht, am Ende als unsinnig erkennt, wenn er durch sie – auf ihnen – über sie hinausgestiegen ist (Er muß sozusagen die Leiter wegwerfen, nachdem er auf sie hinaufgestiegen ist.)

Beide drücken damit aus, daß die Sprache, auch die deutsche, nicht imstande ist, die Wirklichkeit zu erfassen.

Meinten sie damit die österreichische Sprache oder die deutsche der Dichter und Denker?

Sie meinten die Sprache als solche.

Das bedeutet auf die Literatur bezogen, daß neue Wirklichkeiten und Welten zwar mit ihr geschaffen werden können, die Beschreibung der äußeren Welt aber versagen muß. Das heißt, unter welchem Einfluß immer, neigt die österreichische Literatur wie jede dazu, nicht die Wirklichkeit abzubilden, sondern mit der Sprache als Mittel ein Spiel mit der Realität zu treiben.

Im Unterschied zu Österreich lautet der Befehl der deutschen Welteinsicht und Geisteshaltung, daß das Wort ein Mittel zur Erkenntnis der äußeren und inneren Wirklichkeiten sei, andererseits hat das literarische Werk Denkmäler der Kultur zu setzen und mit einer Kunstsprache zu begreifen, was der Umgangssprache unmöglich scheint. Die österreichische Geisteshaltung dagegen vertraut gewollt oder ungewollt auf die Traditionen des Riesenreiches einerseits und genießt andererseits gleichsam die Sprachunsicherheit des status quo, indem sie *sadomasochistisch* die Sprache selbst zum Thema erhebt.

Natürlich hat das Sprachverhalten der Österreicher wie auch der Deutschen oder Schweizer eine zwingende Beziehung zur jeweiligen Mentalität des Landes, die hinter dem dudenhaften Deutsch verschwindet.

Wenn ich an einige Autoren denke, kann ich vermuten, daß Literatur stets aus sprachverunsicherten Zonen kommt: Horváth, Brod, Saiko, Weiner, Perutz und Soyfer sind nur einige Beispiele.

»Was den Österreicher von den Deutschen unterscheidet, ist die gemeinsame Sprache«, sagt Kraus.

Und ironisch meint Hugo von Hofmannsthal: »Der Deutsche hat eine ungeheure Sachlichkeit und ein sehr geringes Verhältnis zu den Dingen. Wir alle haben keine neuere Literatur, sondern nur Goethe und Ansätze.«

Und Grillparzer, Nestroy, Musil, Kafka, Doderer, Schnitzler?

Nichts gegen Goethe.

Zwei deutsche Autoren, deren radikale Ansätze in der Bundesrepublik Deutschland konsequent ignoriert worden sind, scheinen für meine Gedankengänge erwähnenswert: Rohland Opfermann und Carl Einstein.

Teutsch oder die Häßlichkeit der Sprache. Ich bin ein Schnellfeuergewehrton-
band Gottes. Die falschgeschriebenen Worte sollen beim Leser neue Klanggär-
ten machen. Heute mache ich mittels Zunge mich wieder vor anderen unmöglich. *Weißt nicht ob dies Schreiben – es ist* gewisxermaßen *nur eine Entkramp-*
fungsübung – vor dem Schlafengehen überhaupt einen Sinn hat.

Europa ist eine abgenützte Scholle, die allenthalben zerbröckelt. In Deutsch-
land vor allem leidet der Geist an allgemeiner Müdigkeit. Ein verlorener Krieg
und dann, noch schlimmer, eine abgetriebene Revolution haben Skeptiker ge-
schaffen. Die wahren Ursachen solcher Erfolge schnarchen unter den Bett-
tüchern der politischen Lage. Geist nennen wir eine Puddingmischung, wab-
belig, unkontrollierbarer Gemeinplatz. Aber unseren Autoren selbst mangelt es
an einer Richtung; schon vor dem Krieg schrieben sie Bücher von bequemer
Menschenfreundlichkeit; man schwitzte Güte und Formauflösung.

Die politischen Ereignisse brachen los, aber die Schriftsteller zeigten sich ihrer
Aufgabe nicht gewachsen. Und dennoch gab es in Deutschland etwas, was Li-
teratur heißen kann; irgendetwas schlecht Bezahltes, frierend und mit den
Zähnen klappernd, das unbemerkt vorübergeht und ohne Wirkung bleibt.

Daß diese *undeutschen* Deutschen keinen Erfolg gehabt haben, ist nicht verwunderlich, haben doch Martin Walser und Bodo Kirchhoff einen überirdischen, weil das, was sie verfassen, der deutschen Mentalität entspricht.

Unsereiner – ein österreichischer Autor – hat in Deutschland nur Erfolg, wenn er sich zum *deutschen Äffchen* verzaubert und seine Sprünge macht wie Felix Mitterer mit der Pifke-Saga, einen *einfachen Realismus* vertritt wie Peter Turrini oder *missionarisch* wird wie Peter Handke, alle ein wenig hinter Botho Strauß her, der nicht wie die meisten Deutschen links denkt und rechts handelt, sondern tatsächlich rechts denkt, Recht bekommt und rechts reagiert.

Obwohl derartige Erfolge voraussagbar scheinen, läßt das Feuilleton wie das *Literarische Quartett* viele wegen *Ungehorsamkeit* im Sande stehen. Sprachfixierte Literatur wie von Arno Schmidt oder Joyce, Musil oder Priessnitz, Czernin oder Schmatz oder die ichbezogene Prosa von Innerhofer werden von der Kanzel und den an das *Quartett* fixierten Journalisten abqualifiziert oder als Reflexliteratur verspottet; nicht Joyce und Musil. Nein, die nicht oder doch, vielleicht doch?

Die obligate, obsolete und praktizierte, vorbestimmte Vorgangsweise des Literatur-Herstellens, das oft ein Literatur-Hinstellen ist, diese Vorgangsweise wirkt wie ein Repräsentationsspektakel, das unter den heimlichen Kriterien: *name-dropping* oder *bestsellering* läuft. Von der Saga bis zur hundertsten Folge im Vorabendprogramm des Fernsehens.

Ein Text ist in seiner Art vollkommen, wenn er eine Begierde des Lesers und des Autors zugleich befriedigt. Jeder, der eine Idee von Interesse empfindet, muß das Spiel mit den normativen Prädikaten verweigern. Eines einzelnen Menschen Einstellung zur Literatur hat mit Lust und Begierde – ein Synonym für Interesse und Freude am Lesen – zu tun wie eines einzelnen Menschen Einstellung zur Sprache selbst. Daß diese Begierde einen trügerischen Charakter im Autor und im Leser besitzt, ist offenbar. Hier das Geschäft, der Erfolg, die öffentliche Wirkung, dort das Imponiergehabe, der kleine Vorteil im sozialen Gefüge. Die meisten Menschen leiden an der Schwäche, zu glauben, weil ein Text, ein Stück Literatur vorhanden sei, müsse es *für etwas* vorhanden sein; das Geschriebene ist vorerst nicht *für etwas,* sondern für *irgendwen* vorhanden. Den Autor und den Leser. Wenn nun der Leser nicht fähig ist mit ähnlichen Intentionen wie der Autor zu reagieren, wird er das Stück Literatur zwar für gut oder unnütz, schlecht oder nützlich halten, nicht aber erkennen, was der Urheber eigentlich wollte.

»Wir knien vor einem Bild, einem Gedicht, einer Musik nur nieder, wenn sie wenigstens mit einem Wort, einem Detail, einem Ton dasselbe zustandebringen wie jene Weltausstellung von Träumen und Erinnerungen«, sagt Richard Weiner.

Die österreichische Literatur beweist vor allem, daß sie besteht. Mehr nicht. Ob sie gut ist oder schlecht. Der Unterschied zur deutschen ist nicht so wichtig, da die Treue der Literatur zur gesinnungsfreundlichen Berichterstattung genauso eine Eigenart darstellt wie die Fixierung auf die Sprache, der Einbezug der Traditionen einer Monarchie mit viel Hinterland und der daraus entstandenen Mischung vieler Mentalitäten, die nun einmal die österreichische ist.

Die Auffassung von Wirklichkeit ist hierzulande jedenfalls eine andere, ob bei Jandl, Joseph Roth, bei der Bachmann, Gruber oder Okopenko. Vielleicht ist sie so ähnlich wie die von Franz Mon, Johannes Schenk, Günther Bruno Fuchs oder Paul Wühr. Eben unwirklich oder anders. Unter Umständen eine literarische Wirklichkeit. Grass wird das schon wissen, was wirklich ist, genauso wie Süskind oder Kempowski. Oder John Updike. Das sieht man am Erfolg. Wenn dieser das Kriterium ist. Die andere Wirklichkeit ist eben anders.

Reinhard Priessnitz:

der blaue wunsch/ dass das zu schreibende ein anderes wäre, so wie das andere das zu schreibende ist,/ wie es auch beginne, dem gleichenden zu lauten; laufen, dass das zu schreibende/ dieses sei, anders als dieses, das dieses/ so anders beginne, stets gleich, lautend:/ dieses zu schreibende wäre, anders begonnen,/ eines anderen lauf, dass das laufende stete/ andere, das dieses sei, gleichlautend wäre,/ dem anderen als zu schreibendes zulaufend,/ als beginnendes, anders zu sein, gleich laut/ stets, des andern stille, dass das begonnene/ das anders zu schreiben sei, das von beginn/ anders wäre, wie es auch laute, ein schreiben,/ das laufe: gleich diesem beginn, als des anderen/ laut, dieses: dass das andere ein zu schreibendes/ wäre, so wie das zu schreibende der beginn/ eines anderen ist, das diesem gleich sei,/ anders: schreiben laufe als anderes, anderem zu,/ das, wäre es dieses, das so laufende schreibe.

HILDE SPIEL

»der österreicher küßt die zerschmetterte hand«
Über eine österreichische Nationalliteratur

Wie heftig war seit je umstritten, wie häufig ist geleugnet worden, wovon hier die Rede sein soll. »So wahr es ein Österreich, und österreichisches Wesen gibt«, meinte einer, der es hätte wissen müssen, »und so wahr ich ein Österreicher zu sein mir bewußt bin, so wenig gibt es oder hat es je etwas gegeben wie Österreichische Literatur – und so unannehmbar erscheint es mir, für etwas anderes genommen zu werden als für einen deutschen Dichter in Österreich.« Das schrieb, ein Jahr vor seinem Tode, Hugo von Hofmannsthal an den Münchener Germanisten Walther Brecht.

Dagegen ein deutscher Schriftsteller, aus vornehmer, aber hellsichtiger Distanz: »Sie fragen mich, ob man von einer spezifisch österreichischen Literatur sprechen kann. Die Bejahung der Frage ist mir selbstverständlich.« Die Besonderheit dieser Literatur, so antwortete Thomas Mann 1936 dem Wiener Buchhändler Martin Flinker, »ist zwar nicht leicht zu bestimmen, aber jeder empfindet sie, und wenn die grimme Zeit nicht den letzten Rest von Sympathie für Kulturmilde und geistige Anmut in ihm zerstört hat, so liebt und bewundert er diese unzweifelhafte Besonderheit«. Ja, mehr noch, in allen Dingen des artistischen Schliffes, des Geschmacks, der Form, halte er, Thomas Mann, die österreichische Literatur der eigentlich deutschen für überlegen. Das hänge mit einer Rassen- und Kulturmischung zusammen, deren östliche, westliche, südliche Einschläge das Österreichertum überhaupt und nach seinem ganzen Wesen national von dem Deutschtum abhöben, wie es historisch geworden sei.

In diesen zwei widersprüchlichen Urteilen Hofmannsthals und Thomas Manns sind alle Schwierigkeiten enthalten, mit denen ich mich heute auseinandersetzen muß. Die Schwierigkeiten sind vererbt. Seit dem Vormärz, in dem fünf höchst heterogene Dichter und Dramatiker – Grillparzer, Raimund, Nestroy, Lenau und Stifter – der 1806 aus dem Heiligen Römischen Reich Deutscher Nation herausgefallenen Habsburgermonarchie eine eigene Literatur von Bedeutung gaben, war die Abgrenzung zur deutschen Literatur nicht prinzipiell, sondern individuell. Grillparzer, der unter dem Einfluß der Spanier Calderón und Lope de Vega Dramen schrieb, scheinbar wetteifernd mit der Weimarer und Jenaer Klassik, sah sich, wie später Hofmannsthal, zwar als österreichischen Menschen, aber als deutschen Dichtern an. Nestroy, in seinen Komödien auf das wienerische Idiom beschränkt, hätte nie daran gedacht, sich zur jungdeutschen Literatur der Gutzkow, Laube und Freiligrath zu zählen.

Immerhin ließ sich bis 1918 die österreichische Literatur als eine solche definieren, die im Rahmen der Habsburgermonarchie auf deutsch geschrieben wurde. Das schloß unter anderem gewisse Prager Autoren ein. Aber Rilke und Kafka, einer Mystik verhaftet, die weit entfernt war von dem spielerischen Wirklichkeitszweifel ihrer Zeitgenossen in Wien, widersetzten sich einer Einordnung, deren politische Voraussetzungen mit dem Ende der Monarchie weggefallen waren. Die Erste Republik Österreich verstand sich weitgehend als Appendix des deutschen Reiches, der Sog Berlins als Hauptstadt des deutschsprachigen Theaters und Verlagswesens bewirkte die Abwanderung einiger der begabtesten Schriftsteller aus den Kaffeehäusern und Redaktionen von Wien, Budapest und Prag, und selbst jene, die im Lande blieben, wie Robert Musil oder Hermann Broch, befaßten sich zum Teil oder ausschließlich mit innerdeutschen Problemen.

Noch lebten Schnitzler, Hofmannsthal, Beer-Hofmann und Bahr, die sich im Fin de siècle zusammengefunden hatten – zu jener Gruppe »Jung-Wien«, deren artistischer Schliff, deren Geschmack und Formgefühl in die Kriterien Thomas Manns eingegangen sind. Aber Hofmannsthal, in seinem eklektischen Ästhetizismus ihr deutlichster Vertreter, hatte sich stets auch in der Nachfolge der deutschen Klassik gesehen – so wie man Rimbaud »Shakespeare enfant« genannt hat, stilisierte Loris sich als »Goethe enfant« – und lange vor seinem Brief an Walther Brecht bekannte er sich zu einem deutsch-österreichischen »Dualismus des Gefühles«. Josef Nadlers fragwürdige »Literaturgeschichte der deutschen Stämme und Landschaften«, die das ›Österreichische‹ in der Dichtung als bloß einen der vielen ethnisch und geographisch bestimmbaren Beiträge zur deutschen Literatur darstellte, hat ihm eingeleuchtet. Und in seiner 1927 gehaltenen Rede »Das Schrifttum als geistiger Raum der Nation« forderte dieser Nachfahr niederösterreichischer, lombardischer und jüdischer Geschlechter bis zur Selbstauslöschung eine »neue deutsche Wirklichkeit«.

Noch heute mag Hofmannsthal jenen als Kronzeuge dienen, die in einer Betrachtung der deutschen Nachkriegsliteratur auf Namen wie Ingeborg Bachmann, Paul Celan oder Peter Handke nicht verzichten wollen und darauf bestehen, daß man den österreichischen Anteil an dieser Literatur nicht herausschälen kann. Tatsächlich wirkt der Kontext, in den diese Autoren gestellt werden können, überaus zwingend, aber nur von einem geschichtslosen Aspekt her gesehen. Man bedenke doch, daß Literatur nicht aus dem Boden gestampft wird, sondern aus tiefen Schichten aus ihm herauswächst;

daß Einflüsterungen der Vergangenheit, im frühesten Kindesalter rezipiert, verborgen weiterwirken; daß Wesenshaltung und Lebensgefühl von dem mitbestimmt werden, was von überlieferten Inhalten, real oder unausgesprochen, in der Umwelt und im eigenen Bewußtsein noch vorhanden ist. Gegenüber solchen Traditionen und Motivationen ist gegenwärtigen Bindungen wohl keine ausschließliche oder auch nur überragende Bedeutung zuzugestehen.

Thomas Mann hat gewußt, und kaum jemand wird bestreiten, daß die besondere Lage Österreichs als Mittelpunkt eines multi-nationalen, multi-ethnischen, multi-lingualen Staatsgebildes noch weit über die Erste Republik – ja, wie man später sah, über die sieben Anschlußjahre – hinaus bestimmend gewesen ist. Nicht nur slawische, magyarische, italienische Einflüsse, sondern selbst die viel älteren spanischen und burgundischen sind in seinen öffentlichen Institutionen, seiner Kirche, seiner Bürokratie, aber auch in seiner Kunst und Literatur noch heute aufzuspüren. Wenn im Lauf der Jahrzehnte immer mehr davon verflog, wenn das Kolorit blässer, der Nachhall leiser wurde, so hat das neue Nationalempfinden der Zweiten Republik diese Farben, diesen Klang mit Absicht aufgefrischt. Von François Bondy stammt das Wort »Das Österreichische ist wie das Lächeln der Cheshire-Katze, das aus der Alten Monarchie übrig geblieben ist«. Gleich jener Katze aus Lewis Carrolls »Alice in Wonderland«, die selbst längst verschwunden ist, schwebt der alte Vielvölkerstaat, sichtbar nur als sein deutschsprachiger Rest, immer noch im Raum über der Nation.

Gewiß sehen nicht alle österreichischen Autoren der Gegenwart dieses Erbe und diese Überlieferung als Vorzug an oder wären auch nur bereit, sie anzuerkennen. Immerhin hatte Heimito von Doderer 1964 in einer Rede vor dem P.E.N. Club in Athen den Umschwung in Österreich nach dem Ende des letzten Krieges mit Genugtuung begrüßt. »Die Bewegung des Wiederherstellens«, sagte er, »welche man 1945 vollzog, blieb nicht auf das eigentlich ins Auge gefaßte Objekt beschränkt – nämlich auf die demokratische Republik, deren Recht vom Volke ausgeht –, sondern es schoß dabei gleichsam die ganze Vergangenheit zu Kristall; und ein unter dem Druck von sieben Jahren unösterreichischer Herrschaft verdichtetes österreichisches Bewußtsein bemächtigte sich unverzüglich der gesamten und gewaltigen Tradition des Landes überhaupt, bis zu den alten Römern hinunter, die wirklich a tempo und als wären sie zitiert worden, mit einigen beachtlichen Resten ihrer ausgeschliffenen Hochzivilisation wieder einmal aus der Erde stiegen.«

Man mag in dieser Äußerung etwas von der Einkehr eines Mannes erblicken, der in seiner Jugend vom Reichsgedanken mittelalterlicher Prägung fasziniert gewesen und den falschen Verkündern einer Erneuerung dieses Gedankens zeitweilig verfallen war. Keineswegs sprach Doderer für die vollständige Nachkriegsgeneration. In Wahrheit verhält es sich wohl so, daß jenes österreichische Bewußtsein, das nun wieder aufgeflammt ist, von einigen Schriftstellern der Gegenwart militant betont wird, bei anderen ungerufen präsent ist, bei den dritten nicht mehr zutage tritt und von den vierten emphatisch abgelehnt wird. Daß es auch in diesen beiden letzten Gruppen vorhanden ist, wenn auch nur verborgen und antithetisch, mag man immerhin vermuten. Ob akzeptiert oder verleugnet, sein Niederschlag in der Literatur dieses Landes scheint mir unverkennbar. Seit Claudio Magris 1963 in seiner Dissertation und drei Jahre später in seinem auf deutsch erschienenen Buch »Der habsburgische Mythos in der österreichischen Literatur« den Realitätsbezug dieser Dichtung untersuchte, hat man sich in steigendem Maße mit ihren Charakteristika befaßt.

Drei Merkmale sind bei Magris für sie entscheidend: eine Übernationalität, Erbteil der habsburgischen Humanitas, die aus verschiedenen, vorwiegend aber aus slawischen und jüdischen Elementen bestanden habe; eine gewisse statische Haltung dem Lebensablauf gegenüber, gipfelnd in einem »Pathos der Immobilität«; und schließlich eine Verlagerung der bürokratischen Mentalität auf die Gefühls- und Gewohnheitssphäre, was einem sinnlichen und genußfreudigen Hedonismus keinen Abbruch tut. Daß dennoch, und gerade in den bewegten Jahren des Zerfalls der so stark vergangenheitsgetränkten habsburgischen Kultur, einige höchst lebendige Fermente, von der Psychoanalyse bis zur Stilkritik, dem logischen Positivismus und der Sprachanalyse, ja selbst bis zum Expressionismus in ihr entstehen konnten, hat Magris betont. Diesen Fermenten stehe, von Kafka bis Musil, eine Literatur von bestürzender Modernität zur Seite. Wir werden sehen, daß die Verbindung von progressiven Formen und Inhalten mit dem entscheidendsten Merkmal der Realitätsflucht noch heute in der österreichischen Dichtung besteht.

Dem bürokratischen Ursprung dieser Literatur sind in den letzten Jahren vor allem Roger Bauer und Leslie Bodi nachgegangen. Bauer hat nachgewiesen, daß zur theresianischen Zeit das Deutsche zur allgemeinen Beamtensprache der habsburgischen Hauslande wurde und sich als Konsequenz die Literatur sowohl in ihren Autoren wie in ihrem Publikum aus der Schicht der deutschsprachigen Beamten zu konstituieren begann. Diese wurden im obligaten Studium des Naturrechts dazu erzogen, den Forderungen der Vernunft und den damit identifizierten Staatsinteressen unbedingt zu gehorchen, sie stellten ihre Werke in den Dienst des Fürsten und übten eine fast masochistische Selbstverleugnung, die noch zur Signatur der späteren österreichischen Dichtung gehört. Schon Bauer erwähnt, was Leslie Bodi gleichfalls hervorhebt: daß nämlich das Theater, die Epistel, die Parodie, das Pasquill, das Pamphlet, später das Feuilleton und die Glosse zu den bevorzugten Formen dieser Beamtenliteratur gehören. Bodi führt die ambivalente Einstellung zur Dialektik von ›System‹ und ›Bewegung‹, von Ordnungsglauben und kritischem Bewußtsein, die künstlerisch am besten mit den Stilmitteln der Ironie, der Groteske und der Parodie gestaltet werden könne, auf das kurze josephinische Tauwetter zurück. Freilich ist es auch möglich, diese Stilmittel als Ausweich- und Umgehungsmöglichkeiten im Zensurstaat Metternichs anzusehen.

Vieles resultiert aus diesen Recherchen und den daraus gewonnenen Thesen, das bis heute Geltung hat. Daß politische und soziale Gegebenheiten akzeptiert werden, daß die Revolte der Schriftsteller sich in den ästhetischen Bereich verlagert oder ironisch und parodistisch umschrieben zum Ausdruck kommt, wirkt sich in der gesamten österreichischen Literatur bis in die Gegenwart aus. Von Nestroy über Kürnberger, Karl Kraus und Helmut Qualtinger bis zu Ernst Jandl geht die ungebrochene Linie der moralisierenden Satiriker, deren Attacke gegen öffentliche Mißstände sich ins Gewand der Gaukler und Narren hüllt. Zum anderen haben wir Beispiele gerade unter den hervorragendsten neueren Autoren, daß eine gewisse Indifferenz den Zeitläuften gegenüber, »ein Verzicht auf Parteinahme«, eine »Betonung radikaler Subjektivität«, eine »Privatisierung der geschichtlichen Veränderung« – wie der Wiener Germanist Wendelin Schmidt-Dengler es formuliert hat – Hand in Hand mit erstaunlicher literarischer Modernität einhergehen kann.

Die eigentliche Kontroverse nicht über das Ob, sondern über das Wie einer gesonderten österreichischen Literatur ist freilich erst nach dem Erscheinen des Buches »Der Tod des Nachsommers« von Ulrich Greiner ausgebrochen. Greiner hatte darin, sehr wesentlich gestützt auf Claudio Magris, vor allem den Evasionscharakter dieser Dichtung geprüft und ihren bedeutendsten Vertretern jede Lust und jedes Vermögen zur Zeit- und Gesellschaftskritik abgesprochen. Sie sei, die österreichische Literatur, von jeher unrealistisch und apolitisch gewesen, heute zudem noch bohèmehaft und artifiziell, was ihrer hohen Qualität indes keinen Abbruch tue. Trotz widersprüchlicher Ordnungsbilder bei Stifter und Bernhard sieht Greiner Parallelen dieser Dichter sowohl in dem von beiden angestrebten Stillstand – der bei Magris vorgegebenen Immobilität – wie in ihrer vergleichbaren, aus dem österreichischen Kanzleistil stammenden Sprache.

Es erscheint mir müßig, hier die gesamte Argumentation Ulrich Greiners zu rekapitulieren, so genau sie sich auch mit meinem Thema deckt. Genug daran, daß er den Eskapismus, die Wirklichkeitsverweigerung, den Handlungsverzicht und einen gewissen ›austriazistischen Anarchismus‹, wie er von H. C. Artmann, Helmut Eisendle und Peter Rosei verkündet worden, aber als alles andere denn politisch anzusehen ist, als die wesentlichen Bestimmungspunkte der österreichischen Literatur bezeichnet. Seine Behauptungen sind nicht unangefochten geblieben. Zunächst war es ein Deutscher, Rolf Schneider, der ihm widersprach, aber schlagende Gegenbeweise nicht eigentlich finden konnte. Daß Schneider die Schriftsteller der jüdischen Emanzipation in einer völlig anderen Tradition sehen will, erscheint nicht unbedingt zwingend, und Theodor Herzls Aktivismus als Erfinder des Judenstaates, den er anführt, hat mit Herzls, übrigens wenig beachtlichen, literarischen Hervorbringungen kaum etwas zu tun.

Nachdrücklicher und eindringlicher setzten sich jene zur Wehr, die in Greiners Schema nicht passen konnten und wollten, Schriftsteller wie Michael Scharang und Elfriede Jelinek, Wilhelm Pevny und Peter Turrini, Gustav Ernst und Helmut Zenker, die er selbst als unzweifelhaft vorhandene sozialkritische Gegenwartsautoren anerkannt, aber als eine Minderheit bezeichnet hatte, welcher nur in wenigen Fällen dasselbe ästhetische Niveau, dieselbe sprachliche Originalität wie die ihrer Konkurrenten zuzugestehen sei. Greiner hatte Scharang noch im Rahmen seines Buches Gelegenheit zur Gegenrede gegeben, dieser aber sprach vor allem *pro domo*, indem er sich zu einem uneingeschränkten Realismus bekannte, und konzedierte Greiner seinen Eskapismusbegriff, auch wenn er ihn historisch nicht voll erklärt fand. Immerhin wollte Scharang in den letzten autobiographischen Büchern Thomas Bernhards eine heftige Ablehnung der faschistischen Vergangenheit Österreichs erblicken und sah ganz allgemein Anzeichen für das Entstehen einer wirklichkeitsbewußteren Literatur in seinem Land.

Auf einer kürzlich in Wien abgehaltenen Tagung »Literatur der Arbeitswelt/Arbeitswelt der Literatur« traten denn all jene auf, die den Beweis für eine solche neue, die Greinerschen Thesen widerlegende Schriftstellergeneration liefern wollten. Autorengruppen unter fröhlich-aggressiven Namen wie »Wespennest« oder »Frischfleisch & Löwenmaul« präsentierten sich gemeinsam, zeitkritische Texte wurden in Lesungen von Gustav Ernst, Peter Henisch, Christine Nöstlinger, Gernot Wolfgruber laut, programmatische Bekenntnisse aber freilich stellvertretend von den Gastrednern Pavel Kohout und Franz Xaver Kroetz abgelegt. Es war eine im Vergleich zur Bundesrepublik einigermaßen verspätete, jedoch achtbare Demonstration für soziales Engagement.

Eine rückwirkende Umdeutung oder gar Negierung der Grundgedanken von Magris, Bauer, Bodi und Greiner hatte nicht stattgefunden.

Aber wie sieht es denn mit den anderen aus, jenen Schriftstellern, die zur Zeit den wesentlichsten Beitrag Österreichs zur deutschsprachigen Dichtung liefern? Wie weit sie die bewußten Merkmale tragen, kann im Rahmen dieser Überlegung nur angedeutet werden, harrt wie ihr Stellenwert der Überprüfung durch die Zeit. Bei jenen, die sich ausdrücklich der »Oikumene Kakaniens« zurechnen – wie Magris es mit einem Musilschen Terminus benennt – ist der Nachweis leicht zu erbringen. Der verstorbene Friedrich Torberg, Doderers Schüler Herbert Eisenreich und Peter Tramin, Nachfahren Herzmanovsky-Orlandos wie Peter Marginter, ein austriazisierter Slawe wie Milo Dor lassen sich durchaus als Hüter des habsburgischen Mythos verstehen. Daß ein Gedicht wie Ingeborg Bachmanns ›Große Landschaft vor Wien‹ und viele andere aus ihren ersten Bänden im Nachkriegsdeutschland nicht hätten geschrieben werden können, ebenso wie das Werk des aus Czernowitz, der »Enklave alt-österreichischer Kultur«, stammenden Paul Celan ein Gegengewicht zur Kahlschlaglyrik bedeute, hat Erich Fried unlängst mit Nachdruck erklärt.

Peter Handke, dessen Ausspruch »Das Fette, an dem ich würge: Österreich« Greiner seinem Buch vorangestellt hat, publizierte vor wenigen Wochen ein »Österreichisches Gedicht 1979/80«, in dem sein jetziges Salzburger Domizil die kosmopolitische Vergangenheit – eine Erinnerung an die »Stadt Magnolia am Yukon River/Alaska« – überwunden zu haben scheint. Ihm, Thomas Bernhard und Jutta Schutting, aber auch bereits Ingeborg Bachmann und Konrad Bayer war ein Erbe zugefallen, von dem bei den erwähnten Theoretikern nirgends die Rede ist, das aber entscheidend zur Realitätsfremdheit der neueren österreichischen Dichtung beigetragen hat: Wittgensteins Sprachskepsis, die bereits bei Fritz Mauthner oder in Hofmannsthals Chandos-Brief ihre Vorstufen hat. Das spezifisch Österreichische, sei es in Form phantastischer Irrlichtereien, die eine zweite Wirklichkeit vortäuschen, sei es als neue Mythologien, »Weltraumabenteuer« – wie man sie Friederike Mayröcker nachgesagt hat – sei es als ein zaubrisches *Theatrum mundi*, findet sich bei so verschiedenartigen Schriftstellern wie Artmann, Jonke, Frischmuth, Peter Rosei, ja selbst bei Klaus Hoffer, der die Deutung seines eigenen Werkes hier vornehmen mag.

Selbst bekennerische Realisten wie Wolfgang Bauer, Verfasser brutaler Entblößungen des Grazer und Wiener Bohème- und Bürgermilieus, flüchten sich eines Tages in eine neurotische Innenwelt. Und wenn in den Büchern von Anti-Heimatdichtern wie Innerhofer, Kappacher, Wolfgruber und

Reinhard P. Gruber soziale Übelstände gebrandmarkt werden, so geschieht das doch aus der Sicht des betroffenen Individuums, ohne praktische Lösungsvorschläge, lediglich deskriptiv. »Kritik an den bestehenden Verhältnissen«, schreibt Schmidt-Dengler, »weist sich durch die Perfektionierung der Kritik als Kunstform, nicht durch die sichere Basis der Information aus.« Von den deutschen Zeitkritikern Böll und Lenz ist das alles weit entfernt. Es bleiben die wenigen Ausnahmen der Regel, etwa das mehrteilige Filmepos »Die Alpensaga« von Peter Turrini und Wilhelm Pevny, Österreichs jüngster und erfolgreichster Versuch einer künstlerischen Bewältigung politischer Irrwege und verdrängter Schuld.

Genug, meine ich, an Hinweisen auf jene nationale Besonderheit der österreichischen Literatur, die Hofmannsthal geleugnet und Thomas Mann mit wohlgemeinten, aber noch unzureichenden Kennzeichen versehen hat. Allerdings läßt sich denken, es könnten, falls Scharang recht behält und die Dichter in seinem Land immer realitätsnäher werden, die Übergänge zu den anderen deutschsprachigen Literaturen allmählich verschwimmen und schließlich eine Abgrenzung nicht mehr möglich sein. In einer Anthologie österreichischer Dichtung unter dem Titel »Rot ich weiß rot«, herausgegeben von Gustav Ernst und Klaus Wagenbach als Tintenfisch 16, wurden in der Vorbemerkung Greiners Thesen verlacht und »ein paar Wahrheiten über die herrschende Meinung« versprochen. Aber der Inhalt straft die Polemiker Lügen, denn auch hier finden sich auf Schritt und Tritt gegenwartsfremde Visionen, ärarischer Stil und sehnsüchtiger Nachhall der Vergangenheit.

Bei Jutta Schutting steht der Satz: »Bald in einem Plüschfauteuil die Gemütsbewegung vor Tabellen in Kurrentschrift erfahren und nach der konsequent vollzogenen Umstellung der Produktion auf die Erzeugung von 1860 mit dem Zwicker von Bild II das Jahr 1856 erlebt und dem kaisertreu erzogenen Sohn, er solle an 1857 glauben, vom Totenbett zugerufen haben«. Alfred Kolleritsch klagt um ein abgerissenes Haus voller Erinnerungen an den Großvater mit der Virginiatasche und der goldenen Uhr mit Kette und Medaillon, um eine wahre Casa Austriae, mit den Worten: »Hier mußte die Zeit stehen bleiben,/ hier lebte man fort in den Bildern«. Erich Fried schreibt in dem Gedicht »Die Treppen von Graz«, er könne in dieser Stadt das Treppensteigen nicht lassen, »um mich wieder an Bildnissen/ längst toter Männer und Frauen/ und wieder an allem alten/ Lebendigen sattzuschauen«. Und selbst Ernst Jandl, der in einem Vers den Urahn höhnt, dem er sich ehrfürchtig nahen soll, läßt einen Epilog mit der Zeile beginnen, die ich hier metaphorisch an den Schluß stellen möchte: »der österreicher küßt die zerschmetterte hand«.

Marcel Reich-Ranicki

Wer hat Angst vor Hilde Spiel?

Liebstes Fräulein Angerer,
»eine kurze Stellungnahme zur österreichischen Literatur der Gegenwart«
wird dringend benötigt? Nun gut, ich will mich nicht drücken. Den Ansatz
zu einer »Stellungnahme« sollen Sie wenigstens erhalten. Aber kurz wird es
nicht werden. Ich muß Ihnen nämlich erst etwas erzählen.
Das Malheur begann im September 1962 in Berlin, am Kurfürstendamm,
auf der Bühne der »Komödie«. Komisch war es trotzdem nicht, jedenfalls
nicht für mich. Denn auf dieser Bühne begegnete ich zum ersten Mal Hilde
Spiel. Ihre Arbeiten kannte ich seit Jahren; ich las sie zuweilen mit Ehrfurcht, oft mit Vergnügen, immer mit Gewinn und gelegentlich – warum
sollte ich es verheimlichen? – auch mit Neid. Und ihr Buch »Welt im Wi-
derschein« hatte ich 1961 in der »Welt« so besprochen, wie es besprochen
zu werden verdient: also enthusiastisch.
Auf einer Bühne trafen wir uns. Nein, nicht in einem Stück traten wir auf,
vielmehr nahmen wir an einer jener mehr oder weniger improvisierten und
meist ganz amüsanten Darbietungen teil, in denen Literaten sich selber
spielen: an einer öffentlichen Diskussion, einer Podiumsdiskussion. Das
seien immer etwas unseriöse Angelegenheiten? Nun ja, gewiß, aber Sie kennen doch das sanfte Wort eines Weisen: »Wir spielen immer, wer es weiß, ist
klug.« Apropos Schnitzler: er eben war Anlaß des durchaus nicht geplanten
Zusammenstoßes. Wir diskutierten eifrig über den modernen Roman. Die
heutigen deutschsprachigen Schriftsteller seien meist – bedauerte ich –
nicht sonderlich unterhaltsam, es fehle die anspruchsvolle Unterhaltungsliteratur, die es früher einmal gegeben habe. Ich nannte einige hehre Vorbilder – unter anderen auch Arthur Schnitzler. Da wars um mich geschehen.
Denn nun bekam ich es von Hilde Spiel zu hören: Das sei geradezu ein
Skandal, Schnitzler mit einem Begriff wie »Unterhaltung« zu assoziieren;
man habe es doch mit einem der Größten des Jahrhunderts zu tun, mit
einem Schriftsteller vom Range zumindest eines Thomas Mann. Jetzt erst
begriff ich es: Ich hatte mich ahnungslos und frevelhaft erkühnt, Österreichs Nationalehre anzutasten. Die patriotische und dennoch charmante
Sachwalterin Austriens ließ meine demütigen und eifrigen Beteuerungen,
daß ich Schnitzler seit meiner Kindheit verehre, nicht gelten. Ich versuchte
zu erklären, daß ein Roman meiner Ansicht nach unterhaltsam sein müsse
und ein nicht unterhaltsamer Roman so etwas sei wie, mit Verlaub, ein stin-

kendes Parfüm. Also etwas, was seinen Zweck nicht erfüllt. Aber, ach, alles war vergeblich. Temperamentvoll und leidenschaftlich plädierte Österreichs Sachwalterin gegen mich. Ich saß auf der Anklagebank. Und hatte Angst vor Hilde Spiel.

Was wird hier passieren – fragte ich mich –, wenn die erzürnte Rednerin das in der »Komödie« versammelte Volk von Berlin auffordert, mich sofort, hier auf der Bühne, für die Verunglimpfung Österreichs exemplarisch zu züchtigen? Nein, ganz so schlimm ist es nicht gekommen, die Anklägerin ließ Gnade walten.

Anfang 1964 war ich in Wien. Inzwischen hatte ich verschiedene Artikel von Hilde Spiel gelesen, mit denen sich nun die »Frankfurter Allgemeine Zeitung« schmücken darf und die zum besten gehören, das in diesem Blatt gedruckt wird. Da wir uns diesmal nicht auf einer Bühne trafen, sondern in einem Kaffeehaus, ging es weniger dramatisch zu. Es war sehr schön. Aber plötzlich hörte ich: »Warum haben Sie noch nie über Doderer geschrieben? Und was kennen Sie eigentlich von Doderer?« Ich wurde streng geprüft. Und sah mich wieder einmal auf der Anklagebank.

An beide Episoden wurde ich unlängst erinnert. Denn wo immer ich Beiträge von Hilde Spiel finden kann, studiere ich sie mit gebührender Aufmerksamkeit und wachsender Sympathie, ja mit Bewunderung, und so las ich auch ihren Artikel in der Züricher »Weltwoche« vom 6. November 1964, in dem es heißt: »Trotzdem stimmt es bedenklich, daß viele begabte Österreicher beharrliche Auslandsösterreicher sind und man etwa Ingeborg Bachmann, der jüngsten Trägerin des Büchnerpreises, überall in Europa begegnen kann außer in der Hauptstadt ihres Vaterlandes.« Und wieder hatte ich Angst vor Hilde Spiel. Obwohl es diesmal offenbar Ingeborg Bachmann war, die auf der Anklagebank saß.

Will etwa Hilde Spiel Österreichs schreibende Damen in der Herrengasse auf Vordermann bringen? Hat nicht jeder das Recht, dort zu leben, wo es ihm gerade paßt? Muß sich ein Künstler, ein Schriftsteller, der im Ausland wohnt, rechtfertigen? Darf man von ihm – und sei es auch auf die vornehmste und subtilste Weise – Rechenschaft erwarten oder gar fordern? Niemand, glaube ich, hat das Recht, den Schriftsteller zu fragen, warum er in Rom oder Berlin und nicht in Wien lebt – niemand, keine Organisation, kein Minister, kein Präsident, ja nicht einmal Hilde Spiel. Sie spricht vom »Vaterland«. Das ist ein großes, leider auch ein sehr gefährliches Wort. Gefährlich scheint es mir schon seit jenem Tag zu sein, da ein Dichter, leider ein Dichter, die verlogene Zeile schrieb: »Dulce et decorum est pro patria mori.« Wer heute »Vaterland« sagt, wird morgen, vielleicht, von »vaterlandslosen Gesellen« oder von »Vaterlandsverrätern« sprechen. Nein, Hilde Spiel wird es gewiß nicht tun. Aber andere Autoren?

Und in der »Frankfurter Allgemeinen Zeitung« vom 2. Dezember 1964 finde ich eine – wie immer ausgezeichnete – Korrespondenz von Hilde Spiel mit dem Titel »Wien ehrt Georg Trakl«. Der letzte Satz lautet: »Hat man Schnitzler, Hofmannsthal, Rilke und Kafka längst an Deutschland verloren, so hält man nunmehr um so kräftiger fest, was von den großen Figuren des alten Österreichs dem neuen noch verblieb.« Hat Österreich diese Dichter verloren, weil ihre Werke bei S. Fischer oder im Insel Verlag erscheinen? Ist etwa der Ruhm Schnitzlers und Hofmannsthals in Deutschland gar als Verlust für Österreich zu buchen? Hat man auch Albert Paris Gütersloh an Deutschland verloren, weil er bei Piper in München herausgegeben wird?

Liebstes Fräulein Angerer, Sie sind wahrscheinlich schon sehr ungeduldig. Denn Sie wollten nicht eine Polemik gegen Hilde Spiel, sondern eine »Stellungnahme zu österreichischer Literatur der Gegenwart«. Indes: mit dem literarischen Leben in Wien, mit der österreichischen Literatur von heute geht es mir etwas ähnlich wie eben mit Hilde Spiel. Ich achte, schätze und bewundere sie. Und ich habe letztens etwas Angst vor ihr. Der Patriotismus beunruhigt mich. Ich befürchte, daß es nur ein kleiner Schritt ist, der den Patriotismus vom Nationalismus trennt. Und wiederum ein kleiner Schritt, der vom Nationalismus zum Chauvinismus führt. Übertreibe ich? Sehe ich Gespenster? Mag sein. Nur habe ich unlängst das Buch »Reaktionen« von Herbert Eisenreich gelesen, den ich übrigens für einen vorzüglichen und immer noch unterschätzten Erzähler halte. In einem der Essays dieses Bandes meint Eisenreich, die Literatur in Österreich habe zur Zeit manche Schwächen, die auch für den Fußball charakteristisch seien: »Was dem österreichischen Fußball neuerdings fehlt, das sind nicht die Talente, sondern das ist das nationale Bewußtsein, das kritische Vertrauen in sich selbst.«

Seltsam. Was mich für die österreichischen Schriftsteller der Vergangenheit wie der Gegenwart am meisten einnimmt, das gerade scheint Eisenreich zu beanstanden. Ich liebe viele von ihnen, weil sie eben nicht mit Selbstvertrauen aufwarten, sondern mit Mißtrauen, weil sie eben keine Gewißheiten, sondern Zweifel bieten. Nationales Bewußtsein? Aber war nicht immer schon eine der sympathischesten Eigenschaften aller großen Dichter Österreichs ihre glücklicherweise unverbesserliche Neigung zum Internationalen und der erfrischende Mangel an nationalem Bewußtsein?

Eisenreich erklärt: »Wir sind aber fanatische Gegner der neuerdings in Österreich feststellbaren Tendenz, eigene Werte preiszugeben, um sich wahllos mit solchen von scheinbar größerer Anziehungskraft zu kostümieren.« Mit jenen, liebstes Fräulein Angerer, die sich »wahllos … kostümieren«, kann ich mich abfinden. Aber Fanatiker fürchte ich.

Und an einer anderen Stelle der Abhandlung von Eisenreich heißt es: »In dieser Epoche der Selbsttäuschung das Wesen des Österreichischen treu zu bewahren, erscheint uns als konkrete Aufgabe der neuen Schriftsteller-Generation, ja als das Existenzproblem der österreichischen Literatur und des nationalen Geistes überhaupt.« Nein, halt, um Gottes willen, Freunde, nicht diese Töne … Hier wird, meine ich, das Jahrhundert nicht in die Schranken gefordert, hier wird es einfach verwechselt.

Ein anderes Symptom: ein Wiener Schriftsteller fragte mich neulich nicht ohne Stolz, ob ich mir dessen bewußt sei, daß unter den Lektoren der bundesrepublikanischen Buchverlage der Prozentsatz der Österreicher besonders hoch sei. Nein, ich war mir dessen nicht bewußt. Und angesichts der Produktion der meisten Verlage in der Bundesrepublik Deutschland scheint es mir leichtsinnig zu sein, sich dieses Prozentsatzes zu rühmen. Vor allem aber: was ist das überhaupt für eine Fragestellung? Hat es die österreichische Kultur nötig, derartige Zählungen zu veranstalten und sich auf ihre Ergebnisse zu berufen?

In der Gesellschaft für Literatur in der Herrengasse zeigte mir Wolfgang Kraus eine Liste der österreichischen Schriftsteller. Es ist eine lange und stattliche Liste. Auch Autoren, die seit dreißig Jahren im Ausland leben und kaum noch in deutscher Sprache schreiben, hat man da sorgfältig registriert. Zeugt das nicht abermals von jenem nationalen Ehrgeiz, der mir völlig überflüssig zu sein scheint? Schriftsteller, die möglicherweise – wer kann das so genau wissen? – nur Halb- oder Viertelösterreicher sind, wurden von der Gesellschaft, wenn ich mich recht erinnere, auch berücksichtigt.

Das wäre übrigens, sollte es tatsächlich zutreffen, so übel wieder nicht. Denn es ist nicht ausgeschlossen, daß einer meiner Vorfahren aus dem k.u.k. Gebiet stammte. Könnten Sie sich vielleicht bei Wolfgang Kraus erkundigen, ob ich unter diesen Umständen eventuell Chancen hätte, in das Verzeichnis aufgenommen zu werden? Das wäre sehr schön – aber dürfte ich dann noch sagen, daß ich Schnitzler sehr liebe, doch Thomas Mann für den größeren halte?

Apropos Thomas Mann: ich habe noch das dringende Bedürfnis, Friedrich Torberg zu ärgern. Indes ist dieser Brief ohnehin sehr lang geworden, also werde ich es bei anderer Gelegenheit ausführlich tun. So verbleibe ich

mit einer tiefen Verbeugung und einem Handkuß

Ihr …

Elfriede Jelinek

In den Waldheimen und auf den Haidern

Rede zur Verleihung des Heinrich-Böll-Preises in Köln am 2.12.1986

Ich komme aus einem Land, von dem Sie sich sicher ein Bild gemacht haben, denn es ist bildschön, wie es so daliegt inmitten seiner eigenen Landschaft, die ihm ganz gehört. Sicher haben Sie schon Bilder davon gesehen. Inzwischen ist das Land zu seinem eigenen Bild geworden. Man trägt es im Herzen herum, so klein, daß es gerade hineinpaßt, aber mein, und seine Künstler dürfen in ihm wohnen, falls man sie läßt. Denn in Österreich wird kritischen Künstlern die Emigration nicht nur empfohlen, sie werden auch tatsächlich vertrieben, da sind wir gründlich. Ich erwähne nur Rühm, Wiener, Brus, die in den sechziger Jahren das Land verlassen haben. Ich erwähne nicht Jura Soyfer, der im KZ ermordet worden ist, denn das ist zu lang vergangen und daher zu lang schon vergessen und, vor allem, vergeben, denn uns verzeiht man einfach alles.

Und dem Thomas Bernhard hat der zuständige Minister (nicht der Gesundheitsminister) empfohlen, aus sich einen »Fall« für die Wissenschaft zu machen. Er hat nicht die Literaturwissenschaft gemeint. Was hätte Heinrich Böll darüber geschrieben? Womöglich in einem netten ruhigen Zimmer? So haben Polizisten den Peter Handke an der Salzburger Telephonzelle eingekreist und gestellt. So ist Achternbuschs Film »Das Gespenst« verboten worden. Heinrich Böll hätte gewiß etwas dazu gesagt.

In den Waldheimen und auf den Haidern dieses schönen Landes brennen die kleinen Lichter und geben einen schönen Schein ab, und der schönste Schein sind wir. Wir sind nichts, wir sind nur, was wir scheinen: Land der Musik und der weißen Pferde. Tiere sehen dich an: Sie sind weiß wie unsere Westen. Und die Kärntneranzüge zahlreicher Bewohner und ihnen gehöriger Politiker sind braun und haben große Taschen, in die man einiges hineinstecken kann. So, gut getarnt, sieht man sie in der dunklen Stammtisch-Nacht nicht allzu deutlich, diese mit dem Geld und allen übrigen deutschen Werten befreundeten Politiker und deren Bewohner (das Wahlvolk, das Volk ihrer Wahl, das die Politiker in ihrem Innersten hegen und pflegen und nur zu den Wahlen herauslassen), wenn sie wieder einmal slowenische Ortstafeln demolieren gehen, über die Dörfer hin.

Viele dieser Politiker und Einwohner würden, nach eigener Aussage, gern noch einmal nach Stalingrad gehen, wenn sie nicht die ganze Zeit damit beschäftigt wären, die Kommunisten im eigenen Land aufzuspüren.

Heinrich Böll hätte hier sehr viel gesagt, aber man hätte es ihm erst erlaubt, nachdem er den Nobelpreis bekommen hat. So wie sich kaum jemand ernsthaft bemüht hat, einen Elias Canetti nach Österreich zurückzuholen, denn Juden haben wir zwar so gut wie keine mehr, aber immer noch zu viele. Und ab und zu nehmen sich »ehrlose Gesellen vom jüdischen Weltkongreß« (Originalzitat aus einer Rede des General Sekretärs der großen österreichischen Volkspartei) ihrer an, obwohl wir doch gar nichts tun außer fremde Betten für den Fremdenverkehr beziehen und daher auch niemals etwas Eigenes getan haben. Wir wollten doch nur ein bißchen in deutschen Betten liegen, wer hätte uns das nicht gönnen wollen? Aber wir sind es nicht gewesen, und daher hat man uns – im Jahre 1955 selbstverständlich oder wann dachten Sie denn? – auch ordnungsgemäß befreit! Wir sind überhaupt die Unschuldigsten und sind es daher auch immer gewesen. Jetzt ist ein Literaturstipendium nach Canetti benannt. Hauptsache, er selbst bleibt fort. Dann führen wir ihn sogar im Burgtheater auf, vorausgesetzt seine Stücke sind nicht zu lang. Grüß Gott.

Wir müssen uns nur im richtigen Moment klein machen, damit man uns nicht sieht, wie wir gerade unsere Weine panschen; wir müssen uns nur im richtigen Moment noch kleiner machen, damit man uns nicht sieht und auch unsere Vergangenheit nicht, wenn wir Bundespräsident, also das Höchste, was es gibt, werden wollen. Und wir müssen uns im richtigen Moment auch groß zu machen verstehen, damit wir – gebührend und nicht ungebührlich! – in die Weltpresse hineinkommen, und zwar selbstverständlich positiv, denn wir leben ja wirklich in einem schönen Land, man kann es sich anschauen gehen, wann immer man will!

Auch ich gehe jetzt dorthin zurück, vorher bedanke ich mich aber noch sehr herzlich für meinen Preis und gedenke liebevoll und traurig dessen, nach dem er benannt ist. Ich wollte, ich könnte ihn – Heinrich Böll – mitnehmen, er hätte auch bei uns viel zu tun.

ELIAS CANETTI

Rede bei der Entgegennahme des Literatur-Nobelpreises in Stockholm

Eure Majestäten, Eure Königlichen Hoheiten, meine Damen und Herren. Einer Stadt, die man kennt, verdankt man viel, und einer, die man kennen möchte, wenn man sich lange vergeblich nach ihr sehnt, vielleicht noch mehr. Aber es gibt, glaube ich, im Leben eines Menschen auch besondere Stadtgottheiten, durch Drohung, Unermeßlichkeit oder Verklärung ausgezeichnete Gebilde. Die drei, die es für mich waren, sind Wien, London und Zürich.

Man mag es dem Zufall zuschreiben, daß es diese drei sind, aber dieser Zufall heißt noch Europa, und soviel Europa vorzuwerfen wäre – denn was ist nicht alles von ihm ausgegangen –, heute, da der Atomschatten, unter dem wir leben, schwer auf Europa lastet, zittern wir zuerst um Europa. Denn dieser Kontinent, der sich soviel verdankt, trägt auch eine große Schuld, und er braucht Zeit, um seine Sünden wiedergutzumachen. Wir wünschen ihm leidenschaftlich diese Zeit, eine Zeit, in der sich eine Wohltat nach der anderen über die Erde verbreiten könnte, eine Zeit, die so segensreich wäre, daß niemand auf der ganzen Welt Grund mehr hätte, den Namen Europas zu verfluchen.

Zu diesem verspäteten, zum eigentlichen Europa haben in meinem Leben vier Männer gehört, von denen ich mich nicht zu trennen vermag. Ihnen verdanke ich es, daß ich heute vor Ihnen stehe, und ich möchte ihre Namen vor Ihnen nennen. Der erste ist *Karl Kraus*, der größte Satiriker der deutschen Sprache. Er hat mich das Hören gelehrt, die unbeirrbare Hingabe an die Laute Wiens. Er hat mich, was noch wichtiger war, gegen Krieg geimpft, eine Impfung, die damals für viele noch notwendig war. Heute, seit Hiroshima, weiß jeder, was Krieg ist, und daß jeder es weiß, ist unsere einzige Hoffnung.

Der zweite ist *Franz Kafka*, dem es gegeben war, sich ins Kleine zu verwandeln und sich so der Macht zu entziehen. In diese lebenslange Lehre, die die notwendigste von allen war, bin ich bei ihm gegangen. Den dritten wie den vierten, Robert Musil und Hermann Broch, habe ich in meiner Wiener Zeit gekannt. *Robert Musils* Werk fasziniert mich bis zum heutigen Tage, vielleicht bin ich erst seit den späten Jahren imstande, es ganz zu erfassen. Damals in Wien war erst ein Teil davon bekannt, und was ich von ihm lernte, war das schwerste: daß man ein Werk auf Jahrzehnte hin unternehmen kann, ohne zu wissen, ob es sich vollenden läßt, eine Waghalsigkeit, die hauptsächlich aus Geduld besteht, die eine beinahe unmenschliche Hartnäckigkeit voraussetzt.

Mit *Hermann Broch* war ich befreundet. Ich glaube nicht, daß sein Werk mich beeinflußt hat; wohl aber erfuhr ich im Umgang mit ihm von jener Gabe, die ihn zu diesem Werk befähigt hat: diese Gabe war sein Atem-Gedächtnis. Ich habe seither über Atmen viel nachgedacht, und die Beschäftigung damit hat mich getragen.

Es wäre unmöglich für mich, heute nicht an diese vier Männer zu denken. Wären sie noch am Leben, so stünde wohl einer von ihnen an meiner Stelle da. Betrachten Sie es nicht als Anmaßung, wenn ich etwas ausspreche, worüber mir keine Entscheidung zukommt. Aber ich möchte Ihnen von Herzen danken, und ich glaube, ich darf das nur, wenn ich zuvor meine Schuld an diese vier vor Ihnen öffentlich bekannt habe.

Arbeitsbericht

Geplant war dieses Buch zunächst als eine Dokumentation der vielfältigen Essayistik der letzten 50 Jahre, die sich um die Bestimmung der Eigenart der österreichischen Literatur bemüht hat, als Antwort auf Grillparzers Frage »Worin unterscheiden sich die österreichischen Dichter von den übrigen?«

Eine solche Sammlung von Versuchen einer literarischen Bestimmung des ›Wesens‹ der ›österreichischen Literatur‹ wäre eine Dokumentation des Selbstfindungsprozesses der österreichischen Nation im Bereich der Dichtung geworden – aber eine Dokumentation fast nur von historischem Interesse. Manche allzu patriotisch-pathetischen Äußerungen zum Thema, etwa von Eisenreich, haben sich aus heutiger Sicht als kaum noch lesbar herausgestellt. Unsere Sammlung sollte vergnüglicher werden. Einige für die vierziger, fünfziger und sechziger Jahre typische Texte – daß wir uns mit ihnen nicht identifizieren, müßte man der Anlage des Buches anmerken – haben wir dennoch aufgenommen.

Uns geht es jetzt darum, wie Autorinnen und Autoren aus Österreich mit österreichischen Traditionen umgehen, um ihr Interesse am Schreiben, an den Schreibenden und an den Schriften aus Vergangenheit und Gegenwart, eingebettet in ihr Verhältnis zum österreichischen Staat. Nach 1945, zumeist, der literarischen Entwicklung entsprechend, nach 1966 entstandene essayistische wie auch nicht-essayistische Texte – Interviews blieben ausgeschlossen – sollen beispielhaft literarische Verflechtungen und Spannungen erkennbar machen, die Pluralität in der Gemeinsamkeit der Literatur aus Österreich. Auch Elisabeth Reicharts Sammlung »Österreichische Dichterinnen« (Salzburg: Otto Müller 1993) und die in der Tageszeitung »Der Standard« seit dem Frühjahr 1995 erscheinende Serie von Schriftstellerportraits aus der Hand von Schriftstellern zeigen ein Interesse an literarischer Auseinandersetzung mit Literatur, das diese – unabhängig davon konzipierte – Sammlung fördern will.

Um kein verzerrtes Bild entstehen zu lassen, wurden – wenige – Beispiele dafür aufgenommen, daß Autorinnen und Autoren aus Österreich sich auch auf nicht-österreichische ›Ahnen‹ beziehen.

Nach und nach haben wir uns vom Essay entfernt und zu anderen Textsorten hin bewegt, zur Parodie etwa, zur Hommage, zur Polemik. Hier sind nicht ›die schönsten Essays über österreichische Literatur‹ zusammengestellt, sondern verschiedene Formen des Gesprächs der Literaturschaffenden über ihre und mit ihrer Literatur-Umgebung. Deswegen, und nicht weil wir sie nicht schätzten, sind von wichtigen lebenden Essayisten wie zum Beispiel Franz Schuh und Karl-Markus Gauß in diesem Band keine Beiträge enthalten. Im Vordergrund standen für uns jene Schreibenden, in deren Werk andere Gattungen als der Essay dominieren. Auf Jean Améry, Hilde Spiel, Friedrich Torberg und Hans Weigel konnte allerdings aus historischen und thematischen Gründen nicht verzichtet werden. Wir haben – mit einer korrigierenden Ausnahme – ausschließlich Beiträge von österreichischen Autorinnen und Autoren aufgenommen, geht es doch um die Spiegelung von Literatur aus Österreich in Literatur aus Österreich.

Vergeblich suchen wird man in diesem Band viel zitierte Texte wie die von Ulrich Greiner oder die von den Germanisten Claudio Magris, Walter Weiss und Albert Berger, so aufschlußreich deren Aufsätze für die Diskussion über die österreichische Literatur sind. Denn auch literaturwissenschaftliche Beiträge bleiben ausgeklammert. Literaturkritik haben wir ebenfalls eher vermieden, doch erscheint die eine oder andere in unser Konzept passende Rezension.

Man soll diesem Buch auch anmerken, daß es im Westen Österreichs entstanden ist; wenigstens manchmal haben wir bewußt die Wiener Perspektive verlassen.

Die Anthologie ist nicht systematisch aufgebaut, sondern sie ist ein »Blätterbuch« – so sollte das Buch in Anspielung auf den Text von Werner Herbst eigentlich heißen – geworden: sie ist durch Blättern in vielen Quellen entstanden und soll zum Blättern anregen. Zusammenhänge zwischen den Beiträgen, die sich nur locker zu Abschnitten gruppieren, ergeben sich von selbst.

Vollständigkeit konnte nicht anzustreben sein, weder der schreibenden noch der beschriebenen Autorinnen und Autoren. Die Gründe, weshalb gewisse Artikel nicht enthalten sind, sind vielfältig; einer war der Umfang, Spekulationen über die anderen mögen die Rezensenten und Rezensentinnen anstellen. Im Entscheidungsfall hielten wir die Veröffentlichung eines schwer zugänglichen und wenig bekannten Textes für wichtiger als die erneute Publikation eines schon mehrfach abgedruckten. In einem Fall wurde uns die Abdruckerlaubnis verweigert.

Bei vielen der aufgenommenen Texte handelt es sich um Auftragsarbeiten, um Reden zu Preisverleihungen oder Aufsätze zu Jubiläen. Vielleicht auch aus Mangel an solchen Anlässen haben wir zu manchen Autorinnen und Autoren keinen uns geeignet erscheinenden Beitrag gefunden. Lücken sind also nicht darauf zurückzuführen, daß wir Äußerungen zu Raimund, Schnitzler, Altenberg, Polgar, zu Christine Lavant oder Heimito von Doderer, Hertha Kräftner oder Gert F. Jonke, um nur wenige Namen zu nennen, bewußt übergangen hätten. Vielleicht spiegelt es ein wenig die Rezeptionssituation, daß sich Kolleginnen und Kollegen zu den Genannten und zu anderen selten geäußert haben, vielleicht hat nur der Zufall äußerer Faktoren diese Leerstellen bewirkt, wie auch das Fehlen vieler Namen auf der anderen Seite, bei den Stellung Nehmenden (Elfriede Czurda, Barbara Frischmuth, Sabine Scholl, Christian Steinbacher u.v.a.) kein beabsichtigtes, im Gegenteil oft ein bedauertes ist. Wir konnten nur etwa ein Drittel der von uns in Erwägung gezogenen Texte aufnehmen.

Der letzte Wille von Thomas Bernhard bleibt respektiert, obwohl etwa das Vorwort zu seiner Christine Lavant-Auswahl oder sein Leserbrief über Herbert Eisenreich gut in dieses Buch gepaßt hätten.

Prinzipiell ist »Literatur über Literatur« eine Anthologie von bereits veröffentlichten Texten; nur in einem Fall wird eine gehaltene, aber nicht im Druck erschienene Rede zum ersten Mal publiziert.

Die Texte sind Essaysammlungen, vor allem aber Zeitschriften und Zeitungen entnommen. Die einschlägigen Ordner der Rezensionssammlung des Innsbrucker Zeitungsarchivs am Institut für Germanistik der Universität Innsbruck (Leiter der Abteilung: Dr. Michael Klein) und die wichtigen österreichischen Literaturzeitschriften (in der Bibliothek des Instituts für Germanistik der Universität Innsbruck, im Brenner-Archiv ebendort, in der Dokumentationsstelle für neuere österreichische Literatur in Wien und der Wiener Stadt- und Landesbibliothek) sind zur Gänze durchgesehen worden, auch andere Zeitschriften (bis hin zu den Merian-Heften mit österreichischer Thematik), ebenso die relevanten Nachworte zu Bänden der Stiasny-Bücherei.

Der Abdruck erfolgt teils nach den Erstdrucken, teils nach Standardausgaben; die Druckvorlage ist im Anhang jeweils nachgewiesen. Offensichtliche Druckfehler sind stillschweigend korrigiert worden, andere Fehler (etwa in der Beistrichsetzung) nur dann, wenn sie die Lektüre erschweren. Eindeutig von den Zeitungsredaktionen stammende Unter- sowie Zwischentitel haben wir gelegentlich ersatzlos gestrichen, in einigen Fällen auch Fußnoten. Sonst sind alle Texte vollständig. Wegen der sehr unterschiedlichen Druckvorlagen haben wir die Textgestalt ansatzweise vereinheitlicht. Aktualisierungen haben wir, auch in Form von Anmerkungen, ebensowenig vorgenommen wie Korrekturen von falschen Angaben oder Zitaten.

Wir danken Thomas Schönher für seine Mitarbeit bei der Endredaktion und Elfriede Hell für Sekretariatsarbeit. Wir danken Verlagen wie auch den Autoren und Autorinnen für die Abdruckerlaubnis, einigen von ihnen für konstruktive Kritik.

P. N.   Sch

Biobibliographischer Anhang

Der Anhang enthält Kurzinformationen sowohl zu den Autorinnen und Autoren, von denen, als auch – knappere – zu jenen, über die ein Beitrag enthalten ist –, wenn es sich nicht gerade um Grillparzer oder Bachmann handelt.
Es sind jeweils nur wenige wichtige Titel angeführt. Wir verweisen auf das zur Buchmesse 1995 erscheinende Kataloglexikon zur österreichischen Literatur des 20. Jahrhunderts (Hg.: IG Autoren, Wien).

Ilse AICHINGER (1921, Wien), in der nationalsozialistischen Zeit verfolgt, lebt seit 1988 wieder in Wien. Die größere Hoffnung (Roman) 1948, Verschenkter Rat (Gedichte) 1978, Kleist, Moos, Fasane (Prosa) 1988, Werkausgabe in 8 Bänden (S. Fischer) 1991.
[Über Adalbert Stifter und Thomas Bernhard]

ALEXANDER siehe unter: Ernst HERBECK

Jean AMÉRY (Hans Maier), (1912, Wien – 1978, Salzburg), Emigration, Haft im Konzentrationslager. Lefeu oder der Abbruch. Romanessay 1974, Örtlichkeiten 1980, Weiterleben – aber wie? Essays 1968-1978 1982.
[Über Ingeborg Bachmann]

H. C. ARTMANN (1921, Wien), Mitglied der Wiener Gruppe, lange Aufenthalte im Ausland, lebt bei Salzburg. med ana schwoazzn dintn, Gedichta r aus bradnsee 1958, ein lilienweißer brief aus lincolnshire. gedichte aus 21 jahren 1969, Gesamtausgabe der Prosa: Grammatik der Rosen (Residenz) 1979, Was sich im fernen abspielt. Gesammelte Geschichten 1995, Das poetische Werk (Gesamtausgabe bei Renner und Rainer) 1993ff.
[Zu ihm Reinhard P. Gruber und Heimito von Doderer]

Ingeborg BACHMANN, 1926-1973. 4bändige Gesamtausgabe (Piper) 1978.
[Zu ihr Jean Améry]

Heimrad BAECKER (1925, Kalksburg, Niederösterreich), lebt in Linz. Promovierter Philosoph. Verleger und Herausgeber der Zeitschrift »neue texte«. nachschrift 1986, Epitaph 1989, SGRA 1990, Gedichte und Texte 1992.
[Zu ihm Heidi Pataki]

Otto BASIL (1901, Wien – 1983, Wien). Gründer und Herausgeber der Zeitschrift »Plan« (1938, 1945-48). Kritiker. Sternbild der Waage (Gedichte) 1945, Wenn das der Führer wüßte (Roman) 1966.
[Über Albert Ehrenstein]

Wolfgang BAUER (1941, Graz), lebt in Graz, Mikrodramen 1964, Magic Afternoon 1968, Gespenster 1974, Werkausgabe (Droschl) 1987ff.
[Über Joe Berger]

Konrad BAYER (1932, Wien – 1964, Wien). Mitglied der Wiener Gruppe. starker toback 1962, der kopf des vitus bering 1965, der sechste sinn 1969, Werkausgaben (Rowohlt 1977 und Bundesverlag/Klett-Cotta 1985).
[Zu ihm Elfriede Gerstl]

Joe BERGER (Alfred Berger), (1939, Kaltenleutgeben, Niederösterreich – 1991, Wien). Märchen für Konsumkinder 1977, Ironische Zettel 1980, Joe Berger Lesebuch 1994.
[Zu ihm Wolfgang Bauer]

Thomas BERNHARD, 1931-1989.
[Zu ihm Ilse Aichinger, Alois Brandstetter und Josef Winkler]

Alois BRANDSTETTER (1938, Aichmühl bei Pichl, Oberösterreich), lebt als Altgermanist und Schriftsteller in Klagenfurt. Überwindung der Blitzangst 1971, Zu Lasten der Briefträger 1974, Die Burg 1986, Hier kocht der Wirt 1995.
[Über Thomas Bernhard]

Hermann BROCH, 1886-1951.
[Zu ihm Robert Neumann]

Elias CANETTI (1905, Rustschuk, Bulgarien – 1994, Zürich). Verbrachte die Zwischenkriegszeit in Wien. Chemiker. Exil in London. Nobelpreis für Literatur 1981. Hochzeit 1932, Die Blendung 1935, Masse und Macht 1960, Die Provinz des Menschen 1973, Die gerettete Zunge 1977, Nachträge aus Hampstead 1994.
[Über Franz Kafka]

Heimito von DODERER (1896, Hadersdorf bei Wien – 1966, Wien). Promovierter Historiker. Ein Mord, den jeder begeht 1938, Die Strudlhofstiege oder Melzer und die Tiefe der Jahre 1951, Die Dämonen 1956, Die Wiederkehr der Drachen 1970.
[Über Friedrich Achleitner, H. C. Artmann, Gerhard Rühm]

Helene von DRUSKOWITZ (1858, Wien – 1918, Mauer-Öhling). Als erste Österreicherin Dr. phil. (Anglistik) in Zürich. Sultanin und Prinz (Drama) 1882, Drei englische Dichterinnen 1885, Moderne Versuche eines Religionsersatzes 1886, Unerwartet (Drama) 1889.
[Zu ihr Elisabeth Reichart]

Albert EHRENSTEIN (1886, Wien – 1950, in New York). 1938 vertrieben. Tubutsch (Erzählungen) 1911, Die weiße Zeit (Gedichte) 1914, Der Mensch schreit (Gedichte) 1916. Werkausgabe (Boer) 1989ff.
[Zu ihm Otto Basil]

Günter EICHBERGER (1959, Oberzeiring, Steiermark), lebt in Graz. Der Wolkenpfleger 1988, Gemischter Chor 1990, Ausgeliefert 1992.
[Über Peter Handke und Werner Schwab]

Helmut EISENDLE (1939, Graz), lebt in Wien. Promovierter Psychologe. Walder oder die stilisierte Entwicklung einer Neurose 1972, Das Verbot ist der Motor der Lust 1980, Die vorletzte Fassung der Wunderwelt. Eine Camouflage 1993.
[Über Georg Trakl]

Herbert EISENREICH (1925, Linz – 1986, Wien). Böse schöne Welt (Erzählungen) 1957, Wovon wir leben und woran wir sterben (Hörspiel) 1958, Reaktionen (Essays) 1964, Das kleine Stifterbuch 1967, Die abgelegte Zeit (Romanfragment) 1985.

Josef ENENGL (1926, Kallham, Oberösterreich – 1993, Wien). Der Vogel Simurg 1957, Am Ursprung der Atmung. Phantastische Gedichte, Erzählungen, Studien, Essays, Traumaufzeichnungen 1987, Linz – Tibet – Wien. Stenogramme 1992.
[Zu ihm Gerhard Jaschke]

Franz Michael FELDER (1839, Schoppernau, Vorarlberg – 1869, ebendort). Bauer und Sozialreformer. Reich und arm 1868, Aus meinem Leben 1904, »Ich will der Wahrheitsgeiger sein«. Ein Leben in Briefen, 1994, Werkausgabe (Lingenhöle) 1969ff.
[Zu ihm Peter Handke]

Antonio FIAN (1956, Klagenfurt), lebt in Wien. Einöde. Aussen, Tag. Erzählungen 1987, Es gibt ein Sehen nach dem Blick. Aufsätze 1989, Schratt. Roman 1992, Was bisher geschah (Dramolette) 1994.
[Über Josef Haslinger]

FRANZOBEL (Stefan Griebl), (1967, Vöcklabruck, Oberösterreich), lebt in Wien und Pichlwang. Verleger und Herausgeber der edition ch. Bachmann-Preis 1995. Masche und Scham. Die Germanistenfalle – eine Durchführung 1993, Das öffentliche Ärgernis. Proklitikon 1993, Elle und Speiche. Modelle der Liebe 1994, Thesaurus. Ein Gleiches. 24 konzeptionelle Gedichte 1995. (Text auf dem Schutzumschlag).
[Über Goethe]

Elisabeth FREUNDLICH (1906, Wien), 1938 vertrieben, 1950 Rückkehr nach Wien. Promovierte Germanistin. Journalistische Veröffentlichungen. Der Seelenvogel (Roman) 1986, Finstere Zeiten. Vier Erzählungen 1986, Die fahrenden Jahre. Erinnerungen 1992.
[Zu ihr Erich Hackl]

Erich FRIED (1921, Wien – 1988, Baden-Baden). Seit 1938 im Exil in London. und Vietnam und (Gedichte) 1966, Liebesgedichte 1979, Nicht verdrängen nicht gewöhnen. Texte zum Thema Österreich 1987, Gründe. Gesammelte Gedichte 1989, Gesamtausgabe (Wagenbach) 1993.
[Zu ihm Ernst Jandl]

Gerhard FRITSCH (1924, Wien – 1969, Wien). Redakteur von »Wort in der Zeit« und »Literatur und Kritik«. Moos auf den Steinen (Roman) 1956, Fasching (Roman) 1967, Gesammelte Gedichte 1978.

Marianne FRITZ (1948, Weiz, Steiermark), lebt seit 1976 in Wien. Die Schwerkraft der Verhältnisse 1978, Dessen Sprache du nicht verstehst 1985.
[Zu ihr Michael Köhlmeier]

Elfriede GERSTL (1932, Wien), überlebte die NS-Zeit in Verstecken, lebt in Wien. Spielräume (Roman) 1977, Narren und Funktionäre (Aufsätze zum Kulturbetrieb) 1980, Vor der Ankunft (Gedichte) 1988, Unter einem Hut (Essays und Gedichte) 1993.
[Über Konrad Bayer]

Franz GRILLPARZER, 1791-1872.
[Zu ihm Peter Handke und Hans Lebert]

Reinhard P. GRUBER (1947, Fohnsdorf, Steiermark), lebt in Stainz, Steiermark. Aus dem Leben Hödlmosers 1973, Einmal Amerika und zurück 1993.
[Über H. C. Artmann]

Erich HACKL (1954, Steyr, Oberösterreich), lebt in Wien. Auroras Anlaß 1987, Abschied von Sidonie 1989, Sara und Simón 1995.
[Über Elisabeth Freundlich]

Peter HANDKE (1942, Griffen, Kärnten), lebt bei Paris. Publikumsbeschimpfung 1966, Die Hornissen 1966, Kaspar 1968, Wunschloses Unglück 1972, Mein Jahr in der Niemandsbucht 1994, Langsam im Schatten. Gesammelte Verzettelungen 1980-1992, 1995.
[Über Grillparzer und Franz Michael Felder]
[Zu ihm Günter Eichberger]

Ingram HARTINGER (1949, Saalfelden), lebt in Klagenfurt. Promovierter Psychologe. Schöner schreiben (Prosa) 1986, Feige Prosa (1988), Das Auffliegen der Ohreule (Prosa) 1993, Amagansett (Gedichte) 1994, Hybris 1995.
[Über Georg Trakl]

Josef HASLINGER (1955, Zwettl, Niederösterreich), lebt in Wien. Promovierter Philosoph. Der Tod des Kleinhäuslers Ignaz Hajek 1985, Politik der Gefühle. Ein Essay über Österreich 1987, Opernball (Roman) 1994.
[Zu ihm Antonio Fian]

Bodo HELL (1943, Salzburg), lebt in Wien. Dom Mischabel Hochjoch (Prosa) 1977, Stadtschrift 1983, Wie geht's. Erzählungen 1989, Stichwort Stadt (mit Hil de Gard und Thomas Northoff) 1991, Gang durchs Dorf: Fingerzeig. 1992.
[Zu ihm Ernst Jandl]

Ernst HERBECK (Alexander), (1920, Stockerau, Niederösterreich – 1991, Gugging, Niederösterreich), seit 1946 in der psychiatrischen Anstalt Gugging, wo ihn der Arzt Leo Navratil zum Schreiben anregte. Im Herbst da reiht der Feenwind. Gesammelte Texte 1992.
[Zu ihm Gerhard Roth]

Werner HERBST (1943, Wien), lebt in Wien. Verleger (herbstpresse). zwischendort. ein poem 1983, drucksachen 1989, Erste Wahl (Sammelband) 1989, eine gute wiener familie 1994, alfabet 1995.

Fritz von HERZMANOVSKY-ORLANDO (1877, Wien – 1954, Meran), lebte als Privatgelehrter; auch Zeichner. Einzige Veröffentlichung zu Lebzeiten: Der Gaulschreck im Rosennetz 1928. 10bändige Gesamtausgabe (Residenz) 1983ff.
[Zu ihm Friedrich Torberg]

Fritz HOCHWÄLDER (1911, Wien – 1986, Zürich). 1938 Flucht aus Österreich. Dramatiker. Das heilige Experiment 1947, Der öffentliche Ankläger 1959, Der Himbeerpflücker 1965, Werkausgabe (Styria) 1975-85.
[Über Johann Nepomuk Nestroy]

Ernst JANDL (1925, Wien), lebt in Wien. Promovierter Germanist. Laut und Luise 1966, Aus der Fremde. Sprechoper 1980, Das Öffnen und Schließen des Mundes (Poetik-Vorlesungen) 1985, stanzen 1992, dingfest 1994, lechts und rinks. gedichte, statements, peppermints 1995, Gesamtausgabe (Luchterhand) 1985.
[Über Erich Fried, Goethe, Bodo Hell und Rilke]
[Zu ihm Friederike Mayröcker]

Gerhard JASCHKE (1949, Wien), lebt in Wien. Verleger, Herausgeber der Literaturzeitschrift »freibord«. ursachen rauschen 1990, Von der täglichen Umdichtung des Lebens alleingelassener Singvögel in geschlossenen Literaturapotheken am offenen Mehr (Poetik-Vorlesungen) 1992, Von mir aus 1993, der rede wert 1994.
[Über Josef Enengl]

Elfriede JELINEK (1946, Mürzzuschlag, Steiermark), lebt in Wien und München. Zahlreiche Hörspiele und essayistische Arbeiten. Die Liebhaberinnen (Roman) 1975, Die Klavierspielerin (Roman) 1983, Lust (Roman) 1989, Totenauberg (Drama) 1991, Die Kinder der Toten 1995.
[Über Peter Turrini]
[Zu ihr Marie-Thérèse Kerschbaumer]

Franz KAFKA, 1883-1924.
[Zu ihm Elias Canetti]

Franz KAIN (1922, Bad Goisern, Oberösterreich), lebt nach einem längeren Aufenthalt in der Deutschen Demokratischen Republik in Linz. Der Föhn bricht ein (Roman) 1962, Der Weg zum Ödensee (Erzählungen) 1973, Am Taubenmarkt (autobiogr. Roman) 1991.
[Über Franz Stelzhamer]

Marie-Thérèse KERSCHBAUMER (1936, Garches, Frankreich), lebt in Wien. Promovierte Linguistin (Romanistik). Der weibliche Name des Widerstands. 1980, Schwestern 1982, Für mich hat Lesen etwas mit Fließen zu tun (Essays) 1989, Neun Canti auf die irdische Liebe (1989), Ausfahrt (Roman) 1994.
[Über Elfriede Jelinek]

Michael KÖHLMEIER (1949, Hard, Vorarlberg), lebt in Hohenems (Vorarlberg). Der Peverl Toni und seine abenteuerliche Reise durch meinen Kopf 1982, Moderne Zeiten 1984, Spielplatz der Helden 1988, Die Musterschüler 1989, Im Süden der Vernunft (Essays) 1991, Sunrise 1994, Telemach 1995.
[Über Marianne Fritz]

Gerhard KOFLER (1949, Bozen), lebt in Wien. Generalsekretär der Grazer Autorenversammlung, Kritiker. Lyriker (auch in italienischer und spanischer Sprache). Südtiroler Extravaganzen 1981, Die Rückseite der Geographie 1988, Mexcaltitán 1989, Piccole tazze: poesie in Grecia 1992, Intermezzo a Vienna 1993.

Werner KOFLER (1947, Villach), lebt in Wien. Guggile 1975, Hotel Mordschein 1989, Wie ich Roberto Cazzola in Triest plötzlich und grundlos drei Ohrfeigen versetzte. Versprengte Texte 1994, Herbst, Freiheit: ein Nachtstück 1994.
[Über Robert Schneider]

Karl KRAUS, 1874-1936.
[Zu ihm Michael Scharang]

Ulrike LÄNGLE (1953, Bregenz), lebt als Literaturwissenschaftlerin und Autorin in Bregenz. Am Marterpfahl der Irokesen (Kurzprosa) 1992, Der Untergang der Romanshorn (Kurzprosa) 1994.
[Über Max Riccabona]

Hans LEBERT (1919, Wien – 1993, Baden bei Wien). Das Schiff im Gebirge 1954, Die Wolfshaut 1960, Der Feuerkreis 1971.
[Über Franz Grillparzer]

Alexander LERNET-HOLENIA (1897, Wien – 1976, Wien). Die Standarte 1934, Der Baron Bagge 1936, Mars im Widder 1941, Das lyrische Gesamtwerk 1989.

Friederike MAYRÖCKER (1924, Wien), lebt in Wien. Tod durch Musen. Poetische Texte 1966, In langsamen Blitzen (Gedichte) 1974, Magische Blätter I-IV 1983-1995, Das Herzzerreißende der Dinge (Prosa) 1985, mein Herz mein Zimmer mein Name (Prosa) 1988, Gesammelte Prosa 1949-1975 1989, Lection (Prosa) 1994.
[Über Ernst Jandl]
[Zu ihr Petra Nachbaur, Ferdinand Schmatz, Sylvia Treudl]

Meta MERZ (Christina Haidegger) (1965, Salzburg – 1989, ebendort). Aus dem Nachlaß: Erotik der Distanz 1990.
[Zu ihr Margit Schreiner]

Janko MESSNER (1921, Dob/Aich, Kärnten), lebt in Žrelec (Ebental). Ein Kärntner Heimatbuch (1986), Kärntner Tryptichon 1990ff. Zahlreiche Veröffentlichungen in slowenischer Sprache.
[Zu ihm Peter Turrini]

Felix MITTERER (1948, Achenkirch, Tirol), lebt in Innsbruck. Dramatiker, Drehbuchautor, auch Schauspieler. Kein Platz für Idioten 1977/1979, Kein schöner Land 1987, Sibirien 1989, Verkaufte Heimat 1989, Die Piefke-Saga 1991, Ein Jedermann 1991, Krach im Hause Gott 1994, Stücke (Haymon) 1992.
[Über Peter Rosegger]

Robert MUSIL, 1880-1942.
[Zu ihm Michael Scharang]

Petra NACHBAUER, siehe S. 316.
[Über Friederike Mayröcker]

Johann Nepomuk NESTROY, 1801-1862.
[Zu ihm Fritz Hochwälder]

Robert NEUMANN (1897, Wien – 1975, München). 1938 vertrieben, Exil in England. Mit fremden Federn (Parodien) 1927, Die Kinder von Wien (Roman) 1948, Ein leichtes Leben. Bericht über mich selbst und Zeitgenossen 1963.
[Über Hermann Broch]

Andreas OKOPENKO (1930, Kaschau, Slowakei), lebt seit 1939 in Wien. Lexikon einer sentimentalen Reise zum Exporteurtreffen in Truden 1970, Meteoriten 1976, Gesammelte Lyrik 1980, Lockergedichte 1983.
[Zu ihm Heidi Pataki]

Heidi PATAKI (1940, Wien), lebt in Wien. Präsidentin der Grazer Autorenversammlung. schlagzeilen, Gedichte 1968, stille post 1978, kurze pause 1993, guter ruf die heilige familie 1994.
[Über Heimrad Baecker und Andreas Okopenko]

Reinhard PRIESSNITZ (1945, Wien – 1985, Wien). vierundvierzig gedichte 1978. Werkausgabe (edition neue texte/Droschl) 1986ff.

Ingrid PUGANIGG (1947, Gassen, Kärnten), lebte längere Zeit in Vorarlberg, jetzt in München. Fasnacht (Roman) 1981, Laila (Roman) 1988, Hochzeit 1992.
[Über Georg Trakl]

Helmut QUALTINGER (1928, Wien – 1986, Wien). Berühmt als Kabarettist und Schauspieler. Kabarettexte, Der Herr Karl (mit Carl Merz) 1962, Der Mörder und andere Leut' (Satiren) 1975, Das letzte Lokal (Satiren) 1981. Gesamtausgabe in Vorbereitung.
[Zu ihm Robert Schindel und Peter Turrini]

Elisabeth REICHART (1953, Steyregg, Oberösterreich), promovierte Historikerin, lebt in Wien. Februarschatten (Erzählung) 1984, Fotze (Erzählung) 1993, Sakkorausch 1994, Herausgeberin des Sammelbands »Österreichische Dichterinnen« 1993.
[Über Helene von Druskowitz]

Marcel REICH-RANICKI (1920, Wloclawek, Polen). Seit 1958 in der Bundesrepublik Deutschland. Prominenter Literaturkritiker, zuletzt bei der »Frankfurter Allgemeinen Zeitung«. Zahlreiche Sammelbände seiner Rezensionen.

Max RICCABONA (1915, Feldkirch, Vorarlberg), Jurist, Haft im Konzentrationslager, lebt bei Bregenz. Bauelemente zur Tragikomödie des x-fachen Dr. von Halbgreyffer oder Protokolle einer progressivsten Halbbildungsinfektion 1980 (Auszüge aus seinem unveröffentlichten Hauptwerk), Poetatastrophen 1993, Auf dem Nebengeleise. Erinnerungen und Ausflüchte 1995.
[Zu ihm Ulrike Längle]

Rainer Maria RILKE, 1875-1926.
[Zu ihm Ernst Jandl]

Peter ROSEGGER (1843, Alpl – 1918, Krieglach, Steiermark). Seit 1875 Herausgeber der Zeitschrift »Heimgarten«. Starker sozialreformerischer Impuls. Die Schriften des Waldschulmeisters 1875, Als ich noch der Waldbauernbub war 1900-1902. Zahlreiche Auswahl- und Gesamtausgaben.
[Zu ihm Felix Mitterer]

Gerhard ROTH (1942, Graz), lebt in Wien. Der große Horizont 1974, Winterreise 1978, Der stille Ozean 1980, Landläufiger Tod 1984, Eine Reise in das Innere von Wien 1991, Der See 1995.
[Über Alexander / Ernst Herbeck]

Joseph ROTH, 1894-1939.
[Zu ihm Friedrich Torberg]

Gerhard RÜHM (1930, Wien), Musiker, Dozent an der Kunsthochschule Hamburg, lebt in Köln. Mitglied der Wiener Gruppe. Konstellationen 1961, Ophelia und die Wörter 1972, Text – Bild – Musik 1984, botschaft an die zukunft. Gesammelte Sprechtexte 1988, Geschlechterdings 1990, Textall 1993, Bravo 1994.
[Zu ihm Heimito von Doderer]
[Über Wildgans und Goethe]

Ferdinand SAUTER (1804, Werfen, Salzburg – 1854, Wien). Berühmte Bohemien-Gestalt des vormärzlichen Wien. Gedichte 1855, Gedichte (Auswahl) 1995.
[Zu ihm O. P. Zier]

Michael SCHARANG (1941, Kapfenberg, Steiermark), lebt in Wien. Promovierter Germanist. Charly Traktor (Roman) 1973, die rationen des ja und des nein. Gedichte 1988, Das

Wunder Österreich (Essays) 1989, abriß der ariadnefabrik 1991. Auf nach Amerika 1992.
[Über Karl Kraus und Robert Musil]

Robert SCHINDEL (1944, Bad Hall, Oberösterr.), lebt in Wien. Geier sind pünktliche Tiere (Gedichte) 1987, Gebürtig (Roman) 1992, Die Nacht der Harlekine (Erzählungen) 1994.
[Über Hermann Schürrer und Helmut Qualtinger]

Ferdinand SCHMATZ (1953, Korneuburg, Niederösterr.), lebt in Wien. Promovierter Germanist. der (ge)dichte lauf 1979, die Wolke und die uhr 1986, Die Reise. In achtzig flachen Hunden in die ganz tiefe Grube 1987, Speise. gedichte 1992, Sprache, Macht, Gewalt 1994.
[Über Friederike Mayröcker]

Robert SCHNEIDER (1961, Bregenz), lebt in Meschach (Vorarlberg). Schlafes Bruder (Roman) 1992, Dreck (Drama) 1993.
[Zu ihm Werner Kofler]

Margit SCHREINER (1953, Linz), lebt in Salzburg und Berlin. Die Rosen des Heiligen Benedikt 1989, Mein erster Neger 1990, Die Unterdrückung der Frau, die Virilität der Männer, der Katholizismus und der Dreck. Roman in Geschichten 1995.
[Über Meta Merz]

Hermann SCHÜRRER (1928, Wolfsegg, Oberösterreich – 1986, Wien). Mitbegründer der Zeitschrift »freibord«. Der letzte Yankeedoodle vor dem Untergang der Vereinigten Staaten 1991, Klar Schilf zum Gefecht. Lyrische Texte 1954-1984 1984.
[Zu ihm Robert Schindel]

Julian SCHUTTING (früher Jutta Schutting), (1937, Amstetten, Niederösterreich), lebt in Wien. Promovierter Philosoph. Tauchübungen 1974, Der Vater 1980, Liebesgedichte 1982, Zuhörerbehelligungen. Vorlesungen zur Poetik 1991.

Werner SCHWAB (1958, Graz – 1994, Graz). Dramatiker (Fäkaliendramen 1991, Königskomödien 1992, Dramen III 1994), Abfall, Bergland, Cäsar (Prosa) 1992, Der Dreck und das Gute. Das Gute und der Dreck (Essay) 1992.
[Zu ihm Günter Eichberger]

Hilde SPIEL (1911, Wien – 1990, Wien), promovierte Philosophin, seit 1936 in England, seit 1963 wieder in Wien. Literaturkritikerin. Verwirrung am Wolfgangsee 1935, Fanny von Arnstein 1962, Lisas Zimmer 1965, Die hellen und die finsteren Zeiten 1989, Welche Welt ist meine Welt? 1990.

Franz STELZHAMER (1802, Großpiesendorf, Oberösterr. – 1874, Henndorf bei Salzburg). Lieder in obderenns'scher Volksmundart 1837, Politische Volkslieder 1848, D'Ahnl 1854.
[Zu ihm Franz Kain]

Adalbert STIFTER, 1805-1868.
[Zu ihm Ilse Aichinger]

Friedrich TORBERG (1908, Wien – 1979, Wien). 1938 vertrieben, Exil in den USA. 1954-1965 Herausgeber der Zeitschrift »Forum«. Der Schüler Gerber hat absolviert 1930, P. P. P. Pamphlete, Parodien, Post Scripta 1964, Die Tante Jolesch oder Der Untergang des Abendlandes in Anekdoten 1975.
[Über Fritz von Herzmanovsky-Orlando und Joseph Roth]

Georg TRAKL, 1887-1914.
[Zu ihm Helmut Eisendle, Ingram Hartinger, Ingrid Puganigg]

Sylvia TREUDL (1959, Krems, Niederösterreich), promovierte Politologin, lebt in Wien und Krems. Verlegerin und Herausgeberin zahlreicher Anthologien im Wiener Frauenverlag. Sporenstiefel halbgar. Liebesgeschichten 1990, in wildem gleichmaß warmgelaufen 1992, Montagmorgen einer Geliebten 1994, Im schallenden Blau der Liebe 1995.
[Über Friederike Mayröcker]

Peter TURRINI (1944, St. Margarethen, Kärnten), lebt in Wien. Rozznjogd 1973, Sauschlachten 1973, Alpensaga (Fernsehserie) 1980, Mein Österreich. Reden, Polemiken, Aufsätze 1988, Grillparzer im Pornoladen 1993, Die Schlacht um Wien 1995.
[Über Janko Messner und Helmut Qualtinger]
[Zu ihm Elfriede Jelinek]

Liesl UJVARY (1939, Preßburg/Bratislava), aufgewachsen in Tirol, lebt in Wien. Promovierte Slawistin. Sicher & Gut (experimentelle poetische Texte) 1977, rosen, zugaben (Gedichte) 1983, Tiere im Text (Roman) 1991, Hoffnungsvolle Ungeheuer (Prosastücke) 1993.

Hans WEIGEL (1908, Wien – 1991, Maria Enzersdorf bei Wien). 1938-1945 im Schweizer Exil. Einflußreicher Kritiker. Der grüne Stern (Roman) 1946, Flucht vor der Größe (Essays) 1960, Die Leiden der jungen Wörter. Ein Antiwörterbuch 1976.

Anton WILDGANS (1881, Wien – 1932 in Mödling bei Wien). Lyriker und Dramatiker. Herbstfrühling (Gedichte) 1909, Armut (Drama) 1914, Kirbisch (Epos) 1927, Gesamtausgabe (Bellaria) 1948ff.
[Zu ihm Gerhard Rühm]

Josef WINKLER (1953 in Kamering bei Paternion, Kärnten), lebt in Paternion, (Kärnten). Menschenkind 1979, Der Ackermann aus Kärnten 1980, Muttersprache 1982, Friedhof der bitteren Orangen 1990, Das Zöglingsheft des Jean Genet 1992.
[Über Thomas Bernhard]

O. P. ZIER (1954, Schwarzach/St. Veit), lebt in St. Johann i. P. (Salzburg). Der rettende Sprung auf das sinkende Schiff (Gedichte) 1988, Andeutungen, ein Lesebuch 1994.
[Über Ferdinand Sauter]

*

Petra NACHBAUR, geboren 1970 in Bludenz (Vorarlberg), Mag. phil. (Vergleichende Literaturwissenschaft und Germanistik). Literarische Veröffentlichungen, zuletzt: das ist danach im tiger-magen. Wien: herbstpresse 1995. Mitglied der Grazer Autorenversammlung.

Sigurd Paul SCHEICHL, geboren 1942 in Innsbruck, aufgewachsen in Kufstein (Tirol). O. Professor für Österreichische Literaturgeschichte und Allgemeine Literaturwissenschaft an der Universität Innsbruck. Mitbegründer und zeitweise Mitherausgeber der Tiroler Literaturzeitschrift »Inn«. Mitglied der Grazer Autorenversammlung.

Wendelin SCHMIDT-DENGLER, geboren 1942 in Zagreb, aufgewachsen in Wien. O. Professor für Neuere deutsche Literatur an der Universität Wien, designierter Leiter des Österreichischen Literaturarchivs. Mitglied der Grazer Autorenversammlung.

Druckvorlagen

Von uns ergänzte Titel stehen hier und im Inhaltsverzeichnis in eckigen Klammern, vor dem
Text entweder gar nicht oder kursiv.
© *wenn nicht anders angegeben beim jeweiligen Verlag.*

Aichinger, Ilse: Weiterlesen. Zu Adalbert Stifter, in: IA, Werke. Taschenbuchausgabe in 8
Bänden (hg. von Richard Reichensperger). 5. Band. Frankfurt am Main: S. Fischer
1991, S. 93-97. © S. Fischer 1987.
Aichinger, Ilse: Thomas Bernhard, ebenda, S. 109. © Fischer Taschenbuchverlag GmbH,
Frankfurt am Main 1991.
Améry, Jean: Trotta kehrt zurück. Über Ingeborg Bachmanns Novellenband »Simultan«,
in: Die Weltwoche. 8. 11. 1972. Abdruck mit freundlicher Genehmigung des Verlags
Klett-Cotta, Stuttgart.
Artmann, H. C.: Nochmals Surrealismus, in: Neue Wege 5. 1949/50 (Mai 1950), S. 529.
© H. C. Artmann.
Basil, Otto: Ritter Johann des Todes oder Das österreichische Apokalypserl, in: Wort in
der Zeit 8. 1962. H. 2, S. 4-11. © Langen Müller in der F. A. Herbig Verlagsbuchhand-
lung GmbH., München.
Bauer, Wolfgang: »bis in alle ewigkeit«, in: WB, Werke in 7 Bänden. 6. Band: Kurzprosa,
Essays und Kritiken. Graz: Droschl 1989, S. 91.
Bauer, Wolfgang: Was ist das österreichische Theater? Eine Gleichung, ebenda, S. 106.
Bayer, Konrad: situation des österreichischen literatur der gegenwart, in: KB, Sämtliche
Werke. 1. Band. Wien: ÖBV, Klett-Cotta 1985, S. 346.
Bayer, Konrad: bayers vaterländische liste, zitiert aus: Gerhard Rühm: vorwort zu: Konrad
Bayer: Sämtliche Werke. 1. Band. Wien: ÖBV, Klett-Cotta 1985, S. 14.
Brandstetter, Alois: Nach und neben Handke ... P.H. ist Kärntens Beitrag zum
literarischen World Cup, in: Börsenblatt für den Deutschen Buchhandel 35. 1979.
Sondernummer (19.3.1979), S. 27-30. © Alois Brandstetter.
Brandstetter, Alois: Was Thomas Bernhard nicht lesen durfte, in: AB: Landessäure. Starke
Stücke und schöne Geschichten. Hg. von Hans-Jürgen Schrader. Stuttgart: Reclam
1986, S. 27-30. © Alois Brandstetter.
Canetti, Elias: »Die tiefste Verehrung meines Lebens«, in: Die Presse, 24. 9. 1981. © Han-
ser-Verlag, München.
Canetti, Elias: Rede bei der Entgegennahme des Literatur-Nobelpreises in Stockholm, in:
Neue Zürcher Zeitung, 13./14.12.1981. © Die Nobelstiftung 1981.
Doderer, Heimito von: Drei Dichter entdecken den Dialekt, in: HvD, Die Wiederkehr der
Drachen. Aufsätze, Traktate, Reden. München: Beck 1970, S. 237-238. (= Vorwort zu:
F. Achleitner, H. C. Artmann, G. Rühm: hosn, rosn, baa. Wien 1959, S. 5f.). © C.H.
Beck'sche Verlagsbuchhandlung, München 1969.
Eichberger, Günter: Blutbademeister. Werner Schwab, in: GE, Der Doppelgänger des Ver-
wandlungskünstlers. Satirische Dichterporträts. Graz: Styria 1994, S. 141-144.
Eichberger, Günter: Vom Himmel hoch. Peter Handke, ebenda, S. 81-86.
Eisendle, Helmut: Romanze zur Nacht nach Georg Trakl, in: Manuskripte H. 58. 1977, S. 60.
© Helmut Eisendle.
Eisendle, Helmut: Sprachgebrauch und Weltanschauung. Korrespondenz zwischen
österreichischer und deutscher Literatur, in: Wespennest H. 93. 1993, S. 55-58.
© Helmut Eisendle.
Eisenreich, Herbert: Surrealismus und so, in: Neue Wege 5. 1949/50 (April 1950), S. 502-
504. © Christine Fritsch.
Fian, Antonio: Haslinger, Josef: Verbrechen und Verantwortung. Gedruckt nach dem
Manuskript des Autors. Mit leichten Eingriffen erschienen u. d. T. Haslinger und

der Opernball. Verbrechen und Verantwortung. Wie sich der Autor von einem bösen Verdacht reinwaschen konnte, in: Der Standard, 31. 3 1995. © Antonio Fian.

Franzobel: Thesaurus. Ein Gleiches. 24 konzeptionelle Gedichte. (= experimentelle texte 39). Siegen 1995. © Franzobel, 1992.

Fried, Erich: Zur österreichischen Literatur seit 1945, in: EF, Nicht verdrängen nicht gewöhnen. Texte zum Thema Österreich. Hg. von Michael Lewin. Wien: Europa 1987, S. 23-27. Abdruck mit freundlicher Genehmigung von Kurt Groenwold, Hamburg.

Fritsch, Gerhard: »Wer hat's Ihnen denn g'schafft?« Verliert sich »das Österreichische« aus der Literatur?, in: Literatur und Kritik 29. 1994, H. 281/82, S. 85-88. © Barbara Fritsch.

Gerstl, Elfriede: konkrete poeten und die es einmal waren, in: Barbara Alms (Hg.): Blauer Streusand. Frankfurt am Main: Suhrkamp 1987, S. 108. © Elfriede Gerstl.

Gerstl, Elfriede: Über Bayers Zweifel an der Kommunikationsfähigkeit der Sprache in einem engeren privaten Sinn und inwiefern er verstanden oder mißverstanden wurde, in: Gerhard Rühm (Hg.): Konrad Bayer-Symposium Wien 1979. Linz: neue texte 1981, S. 41-45. © Elfriede Gerstl.

Gruber, Reinhard P.: graz – die unheimliche literaturhauptstadt, in: Manuskripte H. 50. 1975, S. 139-141. © Reinhard P. Gruber.

Gruber, Reinhard P.: HC Artmann: Phallus phalli steigern, in: protokolle 1975. H. 1, S. 102f. © Reinhard P. Gruber.

Hackl, Erich: Weder Trotz noch Wehmut. Elisabeth Freundlichs »Fahrende Jahre«, in: Die Presse. 19. 9. 1992. (Dort u. d. T.: Schäumte auf dem Heldenplatz der Flieder. Erinnerungen einer Verstoßenen: Die Wiener Autorin Elisabeth Freundlich über ihre fahrenden Jahre.) © Erich Hackl.

Handke, Peter: »Ich liebe ihn«. Dankrede bei der Verleihung des Grillparzer-Preises 1991, in: profil, 21.1.1991. © Suhrkamp Verlag, Frankfurt am Main 1992.

Handke, Peter: Zu Franz Michael Felder. [Vorbemerkung zu:] Franz Michael Felder: Aus meinem Leben. Frankfurt am Main: Suhrkamp 1987. S. 5f. (Zuerst Salzburg: Residenz 1985). © Suhrkamp Verlag.

Hartinger, Ingram: [Über Georg Trakl], in: Finck, Adrien/Weichselbaum, Hans (Hg.): Antworten auf Georg Trakl. Salzburg: Otto Müller 1992, S. 68. © Ingram Hartinger.

Herbst, Werner: waldlandschaft, in: 5 Jahre freibord. 10 Jahre herbstpresse. Eine Dokumentationsausstellung. Wien 1980, unpaginiert. © Werner Herbst.

Hochwälder, Fritz: Die Stunde Nestroys, in: FH, Im Wechsel der Zeit. Autobiographische Skizzen und Essays, Graz: Styria 1980, S. 47-51.

Jandl, Ernst: ernst jandls nachtlied, in: Manuskripte H. 23/24. 1968, S. 24. © 1985 Hermann Luchterhand Verlag, Darmstadt und Neuwied.

Jandl, Ernst: rilkes name (aus: EJ, der gewöhnliche rilke 1-17), in: Heinz Ludwig Arnold (Hg.): Rilke? Kleine Hommage zum 100. Geburtstag. München: Text und Kritik 1975, S. 11. © Luchterhand Verlag.

Jandl, Ernst: verwandte, in: EJ, Idyllen. Hamburg: Luchterhand 1992, S. 8.

Jandl, Ernst: Wenn von Erich Fried die Rede ist. Rede für Bodo Hell, in: protokolle 1991. H. 2, S. 47-54. © Luchterhand Verlag.

Jaschke, Gerhard: Josef Enengl †, in: freibord Nr. 83, 1993, S. 11-16. © Gerhard Jaschke.

Jelinek, Elfriede: In den Waldheimen und auf den Haidern. Rede zur Verleihung des Heinrich-Böll-Preises in Köln am 2. 12. 1986, in: Barbara Alms (Hg.): Blauer Streusand. Frankfurt am Main: Suhrkamp 1987, S. 42-44. © Elfriede Jelinek.

Jelinek, Elfriede: Der Turrini Peter, in: Breicha, Otto/Urbach, Reinhard (Hg.): Österreich zum Beispiel. Literatur, Bildende Kunst, Film und Musik seit 1968. Salzburg: Residenz 1982, S. 335f. © Elfriede Jelinek.

Kain, Franz: Stelzhamer und die Stelzhamerei, in: Die Rampe. Texte für Literatur (Linz). November 1994, S. 36-38. Freundlicherweise hat der Autor selbst die Korrekturabzüge gelesen, so daß der hier vorliegende Text als autorisiert gelten kann. © Franz Kain.

Kerschbaumer, Marie-Thérèse: Porträt einer Dichterin: Elfriede Jelinek, in: MTK, Für mich hat Lesen etwas mit Fließen zu tun … Gedanken zum Lesen und Schreiben von Literatur. Wien: Wiener Frauenverlag 1989, S. 147-152. © Wiener Frauenverlag.

Köhlmeier, Michael: Marianne Fritz, eine österreichische Schehcrazade, in: Die Presse 1./2.3.1986. © Michael Köhlmeier.

Kofler, Gerhard: Die Besucher, in: Wespennest Nr. 51. 1983, S. 16. © Gerhard Kofler.

Kofler, Werner: Der wilde Jäger, prompt, in: WK, Wie ich Roberto Cazzola in Triest plötzlich und grundlos drei Ohrfeigen versetzte. Versprengte Texte. Wien: Wespennest 1994, S. 7. © Verlag Wespennest.

Kofler, Werner: Du holde Kunst. Eine Absage, ebenda, S. 113-115. © Verlag Wespennest.

Längle, Ulrike: Max Riccabona zu Ehren. Bauelemente zu einer Laudatio für Max Riccabona anläßlich der Verleihung des Ehrenpreises des Vorarlberger Buchhandels am 24. 10. 1991 in Rankweil. Unveröffentlicht. Freundlicherweise hat die Autorin selbst die Korrekturen gelesen. © Ulrike Längle.

Lebert, Hans: Schützt Euer Land selbst! Dankesrede zur Verleihung des Grillparzer-Preises 1992. In: Forum Nr. 457 (15.1.1992), S. 1f. © Edda Lebert.

Lernet-Holenia, Alexander: Gruß des Dichters, in: Der Turm (Wien) 1. 1945/46. S. 109. © Alexander Dreihann-Holenia.

Mayröcker, Friederike: Ernst Jandl und seine Götterpflicht, in: FM, Magische Blätter II. Frankfurt: Suhrkamp 1987, S. 66-69. © Suhrkamp Verlag.

Mayröcker, Friederike: [Zur österreichischen Literatur], in: Manuskripte H. 89/90. 1985, S. 227. © Friederike Mayröcker.

Mitterer, Felix: Geburtstagsrede für Peter Rosegger, in: Das Fenster (Innsbruck) Nr. 55. 1993, S. 5312-5315. © Felix Mitterer.

Nachbaur, Petra: [Mesostichon für Friederike Mayröcker], in: freibord. Nr. 90. 1994, S. 37. © Petra Nachbaur.

Neumann, Robert: Vom Textil zu Vergil, in: Die Zeit, 28. 10. 1966. Abdruck mit freundlicher Genehmigung der Liepman AG Zürich.

Okopenko, Andreas: Apologie ohne Surrealismus, in: Neue Wege 6. 1950/51 (November 1950), S. 93. © Andreas Okopenko.

Pataki, Heidi: Andreas Okopenko, in: Neues Forum H. 216/ I/II, Dezember 1971, S. 66f. © Heidi Pataki.

Pataki, Heidi: heimrad baecker, in: HP, kurze pause. Wien: herbstpresse 1993, S. 41. © Heidi Pataki, Text von ihr selbst korrigiert.

Priessnitz, Reinhard: ins leere gebaut. zum begriff der literarischen moderne als augenscheinliches prunkgebäude österreichischer rezeptions-architektur, in: RP, werkausgabe 3/2 (literatur, gesellschaft etc. aufsätze). Linz: edition neue texte 1990, S. 64-77. Da dieser Abdruck einige Fehler zu enthalten scheint, wurde mit dem Erstdruck (in: Umriß, Wien, 4. Jg., 1985, H. 2, S. 18-22, übrigens in normalisierter Orthographie) verglichen; nach ihm konnten einige Korrekturen vorgenommen werden, einige Stellen bleiben allerdings weiterhin unklar. © Droschl Verlag.

Puganigg, Ingrid: [Über Georg Trakl], in: Finck, Adrien/Weichselbaum, Hans (Hg.): Antworten auf Georg Trakl. Salzburg: Otto Müller 1992, S. 88. © Ingrid Puganigg.

Reichart, Elisabeth: Frauentafel, in: ER, Sakkorausch. Ein Monolog. Salzburg: Otto Müller 1994, S. 69-79.

Reich-Ranicki, Marcel: Wer hat Angst vor Hilde Spiel?, in: Wort in der Zeit 11. 1965. H. 1/2, S. 15-18. Dieser Text erschien im Rahmen einer Festnummer »10 Jahre ›Wort in der Zeit‹« und hat die Form eines Briefes an eine Mitarbeiterin der Zeitschrift, Dr. Elisabeth Angerer. © Marcel Reich-Ranicki.

Roth, Gerhard: langsam scheiden. Ein Besuch bei Alexander, in: Breicha, Otto/Urbach, Reinhard (Hg.), Österreich zum Beispiel. Literatur, Bildende Kunst, Film und Musik seit 1968. Salzburg: Residenz 1982, S. 230-236. Wieder abgedruckt in: Gerhard Roth: Menschen Bilder Marionetten. © S. Fischer Verlag GmbH, Frankfurt am Main 1979.

319

Rühm, Gerhard: ein gleiches nach goethe. eine umdichtung, in: GR, Geschlechterdings. Chansons. Romanzen. Gedichte. Reinbek: Rowohlt 1990, S. 251. © G. Rühm.

Rühm, Gerhard: verbesserung eines sonetts von anton wildgans durch neumontage des wortmaterials, in: GR (Hg.), Die Wiener Gruppe. Artmann, Bayer, Rühm, Wiener. Texte, Gemeinschaftsarbeiten, Aktionen. Reinbek: Rowohlt 1967, S. 158f. © Gerhard Rühm.

Rühm, Gerhard: wie man im hawelka klassiker liest, in: GR, text. bild. musik. ein schau- und lesebuch. Wien: edition freibord 1984, S. 118. © Gerhard Rühm.

Scharang, Michael: Die Antwort, in: Die Presse, 29./30.7.95 (dort ohne Widmung). Erste Fassung in Manuskripte H. 89/90. 1985, S. 83 mit der Anmerkung: »Dieses Gedicht heißt nicht nur die Antwort, es *ist* die Antwort – und zwar auf ein Preisausschreiben der Regierung, in dem gefordert wurde, alle Probleme, die es mit der österreichischen Identität, dem österreichischen Wesen und dem österreichischen Geist immer noch gibt, mit einem Schlag zu lösen. Dieses Gedicht wurde preisgekrönt. Statt eines Geldpreises erhielt der Autor die Zusicherung, daß seine Antwort bis zum nächsten Preisausschreiben als endgültige Antwort gilt.« © Michael Scharang.

Scharang, Michael: Zur Dritten Walpurgisnacht, in: Literatur und Kritik 22. 1987, S. 152-156. © Michael Scharang.

Scharang, Michael: Das Prinzip der prinzipienlosen Ironie. Über Robert Musil, u. d. T. Ein Mann mit Eigenschaften. Über Robert Musil, in: Zeit-Magazin Nr. 39, 23.9.1988. Freundlicherweise hat der Autor seine Beiträge selbst korrigiert. © Michael Scharang.

Schindel, Robert: Herbstkarte Österreich Sechsundachtzig, in: Manuskripte H. 94. 1986, S. 2. © Suhrkamp Verlag, Frankfurt am Main 1987.

Schindel, Robert: Nichts erinnert an Schürrer, in: Manuskripte H. 95. 1987, S. 57. © Suhrkamp Verlag, Frankfurt am Main 1987.

Schmatz, Ferdinand: fritzi's auto-bio-graphie, in: Manuskripte H. 126. 1994, S. 5. © Ferdinand Schmatz.

Schreiner, Margit: Meta Merz, in: Elisabeth Reichart (Hg.): Österreichische Dichterinnen. Salzburg: Otto Müller 1993, S. 145-166. © Margit Schreiner.

Schutting, Julian: Gibt es eine österreichische Literatur? (= Die nicht gehaltenen Vorlesungen 3), in: Wespennest H. 82. 1991, S. 21-23. © Julian Schutting.

Spiel, Hilde: »der österreichische küßt die zerschmetterte hand«. Über eine österreichische Nationalliteratur, in: Deutsche Akademie für Sprache und Dichtung, Jahrbuch 1980, 1. Teil. Heidelberg 1980, S. 34-42. © nymphenburger in der F. A. Herbig Verlagsbuchhandlung GmbH, München.

Torberg, Friedrich: Die Österreichische Spirale. Am 27. Mai vor zehn Jahren starb Fritz von Herzmanovsky-Orlando, in: Wort in der Zeit 10. 1964. H. 5, S. 1-6. © Langen Müller in der F. A. Herbig Verlagsbuchhandlung GmbH, München.

Torberg, Friedrich: Kleines Requiem für Joseph Roth, in: Forum 1. 1954. H. 9 (September), S. 28. © Amalthea in der F. A. Herbig Verlagsbuchhandlung, München.

Treudl, Sylvia: schwarze seide, in: freibord Nr. 90. 1994, S. 104. © Sylvia Treudl.

Turrini, Peter: Helmut Qualtinger, in: PT, Mein Österreich. Reden, Polemiken, Aufsätze. Darmstadt: Luchterhand 1988, S. 148f.

Turrini, Peter: Janko Messner, ebenda, S. 68-72.

Ujvary, Liesl: [Zur österreichischen Literatur], in: Manuskripte H. 89/90. 1985, S. 231f. © Liesl Ujvary.

Weigel, Hans: Sprache als Schicksal. Vorläufige Bemerkungen über »Das Österreichische« in der österreichischen Literatur, in: Wort in der Zeit 10. 1964. H. 4, S. 1-5. Abdruck mit freundlicher Genehmigung von Elfriede Ott.

Winkler, Josef: Schutzengel der Selbstmörder. Eingedenken am ersten Todestag Thomas Bernhards, in: Frankfurter Rundschau, 17.2.1990. Nachdruck mit einigen vom Autor gewünschten Änderungen. © Josef Winkler.

Zier, O. P.: Immer mehr und mehr – versaut er. Ferdinand Sauter, 1804–1854. Gedruckt nach dem Manuskript des Autors. U. d. T. über Ferdinand Sauter, in: Literatur und Kritik 28. 1993. H. 275/76, S. 101-104. © O. P. Zier.